Adrian Holderegger (Hrsg.)

Das medizinisch assistierte Sterben

STUDIEN ZUR THEOLOGISCHEN ETHIK
ÉTUDES D'ÉTHIQUE CHRÉTIENNE

Herausgegeben vom Moraltheologischen Institut
der Universität Freiburg Schweiz
unter der Leitung von

Adrian Holderegger (dt. Abteilung) und
Roger Berthouzoz (franz. Abteilung)

80

Adrian Holderegger (Hrsg.)

Das medizinisch assistierte Sterben

Zur Sterbehilfe aus medizinischer, ethischer, juristischer und theologischer Sicht

UNIVERSITÄTSVERLAG
FREIBURG SCHWEIZ

VERLAG HERDER
FREIBURG – WIEN

Die Deutsche Bibliothek – CIP-Einheitsaufnahme

Das medizinisch assistierte Sterben:
Zur Sterbehilfe aus medizinischer, ethischer, juristischer und theologischer Sicht / Adrian Holderegger (Hrsg.) – Freiburg, Schweiz: Univ.-Verl.; Freiburg i. Br.: Herder, 1998
  (Studien zur theologischen Ethik; 80)
  ISBN 3-7278-1179-X (Univ.-Verl.)
  ISBN 3-451-26709-8 (Herder)

Die Druckvorlagen der Textseiten
wurden vom Herausgeber
als reprofertige Vorlagen zur Verfügung gestellt.

© 1999 by Universitätsverlag Freiburg Schweiz
Paulusdruckerei Freiburg Schweiz

ISBN 3-7278-1179-X (Universitätsverlag)
ISBN 3-451-26709-8 (Verlag Herder)
ISSN 0379-2366 (Studien zur theol. Ethik)

INHALT

ADRIAN HOLDEREGGER
Vorwort   13

TEIL 1
Philosophisch-ethische Aspekte

JEAN-PIERRE WILS
Anmerkungen zur Geschichte des Sterbens   21
1. Schwankende Vorstellungen in der Antike   21
2. Das Verbot der Selbsttötung und
   die Spiritualisierung des Leidens   24
3. Medizinethische Differenzierungen   27
4. Eine theologische Revolte   31
5. Medizinische Spezifikationen   32

LUDWIG SIEP/MICHAEL QUANTE
*Ist die aktive Herbeiführung des Todes im Bereich
des medizinischen Handelns philosophisch zu rechtfertigen?*   37
1. Das Problem   37
2. Die Unverfügbarkeit des menschlichen Lebens   41
3. Die ethische Relevanz handlungstheoretischer Unterscheidungen   44
3.1 Tun vs. Unterlassen   44
3.2 Beabsichtigen vs. Inkaufnehmen   48
4. Fazit   52

WERNER WOLBERT
Ist der Unterschied zwischen Töten und Sterbenlassen noch sinnvoll?   56
1. Die Berufung auf moralische Intuition   58
2. Deontologische Argumente   61
3. Die lehramtliche Position   67
4. Die niederländische Praxis   69
5. Teleologische Gesichtspunkte   72
6. Ergebnis   75

JEAN-CLAUDE WOLF
Der intendierte Tod   76
1. Direkte und indirekte Gründe gegen Fremdtötung   77
2. Direkte Tötung als schuldhafte Lebensverachtung   78
3. Zur Borniertheit haltungsethischer Appelle   87

BETTINA SCHÖNE-SEIFERT
Ist Assistenz zum Sterben unärztlich? 98
Einleitung 98
1. Terminologische Unterscheidungen 98
2. Ärztliche Assistenz zum Sterben:
   Rechtliche und standesethische Regelungen 101
3. Rechtfertigungsargumente 105
4. «Unärztlichkeit» als unspezifisches Resümee-Verdikt 108
5. «Unärztlichkeit» als spezifisches Verdikt 112
6. Fazit 116

TEIL 2
Theologisch-ethische Aspekte

ADRIAN HOLDEREGGER
Zur Euthanasie-Diskussion in den USA. Erster Teil 123
1. Der Kontext 124
2. Der Kern der Debatte 126
3. Eine terminologisch-sachliche Differenzierung:
   Der medizinisch assistierte Tod («assisted suicide»)
   und die Euthanasie («euthanasia») 128
4. Verantwortung für den Tod 130
5. Der Begriff «Töten» 131
6. Die Theorie des doppelten Effektes 133
7. Die einverständliche aktive Euthanasie 135

RICHARD M. GULA
Zur Euthanasie-Diskussion in den USA. Zweiter Teil 138
1. Autonomie 140
2. Töten und Sterbenlassen 147
2.1 Kein moralischer Unterschied 147
2.2 Ein bedingter Unterschied 148
2.3 Ein moralischer Unterschied 150
3. Wohlfahrts- bzw. Fürsorgeprinzip 151
3.1 Das Spezifische der Medizin 152
3.2 Leiden 153
3.3 Mitleid 154
4. Schlussbemerkung 156

JAMES F. KEENAN
*Fallstudien, Rhetorik und die amerikanische Debatte
über die ärztliche Suizidbeihilfe*   157
1. Frauen sind besonders betroffen   161
2. Mangelhafte Schmerztherapie   163
3. Das Motiv der Schmerzlinderung   165
4. Zur Bedeutung der Depressionen   166
5. Freiwilligkeit der Tötung?   168
6. Zur Häufigkeit der Bitten um eine Tötung   169
7. Bleibt der Suizid tatsächlich ein Ausnahmefall?   170
8. Der empathische Arzt   171
9. Schlussbemerkungen   173

KLAUS DEMMER
*Handeln als Einüben des Sterbens.
Ein Kapitel theologischer Anthropologie*   175
1. Theologisch-anthropologische Markierungen zum Thema Tod   176
2. Mut zur normativen Festschreibung   181
3. Entlastung durch Kasuistik   185
4. Schluss   191

THOMAS R. KOPFENSTEINER
«Sanctity of Life» vs. «Quality of Life»   192
Einleitung   192
1. Glaubenseinsichten   193
2. Das Lehramt und die christliche Praxis   195
3. Die Arzt-Patient-Beziehung   199
4. Wahrung und Förderung der Menschenwürde in Zweifelsfällen   202
5. Das Dilemma bei Patienten im chronisch-vegetativen Zustand   203
6. Schlussbemerkungen   207

MICHAEL M. MENDIOLA
Menschliches Leiden und das ärztlich assistierte Sterben   208
Einleitung   208
1. Begriffliche Annäherungen an das Phänomen
menschlichen Leidens   211
1.1 Leiden ist als Prozess, nicht als punktuelles Ereignis zu verstehen   213
1.2 Wird ein Zustand oder eine vorgegebene Erfahrung
als bedeutend oder unbedeutend eingeordnet?   215
1.3 Einen wichtigen Zugang zur Bedeutung des Leidens bietet die
Erzählung oder der narrative Kontext einer Leidenssituation   217
1.4 Die Abwechslung von «Schweigen und Reden» ist
ein wesentliches Merkmal des Leidensphänomens   218

2. Ethische Implikationen zur Beurteilung
   des ärztlich assistierten Sterbens 220
3. Schlussbemerkung 229

TEIL 3
Klinische Aspekte

URBAN WIESING
Ist aktive Sterbehilfe «unärztlich»? 233
Einleitung 233
1. Standesethische Richtlinien 234
2. Die Funktion des Vertrauens 238
3. Gefährdet aktive Sterbehilfe das Vertrauen in die Ärzteschaft? . . 240
4. Das Arztethos – ewig oder wandelbar? 244
5. Zusammenfassung 245

CHARLES CHAPPUIS
Geriatrie und Sterbehilfe – Assistenz zum Tod? 247
1. Die Situation 247
1.1 Einige Zahlenangaben 247
1.2 Sich ergebende Probleme 249
2. Die Analyse 249
3. Der Wertewandel 250
4. Der Betagte 253
5. Der Betreuer 254
6. Die Allgemeinheit, die Öffentlichkeit 256
7. Die Krankenkassen 256
8. Die Politik 257
9. Die Assistenz zum Tod – Bedürfnisse des alten Menschen . . 259
9.1 Erstes Existenzgrundbedürfnis: Angenommensein . . 259
9.2 Zweites Existenzgrundbedürfnis: Aktivität 260
9.3 Drittes Existenzgrundbedürfnis: Fortschritt und Entwicklung . . 260
9.4 Viertes Existenzgrundbedürfnis: Sinnfindung 261

DANIEL SCHEIDEGGER
Intensivmedizin und Sterbehilfe.
Ist die Unterscheidung aktiv/passiv sinnvoll? 263
1. Aktive vs. passive Sterbehilfe 264
2. Passive Sterbehilfe auf der Intensivstation 267
3. Therapie vorenthalten vs. Therapie abbrechen 268
4. «Gewöhnliche vs. außergewöhnliche» Therapien . . . 270

GABRIELE WÖBKER/WOLFGANG J. BOCK
Apallisches Syndrom – Vegetativer Zustand   272
Einleitung   272
1. Diagnostische Faktoren und Grenzen der Sicherheit   272
2. Epidemiologie   273
3. Vegetativer Status   274
3.1 Kriterien des vegetativen Status   274
3.2 Prognose des PVS   275
3.3 Überleben des PVS   277
3.4 Klinisches Bild   277
3.5 Empfehlungen   277
3.6 Apparative Diagnostik   278
4. EthischeÜberlegungen   279
4.1 Rechtliche Situation   279
4.2 Rückblick auf die biomedizinische Ethik   279
4.3 Möglichkeiten der Therapie von Patienten im PVS   283
5. Aktive Euthanasie   293
6. Zusammenfassung   293

TEIL 4
Juristische Aspekte

HANS-GEORG KOCH
«*Der medizinisch assistierte Tod*».
Aktuelle Rechtsfragen der Sterbehilfe im deutschen Recht   297
Einleitung   297
1. Zur Strafbarkeit und Strafwürdigkeit der aktiven Sterbehilfe   298
1.1 Zum Stand der aktuellen Diskussion   298
1.2 Rechtsgeschichtlicher Rückblick   302
1.3 Rechtsvergleichende Umschau   303
1.4 Unterstützung beim Suizid als Ersatz für aktive Sterbehilfe?   306
1.5 Einschätzung und Resümee   306
2. Zum Problem des Behandlungsabbruchs
    bei dauerkomatösen Patienten   308
2.1 Fallschilderung   308
2.2 Medizinrechtlicher Problemaufriss   309
2.3 Die Ablehnung lebensnotwendiger Behandlung
    durch den Patienten selbst aus rechtlicher Sicht   310
2.4 Künstliche Ernährung und mutmaßlicher Wille des Patienten   311
2.5 Zum Anwendungsbereich der mutmaßlichen Einwilligung   312

3. Entscheidungsvorsorge mittels «Patientenverfügung»	317
3.1 Wachsende praktische Bedeutung	317
3.2 Detailfragen zum praktischen Umgang mit Patientenverfügungen	317
3.3 Wie «verbindlich» sind Patientenverfügungen?	319
3.4 Entscheidungs-Stellvertretung, insbesondere auf der Grundlage einer Vorsorgevollmacht	321
3.5 Haltung der Ärzteschaft	322
4. Ausblick	325

FRANZ RIKLIN
Die strafrechtliche Regelung der Sterbehilfe.
Zum Stand der Reformdiskussion in der Schweiz

	328
1. Ausgangspunkt: Geltende Rechtslage	328
1.1 Verfassungs- und menschenrechtliche Aspekte	328
1.2 Strafrechtliche Aspekte	329
1.3 Verwaltungsrechtliche Aspekte (Gesundheitsgesetzgebung/Patientenrechte)	341
2. Reformdiskussion	341
2.1 Allgemeine Bemerkungen	341
2.2 Gesetzliche Regelung der passiven Sterbehilfe	342
2.3 Einschränkung der Strafbarkeit der Tötung auf Verlangen	343
2.4 Umfassendere Regelung der Voraussetzungen für die Sterbehilfe	347

MARKUS ZIMMERMANN-ACKLIN
Das niederländische Modell – ein richtungsweisendes Konzept?

	351
1. Zur rechtlichen Situation	353
2. Die empirischen Befunde und erkennbaren Entwicklungstendenzen	355
3. Weitere gesellschaftspolitisch relevante Entwicklungen der Euthanasiepraxis	363
4. Ist das niederländische Modell richtungsweisend auch für andere Staaten?	365

TEIL 5
Anhang

DOKUMENTATION

1.	Institutionelle Richtlinien	373
1.1	«Einbecker Empfehlungen». Grenzen ärztlicher Behandlungspflicht bei schwerstgeschädigten Neugeborenen	373
1.2	Medizinisch-ethische Richtlinien der Schweizerischen Akademie der Medizinischen Wissenschaften (SAMW)	376
1.3	Leitlinie zum Umfang und zur Begrenzung der ärztlichen Behandlungspflicht in der Chirurgie	380
1.4	Grundsätze der Bundesärztekammer zur ärztlichen Sterbebegleitung	391
2.	Texte zur aktuellen Rechtslage	394
2.1	Auszüge aus dem Schweizerischen, Deutschen und Österreichischen Strafrecht betr. Sterbehilfe und Suizidbeihilfe	394
2.2	Alternativentwurf eines Gesetzes über Sterbehilfe von 1986	396
2.3	«Motion Ruffy» zur Neugestaltung des Schweizerischen Strafrechtsartikels zur Sterbehilfe von 1996	397
3.	Kirchliche Dokumente	398
3.1	Erklärung der Kongregation für die Glaubenslehre zur Euthanasie	398
3.2	Gemeinsames Wort der Evangelischen Kirche in Deutschland und vom Sekretariat der Deutschen Bischofskonferenz	404
3.3	Erklärung des Ständigen Rates der Französischen Bischofskonferenz	413

AUTOREN 423

Vorwort

Mit Sicherheit greifen jene Einschätzungen zu kurz, die in den Debatten über Sterbehilfe und Tötung auf Verlangen nur Indizien eines Verfalls kultureller Standards und über Jahrhunderte hinweg hochgehaltener moralischer Übereinkünfte erblicken wollen. Der geistesgeschichtliche und insbesondere der medizin-technische Kontext, in dem die Diskussionen um eine humane Gestaltung des Lebensendes geführt werden, hat sich grundlegend verändert. Kaum zu unterschätzen sind die Entwicklungen innerhalb der Medizin selbst, die inzwischen ein solches Potential an Möglichkeiten aufweist, das der notwendigen Reflexion ruft, wie weit deren Anwendung in bestimmten Situationen überhaupt sinnvoll ist. Der medizin-technische Fortschritt führt daher zugeschärfter als früher in jene Situation, wo die an und für sich technisch mögliche Lebensverlängerung mit dem grundlegenden Bedürfnis nach Lebensqualität in Konflikt gerät. Je effizienter und differenzierter die medizin-technischen Möglichkeiten werden, desto dringlicher stellt sich die Frage nach den humanen Grenzen eben dieser Medizin und möglicherweise auch nach einer neuen Bestimmung des ärztlichen Handelns, das sich klassisch im Heilungsangebot (bonum facere) und Gebot der Schadensvermeidung (nil nocere) formuliert hat. In einer Gesellschaft, in der immer mehr Menschen aufgrund ihres hohen Alters und ihrer oft sich lange hinziehenden Phase am Ende des Lebens mit der Intensivmedizin konfrontiert werden, ist vorauszusehen, dass sich der Konflikt zwischen medizinisch Möglichem und menschlich Gebotenem verschärfen wird.

Dabei weist dieser Konflikt eine doppelte Dimension auf: Auf der einen Seite hat sich gesellschaftlich wie wissenschaftlich die Erkenntnis eingestellt, dass nicht mehr jeder Wissenszuwachs und jeder Zuwachs an technischen Möglichkeiten in sich positiv zu werten sind. Diese positive Wissenschafts- und Technikgläubigkeit im Bereiche der Medizin scheint es so nicht mehr zu geben, denn schon längstens gehen wohl die meisten Praktiker davon aus, dass nicht alles Machbare im Interesse des Patienten liegt und deswegen auch nicht sinnvoll angewendet werden kann. Insofern partizipieren die medizinischen Wissenschaften selbst an den allgemeinen Ziel- und Rechtfertigungsfragen, wie wir sie im Gesamtbereich der technischen Wissenschaften kennen. Auf der anderen Seite stellt sich hier in spezieller und exponierter Weise die Frage nach dem menschlich Gebotenen und dem menschlich Wünschenswerten, weil hier der Betroffene selbst – handle es sich nun um Schmerzbekämpfung, Behandlungsabbruch oder um die viel diskutierten aktiven wie passiven Tötungsmaßnahmen – unmittelbar in seiner Existenz radikal mitbetroffen ist. Deswegen ist hier in einer herausragenden Weise die Freiheit und das Selbstbestimmungsrecht des Individuums herausgefordert, aber auch die Auffassung vom Stellenwert menschlichen Lebens mittangiert.

Es ist geradezu eine Binsenwahrheit, wenn wir sagen, dass in der modernen Gesellschaft – wie plural und heterogen sie auch sein mag – das Grundrecht auf Selbstbestimmung und das Prinzip der Autonomie über alle Binnenmoralen hinweg einen der höchsten Stellenwerte beansprucht. Insofern haben wir es hier sicherlich mit einem späten, allerdings nur sektoriell wahrgenommenen Erbe der Aufklärung zu tun. Wie dem auch sei, jedenfalls ist die gesellschaftliche Insistenz auf Selbstbestimmung und Autonomie auch für die Sterbehilfedebatte und das Arzt-Patienten-Verhältnis nicht ohne Folgen geblieben. Was das letztere betrifft: An die Stelle des Modells des fürsorglich gebietenden Arztes ist das Modell des wohlinformierten Patienten getreten, der dem fürsorglich bestimmten Arzt die Zustimmung zu ärztlichen Maßnahmen gibt. Nicht zuletzt aufgrund dieser veränderten Interaktion zwischen Arzt und Patient hat sich auch die Einstellung zum Sterben gewandelt. Gerade auf dem Hintergrund dieser «Modellverschiebung» ergibt sich ein gewisser Anspruch auf einen selbstbestimmbaren Tod, an dem möglicherweise auch ärztliches Personal mitzuwirken hat. Damit gerät der individuelle Anspruch auf Selbstbestimmung notwendigerweise einerseits in Konflikt mit dem Ethos eben dieser Selbstbestimmung, insofern die «Handlungsführerschaft» (J. P. Beckmann) an einen Dritten abgegeben wird und andererseits mit dem Ethos des ärztlichen Heilauftrages, das ja in der Tendenz auf lebensförderliche Maßnahmen ausgerichtet ist. Wir haben es hier mit einem Grunddilemma zu tun, das der sorgfältigen Diskussion bedarf. Im Vergleich zur älteren Literatur stehen diese beiden «Kollisionsmomente» viel deutlicher im Vordergrund.

Der zweite Grundkonflikt betrifft den Anspruch auf Selbstbestimmung bzw. den Willen des Individuums, sich von einem unerträglichen Leiden befreien zu wollen und der (vornehmlich religiös bestimmten) Grundauffassung von der Unverfügbarkeit menschlichen Lebens. In gesellschaftlicher Hinsicht zeigt sich, dass diese stark von religiösen Voraussetzungen bestimmte Auffassung in diesem Kontext nicht mehr eine fraglose Selbstverständlichkeit darstellt. Auch wenn hier berechtigterweise in neuerer Zeit einiges an problematischen Vorstellungen korrigiert worden ist, so bleibt die Idee der Verdanktheit und damit auch der letztendlichen Unverfügbarkeit menschlicher Existenz mit dem Grundanspruch der totalen Selbstverfügung nur schwer zu vermitteln. Theologischerseits ist diesbezüglich in den letzten Jahren einiges an differenzierter Denkarbeit geleistet worden.[1] Nicht zuletzt die theologischen Arbeiten dieses Sammelbandes dokumentieren den Stand dieser Diskussion, sei es dadurch, dass am Schlüsselbegriff «Heiligkeit des Lebens» (Th. Kopfensteiner) oder am Stichwort der «theologischen Anthropologie des Sterbens» (K. Demmer) das klassische theologische Argument der Unverfügbarkeit vertieft wird. Mit Blick auf die mittlerweile umfangreiche Literatur scheint sich zu zeigen, dass hier zwei Argu-

---

[1] Vgl. *A. Holderegger*, Grundlagen der Moral und der Anspruch des Lebens. Themen der Lebensethik (SThE 55), Freiburg i Ue./Freiburg i. Br. 1995.

mentationsmuster aufeinander stoßen, die miteinander kaum in Deckung zu bringen sind. Wenn wir so wollen, hat dieser «metaphysische Streit» – der wohl nie endgültig ausgetragen sein wird, wie die seit Jahrhunderten dauernde Diskussion um das Recht auf Selbsttötung zeigt (J.-P. Wils) – eine Entsprechung in der Interpretation des Todes selbst.

D. Callahan bringt dies auf den Punkt: «Akzeptanz oder Kampf? Die meisten von uns haben dieses Dilemma schon erfahren ... Dieser Streit beschwört zwei radikal verschiedene Einstellungen gegenüber dem Tod; jede auf ihre Weise verständlich und sinnvoll, drücken sie gegenseitig sich widersprechende Auffassungen über unser Schicksal aus. Warum ist es so schwer, zwischen den beiden Wegen zu wählen ...? In diesem Streit treffen zwei fundamentale Realitäten aufeinander, beide überzeugend in ihren Ansprüchen, jede mit ihrer eigenen inneren Logik, die keinen Raum für die andere lässt.»[2] Eine Aufgabe der theologischen Rede über die «Heiligkeit des Lebens» oder wie immer diese Schlüsselbegriffe heißen mögen, besteht zunächst einmal darin, die Frage nach dem Sinn des Todes offen zu halten. In der Tat ist die neue bürgerliche Freiheit mit der Forderung nach dem Sterben in Würde, ein zusätzlicher Weg geworden, den Tod zu bezwingen. Und genau hier hat die theologische Rede nochmals auf der «Aufklärung» dieser neuen Bürger-Freiheit zu insistieren. Der Philosoph R. Spaemann[3] ist mit Nachdruck für eine Tabuisierung der Euthanasie eingetreten: «Im übrigen aber wird es in einer humanen Zivilisation immer eine Zone des ärztlichen oder freundschaftlichen Ermessens geben, die nicht ans Licht gezerrt gehört.» Aber gerade dadurch lösen wir den von D. Callahan beschriebenen Konflikt nicht, zwischen Akzeptanz und Kampf, zwischen dem «Tötungsverbot» und dem Anspruch eines Menschen, in aussichtsloser Situation mit nicht mehr kontrollierbaren Schmerzen aus freiem Willen und u. U. mit fremder Hilfe aus dem Leben zu scheiden. Doch die Gründe, weshalb jemand von einem solchen Wunsch Abstand nimmt oder jemand einem solchen Wunsch entsprechen zu müssen glaubt, sind kommunikativ zu überprüfen und dürfen – gerade weil es umstritten ist – nicht in die Zone des Tabus, die grundsätzlich unbestritten und unbestreitbar gilt, geschoben werden. Theologie und Philosophie sprechen nicht umsonst von Rätsel oder Geheimnis des Todes – Tabu stammt aus dem Vokabular der Ursprungsgesellschaften –, das damit aber nicht dem verstehenden Zugang und dem rationalen Argument entzogen ist.

Die Begriffe, mit deren Hilfe die Diskussion um die verschiedenen Formen von Sterbehilfe geführt wird, werden uneinheitlich benutzt.[4] Folgt man jedoch der international gebräuchlichen Terminologie, dann werden unter

---

[2] *D. Callahan*, Nachdenken über den Tod. Die moderne Medizin und unser Wunsch, friedlich zu sterben, München 1998, 191f.
[3] Vgl. Die Zeit Nr. 25, 12.06.1992, S. 14.
[4] Vgl. *B. Schöne-Seifert*, Die Grenzen zwischen Töten und Sterbenlassen, in: *L. Honnefelder/C. Streffer* (Hrsg.), Jahrbuch für Wissenschaft und Ethik, Berlin/New York 1997, 205–226.

dem Begriff «Euthanasie» drei Grundtypen subsummiert, nämlich die «passive», «indirekte» und «aktive». Im deutschsprachigen Raum wird dafür vornehmlich der Begriff «Sterbehilfe» verwendet, um jegliche ungute Assoziation mit dem Massenvernichtungsprogramm der Nationalsozialisten auszuschließen. Unter «passiver» Sterbehilfe wird in der Regel ein Verzicht oder Abbruch einer lebensnotwendigen Handlung in aussichtsloser Situation verstanden, während von «indirekter Sterbehilfe» dann gesprochen wird, wenn der Tod des Patienten als Nebenfolge einer therapeutisch indizierten Verabreichung von Medikamenten in Kauf genommen wird. Unter «aktiver Sterbehilfe» versteht man in der Regel die Herbeiführung des Todes eines Patienten durch eine Drittperson, ohne dass die tödliche Handlung als Behandlungsverzicht oder als Nebenfolge einer Palliativtherapie verstanden werden kann. Dies sind in erster Linie deskriptive Unterscheidungen, die sich an unterschiedlichen Kausalursachen und unterschiedlichen Absichtsstrukturen orientieren, aber entgegen alltagssprachlicher Gepflogenheiten noch in keinerlei Weise normative Urteile beinhalten. Denn selbst die als harmlos erscheinende «passive» Form ist beispielsweise moralisch in jenen Fällen umstritten, wo Menschen mit einem apallischen Syndrom, unter permanenter Bewusstlosigkeit und Kommunikationsunfähigkeit leidend, mit künstlicher Zuführung von Nahrung und Flüssigkeit am Leben erhalten bleiben (G. Wöbker/W. J. Bock). Die moralische Frage besteht sodann darin, ob man verpflichtet ist, einen solchen Menschen unbegrenzt am Leben zu erhalten, obwohl alle medizinischen Maßnahmen für sich genommen keinen Erfolg haben können.[5]

Seit einigen Jahren ist aber das Verhältnis von passiver und aktiver Sterbehilfe – vor allem in den USA – ein Problem der akademischen Ethik geworden, insofern eine Kontroverse darüber besteht, ob zwischen Töten und Sterbenlassen ein intrinsischer moralischer Unterschied besteht. Sie ist v. a. durch J. Rachels angestoßen, durch andere (z. B. P. Singer, H. Kuhse und P. Walsh) aufgenommen und weiter diskutiert, nicht zuletzt durch die umfangreiche Monographie von D. Birnbacher[6] im deutschsprachigen Raum bekannt geworden. Diese höchst differenziert verlaufende Diskussion (vgl. W. Wolbert und L. Siep/M. Quante), die immer wieder mit neuen Präzisierungen, Beispielen und neuen Verknüpfungen von Argumenten angereichert wird, gilt als nicht abgeschlossen, wobei allerdings zu berücksichtigen ist, dass der theoretische Problembereich sich offensichtlich nicht mit dem Umfang der Problemlage der ärztlichen Praxis deckt. In der ärztlichen Praxis stellen einverständliche Behandlungsverzichte kaum ein ethisches Problem der ärztlichen Ethik dar, da hier Maßnahmen auf Wunsch eines urteilsfähigen und wohl informierten Patienten erfolgen. Es wäre ohnehin besser, hierfür den Begriff «Sterbehilfe» nicht zu verwenden.

---

[5] Vgl. hierzu auch *M. von Lutterotti*, Tun und Unterlassen in der Medizin, in: Zeitschrift für medizinische Ethik, 44 (1989) 209–219.

[6] Vgl. *D. Birnbacher*, Tun und Unterlassen, Stuttgart 1995.

In Anlehnung an die US-amerikanische Literatur wird neuerdings der Begriff «Medizinisch assistiertes Sterben» oder «Medizinisch assistierter Tod» verwendet. Dieser semantisch breiter gefasste Begriff deckt grundsätzlich alle Formen der Sterbehilfe wie auch die Form der Suizidbeihilfe ab, wobei im Einzelfall über die Moralität erst entschieden werden muss. Die letztgenannte Form unterscheidet sich systematisch von der aktiven Sterbehilfe bzw. von der Tötung auf Verlangen dadurch, dass der Bittende nicht um Fremdtötung, sondern lediglich um Hilfe bei der Selbsttötung bittet; allerdings kann sich in praxi der Unterschied verwischen – zu denken ist an den schwerst Gebrechlichen, dem das tödliche Medikament bis fast an den Mund geführt werden muss –, so dass erhebliche Zuordnungsprobleme entstehen. Wiederum angestoßen durch die US-amerikanische Debatte[7] fokussiert sich nach und nach die systematische Sterbehilfediskussion auf diese beiden Formen. Denn im Hinblick auf die ethische Analyse ist die jeweils unterschiedliche Weise der Tatherrschaft entscheidend. Während im Falle der Suizidassistenz das Gesetz des Handelns bis zum Tode beim Suizidwilligen liegt, tritt der Sterbewillige im Falle der Tötung auf Verlangen die Handlungsführerschaft an einen Dritten ab und verliert damit bis zu einem bestimmten Grad seine Autonomie, deren Wahrung aber ein so hohes ethisches Gut darstellt, dass eine Delegation an einen Dritten wie auch die Inanspruchnahme der Autonomie bzw. der Entscheidungsmacht Dritter als moralisch zumindest problematisch erscheint. Es ist kein sprachlich-semantischer Kniff, wenn zwischen Tötung auf Verlangen und Suizidbeihilfe bei aussichtsloser Prognose unterschieden wird.[8] Bei diesen Alternativen geht es also nicht so sehr um die grundsätzliche Frage, ob der Mensch prinzipiell ein Recht besitzt, seinem Leben ein Ende zu setzen, sondern um die Frage, ob der dem Tode Geweihte mit einer aussichtslosen Prognose angesichts möglicherweise medizinisch nicht mehr kontrollierbarer Schmerzen von seiner Mitwelt – Pflegepersonal, Ärzten und Nahestehenden – Hilfe bei der Herbeiführung des Todes legitimerweise erwarten kann. In einigen Beiträgen (z. B. B. Schöne-Seifert, M. Mendiola) wird dies ethisch mit Blick auf die Prinzipien der Autonomie, der Würde im Sterben, der Pflicht zum «Mitleid» diskutiert. Es ist unschwer zu erkennen, dass es hier nicht bloß um ethische Belange der individuellen Selbstbestimmung, sondern auch um ethische Belange der um Hilfe Angegangen, deren Würde und deren Selbstbestimmung geht.[9]

---

[7] Vgl. zuletzt M. Papst Battin/R. Rhodes/A. Silvers, Physician Assisted Suicide. Expanding the Debate, New York 1998. Interessante Hinweise liefert ebenfalls die Auswahlbibliographie des «National Reference Center for Bioethics Literature, Washington»: http://guweb.georgetown.edu/nrcbl/biblios/suicide.htm.
[8] Vgl. auch den kritischen Beitrag von N. Dixon, On the Difference between Physician-Assisted Suicide and Active Suicide, in: Hastings Center Report 28 (1998) 5, 25–29.
[9] Vgl auch R F Weir (ed.), Physician-Assisted Suicide, Bloomington 1997, darin vor allem H. Brody, Assisting in patient suicide an acceptable practice for physicians, ebd. 136–151.

In den letzten Jahren ist weltweit die Entwicklung in Holland bedeutsam geworden, denn dort sind seit einiger Zeit ärztliche Beihilfe zum Suizid und aktive Sterbehilfe straffrei, wenn immer sie auf Verlangen des Patienten erfolgen und wenn von seiten des Arztes bestimmte Regeln der Sorgfalt eingehalten werden. Ähnliches gilt für den Bundesstaat Oregon in den USA und bis vor kurzem auch im Bundesstaat Northern Territories in Australien. Man hat die Praxis in Holland als eines der größten «Sozialexperimente» bezeichnet, da hier die Auswirkungen einer «liberalen» Praxis empirisch überprüft werden könnten. «Können wir von Holland lernen?», ist eine beliebte Frage mit Blick auf einige Probleme der ethischen Folgeabschätzung (Dammbruchargument, slippery slope) wie auch mit Blick auf die Gesetzgebung. Der Beitrag von M. Zimmermann-Acklin resümiert nicht bloß den gegenwärtigen Stand der Diskussion, sondern zeigt auch anhand einer im Augenblick nicht abschließbaren Interpretationsdiskussion die Schwierigkeit der unmittelbaren Folgerung, Anwendung und Übertragung auf andere Länder und andere Rechtssysteme, die sich aber auf je eigene Art den gegenwärtigen Diskussionen stellen (vgl. H.-G. Koch und F. Riklin).

Es ist aber festzustellen, dass trotz der vielschichtig verlaufenden Diskussion und trotz gesellschaftlicher und ethischer Gegenbewegungen bis auf die genannten Beispiele die aktive Sterbehilfe verboten ist. Die «Standesrichtlinien» der verschiedenen Ärztekammern (vgl. den Anhang) umreißen nach wie vor die ärztliche Aufgabe – unter Beachtung des Rechtes auf Selbstbestimmung des Patienten – in der Lebenserhaltung, im Schutz der Gesundheit bzw. ihrer Herstellung, in der Linderung des Leidens und im Beistand bis zum Tod. Allerdings bleibt ein Spannungsbogen – wie dieser Sammelband dokumentiert – zwischen Lebensschutz, der aufgrund aller geschichtlichen Erfahrung umfassend sein muss und sich keine Einbrüche erlauben darf, und der Sensibilität für den bedrückenden Einzelfall, indem die Allgemeinheit dem einzelnen Menschen u. U. unendlich Schweres zumutet. Es bringt wenig, wenn wir davor die Augen verschließen. Es bringt aber ebenso wenig, wenn wir den Spannungsbogen zugunsten nur einer Seite auflösen, zu leicht geraten wir in den Sog der technischen, medizinischen und ökonomischen Handhabung der letzten Lebensphase des Menschen. Die Beiträge wollen gerade diesen Spannungsbogen benennen. Der sprachliche Unterschied zwischen «Hilfe im Sterben» und «Hilfe zum Sterben» ist hauchdünn, aber um so relevanter werden die inhaltlichen Verschiebungen, die – wenn die Gewichte verlagert werden – genau bedacht und abgewogen werden müssen.

Fribourg, im Januar 1999　　　　　　　　　　　　　　Adrian Holderegger

TEIL 1

Philosophisch-ethische Aspekte

Jean-Pierre Wils

Anmerkungen zur Geschichte des Sterbens

Dass der Tod kein natürliches Faktum sei, mutet auf dem ersten Blick wie eine unnötige Provokation an. Obwohl wir aus der Diskussion um den «Hirntod» mittlerweile wissen, dass nicht einmal die biologischen Kriterien konsensfähig sind, haftet der Behauptung, der Tod sei *unnatürlich*, ihrerseits etwas Künstliches an. Aber nicht die Behauptung, sondern vielmehr ihre Bestreitung ist forciert. Und in der Tat ist der Tod ein künstliches Geschehen. Besser gesagt – das Sterben ist eine Erfindung. Denn vom Tod selber wissen wir so gut wie nichts. Vom Sterben aber erfahren wir – historisch und kulturdiagnostisch – eine Menge. Aus diesem Grund gibt es eine Geschichte des Sterbens.

Im Sterben *kulminiert* geradezu die Bemühung des Menschen um Würde und Selbstrespekt. Für jeden Menschen ist die eigene Zeugung ein unvordenkliches Faktum. Aber der Exitus bohrt sich schon früh im Leben in das Bewusstsein der eigenen Endlichkeit und des Todes hinein. Ohne eigene Gestaltung jedenfalls sollte der Abgang nicht bleiben.

Die Diskussion über Euthanasie und Sterbehilfe nimmt inzwischen einen prominenten Platz im öffentlichen Bewusstsein ein. Zwar kann man kaum davon sprechen, dass hier die Mauern des Schweigens wirklich überwunden seien, aber die Unruhe und der Wunsch, sich darüber mitzuteilen, sind zweifelsohne gewachsen.

Gerade vor diesem Hintergrund mag es lohnend erscheinen, einige Etappen in der Geschichte des Sterbens zu rekonstruieren. Dabei handelt es sich nicht um eine historische Rekonstruktion der Sterbepraktiken und -riten.[1] Es geht vielmehr um die Frage, wie *auf der Scheitelhöhe des Normativen* über das Sterben *nachgedacht* worden ist, wie also gestorben werden sollte. Erneut die Thematik einschränkend sei betont, dass ich mich auf das Maß und die Art der reflexiven Eigengestaltung, die das Sterben erforderlich macht, konzentrieren werde. Dabei kann man erst auf dem Wege der Diskussion über den Suizid zum Thema der Sterbehilfe gelangen. Selbstverständlich werden nur einige wenige *zentrale* Positionen bis zum 17. Jh. erwähnt. Es geht um die Rekonstruktion einiger entscheidender Argumentationsfiguren, die sich im Vorfeld der heutigen moraltheologischen Diskussion über Euthanasie bewegen.

1. Schwankende Vorstellungen in der Antike

Der Begriff «euthanatos» erringt schon früh eine zweifache Bedeutung. Bei Meander, einem Jugendfreund Epikurs, ist der «gute Tod» sowohl der *einfa-*

---

[1] Vgl. *Ph. Ariès*, Geschichte des Todes im Abendland, München/Wien 1980.

che Tod, wie er aus einer nüchternen, Abstand gewährenden Lebensbetrachtung resultiert, als auch der *gut gestaltete* Tod, der gute Weg des Sterbens.² Trotz aller gängigen Leidenspathetik wird auf einen leidfreien, schmerzlosen Tod gesetzt. Aber lebensverkürzende Maßnahmen oder gar der Suizid werden kaum erwogen.

Dies ändert sich jedoch im Laufe des Verfallprozesses der griechischen Stadtstaaten: Wie Rudolf Hirzel betont hat, macht sich nun ein um sich greifender Kulturpessimismus breit und in dessen Sog ein ausgeprägter Individualismus. Die tiefe Krise der griechischen Mythologie und die griechische Aufklärung tragen das ihrige dazu bei, dass der Suizid nicht länger tabuisiert wird.³ Dennoch – die Selbsttötung aus Krankheitsgründen bleibt selten. Immerhin wird unter Ärzten die Möglichkeit diskutiert, mittels Einnahme von Giften einen qualvollen Tod zu beschleunigen. So rühmt Theophrast bereits Thrasyes von Martineia, weil dieser eine Giftmischung entdeckt habe, die ein solches Sterben beschleunigen könne.⁴

Von großem Interesse dürfte die Beobachtung sein, dass bereits in der Antike juridische Regelungen existierten, welche die «Hilfe bei der Selbsttötung» legitimierten und auf diesem Wege auch die Selbsttötung moralisch akzeptabel machten. Auf den Inseln Cos und Massilia hatten die Behörden Bestimmungen erlassen, denen zufolge ein Kandidat die Gründe für ein bevorstehendes Scheiden aus dem Leben an den Senat zwecks offizieller Einwilligung mitzuteilen hatte. Auch in Athen war es erlaubt, wie es Libanius im vierten nachchristlichen Jahrhundert erwähnt, sich wegen unheilbarer Krankheit mit Erlaubnis des Senates zu töten.

Auch die Verkürzung des Lebens durch das Verweigern einer medizinischen Behandlung war durchaus bekannt. Sowohl bei Epiktet als auch bei Cornelius Nepos (1. Jh. v. Chr.) findet man Beispiele, wie *trotz* der Behandelbarkeit einer Krankheit von weiteren Eingriffen und Maßnahmen auf Bitten des Erkrankten abgesehen wird.⁵ Man könnte hier – mit aller Vorsicht – von ersten Keimen zu einem Autonomiebestreben in Krankheits- und Sterbeangelegenheiten sprechen. Unter dem einsetzenden Einfluss des Christentums wird dieses Ansinnen jedoch keine Chance erhalten.

Man wird sich um ein differenziertes Bild der Antike bemühen müssen. Denn die Vorurteile und Klischees sind zahlreich. Immerhin – trotz der Reserviertheit der griechischen und römischen Religion dem Suizid gegenüber – war dieser weder selten noch moralisch geächtet. Aber es existierten auch einflussreiche Gegenbewegungen, die kategorische Verbote formulierten. Der Orphismus beispielsweise lehnte die Selbsttötung radikal ab. Die Anhänger des Orpheus benutzten zur Begründung ihrer Ablehnung nahezu

---

² Vgl. Comicorum Atticorum Fragmenta, hrsg. v. *Th. Kok,* Leipzig 1880–1888, vol. III, Fragment 481, 138; Fragment 23, 10.
³ Vgl. *R. Hirzel,* Der Selbstmord, in: Archiv für Religionswissenschaft 11 (1908) 75–104, 243–284, 417–476.
⁴ Vgl. *Theophrastus,* Inquiry into plants, transl. A. Hort, London 1949, vol. II, 302ff.
⁵ Vgl. *Cornelius Nepos,* Atticus, 25, 21ff., in: Oeuvres, ed. *A.-M. Quillemin,* Paris 1953, 149.

wortgleich ein Argument, das zum späteren christlichen Gemeingut gehört: Gott hat dem Menschen im Leben einen Platz angewiesen, den dieser nicht ungestraft verlassen darf.⁶ Dabei dürfte gerade das religiöse Element am Orphismus eine zentrale Rolle spielen. Auf dem Hintergrund religiöser Selbst- und Weltdeutung wird die Legitimation des Suizids offenkundig schwieriger. Wie das Christentum glaubte auch der Orphismus an ein Leben nach dem Tod, wo Rechenschaft über die Taten abzulegen sei. Jedenfalls dürfte es einen *psychologischen* Zusammenhang zwischen dem Unsterblichkeitsglauben einerseits und dem moralischen Verbot der Selbsttötung andererseits geben. Aus anderer Perspektive formuliert: Wenn nach dem Tod weder ein Gerichtsverfahren noch eine tröstende Kompensation für vergangene Leiden und Schmerzen zu erwarten sind, dann nimmt die psychologische Bereitschaft zu, sich in bestimmten Situationen aus dem Leben frühzeitiger zu verabschieden.

Nicht zuletzt war es dem Einfluss der mittleren Stoa zu verdanken, insbesondere Panaitios, dass sich angesichts der restriktiven religiösen Vorstellungen eine tolerantere Haltung gegenüber der Selbsttötung durchzusetzen begann. Die affektive Potenz, die jeder Krankheit und im Besonderen dem Sterben innewohnt, war der Stoa fremd, ja zuwider. Nüchternheit im Umgang mit den finalen und letalen Phasen des Lebens wurde hier abverlangt.

Aber nicht nur die Anhänger des Orphismus operierten mit radikalen Verboten. Auch der Eid des Hippokrates verbietet dem Arzt die Verabreichung giftiger Substanzen – ein Zeichen dafür, dass solche Praktiken vorkamen.⁷ Der Bezug des Hippokratischen Eides zum Pythagoreismus ist umstritten, aber auch diese philosophische Strömung verbot sowohl die Abtreibung als auch die Selbsttötung.⁸

Es ist hier nicht der Ort, die Haltung der Antike gegenüber der Euthanasie detailliert zu beschreiben. Bei Plato scheint in bestimmten Situationen das Verbot der Selbsttötung außer Kraft gesetzt.⁹ Bei unheilbaren Krankheiten wird ein Behandlungsabbruch oder ein Medikament, das den Tod beschleunigt, in Erwägung gezogen. Eugenische und staatspolitische Faktoren gehen dabei ohne Weiteres Hand in Hand.¹⁰ Die Kyniker und Epikureer schwanken in ihrer Haltung. Aber die Stoa wird hier zu einer im Ganzen eindeutigeren Auffassung kommen. In der frommen Legende werden Zenon und Cleanthes zu Beispielen affektloser Selbstauslöschung stilisiert.¹¹ Jeden-

---

⁶ Vgl. *W. K. C. Guthrie*, A History of Greek Philosophy, Cambridge 1962, vol. I, 310.

⁷ Vgl. *L. Edelstein*, Der hippokratische Eid. Mit einem forschungsgeschichtlichen Nachwort von H. Diller, Zürich/Stuttgart 1969, 11f.; vgl. *D. Beckmann*, Hippokratisches Ethos und ärztliche Verantwortung, Frankfurt a. M. 1995.

⁸ Vgl. *F. Kudlien*, Medical Ethics and Popular Ethics in Greece and Rome, in: Clio Medica 5 (1970) 91–121.

⁹ Vgl. *Plato*, Nomoi 873c.

¹⁰ Vgl. *Ders.*, Politeia 406a-b.

¹¹ Vgl. *Diogenes Laertius*, Leben und Meinungen berühmter Philosophen, Hamburg 1967, 282f.

falls wird «Selbsterhaltung» nicht länger ein oberstes Gebot des moralischen Kanons bleiben. In der mittleren Stoa gilt der selbstgewählte Tod als eine Handlung, zu welcher der Mensch sich in einer intimen Reflexion durchringen könne. Die Entscheidung ist stellvertretungslos. Panaetheos und Poseidoneos haben in dieser Hinsicht auf Horatius einen nachhaltigen Einfluss ausgeübt: Die eigene Entscheidung wird nun der Entscheidung eines Gottes gleichgestellt.[12] Aber diese Überlegung impliziert, dass *kein* Gott als besondere, externe Autorität, geschweige denn als Herr über Leben und Tod, Anerkennung findet.

Vor allem mit dem Namen Senecas, aber auch mit anderen Philosophen der späten Stoa verbindet man die stoische Selbsttötungspraxis. Nicht nur bei einer unheilbaren Krankheit, sondern auch bei einer heilbaren, jedoch langwierigen Erkrankung wird die Beendigung des Lebens erlaubt. Auch ein hohes Alter, welches die Qualität des Lebens in beträchtlichem Maße einschränkt, kann einen Grund für den gewählten Freitod bilden.[13]

In der späten Antike, nachdem die Götterwelt zu verblassen begonnen hat, bringt die gesteigerte Aufmerksamkeit für das diesseitige Leben einen wahren Toleranzschub im Hinblick auf die Selbsttötung mit sich. Aber auch hier muss man sich vor Angstprojektionen *und* vor Wunschvorstellungen hüten. Der antike Mensch schied genauso wenig aus leichtfertigen Gründen aus dem Leben wie der moderne. Und das nüchterne und überlegte, erhabene und ruhige «Hand an sich legen» (Jean Améry) war wohl selten. Die literarischen Stilisierungen und die philosophischen Mythen dürfen nicht den Blick vor der harten Realität verstellen. Dennoch – es existierte eine kulturelle Toleranz, ein Klima der Akzeptanz, wenn jemand, sei es aus Lebensüberdruss, sei es aus Gründen einer schmerzhaften Erkrankung aus dem Leben schied.

Im Zuge der Christianisierung wird das Klima radikal umschlagen. Obzwar die Stoa zu einer der wichtigsten Quellen für die frühchristliche Ethik wurde, gab es bezüglich der Selbsttötung keine Kompromisse. Die Stoa-Rezeption blieb hier selektiv.

2. Das Verbot der Selbsttötung und die Spiritualisierung des Leidens

Gerade Clemens von Alexandrien, jener Kirchenvater, der wie kein anderer die Bedeutung der Stoa für das junge Christentum repräsentiert, lehnt die Selbsttötung kategorisch ab.[14] Origenes konterkariert die Selbstverfügung

---

[12] «Ipse deus simul atque volam me solvet», *Horatius*, Epistola I, 16, 78f., in: Epistulae Liber Primus, ed. *J. Préaux*, Paris 1968.
[13] Vgl. *Seneca*, Epistulae morales, 77, 5; 93, 3; 58, 36; vgl. *M. Pohlenz*, Die Stoa. Geschichte einer geistigen Bewegung, Göttingen 1959, Bd. I.; vgl. *M. Forschner*, Die Stoische Ethik, Darmstadt 1995.
[14] Vgl. Stromata III, 19, 1 und 3; vgl. *B. Schöpf*, Das Tötungsrecht bei den frühkirchlichen Schriftstellern bis zur Zeit Konstantins, Regensburg 1958.

mit schöpfungstheologischen Argumenten, die allesamt auf ein Verfügungsrecht des Schöpfers über sein Geschöpf hinauslaufen.¹⁵

Bei Augustinus erfolgt dann die endgültige Verurteilung der Selbsttötung, auch wenn diese in äußerster Verzweiflung und aus schweren Schicksalsgründen oder schwerstem Leiden geschieht. Dies alles müsse ertragen werden, bis wir die ewige Seeligkeit (finalis beatitudo) erreichen.¹⁶ Es ist vielleicht unzulässig, hier von einer *latenten Desensibilisierung für das konkrete Leiden* zu sprechen, aber der Gedanke liegt doch nahe, dass die Erhöhung des Leidens – dessen *Spiritualisierung* – die Aufmerksamkeit für reale Schmerzen und die *wirkliche* Anteilnahme am Schicksal von Kranken und Hoffnungslosen nicht zwangsläufig gestärkt hat. Jedenfalls darf geschlussfolgert werden, dass *zwischen der Sublimierung des Leidens und einer kurativen Einstellung dem realen Leiden gegenüber kein direkter Bezug existiert.* Der Schmerz ist vielmehr eine Durchgangspforte zu Gott, wie es alle spätere Leidensmystik zum Ausdruck bringen wird. Und während die antike Philosophie bereits mit der Hypothek behaftet ist, dass die Euthanasie sich nur schwer von eugenischen und ökonomischen Spekulationen lösen kann, hat die christliche Leidensschau ihrerseits mit der Gefahr zu kämpfen, die Sensibilität für die realen Schmerzen zu verlieren.

Es ist jedoch interessanter und erfolgversprechender, die Auffassungen über den medizinischen Behandlungsverzicht in Augenschein zu nehmen. Abgesehen von einigen extremistischen Ausnahmen – so Tatianus und Arnobius – war man der Meinung, dass nicht in jedem Falle alles zu unternehmen sei, um das Leben eines Kranken zu retten. So werden bei Gregor von Nyssa beispielsweise Faktoren wie die Unkosten, der Nutzen (für den Kranken) und das Risiko genannt, die allesamt eine deutliche Zurückhaltung bei der medikamentösen Behandlung von Schwerstkranken geboten erscheinen lassen.¹⁷ Aber bei diesem Behandlungsverzicht wurde peinlichst vermieden, eine Nähe zur Selbsttötung auch nur annäherungsweise entstehen zu lassen.

Im Mittelalter bleibt die Abweisung der Selbsttötung im Wesentlichen invariant. Die einzelnen Argumentationen sind jedoch interessant. Während die Kirchenrechtskompendien die Selbsttötung uni sono verurteilen, ist dies im zivilen Recht *nicht* der Fall. Zwar ist der Suizid auch hier *generell* verboten. Entsprechend grausam sind die Drohungen. Der Leichnam eines «Selbstmörders» wird auf die Straße geschleppt, verbrannt oder in Fässer geschlagen, die anschließend versenkt werden. Ein kirchliches Begräbnis wird untersagt und die Besitztümer konfisziert. Umso überraschender ist die Beobachtung, dass gerade das Zivilrecht bestimmte Motive für eine Selbsttötung mit gewissem Mitleid betrachtet und infolgedessen auch eine mildere Bestrafung auferlegt. In der «Lex Romana Visigothorum» werden die Besitztümer des Toten seinen Erben ausgehändigt, wenn «er dies [die Beendigung

---

¹⁵ Vgl. Contra Celsum, V, 27 (GCS, Opera I).
¹⁶ Vgl. De civitate Dei XIX, 4, 5, (MPL 41, 631).
¹⁷ Vgl. Contra Eunomion (MPG 45, 247f.).

eines Lebens] getan hat, weil er sich vor dem Leben geekelt hat, oder an ein fremdes Klima sich nicht gewöhnen konnte oder an einer unheilbaren Krankheit litt».[18] Bemerkenswert, neben dem Klima-Argument, mutet das Verständnis an, das dem Lebensüberdruss hier entgegengebracht wird, also der subjektiven Erfahrung, dass das Leben sinnlos sei. Im Vergleich lassen die kirchlichen Codices den Eindruck kalter Härte und Strenge walten.

In der Hochscholastik vom 11. bis zum 13. Jh. wird die Argumentation reichhaltiger. Bei Alexander von Hales stoßen wir bereits auf eine genuin *ethische* Argumentation: Wenn man das Leben (aktiv) beendet, um dem Leiden zu entkommen, dann begeht man eine böse Tat, um ein Gut, nämlich die Leidensfreiheit, zu erlangen. Schlechte Mittel aber können eine gute Absicht nicht legitimieren. Die Selbsttötung ist vielmehr ein *intrinsisches* Übel, d. h. sie ist in sich schlecht, abgesehen von irgendwelchen Umständen, die sie zu motivieren scheinen, oder von Folgen, die man mit ihrer Ausführung bezwecken könnte. Eine in sich schlechte Handlung kann also niemals das Erreichen eines Gutes legitimieren.[19]

Interessant aber ist eine andere Stelle, die bei Bonaventura zu finden ist. Natürlich wird auch bei diesem Theologen die Selbsttötung verworfen. Die Heilige Schrift, die Kirchenväter und das Naturgesetz werden ins Feld geführt. Aber, so schreibt Bonaventura, obwohl niemand aufgrund natürlicher Neigung zum Tode strebt, gibt es «viele, die sich töten – sowie es bei verzweifelten Menschen deutlich wird – und die nach dem Tod verlangen». Es handelt sich dabei um «Verwirrung, Verzweiflung oder ungünstige Umstände». Was aber überrascht, ist das Faktum, dass Bonaventura nun dieses Motiv ein «wohlüberlegtes Streben»[20] nennt. Nimmt man beispielsweise eine schwere Erkrankung oder unerträgliche Schmerzen als Beispiele für solche «ungünstigen Umstände», dann lässt Bonaventura hier ein auffälliges Verständnis für Ausnahmen von einem generellen Verbot erkennen. Allerdings führen solche Ausnahmen nicht unmittelbar zu einer Lockerung des Verbotes. Wir haben es vielmehr mit einem Fall von Epikie zu tun.

Ihre überlieferte Gestalt hat die katholische Lehre bekanntlich bei Thomas von Aquin gefunden. Die theologischen Argumente werden systematisiert und auf den Punkt gebracht. Selbsttötung verstößt gegen das Naturgesetz, das Gott in die Schöpfung als Ordnungsgestalt eingelassen hat. Der Mensch, der solches tut, entzieht sich der Gemeinschaft, deren konstitutiver Teil er ist. Er wirft seine Verantwortung über Bord. Und weil das Leben ein Geschenk Gottes ist, bleibt der Mensch der Macht Gottes unterworfen. Das schöpfungstheologische Argument bewegt sich in einer *Herr- und Knecht-Metaphorik*.[21]

---

[18] Zitiert bei *A. Bayet*, Le suicide et la morte, Paris 1922, 384.
[19] Vgl. Summa Theologica, Ad Claras Aquas prope Florentiam: ex typographi Collegii St. Bonaventurae, Tomus IV, 522.
[20] S. Bonaventura, Opera Omnia, vol. III, 375, Sententiarum Liber III, Dist. XVII, Dubium I.
[21] Vgl. STh II-II, q. 64 a. 5.

3. Medizinethische Differenzierungen

Ab dem 15. Jh. tauchen immer zahlreicher werdende, genuin medizinethische Reflexionen über die Selbsttötung *anlässlich einer Erkrankung* auf. Hier liegen die ersten Keime für eine abweichende moralische Einschätzung der Sterbehilfe. Im *Repertorium totius Summae* des Antonius von Firenze, im *Manuale confessariorum* des Martin von Azpilcueta (Doctor Navarrus) oder beim Kanonisten Panormitanus wird den Verpflichtungen, die zwischen Kranken und ihren Pflegern vorliegen, beträchtlicher Raum gewidmet. Und auch hier wird in aller Regel das tradierte Verbot des Suizid bestätigt. Aber bei Antonius von Firenze findet sich ein mehr als bemerkenswerter Satz:

> «Es sündigen Krankenpfleger, wenn sie den Kranken etwas Schädliches in voller Kenntnis oder aus grober Unwissenheit verabreichen, *mehr oder weniger*, abhängig von dem zugefügten Schaden und von der Intention: denn sie tun dies aus Liebe zu ihrem Nächsten.»[22]

Selbstverständlich dürfen solche Stellen nicht zu der Schlussfolgerung verleiten, dass die aktive Lebensbeendigung moralisch ernsthaft in Erwägung gezogen worden ist. Aber immerhin dürfte die Praxisnähe der Beichtbücher, ihre Nähe zum einzelnen Kasus und somit zum einzelnen erkrankten und leidenden Menschen, zu gewissen Zweifeln bezüglich der Haltbarkeit kategorischer Verurteilungen Anlass gegeben haben.

Trotzdem – die Verweigerung von Therapien oder Medikamenten, also in unserer heutigen Terminologie eine Form der «passiven» Euthanasie, wird von nahezu allen Moralisten abgelehnt. Sie ist nur in äußerst seltenen Ausnahmen erlaubt. Sogar die Verweigerung der Nahrungsaufnahme, die Bonaventura zufolge im Vergleich zum «echten Töten» zum «interpretativen Töten» zu rechnen sei, bleibt strikt verboten, weil der Mensch hier die Initiative zu seinem Ableben an sich gerissen habe.[23] Immerhin lässt sich – parallel zur Entwicklung der Medizin selber – eine zaghafte Zulassung kasuistisch motivierter, von der generellen Regel abweichender Differenzierungen feststellen. An den Rändern der Moral keimen, noch verborgen und unsystematisch, die ersten Reflexionen, die auf Dauer das Verbot in seiner harten Allgemeingültigkeit unterminieren werden.

Das 16. Jh. markiert zunächst das Wiederaufleben des *Begriffs* «Euthanasie». Die Renaissance hat auch für eine Erneuerung der Bande mit der Antike in medizinischen Angelegenheiten gesorgt. Francis Bacon rechnet es in seiner Abhandlung über die Wissenschaften «De dignitate et augmentis scientiarum» zu den genuinen Aufgaben des Arztes, nicht nur die Schmerzen der Kranken zwecks ihrer Genesung zu lindern, sondern ebenso «für ein sanftes und angenehmes Dahinscheiden aus dem Leben zu sorgen, wenn er alle Hoffnung auf Genesung aufgegeben hat».[24] Dem Kontext zufolge geht

---

[22] Repertorium Summae, compilatus *J. Molitore*, Basel 1511, pars III, titulus VII, caput II, par. IV.
[23] Vgl. Opera Omnia, tomus V, 536, De decem praeceptis Collatio VI, pars I, Nr. 6.
[24] Liber IV, caput II, in: Opera omnia, Frankfurt a. M. 1665, 108.

es nicht um eine aktive Form der Lebensbeendigung. Bacon verwendet die «Euthanasie» vielmehr als einen medizinischen Terminus, der die Linderung von Schmerzen im Todeskampf meint. Dennoch bahnt sich nun eine intensive Diskussion bei Moralisten, Juristen und Ärzten über die Zulässigkeit des freigewählten Todes an.

Der Freitod gilt als *Sünde gegen die Natur des Menschen* (Domingo de Soto): Selbsterhaltung wird zur Maxime eines rationalen Strebens. Letzteres gebietet es, die Glückseligkeit anzustreben, was nur ein lebender Mensch tun könne. Der Freitod vernichtet diesen rationalen Bezug zur Glückseligkeit.[25] Er gilt darüber hinaus als *Sünde gegen die Liebe, die man der eigenen Person gegenüber schuldig ist* (Leonhard Lessius): Es ist eine Äußerung des Selbsthasses, wenn man das Leben, das man doch lieben soll, auslöscht.[26] Die Selbstliebe, sagt J. de Lugo, ist ein Ausdruck dafür, dass der Mensch auf die ewige Seeligkeit ausgerichtet ist. Aber, «wie kann ich mich selber noch lieben, wenn ich für mich selber nicht einmal das Sein will, das doch das Fundament von jedem Gut ist und ohne welches ich für mich selber kein weiteres Gut erlangen kann?» Der Freitod ist demnach eine «Vernichtung des Seins selber, das als erstes geliebt werden muss».[27]

Und auch hier wird das Basisargument gegen den Freitod, nämlich die Herrschaft Gottes über das Leben, erneut bestätigt: J. de Lugo versteigt sich sogar zu der Behauptung, dass nicht einmal Gott selber Herr über sich selbst sei. «Niemand kann Herr seiner selbst sein, sowie niemand sein eigener Vater oder Lehrer sein kann [...], denn sogar Gott kann nicht Herr seiner selbst sein, obwohl er sich selber in vollkommener Weise besitzt.»[28] Aus dieser Perspektive muss die Behauptung, dass Menschen ein Selbstverfügungsrecht haben, als Absurdität gelten. Eine solchermaßen überspitzte Argumentation wird aber als erste anfällig für Zweifel. Ihre Brauchbarkeit wird schnell angetastet.

Es gibt dann auch vereinzelte Brüche in der generellen Front des Verbotes *jeglicher* Selbsttötung. Dies geschieht allerdings weniger in den professionellen moraltheologischen Diskursen als vielmehr dort, wo die konkreten Leidenssituationen gewürdigt werden (müssen). Kein geringerer als Erasmus von Rotterdam hat in seiner «Laus stultitiae» (Lob der Torheit) *wirkliches Mitleid* erkennen lassen.

Nachdem er Seneca – dem «Oberstoiker» – die völlige Leidenschaftslosigkeit des Weisen zum Vorwurf gemacht hat, plädiert Erasmus für einen Menschen, der nicht «taub geworden ist gegen die Wünsche der natürlichen Regungen», eine «Seele» hat und «von Liebe und Mitleid weiß».[29] Man

---

[25] Vgl. *Dominico Soto*, De Justitia et Jure, Venedig 1608, tomus I, liber V, quae. I, art. V., 406.
[26] Vgl. De Justitia et Jure ceterisque virtutibus cardinalibus, Antwerpen 1632, Liber II, 89ff.
[27] *Joannes de Lugo*, Disputationes scholasticae et morales, ed. *J. B. Fournials*, Paris 1869, tomus VI, 37f.
[28] Ebd.
[29] Werke Bd. II, hrsg. v. *W. Welzig*, Darmstadt 1975, 67.

schaue nur auf das Elend des Lebens und die «Scharen von Krankheiten» – «wer all das sähe und sich zu Herzen nähme, würde sich der nicht die milesischen Jungfrauen [die sich in Milet während einer Selbstmordepidemie das Leben nahmen; J.-P. Wils] loben, obwohl sie so kläglich endeten?»[30]

Zugegebenermaßen macht es die Ironie dieses Werkes nicht leicht, die klare Intention des Autors überall zu erkennen. Aber wie dem auch sei – in einem der «gefährlichsten Bücher der Weltliteratur» (Walter Nigg)[31] wird unser Thema ohne Moralisierung nun einmal vorgetragen. Wahrscheinlich kann man von einem Schutz dieser humanistischen Position durch die Ironie als Stilprinzip sprechen. Unter der Schutzhülle der Satire wird das ausgesprochen, was man sich im akademischen und öffentlichen Diskurs der Moral-Disziplinen nicht trauen kann.

Sehr viel größeres Gewicht aber muss Thomas Morus' *Utopia* zugemessen werden. Die Krankenpflege auf der Insel Utopia wird mit den folgenden Worten beschrieben:

> «Die Kranken pflegen sie, wie ich sagte, mit großer Hingebung [...] Sogar unheilbar Kranken erleichtern sie ihr Los, indem sie sich zu ihnen setzen, ihnen Trost zusprechen und überhaupt alle möglichen Erleichterungen verschaffen. Ist indessen die Krankheit nicht nur unheilbar, sondern dazu noch dauernd qualvoll und schmerzhaft, dann reden Priester und Behörden dem Kranken zu. Da er ja doch allen Anforderungen des Lebens nicht mehr gewachsen, den Mitmenschen zur Last, sich selber unerträglich, seinen eigenen Tod bereits überlebe, solle er nicht darauf bestehen, die unheilvolle Seuche noch länger zu nähren, und nicht zögern zu sterben, zumal das Leben doch nur eine Qual für ihn sei; er solle sich also getrost und hoffnungsvoll aus diesem bitteren Leben wie aus einem Kerker oder aus der Folterkammer befreien oder sich willig von anderen herausreißen lassen; daran werde er klug tun, da ja der Tod keinen Freuden, sondern nur Martern ein Ende mache, und zudem werde er fromm und gottesfürchtig handeln, da er damit dem Rat der Priester, das heißt dem Deuter des göttlichen Willens gehorche. Wen sie damit überzeugt haben, der endigt sein Leben entweder freiwillig durch Enthaltung von Nahrung oder wird eingeschläfert und findet Erlösung, ohne vom Tode etwas zu merken. *Gegen seinen Willen* aber töten sie niemanden, und sie pflegen ihn deshalb auch nicht weniger sorgfältig. Auf einen solchen Rat hin sein Leben zu enden, gilt als ehrenvoll. Sonst aber wird keiner, der sich selbst das Leben nimmt, ohne Billigung des Grundes durch Priester oder Senat, der Beerdigung oder der Verbrennung gewürdigt, statt ihn zu begraben, werfen sie ihn schmählich in einen Sumpf.»[32]

Ähnlich wie bei Erasmus könnte auch hier die literarische Form Schwierigkeiten bei der Interpretation entstehen lassen. Schließlich ist es nicht Morus selber, der spricht, sondern der Kapitän Raphael Hythlodeus, der Morus über seine Reise nach Utopia erzählt. Der Streit der Interpreten nimmt auch hier kein Ende. Aber wir brauchen nicht unbedingt die persönliche Meinung des Thomas Morus zu rekonstruieren.

---

[30] Ebd. 69.
[31] *W. Nigg*, Der christliche Narr, Zürich/Stuttgart 1956, 131.
[32] *Th. Morus*, Utopia, in: Der utopische Staat, hrsg. v. *E. Grassi*, Philosophie des Humanismus und der Renaissance, Reinbek 1960, 81.

Der Text liest sich – aus heutiger Perspektive – nicht unbedingt als eine Apologie der Euthanasie. Er enthält zu viele Gesichtspunkte, die dieses Ansinnen eher schwächen. Eine Koalition von Priestern und Behörden startet die Initiative zur buchstäblichen Überredung des Erkrankten. Ihm werden alle möglichen Argumente angeboten, weshalb sein Leben nicht länger lebenswert sei. Dies gipfelt in der Behauptung, der Kranke hätte seinen eigenen Tod überlebt. Dabei spielen ökonomische Motive eine unübersehbar zentrale Rolle. Obwohl dieser Text *für die aktive Euthanasie* plädiert, tut er dies mit einigen zentralen Argumentationsfiguren der klassischen Verbotsbegründung – allerdings in gegensätzlicher Absicht.

Die Einwilligung in die Euthanasie stellt sich als eine Konfirmierung des göttlichen Willens dar, so wie dieser auf authentische Weise durch die Priester interpretiert wird. Der individuelle Entscheidungsspielraum wird dadurch psychologisch nicht unerheblich eingeschränkt, obwohl behauptet wird, dass auch gegenteilige Entscheidungen respektiert werden. Aber wer vermochte es schon, *gegen* den ausdrücklichen Willen Gottes zu opponieren, dieses Mal zur Erhaltung des eigenen Lebens. Es ist gerade die Fülle der Gesichtspunkte *für* das aktive Aus-dem-Leben-scheiden, die bei diesem Text *gegen* ihn einnimmt. Denn jedes Argument dieser neuen Avantgarde[33] des Sterbens schränkt die Räume der Entscheidungsfreiheit des Betroffenen ein. Das Argument des göttlichen Willens bildet dabei nur die Apotheose der Vernichtung jeglicher echten Deliberation. Gerade diese Stelle aus der Utopia zeigt in einer Art von Vorwegnahme das Entstehen von sozialpsychologischen Zwangsstrukturen, die es dem Einzelnen immer schwieriger machen, überhaupt noch gegen eine gesellschaftliche Plausibilität Stellung zu beziehen. Dieser Mechanismus, zumal er auf Situationen extremer existentieller Belastungen bezogen ist, kann seitens des Subjekts als eine unausweichliche, quasi-objektive Bestimmungsmacht über sein Leben bzw. über sein Sterben empfunden werden.

Bei Michel de Montaigne dagegen werden wir mit einem vorsichtigen, aber doch eindeutigen Plädoyer *für* den Freitod konfrontiert.

> «Es ist alles eins, ob der Mensch sich den Tod gebe oder ihn erleide; ob er seinem letzten Tage zueile oder ihn erharre: er komme, woher er will, es ist doch immer der seine; wo auch der Faden abreißt, er reißt ganz ab, die Spindel ist abgelaufen. *Der freiwilligste Tod ist der schönste. Das Leben steht in fremder Macht, der Tod in unserer.* [...] Das Leben ist eine Fron, wenn ihm die Freiheit zu sterben ermangelt.»[34]

Montaigne betont ausdrücklich, dass derjenige, der sich das Leben nimmt, ebenso wenig als Mörder betrachtet werden dürfe wie derjenige als Brandstifter, der sein eigenes Holz verbrenne. Gleichzeitig erweist sich Montaigne als profunder Kenner der klassischen Argumentation: Fast alle theologischen und philosophischen Gesichtspunkte *gegen* den Freitod werden aufgeboten,

---

[33] Vgl. *J. Hermand*, Orte. Irgendwo. Formen utopischen Denkens, Königstein/Ts. 1981, 45ff.

[34] *M. de Montaigne*, Ein Brauch der Insel Zia, in: Essais, hrsg. v. *H. Lüthy*, Zürich 1986, II, III, 339.

was in folgendem Fazit gipfelt: «Es ist die Sache der Feigheit, nicht der Tugend, sich in einem Erdloch unter einem schweren Grabstein zu verkriechen, um den Schlägen des Glücks auszuweichen.»[35] *Dennoch* – mit sanfter, epikureischer Entschiedenheit wird zugunsten des Freitodes argumentiert.

4. Eine theologische Revolte

Die erste wirkliche Verteidigungsschrift aus der Mitte der Theologie stammt aus der Feder von John Donne, dem Dekan von St. Pauls Cathedral in London. Dieses Werk mit dem Titel «Biathanatos» war bereits im Jahre 1605 entstanden, wurde aber erst etwa vierzig Jahre später, nach dem Tod Donnes, von dessen Sohn publiziert. Donne opponiert v. a. gegen die zentrale Autorität, gegen Thomas v. Aquin. Dessen mittlerweile klassisches Dreierschema (Sünde gegen die Natur des Menschen, Sünde gegen die Gemeinschaft und Sünde gegen Gott) wird als Leitfaden der Argumentation benutzt. Donnes Darlegung ist von entscheidender Bedeutung für die Folgezeit.

Was die Natur des Menschen betrifft, gesteht Donne zwar zu, dass es allgemeine Vorschriften oder allgemein gültige moralische Gebote und Verbote gibt, aber viele der Anweisungen seien nur «by consequence», also durch Konklusionen zu gewinnen, so dass die konkreten Schlussfolgerungen nicht immer den Status des unveränderlichen *primären* Naturrechts besäßen. Die Selbsterhaltungsmaxime, die bei Thomas v. Aquin zu den «natürlichen Neigungen» (inclinationes naturales) gehört, rechnet Donne konsequenterweise *nicht* zum primären Naturrecht.[36] Er ist vielmehr der Meinung, dass es gerade die konkreten Umstände, die «circumstantiae», sind, die eine Ausnahme von den ansonsten relativ allgemeinen Regeln erlauben. Und in diesem Falle, sagt er, «a private man is Emperor of himselfe». Darüber hinaus verwirft Donne die katholische Lehre von der Zuständigkeit des Papstes, nämlich «to declare, interpret, limit, distinguish the law of God».[37] Deshalb sei jeder «the Bishop and Magistrate of himselfe» und sei es erlaubt, «to dispense with his conscience». Donne rechnet es also zu den genuinen Aufgaben und Kompetenzen des Einzelnen, auf der Basis von Einsicht mittels eines Gewissensentscheids die konkreten Umstände geltend machen zu können, die eine Abweichung vom generellen Verbot der Selbsttötung erlauben.

Die komplexen Argumentationen von Donne gehen weit über das hier Referierte hinaus. Die traditionellen biblischen Argumente werden anhand penibler exegetischer Kleinarbeit zurückgewiesen. Man kann also durchaus schließen, dass Donne einen Wendepunkt in der theologischen Argumentation bedeutet. Zwar bleibt der Stil dieser Argumentation weitgehend scholastischer Prägung, aber dies darf nicht darüber hinwegtäuschen, dass hier

---

[35] Ebd. 340.
[36] Vgl. Biathanatos, ed. *J. W. Hebel*, New York 1930, 47.
[37] Ebd. 48.

der faktische Konsens der christlichen Tradition verlassen wird. Donne polemisiert nicht, sondern nutzt die Interpretationsspielräume, die die Texte selber hinterlassen. Dies betrifft z. B. den Stellenwert der «natürlichen» Neigungen im Duktus der thomasischen Verbotsbegründung. Die Neigung jedes Lebewesens, seine Selbsterhaltung zu verteidigen, wird von Donne lediglich als eine *generelle* natürliche Einstellung aufgefasst, die nicht unter allen Umständen bloß *eine* normative Konsequenz haben kann, nämlich das Verbot der Selbsttötung. Donne weist also die Schlussfolgerung zurück, dass eine weit verbreitete *natürliche* Gewohnheit, nämlich die Selbsterhaltung oder «conservatio sui», unter allen Umständen zu gleichlautenden normativen Schlüssen veranlasst. Er bemüht sich deshalb, in der Geschichte zahlreiche Beispiele zu finden, die gerade die Behauptung der Universalität der Selbsterhaltung schwächen.

5. Medizinische Spezifikationen

Ihrer Natur nach spezifischer und näher an unserer Thematik ist die Debatte über die Verweigerung der medizinischen Behandlung. Die Suizid-Frage hatte gewissermaßen nur die Funktion, diese *spezifische* Fragestellung vorzubereiten.

Zunächst hat Joannes de Lugo den Unterschied zwischen einer *absichtlichen* und einer *unabsichtlichen* Verkürzung markiert. Unabsichtlichkeit liegt dann vor, wenn man die Lebensverkürzung zulässt oder einen bestimmten Risikofaktor akzeptiert, obwohl man die Lebensverkürzung nicht intendiert. An anderer Stelle moniert J. de Lugo, dass hier «kein Unterschied gemacht wird zwischen der Situation, worin jemand sich selber positiv den Tod zufügt, und einer Situation, worin man nicht alle Mittel einsetzt, um ihn zu vermeiden oder zurückzuhalten».[38] Es besteht also eine gewisse Übereinstimmung darüber, dass die unabsichtliche Lebensverkürzung unter gewissen Umständen zulässig sei. Der richtige Anlass (iusta causa) bzw. die Legitimität des Motivs ist dann aber in diesem Zusammenhang von entscheidender Bedeutung.

Eine weitere terminologische Unterscheidung betrifft die *gewöhnlichen* und die *außergewöhnlichen* Mittel. Wie wir bereits gesehen haben, hat Antonius von Firenze im späten Mittelalter jede Weigerung, ärztlichen Vorschriften zu folgen, als Selbstmord gewertet. Dagegen wird jetzt auf die Verhältnismäßigkeit der Mittel geachtet: Wird eine radikale und äußerst schmerzvolle Therapie, etwa die Amputation, verweigert, dann kann diese Verweigerung unter Umständen rechtens sein. Denn das Übel, das in Kauf genommen werden müsste, wäre vielleicht erheblich größer als jenes, das man beseitigen wollte. So schreibt Lessius:

---

[38] Op. cit. tomus VI, X, I, Nr. 35, 48ff.

«Der Grund dafür liegt darin, daß man dazu gehalten ist, sein Leben, wenn dieses in Gefahr ist, mit *gewöhnlichen* Mitteln (mediis ordinariis) und nicht mit äußerst lästigen Heilmitteln in Stand zu halten.»[39]

De Lugo spricht bei letzteren von «media extraordinaria et difficilia»[40], also von außergewöhnlichen und schwierigen Mitteln. Es ist gerade dieser terminologische Unterschied, der bis in die katholische Moraltheologie der Gegenwart hinein bei der Fundierung einer legitimen, obzwar passiven Herbeiführung des eigenen Todes von größter Wichtigkeit geblieben ist.

Der ethische Grund, weshalb nun auf bestimmte, invasive Mittel und Therapien verzichtet werden darf, liegt darin, dass der Mensch «nicht mit Absicht (ne ex intentione) sein Leben als ein gehasstes Objekt vernichten darf und dass er sein Leben nicht ohne guten Grund Gefahren aussetzen oder auch nachlassen darf, sein Leben zu erhalten, denn dann könnte man ihm mit Recht unterstellen, dass er sein Leben *absichtlich* (ex intentione) verliert».[41] Die jeweilige Intentionalität, die der Handlung zugrunde liegt, ist also das entscheidende Kriterium, damit der Verzicht auf die «media extraordinaria» ethisch zulässig wird.

Bei de Lugo wird der Zusammenhang besonders deutlich: «Wer die gewöhnlichen Mittel, welche die Natur für den gewöhnlichen Lebensunterhalt zur Verfügung stellt, verweigert, dem wird *moraliter* unterstellt, den Tod zu wollen.»[42] Aber ganz davon getrennt werden muss jene Situation, wo «das Leben, das aus sich selbst heraus (das heißt, ohne dass der Mensch die Ursache ist) verloren zu gehen droht, mit auserlesenen Mitteln (mediis exquisitis) behütet wird».[43]

Durchaus bemerkenswert ist auch der Sachverhalt, dass es in aller Regel der Kranke selber ist, dem die Entscheidungskompetenz zugesprochen wird. Man wird aus diesem Grund nicht umhinkommen, in der moraltheologischen Diskussion zu diesem Zeitpunkt einen Fortschritt bei der ethischen Bewertung *dieser* Form der Lebensverkürzung feststellen zu dürfen.

Aber auch aus einer anderen Perspektive heraus, nämlich ausgehend von der Frage nach der *Pflicht* zur medizinischen Behandlung, wird man zu einer differenzierten Bewertung gelangen.[44]

Zum christlichen Gemeingut zählte die Auffassung, dass es Gott ist, der eine Krankheit heilt, zumindest als «primäre Ursache». Dennoch ist der Arzt bzw. der Kranke nicht bloß ein Instrument dieses Geschehens. So bezeichnet Baptista Codronchi den Mediziner eine «dienende Ursache» (causa ministerialis), während das Medikament lediglich als eine «instrumentelle Ursache» (causa instrumentalis) bewertet und gewichtet wird. Gott bleibt zwar

---

[39] Op. cit. II, IX, XIV, Nr. 96, 101.
[40] Op. cit. Nr. 29, 46.
[41] *Lessius*, op. cit. Liber II, IX, VI, Nr. 27, 91.
[42] Op. cit. Nr. 29, 46.
[43] Ebd.
[44] Eine Fundgrube bietet: *A. R. Jonsen*, History of Medical Ethics: Western Europe in the Seventeenth Century, in: *W. T. Reich* (Hrsg.), Encyclopedia of Bioethics, New York/London 1982, vol. 3, 954–956.

die «causa principialis»⁴⁵ – dennoch darf, was in unseren Ohren wie eine Selbstverständlichkeit klingt, nämlich die ministerielle Funktion des Arztes, nicht unterschätzt werden. Dieser wird nun zu einem authentischen Faktor im Heilungsprozess.

Diese lediglich scholastisch anmutende Umgewichtung hat allerdings zur Folge, dass nun auch alle Handlungskonflikte – die ansonsten unter der Ägide Gottes gleichsam stillschweigend übergangen werden – ans Tageslicht kommen müssen. Es ist nicht länger Gott, in dessen alleiniger Zuständigkeit der Genesungsprozess liegt, sondern die Verantwortung bekommt nun ein irdisches Gesicht. Und die göttliche Vorsehung kann nicht länger als ein *direktes* Argument verwendet werden, woraus Direktiven des Handelns mühelos deduziert werden können.

Natürlich waren auch diese Gesichtspunkte dem späten Mittelalter nicht ganz fremd. Aber jetzt wurden sie ausformuliert und systematisiert. So hat Zacchias, alias Martin von Azpilcueta, auf welchen Codronchi sich auf der Suche nach weiteren Legitimationen beruft, bereits den Rekurs auf die Vorsehung *anstelle* einer Behandlung abgewiesen. Zacchias formuliert seinerseits, dass wer dies tue, sich einer Todsünde schuldig mache, da er Gott versuche und «weil er sein eigener Mörder ist, indem er die sekundären Ursachen außer Betracht lässt, welche zusammen mit der Ersten Ursache die Genesung bewerkstelligen können».⁴⁶ Auch wenn diese Argumente sehr spekulativ anmuten, kommt in ihnen nicht nur ein Stück authentischer christlicher Verantwortung für die Kranken und Leidenden zum Ausdruck, sondern es vollzieht sich gleichzeitig eine zunehmend präzise Einkreisung genuiner Handlungskonflikte, die auf Dauer die tradierten christlichen Vorgaben sprengen werden.

Denn die Diskussion der Behandlungspflicht führt nahezu zwangsläufig zu der Frage, wie weit sich eine solche Pflicht erstrecke. Welches ist die Reichweite dieser Pflicht bzw. ab wann ist es erlaubt oder sogar geboten, von Einschränkungen und Grenzen der Behandlungspflicht zu sprechen? Wir werden gleich sehen, dass die Kriterien, die nun genannt werden, sich bis heute nicht wesentlich geändert haben. Vor allem Paul Zacchias hat hier in seinem «Quaestionum medico-legalium opus absolutissimum»⁴⁷ am Anfang des 17. Jh.s zur Präzision beigetragen.

a) Ein erstes Kriterium betrifft die *Notwendigkeit der Behandlung*. Je notwendiger diese ist, umso größer wird die Schuld eines Kranken, der eine Behandlung verweigert. Zusätzlich bemisst sich diese Schuld am Ausmaß des Schadens, der durch die Zurückweisung der Behandlung entsteht.

b) Ein zweites Kriterium betrifft die *Sicherheit im Hinblick auf das Resultat der Behandlung*. Zacchias argumentiert hier außerordentlich empirisch, indem er mit quasi-statistischen Informationen aufwartet. Diese sollen es als

---

⁴⁵ De christiana ac tuta medendi ratione, II, I, 138f.
⁴⁶ Ebd. 136f.
⁴⁷ *P. Zacchias*, Quaestionum medico-legalium opus absolutissimum, Frankfurt a. M. 1666, Erstausgabe in 8 Bänden, erschien zwischen 1621 und 1650.

wahrscheinlich erscheinen lassen, dass eine Therapie auch zu einem Erfolg führt.

> «Eine Therapie darf demnach nicht abgewiesen werden, weil eine Gesundung bei einem individuellen Patienten niemals garantiert werden kann. Denn es ist ausreichend, wenn ein Erfolg bei einer Mehrheit von Patienten, und demnach mit an Sicherheit grenzender Wahrscheinlichkeit erwartet werden kann.»[48]

Diese Ergebnisorientierung, also die Relevanz des zu erwartenden Resultats, unterstreicht die prinzipielle Unsicherheit, die gerade komplexe medizinische Behandlungen mit sich bringen. Es war gerade die Erfahrung von Misserfolgen, die es erforderlich machte, dass erfolgsorientierte Bewertungskriterien zugelassen wurden.

Die Entwicklung der Medizin seit der Renaissance hat parallel zu ihrem zunehmenden Können auch ein klareres Bewusstsein hinsichtlich der Grenzen dieser Kompetenz besessen. Ansonsten ist die verbreitete Gewissheitsproblematik, die im Zeitalter von Descartes nicht nur ein ausschließlich erkenntnistheoretisches Problem darstellt, kaum zu erklären. Die Gewissheitsfrage bekommt ein medizinisch-therapeutisches Gesicht. Jedenfalls wird nun eine deutliche Beziehung zwischen der Wahrscheinlichkeitsvermutung über den Erfolg einer Behandlung und der moralischen Pflicht zu behandeln, bzw. sich behandeln zu lassen, hergestellt.

c) Das dritte Kriterium, das hier zu nennen wäre, ist die *Unerträglichkeit der Behandlung*. Gerade dort, wo das Resultat mehr als unsicher ist, nimmt die Toleranz gegenüber heftigem Schmerz oder gravierenden Nebenwirkungen rapide ab: «Die Unerträglichkeit der Behandlung muss dem Vorteil, dass der Kranke am Leben bleibt, aufwiegen.»[49]

d) Hiermit hängt das vierte Kriterium zusammen, nämlich die *eventuellen Komplikationen der Behandlung*. Auch dort, wo aller Wahrscheinlichkeit nach ein positiver Effekt zu erwarten wäre, ist eine Pflicht zur Behandlung nicht gegeben, wenn die Nebenwirkungen ein bestimmtes Maß überschreiten. Aber immerhin wird auch der Fall diskutiert, dass so gut wie jede Hoffnung auf Genesung verschwunden ist. Dann sind sogar «dubiose Behandlungen» (dubium medicamentum) erlaubt, und darf «jedes Risiko» (omnem aleam subire licet) eingegangen werden.[50] Heute dürften hier vor allem die verschiedenen, alternativen Krebs- und Aidstherapien angesprochen sein.

e) Das letzte Kriterium wendet die Erlaubtheit dieser ultimativen Methoden nun wieder in die Einschränkung der moralischen Pflicht um, sich mit Mitteln, die *außerhalb der normalen Medizin* liegen, behandeln zu lassen.

Dieser kleine Katalog wird von Zacchias auf konkrete Fälle angewandt – eine Demonstration der Notwendigkeit einer medizinischen Kasuistik.[51]

---

[48] tomus II, VIII, I, Nr. 14, 662.
[49] Ebd. Nr. 15.
[50] Vgl. ebd. Nr. 21, 664.
[51] A. R. Jonsen/S. Toulmin (sind der Meinung, daß es gerade die medizinische Kasuistik in unseren Tagen ist, die das lebendige Bewußtsein für moralische Alltagskonflikte

Wenn man die Grenzen der Behandlungspflicht diskutiert, wird unweigerlich auch die Aufgabe des Arztes bei nicht-heilbaren Krankheiten zur Diskussion gestellt. Für den Fall, dass eine Heilung nicht länger erwartet werden kann, ist der Arzt zur Sterbebegleitung aufgefordert. B. Codronchi rät dem Arzt in solchen Situationen, den Kranken weiterhin zu besuchen, damit er diesem «milde, erleichternde und wünschbare, aber *sichere* Medikamente» (levia, iucunda, optata, sed tuta remedia)[52] verabreichen könne. Und Zacchias zufolge wird der gute Arzt, neben einer psychologischen Betreuung, «mit geschickten Medikamenten vermeiden, dass die Krankheit, obzwar sie unheilbar ist, schlimmer wird, sich ausbreitet oder ganz aus der Hand läuft; darüber hinaus kann er nicht wenige Symptome bestreiten, die die Krankheit gewöhnlich unträgbar machen».[53] Aber immer wieder ist die Warnung zu vernehmen, dass die Grenze zu einer direkten und intendierten Herbeiführung des Lebensendes nicht überschritten werden dürfe.

Was nun die lebensverlängernde Therapie in solchen unheilbaren Fällen betrifft, rät Rodericus a Castro, den Tod nicht für eine nur kurze Zeit aufzuschieben und «ein elendes Leben zu verlängern».[54] Auf der anderen Seite werden bestimmte lebensverlängernde Therapien, etwa um ein schreckliches Ende zu vermeiden, durchaus toleriert.

Auch wenn man die eine oder andere Argumentation sowohl terminologisch als auch inhaltlich für verbesserungswürdig oder sogar überholt halten möchte, bleibt doch am Ende dieser kurzen Skizze des nachreformatorischen Jahrhunderts ein überwiegend positiver Eindruck. Jedenfalls werden die Argumentationen komplexer und konkreter. Die einst zentralen theologischen Argumente, vor allem das Argument der Schöpfer-Herrschaft Gottes, fangen an zu verblassen. Diese Begründungen werden zunehmend durch moralische Distinktionen ersetzt, die offensichtlich aus der Praxis der Mediziner, aber auch aus den konkreten Leiden der Kranken und Sterbenden gewonnen werden. Es dürfte vor allem deutlich geworden sein, dass ethische Argumente im Allgemeinen und moraltheologische Argumente im Besonderen mit den realen und komplexen medizinischen Konflikten ihres Zeitalters Schritt halten müssen.

---

gestärkt habe. Dagegen sei die einseitige Orientierung an abstrakten Prinzipien zugunsten der Humanität ausgefallen. Vgl. *Dies.*, The abuse of casuistry. A history of moral reasoning, Berkeley 1988.

[52] Op. cit. I, VII, 25–26.
[53] Op. cit. tomus II, VI, I, II, Nr. 27, 464.
[54] Medicus politicus: sive de officiis medico-politicus tractatus, Hamburg 1614, Liber III, caput XVIII, 178.

Ludwig Siep/Michael Quante

Ist die aktive Herbeiführung des Todes im Bereich des medizinischen Handelns philosophisch zu rechtfertigen?

> «Nice little dying-in home you got here ... I wouldn't look for anybody here that wasn't too frail to fight back. Sick old people. Lonely old people. You said it yourself, Doctor. Unwanted old people, but with money and hungry heirs. Most of them probably judged incompetent by the court.»
> Raymond Chandler, The Long Good-Bye

1. Das Problem

Raymond Chandlers Roman, der die Schilderung einer Todesklinik in der Umgebung von Los Angeles enthält, erschien zuerst 1953, mehr als eine Dekade nach Beendigung des Euthanasie-Programms in Nazi-Deutschland. Ob und in welcher Zahl es Einrichtungen dieser Art in demokratischen Rechtsstaaten gegeben hat oder gibt, ist schwer festzustellen. Aber die Furcht, jegliche Lockerung des Tötungsverbots für Ärzte könnte Alpträume dieser Art wahrmachen, ist sicher nicht unbegründet. Der unfreiwillige Tod von der Hand eines anderen gilt nicht nur für Philosophen wie Thomas Hobbes als das «summum malum», das höchste Übel für den Menschen – und das nicht erst, wenn der Hilflose seinem Helfer ausgeliefert ist.

Es ist daher psychologisch, aber auch standes- und rechtspolitisch verständlich, wenn man die Problematik der Sterbehilfe bzw. der Tötung auf Verlangen primär unter dem Gesichtspunkt des Bollwerks gegen die Gefahr eines solchen Übels erörtert. Zu fragen bleibt allerdings, ob sich die gesamte Problematik allein von diesem Gesichtspunkt aus erschließen lässt und ob man den Missbrauchserwägungen das absolute ethische Primat in Abwägungsfragen geben sollte.

Sicher macht man es sich zu leicht, wenn man in den Debatten über Sterbehilfe und Tötung auf Verlangen nur Indizien einer «Kultur des Todes» sieht. Die Angst vor einem qualvollen oder unwürdigen Sterben ist ein mindestens ebenso weitverbreitetes Phänomen wie die vor dem tötenden Arzt.[1] Und angesichts der Entwicklung der Rechte und Werte in der modernen Gesellschaft leuchtet eine Pflicht zum Leben um jeden Preis vielen nicht mehr ein.

---

[1] «Many people fear being kept alive without consciousness or hope of improvement» heißt es im Bericht des «Danish Council of Ethics» vom Sommer 1996. Danish Council of Ethics (Ed.), Euthanasia? Summary of a report for use in the public debate. Translation: Tim Davies, Copenhagen 1996, 5.

Die moderne Gesellschaft lässt eine Pluralität der Überzeugungen und Werte innerhalb der Grenzen einer Rechtsordnung zu, in der die Würde und die Grundrechte des Individuums den höchsten Stellenwert haben. Religiöse Vorstellungen von der Unverfügbarkeit auch des eigenen Lebens lassen sich nicht mehr allgemeinverbindlich voraussetzen. Auch im Bereich der Medizin hinterlässt dieser Wandel Spuren: An die Stelle der tradierten Konzeption des Arzt-Patient-Verhältnisses tritt die Vorstellung der Interaktion zwischen autonomem Patienten und Arzt, die sich in der Priorität des Modells der informierten Zustimmung zu medizinischen Maßnahmen manifestiert. Vor dem Hintergrund dieses Autonomiebegriffs bekommt der Anspruch auf einen selbstbestimmten Tod seine Plausibilität.

Auch Entwicklungen innerhalb der Medizin selbst werfen die Frage nach dem Umfang der Patientenautonomie am Lebensende auf. Der medizinisch-technische Fortschritt führt dazu, dass es immer häufiger Lebensumstände gibt, in denen Lebensverlängerung und Lebensqualität auseinandertreten. Es stellt sich die Frage nach den Grenzen der «Apparatemedizin» und nach einer neuen Definition der Funktion ärztlichen Handelns. In einer Gesellschaft, in der immer mehr Menschen aufgrund ihres hohen Alters als Patienten oder als Angehörige mit den Möglichkeiten der Intensivmedizin konfrontiert werden, ist zu erwarten, dass der sich hier anbahnende Konflikt weiter an Bedeutung zunehmen wird. Die moderne Medizin ist zudem wie auch andere Bereiche der technologischen Entwicklung davon betroffen, dass Wissenszuwachs und technischer Fortschritt nicht mehr generell als positiv oder wertneutral eingeschätzt werden. Die Auffassung, dass nicht alles medizinisch Machbare auch im Interesse des Patienten liegt, wird von vielen Ärzten geteilt.

Aufgrund dieser Entwicklungen verbreitet sich das Unbehagen, durch die Möglichkeiten der modernen Medizin zu einer Lebensverlängerung gezwungen zu werden, die den eigenen Vorstellungen von einem lebenswerten Leben widerspricht. Daraus kann die Forderung nach einem «natürlichen» Tod resultieren, aber ebenso diejenige nach Befreiung von einem unerträglich gewordenen Leben.

Die Debatte über die Sterbehilfe und den Umfang der dabei erlaubten Maßnahmen, vom Behandlungsabbruch über die Schmerzbekämpfung und Sterbebegleitung bis zu aktiven Tötungsmaßnahmen, hat es also mit einem ernst zu nehmenden Dilemma zu tun: Auf der einen Seite steht der Wille des Individuums, sich von einem unerträglichen Leben befreien und der Wunsch, dabei kompetente Hilfe in Anspruch nehmen zu können. Auf der anderen Seite stehen Auffassungen von der Unverfügbarkeit des menschlichen Lebens, die Gefahr eines Dammbruches hinsichtlich des Schutzes des Patienten vor dem Arzt und das Interesse der Gesellschaft an einem auf Vertrauen basierenden Medizinsystem.[2]

---

[2] Vgl. dazu *M. Quante*, Zwischen Autonomie und Heiligkeit: Ethik am Rande des Lebens, in: Philosophischer Literaturanzeiger 49 (1996) 270–294; zur neueren Debatte in

Die folgenden Überlegungen betreffen nur einen Ausschnitt des Problems. Es geht um die Prüfung von prinzipiellen Argumenten für oder gegen ein Verbot der aktiven Euthanasie bzw. Tötung auf Wunsch eines unheilbar Kranken. In den bisherigen Debatten werden diese prinzipiellen Argumente oft mit den Missbrauchsargumenten vermischt. Erwägungen beider Art sind angemessen, wenn es um die Formulierung von Empfehlungen an öffentliche Gremien geht. Das ist hier *nicht* beabsichtigt. Ob die Erlaubnis der aktiven Euthanasie die Tötungsgefahr für andere Patienten erhöht, weil ihnen Angehörige oder Ärzte diese Möglichkeit vorschlagen, soll hier nicht erörtert werden; ebenso wenig, ob die Hemmschwelle vor Tötungen sinken oder das Arzt-Patient-Verhältnis nachhaltig gestört würde. Ob diese in der Form von Dammbruch- oder Missbrauchsargumenten vorgetragenen Befürchtungen gerechtfertigt sind, kann der Philosoph nicht alleine beurteilen. Letztlich muss darüber der Gesetzgeber befinden.

Einige der Argumente in der Debatte sind aber genuin philosophischer Natur. Sie betreffen die Unverfügbarkeit des Lebens und die ethische Bewertung von Handlungen, Unterlassungen, Kausalprozessen usw. Zu *diesen* allgemeinen Argumenten soll hier etwas gesagt werden, und zwar aus philosophischer, nicht aus theologischer, juristischer oder standesethischer Sicht.

Geklärt werden soll, ob die philosophische Ethik ein prinzipielles Verbot der Tötung auf Verlangen fordert oder ob sie eine Erlaubnis dazu in besonderen Fällen rechtfertigen kann, und zwar in Fällen, wo gewichtige und nachvollziehbare Gründe für jemandes Wunsch nach Hilfe bei der Beendigung des eigenen Lebens vorliegen. Zur Nachvollziehbarkeit gehört in jedem Fall, dass der Wunsch nur um des leidenden Individuums selber willen, und nicht zugunsten Dritter (gar der «hungry heirs») besteht. Wenn ein striktes Verbot – wie wir glauben – in der philosophischen Ethik letztlich *nicht* begründet werden kann, dann kann man daraus verschiedene Konsequenzen ziehen. An der strengen Unterscheidung zwischen Schmerzbekämpfung mit (in Kauf genommener) Todesfolge einerseits und Tötung auf Verlangen andererseits kann man im Berufsethos und im Recht trotzdem festhalten, weil hier die Abwendung von Missbrauch und die Erhaltung eines bestimmten Berufsverständnisses ein größeres Gewicht hat als in philosophischen Prinzipienüberlegungen. Dann muss man sich aber im Klaren darüber sein, dass man dem Einzelnen, der sein Leben beenden möchte, nicht etwas ethisch Verwerfliches verbietet, sondern ihm ein erhebliches Opfer für ein gesellschaftliches Gut abverlangt.

Wenn unsere Überlegungen richtig sind, wird es daher für das Individuum leichter sein, den Wunsch nach Beendigung des Lebens zu bilden und zu äußern – denn ein Vergehen oder eine «Sünde» ist dieser Wunsch und seine Äußerung aus der Sicht einer weltanschauungsneutralen philosophischen Ethik nicht. Wer darin schon die «Lockerung eines Tabus» sieht,

---

den USA vgl. *A. Holderegger*, Zur Euthanasie-Diskussion in den USA, Freiburger Zeitschrift für Philosophie und Theologie 44 (1997) 1–2, 137–151.

der muss um gesellschaftlicher Sicherheitsbedürfnisse willen auch Wunsch- und Denkverbote in Betracht ziehen. Das widerspricht nicht nur philosophischem Freiheitsverständnis, sondern auch dem gegenwärtigen Rechtsbewusstsein.

Eine solche Rechtfertigung von Tötungswünschen steht keineswegs den Bemühungen entgegen, Wünsche nach Leidensbefreiung durch einen humanen Umgang mit dem Leidenden oder Sterbenden erst gar nicht aufkommen zu lassen – wie es das Ziel von Hospizbewegungen und Sterbebegleitung ist.[3] Wer aktive Sterbehilfe nicht in allen Fällen für ethisch verboten hält, muss nicht dafür plädieren, sie an die Stelle von Sterbebegleitung zu setzen. Es ist im Gegenteil sowohl ethisch wie gesellschaftspolitisch geboten, Fälle der aktiven Beihilfe zur Beendigung des Lebens, wenn sie zulässig sind, auf Extremsituationen zu begrenzen.

Das kategorische Verbot einer vom Individuum um seiner Leidensbefreiung willen gewünschten Tötung wurde traditionell – außer mit Dammbruchargumenten – vor allem mit zwei Argumenten begründet:

- 1. Argument: Über das eigene Leben kann niemand verfügen, so lange nicht seine Hingabe für andere geboten ist (Hilfestellung, Verteidigung etc.). Man ist verpflichtet, sein Leben «auszuhalten», in welchem physischen und psychischen Zustand auch immer.
- 2. Argument: Zwischen einer auf Schmerzbekämpfung oder Sterbeerleichterung gerichteten Handlung und einer Tötungshandlung besteht eine prinzipielle Differenz: Im letzteren Fall liegt die Absicht vor, ein menschliches Leben zu beenden. Diese Absicht auf Tötung eines unschuldigen und für das Leben anderer nicht gefährlichen Menschen aber ist unbedingt zu verwerfen.

Wir werden im Folgenden dafür argumentieren, dass beide Argumente aus der Sicht einer philosophischen Ethik, die sich nicht auf religiöse Offenbarung oder metaphysische Gottesbeweise stützen kann, nicht haltbar sind. Das eigene Leben unter allen Umständen zu Ende zu ertragen, ist ohne diese Voraussetzungen keine begründbare Pflicht. Und die Absicht, einen anderen zu töten, kann durch dessen eigenen endgültigen und nachvollziehbaren Wunsch gerechtfertigt werden. Ethisch ist kaum zu begründen, weshalb es «besser» ist, einen sich selbst für unschuldig haltenden Feind zu töten, als jemanden, der mich zur Befreiung von Leid um Tötung bittet – was nicht heißt, dass die Feindestötung nicht durch ein Recht auf Selbstverteidigung oder die Pflicht zur Hilfe für Dritte gerechtfertigt sein kann.

---

[3] Auf dieser Überlegung liegt der Schwerpunkt des Berichts des Dänischen Ethik-Rates. Es fragt sich allerdings, ob die Hospizbewegung das Problem vollständig lösen kann. Schon die Zahlen von Patienten, die palliativ nicht behandelbar sind, schwanken nach unseren Informationen zwischen 5 % und 10 %. Vgl. *R. Harri Wettstein*, Leben und Sterbenkönnen. Gedanken zur Sterbebegleitung und zur Selbstbestimmung der Person, Bern 1995, 81 und die dort genannte Literatur.

2. Die Unverfügbarkeit des menschlichen Lebens

Wenn es einem Menschen *nicht* erlaubt ist, sein eigenes Leben zu beenden, dann kann es mit Sicherheit auch für andere ethisch nicht zulässig sein, dem Tötungswunsch dieses Menschen nachzukommen. Das prinzipielle Argument für das kategorische Verbot der aktiven Euthanasie geht daher in der Regel von einer solchen Unverfügbarkeit aus.

In der modernen Ethik wird vielfach die Gegenposition auf folgendes Argument gestützt: Die Wünsche – genauer: die zur Ausführung bestimmten Wünsche (im Gegensatz zu Tagträumen) – eines Individuums seien solange gerechtfertigt, wie ihre Ausführung kein anderes Individuum schädigt. «Pflichten gegen sich selbst» kann es dann nicht geben. Das widerspricht aber einer Reihe von moralischen Intuitionen, die philosophischer Kritik durchaus standhalten. Wenn wir z. B. eine beliebige, nicht durch die Bekämpfung von Leiden indizierte Veränderung des eigenen Körpers und/oder der eigenen Psyche für ethisch bedenklich halten – sei es durch Verstümmelung, Transplantation, Doping, somatische Gentherapie, beliebige Geschlechtsumwandlung oder was immer – dann müssen wir eine Pflicht zur Hinnahme der «Natürlichkeit» des menschlichen Körpers in gewissen Grenzen akzeptieren.[4]

Diese «Hinnahme des Natürlichen» erzwingt und begründet aber umgekehrt nicht die unbedingte Hinnahme des eigenen Lebens in allen seinen Stadien. Der Wunsch, sich von schwerem Leiden zu befreien oder ein Leben nach einem Minimalstandard von Würde zu führen, kann diese Hinnahme überwiegen. Wenn der religiöse Glaube, dass Anfang und Ende des Lebens von Gott bestimmt sind und daher dem Menschen nicht zur Disposition stehen, nicht mehr bei allen Mitgliedern eines Gemeinwesens vorausgesetzt werden kann, dann kann man sich auch nicht mehr auf eine kategorische Pflicht zum Ertragen des eigenen Lebens in jeder Form berufen. Dem Wunsch eines Individuums nach Befreiung von seinem Leiden oder nach Erhaltung seiner Würde kann eine solche Pflicht nicht entgegengehalten werden, sondern allenfalls ein Gebot der Sicherung anderer vor Missbrauch.[5]

Von den Verteidigern des strikten Tötungsverbots mittels des Argumentes der Unverfügbarkeit des Lebens wird dagegen eingewandt, dass eine aktive Tötung die Würde des menschlichen Lebens unabhängig von seinen Eigenschaften und Zuständen beeinträchtige. Menschliches Leben gelte

---

[4] Zur Bedeutung des Gutes der «Natürlichkeit» – in einem sehr speziellen Sinne des Begriffes – für die biomedizinische Ethik vgl. *L. Siep*, Zwei Formen der Ethik. Vorträge der Nordrhein-Westfälischen Akademie der Wissenschaften, Geisteswissenschaftliche Klasse, Opladen 1997, H. 347.

[5] Nicht alle modernen Theologen begründen ihre Ablehnung der Tötung auf Verlangen mit der Unverfügbarkeit des Lebens. Auch die Gefährdung Dritter oder die Schwierigkeit der Feststellung des freien Wunsches in einer solchen Situation werden für durchschlagend gehalten. Vgl. *F. Böckle*, Menschenwürdig sterben, in: *L. Honnefelder/G. Rager* (Hrsg.), Ärztliches Handeln, Frankfurt a. M./Leipzig 1994, 297.

dann von einem bestimmten Grad seiner Beeinträchtigung an nicht mehr als unantastbar würdevoll. An diesem Argument ist richtig, dass das Prinzip der Menschenwürde sich auf menschliche Individuen ungeachtet ihrer Eigenschaften und Zustände bezieht. Man kann auch argumentieren, dass es Fälle gibt, wo die Würde des Menschen gegen ihren eigenen Träger gefordert und verteidigt werden muss – etwa gegen Masochismus oder andere Formen der Selbstentwürdigung.

Nicht einsichtig ist aber, dass ein Mensch, der unerträgliche Schmerzen nicht mehr aushalten kann, oder der selber einen völlig reduzierten physischen und psychischen Zustand – der dann auch immer extreme Abhängigkeit von anderen impliziert – für unvereinbar mit seiner Würde betrachtet, dadurch gegen die Würde des menschlichen Lebens verstoße. Menschenwürde ist primär ein Recht gegen andere, ein Recht gegen Erniedrigung und gegen Beleidigung, ein Recht auf Respektierung des eigenen Willens. Sie wird nicht verletzt, wenn man jemandem dazu verhilft, nicht nach seinen eigenen Maßstäben würdelos oder unerträglich leben zu müssen.

Nicht stichhaltig ist daher der Einwand, ein Arzt, der einem solchen Wunsch folgt, bewerte von sich aus ein solches Leben als nicht lebenswert und verstoße damit gegen das Gebot der Würde – denn Würde habe keine Grade und keine Maße. Das Letztere gilt aber nur in der Außenperspektive: Wir sind in der Tat nicht berechtigt, über die Würde des Lebens eines anderen zu befinden, übrigens auch nicht über seinen Wert. Das heißt aber nicht, dass wir die Auffassung eines anderen, seine Würde sei beeinträchtigt, nicht nachvollziehen dürfen. In «leichteren» Fällen muss das der Richter ohnehin. Warum sollte man das Urteil eines Menschen, dass ihm aus Gründen seines physischen Zustandes ein Leben in Würde unwiderruflich unmöglich sei, nicht nachvollziehen dürfen?

So lange der andere deutlich, nachvollziehbar und unwiderruflich seinen Willen zu sterben zum Ausdruck bringt, liegt in der Erfüllung dieses Wunsches keine Beeinträchtigung der Menschenwürde. Wenn die Heiligkeit des Lebens als ein fundamentaler Aspekt der kulturellen Tradition gegen jeden Fall einer bewussten Tötung ins Feld geführt wird, so ist das dann legitim, wenn damit nicht ein kategorisches Argument gemeint ist, sondern der Schutz von Dritten.[6] Man sollte sich in diesem Fall aber eingestehen, dass damit nicht die Würde des Todeswilligen geschützt, sondern ihm sein (evtl. dringendster) Wunsch versagt wird, um andere zu schützen.

An die Ernsthaftigkeit des Wunsches, die Unwiderruflichkeit, die Nachvollziehbarkeit (Schwere des Leidens, unwiderruflicher Verlust der Würde etc.) müssen sicher strenge Anforderungen gestellt werden. Wenn der Todeswunsch zu einer heilbaren psychischen Erkrankung gehört, wird man ihn ebensowenig für ernsthaft oder unwiderruflich halten, wie in einer vo-

---

[6] Die Mehrheitsmeinung des dänischen Ethik-Rates formuliert dies in aller Offenheit: «it is not the dead who suffers from having been killed, though in certain respects the living would suffer without the existence of a principle of the inviolability of life and the general inforcement of a ban on killing». Danish Council of Ethics, s. Anm. 1, 15.

rübergehenden Depression oder Schmerzanwandlung. Ein gewisses Maß an Paternalismus ist in solchen Fällen nicht nur gerechtfertigt, sondern sogar gefordert. Unter dem Gesichtspunkt der Prüfung der Entschlossenheit des Sterbewilligen kann auch die Beschränkung auf indirekte Beihilfe zur Selbsttötung geraten sein, solange darin für den Patienten eine wirkliche Option liegt. Man kann sich dafür aber, wie wir weiter unten zeigen werden, nicht auf einen ethisch bedeutsamen Unterschied zwischen Handeln und Unterlassen berufen. Ebenso wenig kann man sich ethisch auf ein Recht berufen, jemanden gegen seinen autonomen und verständlichen Willen zum Leben zu zwingen.

Betrachtet man die Tötung eines Menschen auf seinen eigenen dringenden Wunsch hin – unabhängig von den möglichen Folgehandlungen, Gewöhnungen, reduzierten Hemmschwellen und dadurch ausgelösten Befürchtungen –, so ist kein Grund für ein kategorisches Verbot erkennbar. Das heißt nicht, dass der Kampf eines Menschen gegen seine Krankheit oder das geduldige Aushalten nicht ein ethisch hoch zu schätzender Wert wäre. Aber zu solchem «Heroismus» kann man nicht jeden verpflichten. Eine Pflicht, sein Leben bis zum Ende auszuhalten, kann individualethisch nicht begründet werden. Sie kann allenfalls mit dem Beitrag zum Schutz der anderen in der Gesellschaft begründet werden. Man muss sich aber darüber im Klaren sein, dass man damit dem Individuum womöglich eine sehr schwere Last für einen nicht exakt bestimmbaren sozialen Nutzen aufzuerlegen bereit ist.

In vielen Ländern ist die «passive» Sterbehilfe inzwischen akzeptiert und die Annahme ihrer ethischen Legitimität ist auch Bestandteil des ethischen Common sense. Der Arzt darf lebenserhaltende Maßnahmen – auf Wunsch des Patienten oder bei völliger Aussichtslosigkeit – unterlassen oder bei Schmerzbekämpfung eine Verkürzung des Lebens in Kauf nehmen.

Auch diejenigen Ethiker, welche an der These der Unverfügbarkeit des menschlichen Lebens und am kategorischen Verbot jeder[7] Tötungsabsicht festhalten, bemühen sich, derartige Fälle als ethisch zulässig auszuweisen. Die Möglichkeit, beides, nämlich die Erlaubtheit solcher Unterlassungen oder solchen Inkaufnehmens und das kategorische Verbot aktiver Tötung, konsistent behaupten zu können, hängt von der deskriptiven *und* ethischen Tragfähigkeit der Unterscheidung zwischen Tun und Unterlassen ab. Oder sie hängt an der deskriptiven *und* ethischen Tragfähigkeit der Unterscheidung im Bereich des Intendierten zwischen dem direkt Beabsichtigten und den lediglich in Kauf genommenen Aspekten oder bloß vorhergesehenen Folgen einer Handlung. Zu fragen ist daher, ob diese beiden Unterscheidungen rein deskriptiv zu fassen sind und – wenn sie sich deskriptiv hinreichend trennscharf fassen lassen – ob sie auch in der geforderten oder unter-

---

[7] Zumindest im Bereich medizinischen Handelns, d. h. ausgenommen solche Fälle wie Selbstverteidigung, Todesstrafe oder auch Toten im «gerechten» Krieg, die bei unseren Überlegungen ausgeklammert sind.

stellten Weise ethisch relevant sind. Diese Frage ist Gegenstand des folgenden, notgedrungen etwas «technischer» argumentierenden Abschnittes.

3. Die ethische Relevanz handlungstheoretischer Unterscheidungen

Die weitverbreitete Unterscheidung in aktive und passive Sterbehilfe deckt sich weder mit der von Tun und Unterlassen noch mit der von Beabsichtigen und Inkaufnehmen. Da sich die lebensweltlich brauchbare Unterscheidung in aktives und passives Verhalten für ethische Zwecke kaum trennscharf genug fassen lässt, sollte man die gemeinte ethische Differenz eher in Begriffen von Tun vs. Unterlassen und Beabsichtigen vs. Inkaufnehmen formulieren.[8] Dies umso mehr, wenn es um menschliches Tun mit maschineller Unterstützung geht.[9]

Auch wenn die beiden Unterscheidungen Tun vs. Unterlassen und Beabsichtigen vs. Inkaufnehmen, wie die folgenden Überlegungen zeigen sollen, weder in deskriptiver noch in ethischer Hinsicht voneinander logisch unabhängig sind, ist es doch hilfreich, beide Unterscheidungen getrennt zu diskutieren.

3.1 Tun vs. Unterlassen

Die Analyse von Tun und Unterlassen ist ein Gegenstand der philosophischen Handlungstheorie, einer Disziplin, die vor allem in der sprachanalytischen Philosophie in den letzten Jahrzehnten ein Forschungsschwerpunkt gewesen ist. Eines der Hauptthemen ist dabei die Auseinandersetzung zwischen den von Wittgenstein inspirierten *Intentionalisten* (wie z. B. Anscombe, Melden oder von Wright) und den darauf reagierenden *Kausalisten* (vor allem Davidson) gewesen. Die Intentionalisten gehen davon aus, dass

---

[8] Vgl. *Th. Fuchs*, Was heißt «töten»? Die Sinnstruktur für ärztliches Handeln bei passiver und aktiver Euthanasie, in: Ethik in der Medizin 9 (1997) 78–90, hier 84. Er hat allerdings unlängst gezeigt, dass sich die Unterscheidung zwischen Töten und Sterbenlassen auf der Ebene der biologischen Prozesse deskriptiv hinreichend fassen lässt. Sein Ziel, die ethische Ungleichwertigkeit beider Handlungen auszuweisen, erreicht er aber dann nur über die Bewertung der Absichten des Handelnden, so dass bei Fuchs selbst die normative Differenzierung nicht durch die deskriptiv getroffene Unterscheidung getragen wird.

[9] Während *J. Rachels* (Aktive und passive Sterbehilfe, in: *H. M. Sass* [Hrsg.], Medizin und Ethik, Stuttgart 1989, 254–264) die Unterscheidung aktiv vs. passiv in die von Tun vs. Unterlassen überführt und dabei die generelle ethische Ungleichwertigkeit beider bestreitet, kommt *B. C. Reichenbach* (Euthanasie und die aktiv/passiv-Unterscheidung, in: *A. Leist* [Hrsg.], Um Leben und Tod, Frankfurt a. M. 1990, 318–348) auf der Basis einer «perspektivistischen», d. h. beschreibungsabhängigen Interpretation des Unterschieds von Tun vs. Unterlassen zu dem Schluss, dass diese Unterscheidungen keinerlei ethische Tragfähigkeit besitzen, sondern eher als Entschuldigungs- und Ausweichstrategien zu verstehen sind. Vgl. *D. Birnbacher*, Tun und Unterlassen, Stuttgart 1995, 29. Er kommt zu dem Ergebnis, dass die Unterscheidung zwischen Tun und Unterlassen als Mittel einer normativen Differenzierung jedes Interesse verliere, «solange sich für die Unterscheidung zwischen Handlungen und Unterlassungen kein wie immer geartetes *fundamentum in re* angeben läßt».

man Handlungen nicht wie Naturvorgänge durch gesetzmäßige Folgen von Ereignissen erklärt, sondern durch die Interpretation eines menschlichen Tuns im Hinblick auf eine soziale Praxis. Konkrete Handlungen werden durch Rekurs auf Handlungstypen und allgemeine Verhaltensregeln verständlich gemacht. Die Kausalisten vertreten demgegenüber die These, dass Handlungserklärungen eine Art von Kausalerklärungen sind, bei denen das Stattfinden einer Handlung als ein konkretes raum-zeitliches Ereignis mittels der Angabe der sie verursachenden Absicht erklärt wird.[10]

Akzeptiert man die Überlegung, dass die Unterscheidung zwischen Tun und Unterlassen nur dann in ethischer Hinsicht tragfähig sein kann, wenn sie ein reales Fundament auf der Ebene der beschreibungsunabhängigen Kausalrelationen hat, dann kann eine intentionalistische Handlungstheorie hier nicht weiterhelfen.[11] Denn ein Bezug auf die realen Kausalverhältnisse findet dieser Position zufolge bei Handlungserklärungen gerade nicht statt. Die von den Intentionalisten einzig in Anschlag gebrachte Zuordnung zu einer vorgegebenen sozialen Praxis ist aber ungeeignet, eine neutrale Basis für eine ethische Differenzierung zu liefern.

Es ist nämlich durchaus möglich, dass sich die Handlungserklärungen von zwei Betrachtern, die hinsichtlich der moralischen Zulässigkeit des fraglichen Vorgangs unterschiedlicher Auffassung sind, entsprechend unterscheiden werden: Halten A und B generell die Herbeiführung des Todes durch Tun für moralisch *falsch*, diejenige durch Unterlassung aber für *erlaubt*, wird A, der den fraglichen Vorgang x für moralisch falsch hält, ihn als *Tun* beschreiben, während B, der den fraglichen Vorgang x für moralisch erlaubt hält, ihn als *Unterlassung* beschreiben wird. Denn wenn Handlungen nicht durch Angabe von Ursache-Wirkungs-Relationen, sondern nur durch Bezug auf soziale Konventionen erklärt werden («dies ist ein Fall von ...»), dann können Beschreibungen (Deskriptionen) und Bewertungen (Evaluationen) der Handlung auch nicht klar getrennt werden. Solange es kein reales, von subjektiven Bewertungen unabhängiges Fundament für die Unterscheidung zwischen Tun und Unterlassen gibt, haben A und B nicht einmal die Möglichkeit, über die Richtigkeit und Falschheit ihrer jeweiligen Beschreibung (und Bewertung) zu streiten. Es sei denn, man lasse als Maßstab Mehrheitsentscheidungen gelten. Vor allem aber liegt die Vermutung nahe, dass hier die jeweilige Beschreibung eine Konsequenz der mora-

---

[10] Für einen generellen Überblick zu dieser Debatte und für Angaben der zentralen Beiträge vgl. *M. Quante*, Theorie des Handelns, in: *F. Gniffke/N. Herold* (Hrsg.), Problemfelder und Disziplinen, Münsteraner Einführungen Philosophie, Bd. 1, Münster 1996, 1–18.

[11] Jeder, der die aktive Herbeiführung des Todes eines Menschen für prinzipiell falsch hält und gleichzeitig die mögliche ethische Erlaubtheit des Sterbenlassens auf der Basis der Differenz von Tun vs. Unterlassen behaupten möchte, ist damit auf eine kausalistische Handlungstheorie festgelegt. Wenn man nämlich Dammbruchargumente und andere, Gradualisierungen und Abwägungen zulassende Bewertungen in dieser Frage für zu schwach hält, muss man die obigen Annahmen plausiblerweise akzeptieren.

lischen Überzeugung ist, so dass in ethischer Hinsicht eine petitio principii (erschlichene Voraussetzung) vorläge.

Damit bleibt nur eine realistische, auf die Ebene der Kausalrelationen Bezug nehmende Konzeption von Handlungserklärungen als Kandidat übrig, um die erforderliche Stabilität und Moralneutralität zu erbringen. Der Versuch, die moralische Differenz zwischen Tun und Unterlassen dadurch zu begründen, dass man wohl dem Tun, nicht aber den Unterlassungen eine kausale Wirksamkeit zuspricht, kann aber nicht gelingen. Das durch eine Unterlassung u initiierte Ausbleiben einer Folge f ist als Randbedingung ein möglicher Bestandteil der kausalen Randbedingungen für ein zeitlich späteres Ereignis x. Ein Beispiel: Meine Unterlassung u, die Heizung anzustellen, gehört zu den kausalen Rahmenbedingungen dafür, dass die Folge f, das Erwärmen des Badezimmers, nicht eintritt. Das nichterwärmte Badezimmer aber ist eine der kausal relevanten Rahmenbedingungen dafür, dass ich mir später beim Baden eine Erkältung einhandle (Ereignis x). Auch Unterlassungen sind daher kausal relevant. Dies liegt daran, dass auch eine Unterlassung ein raum-zeitlich reales Ereignis ist.[12]

Fraglich ist nun aber, woher der behauptete ethische Unterschied stammen soll, wenn er denn nicht auf der Ebene der Kausalrelationen verankert werden kann. Um hier einer plausiblen Antwort näher zu kommen, muss die Frage beantwortet werden, wodurch ein Tun überhaupt zu einer Unterlassung wird. Wenn eine Person an einem Fluss entlangläuft und nicht bemerkt, dass dort gerade ein Mensch zu ertrinken droht, dann ist sein Weiterlaufen keine Unterlassung.[13] Damit die bei den Intentionalisten festgestellte individuelle oder soziale Subjektivität oder Perspektivität der Klassifikation eines Ereignisses als Tun oder als Unterlassung vermieden wird, muss an dem fraglichen Ereignis ein reales Merkmal ausweisbar sein, durch das es eine Unterlassung ist.

Der plausibelste Kandidat für ein solches Merkmal ist der folgende: Ein Ereignis ist dann eine Unterlassung, wenn es von der *Absicht* verursacht ist, eine bestimmte Handlung h (z. B. den Menschen vor dem Ertrinken zu bewahren) nicht zu vollziehen, oder wenn es mit dem *Wissen* vollzogen wird, dass auf diese Weise die Handlung h nicht vollzogen wird oder sogar werden kann. Welcher Grad der Absichtlichkeit vorliegt («ich konnte mich nicht dazu überwinden», «ich habe den Dingen ihren Lauf gelassen» etc.), ist dabei nicht entscheidend.

Schon die deskriptiv-realistische Bestimmung eines Ereignisses als Unterlassung erzwingt also den Rekurs auf die Intentionen des Handelnden.

---

[12] Vergleiche zu diesem Problemkomplex die umfassende und detaillierte Analyse von *D. Birnbacher*, s. Anm. 9, Kap. 3.

[13] Das Weiterlaufen ist nicht eine Unterlassung des Vor-dem-Ertrinken-Rettens. Damit ist noch nicht ausgeschlossen, dass man dem Läufer den Vorwurf der Fahrlässigkeit machen kann, wenn er – nach «menschlichem Ermessen» – den ertrinkenden Menschen hätte wahrnehmen müssen. In diesem Sinne ist das Nichtwahrnehmen des Ertrinkenden fahrlässig, nicht aber die Unterlassung des Wahrnehmens des Ertrinkenden und natürlich auch nicht die Unterlassung des Vor-dem-Ertrinken-Rettens.

Es liegt daher nahe, nach dem generellen ethischen Unterschied zwischen Tun und Unterlassen auf dieser Ebene zu suchen. In allgemeiner Form müsste die These lauten: Absichten der Form
   a) «Ich beabsichtige mit H, den Tod von X zu verursachen.»
seien ethisch generell verwerflicher als Absichten der Form
   b) «Ich beabsichtige mit H, den Tod von X nicht zu verhindern.»
oder Intentionen, die die Überzeugung
   c) «Ich weiß, dass mein Handeln H dazu führt, dass der Tod von X nicht verhindert werden *kann*.»
bzw. die folgende Überzeugung beinhalten:[14]
   d) «Ich weiß, dass mein Handeln H den Tod von X *nicht verhindert*.»

An dieser Stelle ergeben sich drei Optionen, eine ethische Differenzierung mit dem Ziel anzubringen, die absichtliche Tötung eines Menschen für prinzipiell ethisch falsch zu halten und gleichzeitig Fälle von Sterbenlassen durch Unterlassungen für ethisch erlaubt zu halten. Man kann behaupten:

- These 1: Absichten der Form a) sind ethisch kategorisch falsch, Absichten der Form b) und Intentionen, die die Überzeugungen c) oder d) enthalten, dagegen nicht.
- These 2: Absichten der Form a) und b) sind ethisch kategorisch falsch, die Intentionen, die die Überzeugungen c) oder d) enthalten, dagegen nicht.
- These 3: Absichten der Form a) und Intentionen, die die Überzeugung c) enthalten, sind ethisch kategorisch falsch, Absichten der Form b) und Intentionen, die die Überzeugung d) enthalten, dagegen nicht.[15]

---

[14] Dabei soll c) auch solche Fälle abdecken, in denen der Handelnde weiß, dass sein Handeln den Tod von x beschleunigt herbeiführt. Außerdem setzen wir voraus, dass der jeweilige Handlungsgrund keine weiteren ethisch unzulässigen Elemente enthält.

[15] Um die folgende Diskussion führen zu können, ist es notwendig, einige terminologische Festlegungen zu treffen. Wir verstehen unter dem Handlungsgrund die tatsächliche Ursache für die Handlung *x* und gehen davon aus, dass jeder Handlungsgrund aus zwei Komponenten besteht: einer evaluativ-voluntativen Komponente dessen, worum willen die Handlung *x* vollzogen wird, und einer kognitiven Komponente von für Handlungen vom Typ X relevanten Überzeugungen. Die evaluativ-voluntative Komponente nennen wir im Folgenden die «Absicht», die kognitive Komponente nennen wir die in der Intention enthaltenen «Überzeugungen» und der stets beide Komponenten umfassende Handlungsgrund nennen wir «Intention». Intentionen sind damit zum einen faktisch handlungsauslösende propositionale Einstellungen, wobei sowohl die Absicht wie auch die Überzeugung komplex sein können. Im Falle der kognitiven Komponente ist faktisch wohl immer eine Konjunktion einzelner relevanter Überzeugungen anzunehmen. Die obigen Überlegungen sind allerdings auch unter handlungstheoretischen Gesichtspunkten nicht ohne Schwierigkeiten. Zum einen wirft eine kausalistische Handlungstheorie generelle Schwierigkeiten auf; zum anderen, und dies gilt für Kausalisten wie Intentionalisten gleichermaßen, ist es ein notorisches Problem, wie viele Folgen und Aspekte einer Handlung oder Unterlassung noch zu ihrem Plan, zu der Absicht bzw. den voraussehbaren und zurechenbaren Folgen gehören. Vermutlich erfordert dieses Abgrenzungsproblem eine pragmatische und damit ethisch letztlich nicht neutrale Differenzierung: Zurechenbarkeit und Verantwortung (oder auch Fahrlässigkeit) sind demnach in diesem Kontext keine rein deskriptiven Begriffe. Die Un-

Nur der Rekurs auf eine Teilklasse von Absichten und/oder in Intentionen enthaltenen Überzeugungen erlaubt es, eine als Realunterschied zwischen Tun und Unterlassen gedeutete *deskriptive,* wertneutrale Differenz zugleich als *ethisch* relevantes Unterscheidungsmerkmal anzuführen. Die unterstellte ethische Differenz zwischen Tun und Unterlassen resultiert dabei aus dem Wert der die Handlung verursachenden Absichten und nicht aus den möglichen Konsequenzen der Handlung selbst. Ein Rekurs auf die Konsequenzen, so hatte sich ja gezeigt, lässt zum einen rein deskriptiv keine prinzipielle Unterscheidung zwischen Tun und Unterlassen zu (der Tod tritt in beiden Fällen ein, allenfalls mit unterschiedlicher Sicherheit). Und zum anderen wäre ein an den Konsequenzen orientierter Ansatz auch nicht in der Lage, kategorische oder prinzipielle ethische Bewertungen zu begründen. Wer also die prinzipielle ethische Unzulässigkeit bestimmter Handlungen (und evtl. mancher Unterlassungen) bei gleichzeitiger ethischer Erlaubtheit anderer Handlungen (und Unterlassungen) vertreten möchte, muss auf die Arten der die Handlung verursachenden Intentionen rekurrieren.[16] Das geschieht explizit durch die zweite Differenzierung: Beabsichtigen vs. Inkaufnehmen.

3.2 *Beabsichtigen vs. Inkaufnehmen*

Nimmt man das von uns oben unterschiedene Schema für Absichten
   a) «Ich beabsichtige mit H, den Tod von X zu verursachen.»
   b) «Ich beabsichtige mit H, den Tod von X nicht zu verhindern.»
und Überzeugungen zur Grundlage,
   c) «Ich weiß, dass mein Handeln H dazu führt, dass der Tod von X nicht verhindert werden *kann.*»
   d) «Ich weiß, dass mein Handeln H den Tod von X *nicht verhindert.*»,
dann kann man a) als Tun, b), c) und d) dagegen als Unterlassen klassifizieren.[17] Die Differenzierung zwischen Beabsichtigen und Inkaufnehmen dagegen verläuft zwischen a) und b) einerseits und c) und d) andererseits. Benutzte man die Unterscheidung aktiv vs. passiv zur Kennzeichnung der Rolle, die sich der Handelnde selbst mit Bezug auf den Tod von X zu-

---

terscheidungen zwischen Tun vs. Unterlassen und Beabsichtigen vs. Inkaufnehmen sind von dieser Differenzierung aber zu unterscheiden.

[16] Wir blenden im Folgenden die zusätzliche Schwierigkeit aus, dass der Handelnde seine Überzeugungen nur rationalerweise haben können muss, ohne dass sie den Tatsachen entsprechen.

[17] Zu bedenken ist dabei, dass c) und d) natürlich durchaus auch – unter einer anderen Beschreibung – als Tun qualifiziert werden können. Wenn ich z. B. einen Waldlauf in dem Wissen unternehme, dass dadurch die rechtzeitige Fertigstellung eines Aufsatzes verhindert wird, dann ist der Waldlauf unter Rekurs auf meine Absichten, mich zu entspannen oder etwas für meine Gesundheit zu tun, durchaus ein Tun. Mit Bezug auf die Fertigstellung des Aufsatzes dagegen ist er eine Unterlassung. Damit sind Tun und Unterlassen allerdings keine perspektivischen, sondern relationale Differenzierungen – sie werden vom Betrachter nicht einfach projiziert, sondern sind an der komplexen Intention festgemachte Kennzeichnungen, die die Handlung zugleich im Lichte einiger ihrer Folgen beschreiben.

schreibt, dann ließen sich a) und c) aufgrund der Tatsache, dass mit ihnen die Handlung H als für den Tod von X kausal hinreichend angesehen wird, als aktiv einschätzen, während b) und d) als passiv qualifiziert werden könnten (vgl. die folgende Tabelle).[18]

	Prinzipiell ethisch falsch	*Nicht prinzipiell ethisch falsch*	*Entsprechende intuitive Unterscheidung*
These 1	a)	b) c) d)	Tun vs. Unterlassen
These 2	a) b)	c) d)	Beabsichtigen vs. Inkaufnehmen
These 3	a) c)	b) d)	Aktiv vs. Passiv

Zuerst einmal ist festzuhalten, dass sich der Unterschied zwischen Beabsichtigen und Inkaufnehmen prinzipiell festmachen lässt, wenn er auch empirisch möglicherweise manchmal schwer zu treffen ist. Der in Kauf genommene Aspekt (bzw. die Folge) einer Handlung darf nur Bestandteil der *Überzeugungen*, nicht aber auch der *Absicht* sein. Der Test dafür, dass der fragliche Aspekt (die Folge) nicht Teil der evaluativen Komponente ist, lässt sich als kontrafaktische Aussage formulieren: Würde A die Handlung H auch dann mit gleicher Intensität vollziehen (oder gar lieber vollziehen) wollen, wenn die Handlung H den in Kauf genommenen Aspekt (die Folge) nicht gehabt hätte? Aspekte (oder Folgen), deren Wegfall die evaluative Intensität nicht herabsetzt oder gar steigert, sind Fälle von Inkaufnehmen.

Wenn bei einer Handlung verschiedene Teilschritte notwendig sind, kann man auch mit Bezug auf jeden Teilschritt fragen, ob er bloß in Kauf genommen oder auch beabsichtigt worden ist. Die in der Tradition verbreitete Annahme, dass man alle die Mittel, die zur Erreichung eines gewünschten Zieles kausal notwendig sind, selbst auch beabsichtigen müsse, ist daher unzutreffend. Der Grund dafür ist darin zu sehen, dass die zu formulierende kontrafaktische Aussage nicht auf Kausalgesetze Bezug nehmen muss, sondern nur eine logische oder metaphysische Notwendigkeit impliziert. Wenn also das Leben der Schwangeren (faktisch, kausal) nur durch das Töten des Embryos gerettet werden kann, kann dieses Mittel trotzdem in Kauf genommen worden sein. Die Frage, ob (Teil-)Handlung *y* ein kausal notwendiges oder hinreichendes Mittel für Ziel *x* ist, bleibt damit neutral gegenüber der Unterscheidung von Beabsichtigen vs. Inkaufnehmen. Damit lässt sich auch das Problem, welche Ziele welche Mittel in welchem

---

[18] Diese Interpretation der Unterscheidung von aktiv vs. passiv, die auf die Selbstzuschreibung des Handelnden Bezug nimmt (der Handelnde betrachtet sich als aktiven bzw. passiven Faktor), erscheint uns als einzig brauchbare Interpretation dieser Differenzierung. Man sieht dabei, dass sie sich nicht mit den anderen beiden Unterscheidungen deckt. Und sie lässt auch deutlich werden, weshalb Tun generell als ethisch problematischer angesehen wird – der Handelnde hält sich selbst für den Urheber.

Ausmaße rechtfertigen können, nicht mit der Unterscheidung Beabsichtigen vs. Inkaufnehmen beantworten. Gleiches gilt auch für die Unterscheidung von Tun vs. Unterlassen, da ja – wie bereits ausgeführt – beiden kausale Wirksamkeit, und damit die Möglichkeit zukommt, Mittel für ein Ziel zu sein. Wer ein Handlungsziel x (z. B. die Beendigung großen Leidens) deshalb für ethisch prinzipiell falsch hält, weil es zu seiner Realisierung der (Teil-)Handlung y des Tötens eines Menschen bedarf, der kann dies nicht mit den Unterscheidungen von Tun vs. Unterlassen oder Beabsichtigen vs. Unterlassen begründen.

- These 1: Absichten der Form a) sind ethisch kategorisch falsch, Absichten der Form b) und Intentionen, die die Überzeugungen c) oder d) enthalten, dagegen nicht.
- These 2: Absichten der Form a) und b) sind ethisch kategorisch falsch, die Intentionen, die die Überzeugungen c) oder d) enthalten, dagegen nicht.
- These 3: Absichten der Form a) und Intentionen, die die Überzeugung c) enthalten, sind ethisch kategorisch falsch, Absichten der Form b) und Intentionen, die die Überzeugung d) enthalten, dagegen nicht.

Schaut man sich die drei oben formulierten Thesen darauf hin an, wie die in ihnen behauptete ethische Differenz plausibel gemacht werden könnte, dann sieht man bei *These 1*, dass dem aktiven Herbeiführen des Todes von X durch eine kausal hinreichende Intervention (dem Töten) sowohl das gewollte Sterbenlassen wie auch das Inkaufnehmen generell gegenübergestellt wird. Plausibel wäre dies, wenn – neben dem von Th. Fuchs[19] nachgewiesenen deskriptiven Unterschied – zwischen Töten und Sterbenlassen eine kategorische ethische Grenze verliefe. Warum aber eine Handlung mit der Absicht, einen Lebensprozess durch Intervention zu beenden, moralisch prinzipiell anders zu bewerten sein soll als eine Handlung mit der Absicht, einen aufhaltbaren Sterbeprozess durch Unterlassung weiterschreiten zu lassen, ist nicht zu sehen. Diese Argumentationsstrategie beruht damit letztendlich auf einer petitio principii.

These 2 dagegen legt die ethische Grenze zwischen dem Beabsichtigen und dem Inkaufnehmen fest. Auch wenn diese Grenze aufgrund des Unterschieds zwischen evaluativ-voluntativer (bewertend-wollender) und kognitiver (wissender) propositionaler Einstellung plausibel beschreibbar zu machen ist, so kann sie doch nicht im gleichen Sinne zu einer *ethisch* tragfähigen Differenz erklärt werden. Denn zum einen gehört zu jeder Handlung immer sowohl eine evaluativ-voluntative wie auch eine kognitive Komponente, eine willensmäßige Einstellung und ein Wissen um die Aspekte und Konsequenzen. Zum anderen ist es eine ethisch und juristisch fest etablierte Auffassung, dass die ethische Zurechenbarkeit von Handlungsaspekten und Handlungsfolgen sich nicht auf den Bereich des evaluativ-voluntativen begrenzen lässt. Vorhersehbare, nicht nur positiv-gewollte Folgen sind zu ver-

---

[19] Vgl. *Th. Fuchs*, s. Anm. 8.

antworten – wenn auch in unterschiedlichem Maße. Das zur Stützung von These 2 häufig vorgebrachte Argument, es würde nicht jeder nicht-beabsichtigte Aspekt und nicht jede nicht-beabsichtigte Folge einer Handlung ethisch (oder juristisch) zugerechnet, ist fehl am Platz. Die Gegenthese besagt ja nicht, dass *jeder nicht-beabsichtigte* Aspekt und *jede nicht-beabsichtigte* Folge einer Handlung ethisch zurechenbar ist. Behauptet werden soll vielmehr, dass die Grenze der ethisch relevanten und nicht relevanten Aspekte und Folgen eine Teilmenge des Inkaufgenommenen einschließt.

These 3 behauptet nun die ethische Differenz gerade innerhalb der Absichten und des Inkaufgenommenen und rekurriert auf die unterschiedlichen kausalen Rollen, die ein Handelnder sich zuschreibt. Wer eine Handlung vollzieht, in die die Absicht a) oder die Überzeugung c) involviert ist, der begreift seine Handlung als kausal hinreichend dafür, dass der Sterbeprozess von X irreversibel wird. Im Gegensatz dazu betrachtet jemand mit der Absicht b) oder der Überzeugung d) seine Handlung nur als Unterlassung einer *möglichen Intervention* in einen Sterbeprozess, ohne dass damit die *Möglichkeiten einer Intervention* prinzipiell ausgeschlossen würden.[20]

Insgesamt ist es plausibel anzunehmen, dass die den drei Thesen zugrunde liegenden Unterschiede graduelle ethische Differenzen begründen können.[21] Insgesamt muss aber gelten, dass das *Gesamtziel* einer Handlung und die dafür angemessenen Mittel Hauptgegenstand der ethischen Bewertung sein müssen. *Wenn meine Handlung zum Zweck hat, den autonomen Sterbewunsch eines anderen, von dessen Ernsthaftigkeit und Unwiderruflichkeit ich überzeugt bin und dessen Gründe ich nachvollziehen kann, zu respektieren und zu fördern, dann ist dies der für die ethische Bewertung maßgebliche Aspekt, und nicht die moralische Wertigkeit einer aus diesem Zusammenhang abstrahierten «Teilabsicht» eines notwendigen Schrittes*. Darüber hinaus ist gegen den Versuch, kategorische ethische Unterschiede auf die obigen Unterscheidungen zu begründen, einzuwenden, dass sich diese Begründung empirisch – wenn überhaupt – nur über die subjektive Auskunft des Handelnden verifizieren lässt; ein ziemlich dünnes Eis für eine derart gewichtige Unterscheidung.

Kann man aber durch die Unterscheidungen aktiv vs. passiv, Tun vs. Unterlassen und Beabsichtigen vs. Inkaufnehmen keine eigenständige ethische Differenzen begründen, dann zwingt die These von der Heiligkeit des

---

[20] Weitere mögliche Optionen (z. B. als vierte These: a), b), c) ethisch prinzipiell falsch und d) nicht prinzipiell ethisch falsch) ergeben sich durch unterschiedliche Kombinationen der Differenzierungen Tun vs. Unterlassen, Beabsichtigen vs. Inkaufnehmen und aktiv vs. passiv. Jede dieser Optionen erbt aber die Probleme der oben diskutierten drei Thesen und muss daher nicht eigens dargestellt werden.

[21] Dabei soll hier nicht bestritten werden, dass sich auf der psychischen Ebene gravierende Unterschiede für den Handelnden ergeben bzw. feststellen lassen. Einer philosophisch-ethischen Rekonstruktion scheinen sie uns aber nicht zugänglich zu sein, zumindest dann nicht, wenn aus den common-sense-Regeln, Tun sei gravierender als Unterlassen und die kausale Involviertheit sei Gradmesser der ethischen Zurechenbarkeit, kategorische Differenzen gewonnen werden sollen.

menschlichen Lebens in letzter Konsequenz dazu, jede Form von Sterbehilfe kategorisch abzulehnen. Der Versuch, mit Hilfe der soeben diskutierten Differenzierungen das kategorische Verbot aktiver Tötungen und die ethische Zulässigkeit des Sterbenlassens konsistent zu begründen, scheitert. Zu den von uns auf der prinzipiellen Ebene im zweiten Teil bereits formulierten Einwänden gegen ein kategorisches ethisches Verbot aus philosophischer Sicht kommt damit hinzu, dass eine solche kategorische Position am Ende unvereinbar ist mit der bestehenden moralischen Praxis und in letzter Konsequenz dazu führen müsste, auch das Sterbenlassen als ethisch unakzeptabel einzuschätzen.

Unsere Überlegungen dürfen im Übrigen nicht in der Richtung missverstanden werden, als sei für die moralische Bewertung von Handlungen allein die Absicht der Handelnden relevant.[22] Auch gute Absichten können zu schlechten Taten führen. Das tatsächliche Ergebnis einer Handlung fließt in die Bewertung ein, soweit es – z. B. aufgrund mangelnder Sorgfalt in Voraussicht und Ausführung, unverantwortbarer Risiken usw. – dem Handelnden zugerechnet werden kann.[23] Wenn eine schmerzbefreiende Tötung misslingt und zu noch mehr Schmerzen führt, ist sie – soweit zurechenbar – moralisch negativ zu bewerten. Der Tod selber ist aber kein unbedingt schlechtes Resultat, wenn er von dem Hilfesuchenden dringend gewünscht wird.

4. Fazit

Aus der Sicht der philosophischen Ethik lässt sich – so lautet das Fazit unserer Überlegungen – ein unbedingtes Verbot von Tötungshandlungen, die dem ernsthaften, begründeten, klar erkennbaren und unwiderruflichen Willen eines zum Sterben entschlossenen Menschen entsprechen, nicht rechtfertigen. Zwischen der Hilfestellung durch Maßnahmen, die den Tod in Kauf nehmen, und solchen, die ihn bewusst herbeiführen, besteht kein für die ethische Bewertung ausschlaggebender prinzipieller Unterschied. In beiden Fällen ist der Tod des Patienten kein Selbstzweck, sondern Mittel, um den von ihm legitim gewollten Zweck der Beendigung eines unerträglichen Lebens herbeizuführen. Das ist für die ethische Beurteilung entschei-

---

[22] Die Dominanz der Bewertung der Intention ergibt sich nur unter den Vorzeichen unserer Überlegungen im dritten Teil und ergibt sich auch nur, wenn man das prinzipielle Verbot der aktiven Tötung unter Zuhilfenahme der oben diskutierten Unterscheidungen mit der These der Zulässigkeit von Sterbenlassen verbinden möchte. Wer von vornherein nicht darauf aus ist, ein derart starkes prinzipielles Argument zu formulieren, ist daher auch weder auf eine kausale Handlungstheorie noch auf die ausschließliche Wertigkeit der Intentionen festgelegt.

[23] Es kann natürlich auch ohne zurechenbares Verschulden für den Betroffenen schlecht sein. Nur strikte Konsequenzialisten würden es dann aber «moralisch» schlecht nennen. Vgl. dazu *G. H. von Wright*, The Varieties of Goodness, London 1963, Nachdruck Bristol 1996, 119ff.

dend. Den Tod eines anderen direkt zu intendieren, ist nicht für sich kategorisch falsch, wie die Beispiele der Selbstverteidigung oder auch der Hilfe für Dritte zeigen.

Wenn es keine ethischen Gründe für eine unbedingte Pflicht, das Leben zu ertragen, gibt, dann ist der Wunsch, in äußersten Fällen vom Weiterleben befreit zu werden, nicht illegitim. Die Hilfe, diesen Wunsch zu erfüllen, kann dann ebenfalls ethisch nicht grundsätzlich verboten sein. Einem anderen zu helfen, kann ethisch das Verbot überwiegen, aktiv zur Beendigung seines Lebens beizutragen.

Damit wirklich von *Hilfe* gesprochen werden kann, muss die Handlung aber auf einen Wunsch des Patienten bezogen sein. Ein solcher Bezug setzt entweder die aktuelle Äußerung dieses Wunsches oder aber eine Patientenverfügung voraus. Inwieweit der letztere Fall eine hinreichend sichere Basis für Sterbehilfe sein kann, ist eine schwierige, vor allem juristisch zu erörternde Frage. Es muss in jedem Fall und durch das geringfügigste Zeichen möglich sein, eine solche Verfügung wieder zu «kündigen». Denn in einer solchen wahrhaft existentiellen Frage kann mich mein vorhergehender Wille nicht binden. Die Möglichkeit, dass ich mich später meiner Schwäche schäme, fällt mit Sicherheit geringer ins Gewicht, als die Gefahr, jemand anderen zu einer Tötung wider Willen zu veranlassen. Wenn Zweifel daran bestehen, dass der Wunsch im gegenwärtigen Zeitpunkt noch vorliegt, ist auch der Status der «Hilfe» zweifelhaft. Eine gegen den Willen des «Opfers» durchgeführte Tötungshandlung jedoch erfüllt die Bedingung des «höchsten Übels».[24]

Aus rein ethischen Gesichtspunkten kann dem Arzt aber nicht verboten werden, einem Wunsch nach Tötung zu entsprechen. Folgt daraus, dass er zu einer aktiven Mitwirkung an der Erfüllung dieses Wunsches *verpflichtet* ist?

Verpflichtet wäre er dazu allenfalls, wenn eine solche Handlung ihm zumutbar wäre und keinen Dritten schädigen könnte. Hier müssen aber zumindest vier verschiedene Güter berücksichtigt werden:
- die Hilfeleistung für einen Leidenden
- das allgemeine ärztliche Selbstverständnis
- die individuellen Werte und Überzeugungen des jeweiligen Arztes
- die Folgen der gesellschaftlichen Praxis einer solchen Handlung

Sprechen die drei letzteren Güter deutlich gegen den Anspruch des Hilfsbedürftigen, wird dieser nur den Charakter eines Appells im Einzelfall, jedoch nicht denjenigen eines Rechtes haben können. Ohne diese Abwägungen hier durchführen zu können, sprechen die in der Debatte bisher vorgetragenen Argumente der möglichen Schädigung anderer deutlich gegen eine Verpflichtung bzw. einen Rechtsanspruch. Das gilt erst recht für jeden

---

[24] Ob der gewaltsame Tod von fremder Hand wirklich das höchste Übel ist, oder langwierige Qualen von Folter oder Demütigungen nicht noch schwerer wiegen, kann hier offen bleiben. Um ein sehr schwerwiegendes Übel handelt es sich in jedem Falle.

Arzt, der eine solche Handlung nicht mit seinem Heilauftrag für vereinbar hält.[25]

Damit sind sicher noch nicht alle «Problemfälle» der Diskussion um das Lebensende erörtert.[26] Eine emotional sehr aufgeladene Diskussion gibt es vor allem um Patienten, die weder aktuell noch zu einem früheren Zeitpunkt zur Ausbildung eines auf Schmerzbefreiung und Lebensende bezogenen Wunsches in der Lage waren. Es ist denkbar, dass Menschen ohne vorherige oder gegenwärtige Äußerungsmöglichkeit in einen aussichtslosen Zustand schweren Leidens geraten, etwa Neugeborene. Ob sie unter extremen Bedingungen – etwa, wenn ihre Schmerzen erst durch die medizinischen Maßnahmen der Geburtshilfe verursacht sind, wenn sie mit Sicherheit irreversibel und anders nicht zu beheben sind – auch ohne erkennbaren subjektiven Wunsch getötet werden dürfen, sollte Gegenstand einer von unsachlichen Emotionen und Polemiken freien Diskussion sein. Das Gebot der Hilfe einerseits und die Problematik des Begriffes (oder Konstrukts) eines jedermann zu unterstellenden objektiven Interesses andererseits stehen sich hier in schwer auflösbarer Weise gegenüber.

Noch problematischer, weil vom Begriff der «Hilfe» nicht mehr erfassbar, sind Tötungshandlungen bei dauerhaft und irreversibel bewusstlosen Patienten, die keine einschlägige Patientenverfügung verfasst haben. Mehr als Therapieabbrüche könnten hier allenfalls durch Gebote dringender Hilfe gegenüber anderen gerechtfertigt werden. Solche Rechtfertigungen lassen sich wohl selbst in dieser Extremsituation nur in ganz seltenen Ausnahmefällen liefern. Auch hier fällt aber offenbar schon eine sachliche Diskussion schwer.

Wir haben anfangs darauf hingewiesen, dass bei prinzipiellen ethischen Überlegungen die Fragen des Missbrauchs und der generellen Folgen einer gesellschaftlichen Praxis weitgehend ausgeklammert werden. Ob eine *rechtliche* Lockerung des Tötungsverbotes mit dem nötigen generellen Schutz des Individuums, vor allem des Patienten, vor Gewalt durch andere vereinbar ist, kann durch unsere Überlegungen nicht entschieden werden. Ebensowenig ist die Frage geklärt, ob im *ärztlichen Selbstverständnis* die Hilfe für den Patienten in Extremsituationen auch seine Tötung einschließen kann.[27] Nur sehen wir nicht, dass man sich für diese Frage auf ein generel-

---

[25] Für die ethische Relevanz derartiger individueller Faktoren vgl. die Arbeiten von Williams und Nagel zu «agent-relative reasons»: *B. Williams,* Personen, Charakter und Moralität, in: *Ders.,* Moralischer Zufall. Philosophische Aufsätze 1973–1980, Königstein/Ts. 1984, 11–29; und *Th. Nagel,* Der Blick von nirgendwo, Frankfurt a. M. 1992.

[26] Zur Diskussion dieser Probleme aus Sicht der theologischen Ethik vgl. *A. Holderegger,* Grundlagen der Moral und der Anspruch des Lebens. Themen der Lebensethik (SThE 55), Freiburg i. Ue./Freiburg i. Br. 1995, 255–279. Eine Einschätzung der von uns hier behandelten Probleme aus juristischer Sicht, die zu weitgehend übereinstimmenden Resultaten gelangt, findet sich in: *G. Jacobs,* Tötung auf Verlangen, Euthanasie und Strafrechtssystem, Bayerische Akademie der Wissenschaften, München 1998.

[27] Vgl. *H.-B. Würmeling,* Der Richtlinienentwurf der Bundesärztekammer zu ärztlicher Sterbebegleitung und den Grenzen zumutbarer Behandlung, in: Ethik in der Medizin

les ethisches Tötungsverbot berufen kann. Es kommt vielmehr darauf an, ob die Handlung einen gerechtfertigten Wunsch des anderen fördert oder nicht. Wünsche der Befreiung von unerträglichem Leiden oder unwürdigem «Dahinvegetieren», deren Erfüllung niemand anderen schädigen, sind aber zu rechtfertigen. Ein «Tötungstabu» ist kein ethisches, sondern entweder ein religiöses oder ein rechtspolitisches Gebot. Zum Tabu gehört, dass man es nicht in Frage stellen und über seine Berechtigung nicht diskutieren darf. Denk- und Argumentationsverbote kann es aber für die Philosophie nicht geben. Und ob Tabus in einer modernen Gesellschaft, in der staatliche Verbote jedem Bürger einsichtig sein sollten, der richtige Weg zur Vermeidung von Missbrauch sind, muss bezweifelt werden.

Gleichwohl ist nicht zu bestreiten, dass es sich auch ethisch bei diesen Überlegungen um «Grenzgänge» handelt. Zwischen dem enormen Übel der gewaltsamen Tötung und der erlaubten Hilfestellung durch bewusst den Tod herbeiführende Handlungen liegt – bildlich gesprochen – nur wenig Zwischenraum. Das Letztere kann sehr leicht, etwa bei unklarer Information über den wirklichen Willen, in das Erstere übergehen. Daher erscheint es nicht nur aus gesellschaftlichen, sondern auch aus ethischen Gründen wichtig, dass solche Fälle auf Extremsituationen beschränkt bleiben. Das Gewissen der leidenden Patienten und des Arztes, der sich in Extremfällen auch zu aktiver Hilfe gedrängt fühlt, kann durch solche prinzipiellen ethischen Erwägungen aber entlastet werden.

---

9 (1997) 91–99, hier 94. Er vertritt die Auffassung, dass eine Tötung auf Verlangen sich «aus berufsspezifischen Gründen» verbiete.

Werner Wolbert

Ist der Unterschied zwischen Töten und Sterbenlassen noch sinnvoll?

In Mark Twains «Huckleberry Finn» findet sich folgende Szene: Auf Hucks Fahrt den Mississippi hinunter zusammen mit dem entlaufenen Negersklaven Jim finden die beiden an einer Stelle das Wrack eines Schiffes und untersuchen es. Sie belauschen auf der «Walter Scott» drei Ganoven. Zwei von ihnen haben den dritten (Jim Turner) gefesselt, der die beiden anderen um die Beute betrügen wollte. Von den letzteren möchte der eine (Bill) Jim umbringen, weil er befürchtet, andernfalls werde der sie verraten. Der andere, Jake Packard, hat Skrupel und ist dagegen. Jake erklärt:

> «Hör mir mal zu. Erschießen ist gut, aber's gibt lautlosere Methoden, wenn die Sache nun schon mal gemacht werden muß. ... Ich sage dir, es dauert keine zwei Stunden mehr, bevor dieses Wrack hier auseinanderbricht und flußabwärts gespült wird. Verstehst du? Er wird ersaufen und braucht keinem die Schuld dafür zu geben als bloß sich selbst. Ich schätze, das ist bedeutend besser, als ihn umzulegen. Ich bin dagegen, 'nen Mann umzulegen, so lange man drum rum kommen kann. 'S ist unvernünftig, 's ist unmoralisch. Hab ich nicht recht?»[1]

Die humoristische Wirkung dieses Vorschlags beruht darauf, dass er einerseits an eine unserer spontanen ethischen und rechtlichen Intuitionen anknüpft: die unterschiedliche Bewertung von Töten und Sterbenlassen, dass aber andererseits in diesem Fall dieser Unterschied fraglich ist. Zu dem Fall des Behandlungsverzichts durch den Arzt, der uns hier interessiert, bestehen mindestens drei wichtige Unterschiede:
- Der Arzt will das Beste für den Sterbenden, die Ganoven wollen Jims Verderben.
- Der Arzt wäre froh, wenn das Befinden des Patienten sich bessert und der Tod nicht eintritt, während die Ganoven den Tod einplanen müssen.
- Der Sterbeprozess ist vom Arzt nicht initiiert, während die Ganoven das Ertrinken von Jim bereits durch dessen Fesselung selbst mitprogrammiert haben.

Damit sind wir schon auf eine zentrale Schwierigkeit bezüglich der moralischen Relevanz des Unterschieds von Töten und Sterbenlassen aufmerksam gemacht: Die unterschiedliche Bewertung gilt nur in bestimmten Fällen. Ernsthaft machen wir diesen Unterschied nur, wenn wir für jemanden das Beste wollen, d. h. wenn wir bezüglich eines bestimmten Kranken der Meinung sind, für ihn (sie) wäre der Tod besser als das Leben. Ebenso ist für ein Geschehenlassen des Todes Voraussetzung, dass etwa der Arzt nicht

---

[1] Zitiert nach der dtv-Ausgabe «Tom Sawyer und Huckleberry Finn», München 1976, 325.

durch eigenes Handeln an dessen positiven Ursachen beteiligt ist.² Andererseits ist nicht zu übersehen, dass die Ganoven gewissermaßen ein ethisches Zugeständnis machen, dass also noch ein ethischer Rest virulent ist: Sie gehen eine gewisse Unsicherheit ein: der Gefesselte könnte noch gerettet werden. Vermutlich würde man auch für solches Sterbenlassen weniger streng bestraft als für das Erschießen.³

Unsicherheit über den Ausgang besteht dagegen nicht mehr in folgendem Beispiel von J. Rachels:⁴ Meier und Müller haben beide einen minderjährigen Vetter, von dem sie einiges erben werden, falls ihm ein Unglück zustößt. Wie sind die beiden folgenden Möglichkeiten zu bewerten?
- Meier ertränkt seinen Vetter in der Badewanne.
- Müller will dasselbe tun; als er aber ins Badezimmer kommt, rutscht der Vetter in der Badewanne aus, schlägt auf den Kopf und ertrinkt, ohne dass Müller das zu verhindern versucht.

In einem hat Rachels sicher Recht: «Der bloße Unterschied zwischen Töten und Sterbenlassen allein ist moralisch nicht ausschlaggebend.»⁵ Ausschlaggebend ist er nur unter bestimmten Bedingungen; er ist abhängig von Kontextvariablen.⁶ Auf eine noch nicht erwähnte und, wenn ich recht sehe, selten wahrgenommene Variable macht Birnbacher aufmerksam:

> «Sowohl dann, wenn Akteur und Betroffene sich sehr nah stehen (z. B. als Familienmitglieder), als auch dann, wenn sie sich fremd sind (z. B. als Angehörige verschiedener Kulturen), scheint die Differenzierung zwischen Handeln und Unterlassen eine wesentlich geringere Rolle zu spielen als im ‹mittleren Bereich› (z. B. gegenüber nicht verwandten und bekannten Angehörigen derselben Nation). Eine Mutter, die ihr Kind vorsätzlich und böswillig verhungern läßt, wird gewöhnlich nicht weniger streng verurteilt als eine Mutter, die ihr Kind vorsätzlich und aus denselben Motiven mit einem Kissen erstickt. Daß hier in der Regel kein signifikanter moralischer Unterschied gemacht wird, zeigt sich u. a. daran, daß auch im ersten Fall das ‹passive› Herbeiführen des Todes des Kindes gewöhnlich als ‹Töten› und nicht als ‹Sterben-Lassen› beschrieben wird. Auch im Fernbereich wird Handeln und Unterlassen gewöhnlich nicht wesentlich verschieden beurteilt. So macht es für die moralische Beurteilung in der Regel nur einen geringen Unterschied, ob der reiche Staat A das arme Drittweltland B da-

---

² Vgl. *D. Birnbacher*, Tun und Unterlassen, Stuttgart 1995, 107.
³ Vgl. *G. Hughes*, Killing and Letting Die, in: The Month 236 (1975) 42–45, hier 43: «It may be that our ordinary distinction between killing and allowing to die is partly influenced by the legal fact that wrongfully killing someone is a wholly different matter, in law, from wrongfully allowing someone to die.»
⁴ Vgl. *J. Rachels*, Aktive und passive Sterbehilfe, in: H. M. Sass (Hrsg.), Medizin und Ethik, Stuttgart 1989, 245–264, hier 258.
⁵ Ebd. 260; vgl. *D. Birnbacher*, s. Anm. 2, 20f.; vgl. *H. Münk* (Die aktiv/passiv-Unterscheidung, in: ThG 36 [1993] 106–118, hier 111) macht noch auf einen Unterschied in der Diskussion aufmerksam: Der Arzt sei (im Gegensatz zu Müller) offen für eine eventuelle Wende; dem Todeseintritt komme hier nicht das gleiche Gewicht zu. Aber auch die bei M. Twain geschilderten Ganoven lassen ihrem Opfer eine Chance. Die ethische Bedeutung dieses Unterschieds wäre noch genauer zu reflektieren.
⁶ Vgl. *D. Birnbacher*, s. Anm. 2, 122.

durch schlechter stellt, daß er ihm Entwicklungshilfe vorenthält (Unterlassen) oder daß er Schutzzölle einführt, die dessen Exporte behindern (Handeln).»[7]

Ein gutes Beispiel wären hier vielleicht Priester und Levit im biblischen Samaritergleichnis. Ihre Unterlassung könnte (ohne den Einsatz des Samariters) den Tod des Verwundeten zur Folge haben. Sie zählt jedoch nicht als Tötung; heute würde sie als unterlassene Hilfeleistung verurteilt.

In Anbetracht des Fortschritts der Medizin und damit gegebener langer Sterbeprozesse wird nun heute aktive Euthanasie (Tötung auf Verlangen) auch mit dem Hinweis propagiert, der traditionelle Unterschied zwischen Töten und Sterbenlassen sei nicht zu rechtfertigen. Mit den einleitenden Bemerkungen wird schon angedeutet, dass die Rechtfertigung dieser ethischen Unterscheidung durchaus einer Begründung bedarf. Trotz allem verwenden Gegner der Tötung auf Verlangen häufig nicht sehr viel Mühe auf diese Aufgabe. Bisweilen glaubt man dafür sogar gute Gründe zu haben: Es wird einfach auf eine moralische Intuition verwiesen.

1. Die Berufung auf moralische Intuition

Angesichts einer so heiklen ungelösten Frage ist die Option, unseren überkommenen Intuitionen den Vorzug zu geben, nicht von vornherein zu verurteilen. So beruft sich etwa ein Autor auf seine moralische Erfahrung «that there really exists a profoundly felt difference between not persisting in futile, death-prolonging medical treatment against the will of a patient, as contrasted with doing an act that precipitates death».[8] Die Verlängerung der Behandlung sei u. U. «useless and harmful». Nach Fischer gibt es eine prämoralische und präjuristische Intuition, «daß der Tod eines Menschen etwas ist, das nicht herbeigeführt werden darf, sondern abgewartet werden muß».[9] Das Handeln des Arztes müsse in Übereinstimmung mit dieser Intuition erfolgen. Das Festhalten an solcher Überzeugung mag für einen Einzelnen oder auch für eine Glaubensgemeinschaft (vorläufig) angebracht sein. Weiterhin muss der katholische Theologe auch den traditionellen Intuitionen, auf die sich auch das Lehramt stützt, eine *präsumptio veritatis* zubilligen. Inzwischen dürfte freilich die Diagnose von Kass nicht ganz falsch sein: «the social burden of proof has shifted to those who would oppose the voluntary choice of death through assisted suicide».[10] Diese Diagnose dürfte für verschiedene Länder nicht in gleicher Weise zutreffen. Will man aber die Meinungsbildung in unseren Ländern beeinflussen, also in einen öffent-

---

[7] Ebd. 20f.
[8] *J. F. Bresnahan*, Killing vs. Letting Die. A Moral Distinction before the Courts, in: America 176 (1997) 3, 8–16, hier 13.
[9] *J. Fischer*, Aktive und passive Sterbehilfe, in: ZEE 40 (1997), 110–127, hier 113.
[10] *L. R. Kass*, Is there a Right to Die?, in: Hastings Center Report 23 (1993) 1, 34–43, hier 34; vgl. dazu auch A. Holderegger, Zur Euthanasie-Diskussion in den USA. Eine kritische Einführung, in: FZPhTh 44 (1997) 137–151.

lichen Diskurs eintreten, wird man nicht umhin können, sich der Gründe für seine Überzeugung ausdrücklich zu vergewissern. Dass unsere Intuition über Töten und Sterbenlassen nicht von allen geteilt wird, zeigt sich etwa an der Ansicht einiger amerikanischer Gerichte, nach der gilt: «one is ‹hastening death› whether one ceases to interfere with a dying process by medical interventions that merely prolong the dying or initiates a new lethal process using a medical prescription».[11]

Der Autor, der diese Anschauung anführt, kritisiert sie als oberflächlich und empirizistisch. Zwar folge der Tod in beiden Fällen einer ärztlichen Handlung, hier sei aber der kausale Zusammenhang entscheidend (auf letzteren Punkt wird zurückzukommen sein). Die hier verwendeten Etikettierungen dürften zu einer sachlichen Auseinandersetzung nicht viel beitragen. Ähnlich dürften Qualifizierungen als «abstrakt» oder «intellektualistisch» einzuordnen sein.[12] Unterscheidet man mit R. M. Hare[13] eine intuitive und eine kritische Ebene des Diskurses (die Ebenen des Proleten und des Erzengels), dann ist festzustellen, dass manche Überlegungen zu dieser Frage sich nur auf der ersten Ebene bewegen. Das ist noch nicht schlimm, solange man sich dessen bewusst ist. Nun ist uns aber mindestens seit Sidgwick bewusst, wie sehr unsere moralische Intuitionen uns täuschen können.[14] Birnbacher betont mit Recht:

«Was uns als evident, selbstverständlich oder plausibel erscheint, sind vielfach Ergebnisse gesellschaftlicher und individueller Sozialisationsprozesse, durch die bestimmte moralische Traditionen weitergegeben werden, ohne daß diese in jedem Fall einem distanzierten, unvoreingenommenen Blick standzuhalten vermögen.»[15]

Außerdem ist (mit D. Birnbacher[16]) zu bedenken, dass aufgrund des technischen Fortschritts durch Unterlassen heute mehr Übel angerichtet wird. Versagen kann man nicht nur durch Eingreifen, sondern auch durch Unterlassen. Mit dem technischen Fortschritt werden bestimmte menschliche Funktionen an automatisch ablaufende Prozesse delegiert. Dadurch hat der Mensch vielfach nur negative Steuerungsfunktionen. Durch Abbruch eines Vorganges kann er korrigierend eingreifen. Das Unterlassen eines solchen Eingriffs kann genauso schwerwiegende Folgen haben wie früher ein positives Tun. Mit jeder Zunahme von Optionen bleiben Dinge ungetan. Somit nimmt der Rechtfertigungsdruck wegen Nichtnutzung bestehender Möglichkeiten zu. Die Hinnahme des ehemals Natürlichen und Schicksalhaften erscheint damit nicht mehr so selbstverständlich. Außerdem ist es

---

11   J. F. Bresnahan, s. Anm. 8, 12.
12   Vgl. etwa M. Reichlin, L'eutanasia nella bioetica di impostazione utilitaristica. Analisi critica die testi di J. Rachels e H. Kuhse, in: Medicina e Morale 2 (1993) 331–361, hier 343: «La moralità non ha dunque i caratteri di un ragionamento astratto, ma di un'esperienza complessa.»
13   Vgl. R. M. Hare, Moral Thinking. Its Levels, Method and Point, Oxford 1981, Kap. 3.
14   Vgl. Rachels bei M. Reichlin, s. Anm. 12, 341.
15   D. Birnbacher, s. Anm. 2, 19f.
16   Ebd. 22.

wichtig, zwischen moralischen und pseudomoralischen Intuitionen zu unterscheiden. Wenn Unterlassungen, etwa passive Schädigungen, schwächere Schuldreaktionen auslösen, hängt das auch damit zusammen, dass man «sich von den Folgen eigener Unterlassungen im allgemeinen leichter psychisch distanzieren kann als von den Folgen eigener Handlungen».[17] «Wer ein unerwünschtes Ereignis durch Unterlassen herbeiführt, fühlt sich dafür kausal weniger verantwortlich, als wer ein unerwünschtes Ereignis durch Handeln herbeiführt.» Weiter ist bei Unterlassungen die Gefahr der Entdeckung geringer. Der Unterlassende hinterlässt weniger Spuren als der aktiv Handelnde (etwa Tötende). Diese beiden strukturellen Momente dürften wohl auch für Mark Twains Ganoven ausschlaggebend gewesen sein.

Dennoch gibt es einen wichtigen Grund für die Hinnahme des Todes, für das Abwarten.[18] Die entsprechende Intuition wird wiederum von Birnbacher präzisiert:

> «Das Mißtrauen gegen menschliche Eingriffe ist ausgeprägter und sitzt tiefer als das gegenüber der außermenschlichen Natur. Die Natur ist blind und willkürlich, aber nicht gezielt böswillig wie der Mensch. Niemand würde mehr ins Krankenhaus gehen wollen, müßte er befürchten, für andere – aus welchen gutwilligen Motiven auch immer – geopfert zu werden. Auf der anderen Seite erwartet niemand, daß andere um des eigenen Überlebens willen getötet werden.»[19]

Freilich können nicht nur unsere Intuitionen, sondern auch unsere argumentativen ethischen Überlegungen in die Irre gehen (ohne dass wir es merken). Auch letzteren gegenüber ist eine gewisse Vorsicht angebracht. Es verbietet sich daher gerade in einer so heiklen Frage, überkommene Intuitionen leichthin aufzugeben. Auch die Kritiker überkommener Intuitionen müssen etwa die folgende (wohl kaum umstrittene) Beobachtung von Ph. Foot erklären: Auch wer für aktive Euthanasie plädiert, wird (mindestens bei konsensfähigen Personen) diese nur auf Verlangen für erlaubt erklären, mindestens nicht gegen den Willen des Patienten. Dagegen könnte in gewissen Fällen die Entscheidung des Arztes zum Sterbenlassen auch gegen den Willen des Patienten richtig sein (wenn etwa – bei knappen Ressourcen – der Einsatz eines Beatmungsgerätes bei einem andern Kranken sinnvoll und notwendig erscheint).[20] Ein Behandlungsabbruch ist u. U.

---

[17] Ebd. 162. Birnbacher
[18] Vgl. *J. Fischer*, s. Anm. 9.
[19] *D. Birnbacher*, s. Anm. 2, 157. Vgl. dazu auch Birnbachers zwei psychologische Hypothesen (ebd. 203): 1. *«daß Handlungen, die eine körperliche Integrität anderer tangieren und von den Betroffenen nicht gewollt sind, durchweg als bedrohlicher wahrgenommen werden und ängstigender wirken als folgenreiche von den Betroffenen nicht gewollte Unterlassungen.»* 2. *«daß vorsätzliche (aktive und passive) Schädigungen durchweg als bedrohlicher wahrgenommen werden als gleich schwere nicht-vorsätzliche oder natürliche Schädigungen».*
[20] Vgl. dazu *Ph. Foot*, Euthanasie, in: *A. Leist* (Hrsg.), Um Leben und Tod, Moralische Probleme bei Abtreibung, künstlicher Befruchtung, Euthanasie und Selbstmord, Frankfurt a. M. 1990, 285–317, hier 311; sie ordnet diese Handlungen verschiedenen Tugenden zu. Zur Tötung heißt es: «Die Rechte eines Menschen werden durch eine solche Handlung verletzt, und sie verstößt deshalb gegen die Gerechtigkeit. Jedoch sind alle andern Kombinationen, nichtfreiwillige passive Euthanasie, freiwillige aktive Euthanasie und

gegen den Willen des Betroffenen sinnvoll[21] «wie im Fall der Weigerung, dem verwundeten Soldaten ein Medikament zu geben, das ihn am Leben erhalten würde, ihn aber einem schrecklichen Ende aussetzte». Foot lehnt auch eine präsumtive Tötungserlaubnis ab:

> «Es ist eben möglich, zu unterstellen, daß jemand beim Fehlen spezieller Anzeichen nicht will, über einen bestimmten Punkt hinaus am Leben gehalten zu werden; es ist aber sicher nicht möglich, zu unterstellen, daß er getötet werden möchte.»[22]

Andererseits sind unsere Intuitionen aber auch zu überprüfen, v. a. wenn es ihnen (scheinbar oder wirklich) an Kohärenz mangelt. Die ausdrückliche Reflexion über unsere Intuitionen (oder was wir dafür halten) und ihre sprachliche Präzisierung ist deshalb ein dringendes Gebot, das in der Moraltheologie m. E. zu wenig befolgt wird.

2. Deontologische Argumente

Eine Anschauung, nach der eine bestimmte Handlung aufgrund nur eines Merkmals (das nichts mit dem Wohl und Wehe der Betroffenen zu tun hat) sittlich verboten ist, nennt man deontologisch. Wie unsere einleitenden Überlegungen gezeigt haben, dürfte eine deontologische Begründung in unserem Fall schwierig sein. Für den Deontologen müsste nämlich allein der deskriptive Unterschied zwischen Töten und Sterbenlassen (wie man diesen auch fasst) für die unterschiedliche sittliche Bewertung maßgebend sein. In Wirklichkeit dürfte diese Bewertung aber in Zusammenhang mit anderen Faktoren erfolgen. Damit ist die fundamentale Schwierigkeit eines deontologischen Verständnisses dieser Überzeugung angedeutet: Wie kann eine Handlung aufgrund mehrerer Merkmale, die für sich genommen kein absolutes Verbot begründen, sittlich unerlaubt sein?[23] Möglichkeiten eines solchen Verständnisses sind aber dennoch zu prüfen.

Das klassische Argument lautet, Gott allein sei Herr über Leben und Tod. Dies ist hier nicht weiter zu untersuchen. Es sei hier – *dato, non concesso* – einmal gelten gelassen. Wenn man das Sterbenlassen in diesem Zusammenhang nicht unter das ausschließliche Verfügungsrecht Gottes fallen sieht, macht man die problematische Voraussetzung, im Falle der Tötung nehme der Mensch das Leben, im Falle des Sterbenlassens überlasse er dies dem Wirken Gottes. Fischer formuliert das Argument folgendermaßen: Bei

---

freiwillige passive Euthanasie manchmal sowohl mit Gerechtigkeit wie mit Nächstenliebe vereinbar.»
[21] Ebd. 310.
[22] Ebd. 307.
[23] Diese Frage ist analog bereits im Problembereich der unauflöslichen Ehe artikuliert worden: Wie kann die Kombination von zwei Merkmalen (Sakramentalität und Vollzug) ein absolutes Verbot begründen, wenn eins dieser Merkmale nicht ausreicht? Zu den Konsistenzproblemen im Tötungsverbot überhaupt vgl. *W. Wolbert*, Konsistenzprobleme im Tötungsverbot, in: FZPhTh 43 (1996) 199–240.

der passiven Sterbehilfe[24] sei «*die Situation des Wartens auf den Tod gewahrt*»; aktive Sterbehilfe dagegen beende diese Situation oder komme ihr zuvor. «Offenbar liegt in unserer Kultur nicht wenig an dem Bewusstsein, dass die Trennung von einem Menschen, welche mit dem Tod eintritt, erlittenes Geschick ist und nicht fremde Tat.» Das klingt gut. Aber handelt es sich beim Sterbenlassen wirklich um bloßes Geschick? Richtig dürfte hier die Bemerkung von G. Hughes zum Sterbenlassen sein:

> «Whatever the precise import of the argument concerning God's dominion over human life and death, our belief in the dominion of God does not enable us to avoid responsibility on our own human level. The moral responsibility here is ours, and will be exercised by a careful consideration of the probable prognosis, the difficulty and the complexity of the resources required to maintain the patient alive, and so on.»[25]

Die Zirkularität des Arguments von der Prärogative Gottes ist inzwischen hinreichend nachgewiesen,[26] so dass es hier keiner näheren Analyse bedarf. Dennoch ist an diesem Gedanken des Geschicks auch etwas Richtiges. Wir gehen davon aus, dass wir das Leben anzunehmen und den Willen Gottes zu tun haben, solange wir leben. Wir dürfen dieses Gehorsamsverhältnis nicht von uns aus beenden. In diesem Sinne formuliert Kant:

> «Der Persönlichkeit kann sich der Mensch nicht entäußern, solange von Pflichten die Rede ist, folglich solange er lebt; und es ist ein Widerspruch, daß er die Befugnis haben solle, sich aller Verbindlichkeit zu entziehen, d. i. frei so zu handeln, als ob es zu dieser Handlung gar keiner Befugnis bedürfte.»[27]

Gegenteilig wäre etwa die Ansicht des schwedischen Autors P. C. Jersild,[28] der eine Pflicht zu leben nicht akzeptieren will. Das Leben sei nur in diesem Sinne nicht freiwillig, dass man nicht wählen könne zwischen Geborenwerden oder Nicht-Geborenwerden. Mit dem kantischen Gedanken ist nun freilich mindestens nicht jede Selbsttötung ausgeschlossen, wie das bei Cicero deutlich wird:

> «Wir unsererseits, wenn etwas derartiges geschieht, wodurch uns Gott anzuzeigen scheint, wir möchten das Leben verlassen, wollen heiter und danksagend gehorchen und überzeugt sein, wir würden aus einem Gefängnis entlassen und von Fesseln befreit, um in ein ewiges und wahrhaft uns gehörendes Haus überzusiedeln oder doch alle Empfindung und allen Kummer hinter uns zu lassen.»[29]

Derselbe Gedanke ließe sich auf eine Tötung auf Verlangen anwenden. Ob das Argument der Herrschaft Gottes über Leben und Tod (wenn es denn

---

[24] *J. Fischer*, s. Anm. 9, 112.
[25] *G. Hughes*, s. Anm. 3, 44.
[26] Vgl. nur *B. Schüller*, Die Begründung sittlicher Urteile. Typen ethischer Argumentation in der Moraltheologie, Münster ³1987, 236–251.
[27] *I. Kant*, Metaphysik der Sitten. Tugendlehre A 73.
[28] Nach *G. Bexell/C.-H. Grenholm*, Teologisk Etik. En introduktion, Stockholm 1997, 332.
[29] *Cicero*, Gespräche in Tusculum I, 118; vgl. dazu *J. M. Rist*, Stoic Philosophy, Cambridge 1980 (= 1969) 233–255.

schlüssig wäre) jede Tötung auf Verlangen ausschlösse, ist also nicht so sicher.[30] Ein anderes deontologisches Argument findet sich etwa bei Ramsey: «In omission no human agent causes the patient's death, directly or indirectly.»[31] Ähnlich charakterisiert Brock das Argument, freilich in kritischer Absicht: «The characterization as allowing to die is meant to shift felt responsibility away from the agent – the physician – and to the lethal disease process.»[32]

Weil man nun im Fall des Sterbenlassens den Tod nicht verursacht, so ist wohl fortzufahren, ist man auch nicht dafür verantwortlich. Nun muss man zwei Bedeutungen von Verantwortung unterscheiden,[33] was nicht immer deutlich geschieht:

- Kausale Verantwortung: Jemand ist verantwortlich für das, was er verursacht hat, etwa den Tod eines Menschen.
- Persönliche oder moralische Verantwortung.

Der Gedanke scheint zu sein: Da keine kausale Verantwortung besteht, gibt es auch keine moralische. Die (mögliche) gemeinsame Voraussetzung von Verteidigern und Gegnern der ethischen Relevanz der Unterscheidung von Töten und Sterbenlassen ist dann: «Normative Verantwortung setzt kausale Verantwortung voraus, lässt sich mit ihr aber nicht zur Deckung bringen.»[34] Dabei ist aber zu beobachten, dass auch die Zuschreibung kausaler Verantwortung oft schon von normativen Überlegungen mitbestimmt ist. Birnbacher illustriert das am Beispiel des medizinisch indizierten Schwangerschaftsabbruchs:

> «Wer es für richtig hält, daß der Arzt das Kind unter den gegebenen Umständen tötet, wird die unterlassene Tötung des Kindes in den Kreis der Ursachen des Todes der Mutter aufnehmen. Wer es für falsch hält, etwa weil er die Tötung des Kindes als mit einem bestimmten ärztlichen Rollenverständnis als unvereinbar ansieht, wird eine kausale Verantwortung leugnen.»[35]

John Casey, den Birnbacher hier zitiert, formuliert treffend: «The correctness of our ascribing causal responsibility in the present case will depend upon the acceptability of some particular conception of the doctor's role».

---

[30] Freilich wäre mit der Legitimität des Suizids noch nicht die Legitimität der Tötung auf Verlangen erwiesen. Vgl. *M. Gunderson*, A right to suicide does not entail a right to assisted death, in: Journal of Medical Ethics 23 (1997) 51–54; sowie *L. R. Kass*, s. Anm. 10, 39: «First, one cannot establish on this basis a right to have *someone else's* assistance in committing suicide. ... my autonomy cannot ground *his right* to kill me, and, hence, it cannot ground my right to become dead.»

[31] *P. Ramsey*, The Patient as Person. Explorations in Medical Ethics, New Haven/London 1970, 151; zitiert nach *D. Birnbacher*, s. Anm. 2, 107.

[32] *D. W. Brock*, Voluntary Active Euthanasia, in: Hastings Center Report 22 (1992) 2, 10–22, hier 13.

[33] Vgl. *M. J. Zimmermann*, Responsibility», in: *L. C. Becker/C. B. Becker* (Hrsg.), Encyclopedia of Ethics, New York 1992, 1089–1095, hier 1089.

[34] *D. Birnbacher*, s. Anm. 2, 90.

[35] Ebd. 91.

Diese unterschiedlichen Einordnungen sind nicht einfach willkürlich; sie vertragen sich durchaus mit der Sachlage. Das Nichthandeln des Arztes, also die unterlassene Tötung des Kindes, wäre immerhin ein kausaler Faktor für den Tod der Mutter, wenn auch nicht die alleinige oder primäre Ursache. Die Zuschreibung moralischer Verantwortung hängt demzufolge davon ab, ob man die hier gegebene Unterlassung für sittlich geboten oder verboten ansieht.[36] Zu betonen ist in diesem Zusammenhang, dass kausale Mitverantwortung allein wenig besagt. Birnbacher macht das deutlich am «Fall des Herzkranken A, der u. a. deswegen stirbt, weil er nicht das Herz des gesunden B transplantiert bekommt, der dafür allerdings eigens getötet werden müsste. Auch in diesem Fall gehört die unterlassene Tötung von B zu den negativen Kausalfaktoren von A's Tod.»[37] Es würde jedoch niemandem einfallen, hier zu sagen, die unterlassene Tötung sei eine der Ursachen von A's Tod.

Nicht jeder Verteidiger der Relevanz des Unterschieds von Sterbenlassen und Töten hält aber das Argument der fehlenden kausalen Verantwortung für schlüssig; Reichlin jedenfalls versucht es anders:

> «La distinzione tra uccidere e rinunciare alle terapie spropozionate ci sembra dunque significativa non perché evidenzi ruoli causali differenti, i quali fonderebbero una diversa responsabilità morale nei due casi, ma piuttosto nella misura in cui la sospensione delle terapie esprime in modo non contraddittorio un atteggiamento di prossimità al morente e pertanto veicola in modo congruente e proporzionato quell'intentione beneficiale.»[38]

Das Sterbenlassen hat demnach einen anderen Ausdruckscharakter als die Tötung. Das ist vermutlich richtig. Aber wie ist es dann mit verwerflichen Unterlassungen? Dazu liest man:

> «non è l'essere un'omissione che rende buona la sospensione delle terapie spropozionate, ma piuttosto l'essere *tale* omissione espressione di un diverso atteggiamento nei confronti della vita, della morte e del morente.»[39]

Wenn nun aber nur bestimmte Unterlassungen die richtige Ausdrucksqualität haben, könnten dann nicht auch einige Tötungen diese haben, bzw. in ihnen sich eine richtige Haltung manifestieren? Das Gegenteil wird schlicht vorausgesetzt, nicht begründet.

Richtig ist allerdings, dass wir bestimmte Unterlassungen durchaus als Verursachungen ansehen. Wo der Arzt eine sinnlose Therapie abbricht, sehen wir den Tod durch die Krankheit verursacht; der Arzt hat den Kranken sterben lassen. Wo ein Angehöriger ein Gerät ausschaltet (vielleicht um in den Besitz des Erbes des Patienten zu kommen), hat er den Tod verursacht, hat er den Sterbenden getötet. Damit haben wir zugleich eine Schuldzuweisung vorgenommen (vgl. den Doppelsinn des griechischen «aitía»). Was wir

---

[36] Es ist übrigens bemerkenswert, dass in solchem Kontext von «Verantwortung» immer nur bei moralischem Versagen gesprochen wird, nicht bei guten Taten. Das dürfte damit zusammenhängen, dass wir zwar ein Strafrecht haben, aber kein Belohnungsrecht.
[37] *D. Birnbacher*, s. Anm. 2, 93.
[38] *M. Reichlin*, s. Anm. 12, 348.
[39] Eig. Hervorhebung.

mit moralischer Emphase ablehnen, beschreiben wir sprachlich als aktives Tun.[40] Von einer Mutter, die ihr Kind verhungern lässt, würden wir vermutlich sagen, sie habe ihr Kind getötet. Wo etwas aus niedriger Gesinnung geschieht oder wo jemand eine elementare Pflicht verletzt, benutzen wir das aktive Vokabular. Diese Beobachtung lässt sich auch in positiven Beschreibungen zeigen. So könnte man von einem Gläubiger, der eine große Schuld nicht einfordert, sagen, er habe den Schuldner gerettet. Wichtig ist hier allerdings, dass solche Klassifizierungen die sittliche Bewertung der entsprechenden Handlung schon voraussetzen; freilich wird umgekehrt das Urteil nicht gewonnen aus einer Beschreibung als Tun oder Unterlassen.

Die moralische Bewertung ist aber nur ein möglicher Faktor bei der entsprechenden Einordnung von Unterlassungen. Angenommen, jemand bekommt Hautkrebs. Als Ursache werden wir in der Regel die Sonne namhaft machen. Nun könnte es aber einen gleichaltrigen Menschen mit gleichem Hauttyp in derselben Region geben, der keinen Hautkrebs bekommt, obwohl er genauso häufig in der Sonne gelegen hat. Möglicherweise hat er gewissenhafter auf ausreichenden Sonnenschutz geachtet. Sobald wir nicht mehr nur nach dem Grund für den Hautkrebs des einen fragen (also sein jetziges Befinden mit seinem früheren vergleichen), sondern den gegenwärtigen Zustand der beiden Personen vergleichen, wird der unterlassene Sonnenschutz zu einer Ursache. Unterlassene Vorsorge (etwa eine unterlassene Impfung) kann also durchaus als Ursache zählen. H. Kuhse spricht hier mit J. L. Mackie von einem kausalen Feld.[41] Im obigen Beispiel ist das kausale Feld zunächst jene Person, die Hautkrebs bekommt, im zweiten Fall sind es zwei Personen; dies letztere Feld ließe sich auf alle Menschen erweitern, die einer vergleichbaren Strahlung ausgesetzt waren. Was die Ursache in Bezug auf das erste Feld ist, ist nicht unbedingt die Ursache für das zweite oder dritte. Die Zuschreibung von Ursächlichkeit ist also mit einer gewissen Beliebigkeit verbunden. Wir neigen dazu, «als das kausale Feld den normalen Lauf der Ereignisse aufzufassen, und das, was wir als Ursache auswählen, stellt dann eine Abweichung von dieser Norm dar».[42] Mackie erläutert die Ursache als nicht-hinreichenden, aber nicht redundanten Teil einer nicht-notwendigen, aber hinreichenden Bedingung (aus der englischen Erläuterung «Insufficient but Non-redundant part of an Unnecessary but Sufficient condition» ergibt sich dann der Terminus «Inus-Condition»[43]). Kuhse erläutert wiederum mit Mackie die Inus-Bedingung am Beispiel eines Kurzschlusses, der einen Hausbrand auslöst.[44] Dieser ist weder notwendige Bedingung für einen Brand (es gibt andere Brandursachen), noch hin-

---

40 Vgl. hier *D. Birnbacher*, s. Anm. 2, 101f.
41 Vgl. *H. Kuhse*, Die «Heiligkeit des Lebens» in der Medizin, Erlangen 1994, 81–93 mit Verweis auf *J. L. Mackie*, The Cement of the Universe, London 1974.; vgl. auch *M. Zimmermann-Acklin*, Euthanasie. Eine theologisch-ethische Untersuchung (SThE 79), Freiburg i. Ue./Freiburg i. Br. 1997, 236–253.
42 *H. Kuhse*, ebd. 87.
43 Vgl. *M. Zimmermann-Acklin*, s. Anm. 41, 243.
44 Vgl. *H. Kuhse*, s. Anm. 41, 84f.

reichende (es muss brennbares Material in der Nähe sein). Für den konkreten Brand aber ist der Kurzschluss eine nicht redundante Bedingung.

Die unterschiedliche Bewertung von Tun und Unterlassen ist also nicht so einleuchtend, wie Deontologen gemeinhin voraussetzen. Mindestens in der folgenden Feststellung wird man Birnbacher zustimmen müssen:

> «Wenn es eine Berechtigung dafür gibt, Handeln und Unterlassen unterschiedlich zu beurteilen, kann diese nicht in der inneren Struktur von Handeln und Unterlassen selbst liegen. Damit steht der Position einer durchgängigen moralischen Differenzierung aber nur noch ein Begründungsweg offen: die These, daß bestimmte unabhängig moralisch relevante Beurteilungsmerkmale mit der Unterscheidung zwischen Handeln und Unterlassen so eindeutig korrelieren, daß zwar Handeln nicht als solches anders zu beurteilen ist als ein entsprechendes Unterlassen, daß es aber dennoch de facto regelmäßig anders zu beurteilen ist, insofern es mit ihrerseits moralisch gewichtigen Verhaltensmerkmalen zusammengeht.»[45]

Ebenso gilt: «Daß wer die Zwecke will, auch die zu deren Erreichung eingesetzten Mittel will, gilt nicht nur dann, wenn diese Mittel durch ein Handeln, sondern auch dann, wenn diese durch ein Geschehenlassen realisiert werden.»[46]

Ein wichtiger Gesichtspunkt wird von D. Callahan angeführt: Aktive Tötung tötet auch den Gesunden, Sterbenlassen nur den Todkranken.[47] Derselbe Gesichtspunkt wird aber auch von H. Kuhse herausgearbeitet:

> «Man kann Töten und Sterbenlassen nicht anhand der An- oder Abwesenheit körperlicher Bewegungen unterscheiden, und auch nicht anhand des Gegensatzes ob man ‹etwas tut›, um den Tod herbeizuführen oder ‹nichts tut›, um den Tod zu verhindern. Was Töten und Sterbenlassen unterscheidet, ist vielmehr ein Unterschied in der kausalen Rolle der Handelnden bei dem jeweiligen Todesfall, ob nämlich die Handelnde den Tod auf positive Weise verursacht, indem sie eine Folge von Ereignissen anstößt, die schließlich zum Tod führt, oder ob sie ihn negativ verursacht, indem sie es bewußt unterläßt, in eine Folge von Ereignissen einzugreifen, die sie nicht selbst verursacht hat, die aber zusammen mit der Unterlassung zum Tod führen wird.»[48]

Wenn nun der Unterschied in der kausalen Rolle des Handelnden zu suchen ist, ergibt sich mit Kuhse statt der Zwei- eine Dreiteilung:[49]

1. *X tötet Y, wenn*

   a) ein kausaler Prozess c existiert, der zu Ys Tod führen wird

   b) $X\,c$ in Bezug auf Y ausgelöst hat

   c) Y als Folge von c stirbt

---

[45] *D. Birnbacher*, s. Anm. 2, 127.
[46] Ebd. 106f.
[47] Vgl. *D. Callahan*, When Self-Determination Runs Amoc, in: Hastings Center Report 22 (1992) 2, 52–55, hier 53.
[48] *H. Kuhse*, s. Anm. 41, 65. Kuhses sorgfältige Arbeit wird von *J. F. Childress* (The Sanctity-of-Life Doctrine in Medicine, in: Bioethics 3 [1989], 152–155, hier 155) mit Recht gewürdigt; er schränkt nur ein: «In her concern to liberate us from the constrictive traditional ethic of either absolute or qualified sanctity of life, Kuhse does not show why the alternative framework she sketched would not produce worse consequences.»
[49] Vgl. *H. Kuhse*, s. Anm. 41, 72f.

2. *X tötet Y, indem sie darauf verzichtet, Ys Tod zu verhindern, wenn*
   a) ein kausaler Prozess c existiert, der zu Ys Tod führen wird, es sei denn, X oder eine andere Handelnde greift ein und führt eine Handlung s aus, die den Prozess c anhält, bevor Ys Tod eintritt
   b) X c in Bezug auf Y ausgelöst hat
   c) X darauf verzichtet, s zu tun
   d) Y als Folge von c stirbt
3. *X lässt Y sterben, indem sie darauf verzichtet, Ys Tod zu verhindern, wenn*
   a) ein kausaler Prozess c existiert, der zu Ys Tod führt, es sei denn, X oder eine andere Handelnde greift ein und führt eine Handlung s aus, die den Prozess c anhält, bevor Ys Tod eintritt
   b) X c nicht ausgelöst hat
   c) X darauf verzichtet, s zu tun
   d) Y als Folge von c stirbt

Wenn diese Dreiteilung richtig ist, ergibt sich u. a. folgende Konsequenz:

> «Wenn man beispielsweise zeigen könnte, daß die Politik der führenden kapitalistischen Länder kausal für den bedenklichen ökonomischen Zustand vieler Länder der Dritten Welt verantwortlich ist und somit auch für den Hungertod und den Tod durch leicht heilbare Krankheiten in diesen Ländern, dann wären die Verantwortlichen für diese Politik auch für den Tod all jener verantwortlich zu machen, deren Lebensrettung sie unterlassen, nachdem sie eine Ereigniskette in Gang gebracht haben, die – solange niemand eingreift – zu deren Tod führt.»

Wie die letzte Bemerkung zeigt, könnten die Konsequenzen unserer intuitiven Überzeugungen bezüglich Töten und Sterbenlassen kontraintuitiv sein. Wer sich also einfach auf diese Intuitionen verlässt und auch wer sie auf deontologische Weise rechtfertigt, hätte also entweder zu solchen Konsequenzen zu stehen oder sie als unberechtigt zu erweisen.

3. Die lehramtliche Position

Man könnte nun mit gewissem Recht einwenden, unsere kritischen Überlegungen trügen Eulen nach Athen. Betrachtet man die lehramtliche Position, stellt man fest, dass dort die unterschiedliche Bewertung von Töten und Sterbenlassen auf keinen Fall allein am unterschiedlichen Kausalzusammenhang orientiert ist. So liest man etwa im «Katechismus der Katholischen Kirche» § 2277:[50]

> «Eine Handlung oder eine Unterlassung, die von sich aus oder der Absicht nach den Tod herbeiführt, um dem Schmerz ein Ende zu machen, ist ein Mord, ein schweres Vergehen gegen die Menschenwürde und gegen die Achtung, die man dem lebendigen Gott, dem Schöpfer, schuldet.»[51]

---

[50] In der Erklärung der Glaubenskongregation zu Euthanasie vom 5. Mai 1980 hieß es ähnlich (DSH 4660): «Nomine euthanasiae significatur actio vel omissio quae suapte naturae vel consilio mentis mortem affert.»

[51] Eig. Hervorhebung.

Im nächsten Absatz heißt es dann (2278):

> «Die Moral verlangt keine Therapie um jeden Preis. Außerordentliche oder zum erhofften Ergebnis in keinem Verhältnis stehende aufwendige und gefährliche medizinische Verfahren einzustellen, kann berechtigt sein. Man will dadurch den Tod nicht herbeiführen, sondern nimmt nur hin, ihn nicht verhindern zu können.»

Ähnlich heißt es in «Evangelium Vitae» Nr. 65:

> «Unter Euthanasie im eigentlichen Sinn versteht man eine Handlung oder Unterlassung, die ihrer Natur nach und aus bewußter Absicht den Tod herbeiführt, um auf diese Weise jeden Schmerz zu beenden.»

Danach folgt ein Zitat aus der Erklärung der Glaubenskongregation über die Euthanasie von 1980: «Bei Euthanasie dreht es sich wesentlich um den Vorsatz des Willens und um die Vorgehensweisen, die angewandt werden.»

Offenbar kommt es nach diesen Äußerungen nicht allein auf den Unterschied zwischen Tun und Unterlassen an.[52] Eine Schwierigkeit ergibt sich aber aus dem doppelten Kriterium: Vorsatz des Willens und Vorgehensweisen bzw. Natur der Handlung und Intention. Ist damit gemeint, dass unterschiedliche Vorgehensweisen den Willen unterschiedlich qualifizieren? Dann müsste das für eine bestimmte Vorgehensweise aber grundsätzlich gelten: Sterbenlassen würde den Willen anders qualifizieren als Töten.[53] In diesem Zusammenhang ist noch auffällig, dass der Papst das «oder» (vel) durch ein «und» ersetzt. Das ist restriktiver; damit scheint das Kriterium für aktive Euthanasie eingeschränkt, was noch auf seine Konsequenzen zu untersuchen wäre. Zur genaueren Klärung müsste man nun wissen, wann eine Handlung «ihrer Natur nach» den Tod herbeiführt bzw. wann das «aus bewusster Absicht» geschieht. Bei Günthör liest man: «Der Mensch hat ein Recht nicht nur auf sein Leben, sondern auch auf seinen natürlichen, menschenwürdigen Tod.»[54] Wenn man nun ein solches Recht hat, darf man einen solchen Tod beabsichtigen? Oder ist die Beabsichtigung eines natürlichen Todes ein Widerspruch in sich?

Aufschlussreich ist in diesem Zusammenhang ein Blick in den zweiten Teil des deutschen Erwachsenenkatechismus.[55] Passive Euthanasie wird dort zunächst erläutert als «Verzicht auf Anwendung von Mitteln, die bei einem Sterbenden zu einer kurzzeitigen Lebensverlängerung führen, aber eigentlich nur eine Leidensverlängerung bedeuten würden». Konsequent ist demnach aktive Euthanasie «das direkte Eingreifen in den Sterbeprozess durch Tötung des Patienten». Dazwischen findet sich aber folgender Satz:

---

[52] Interessanterweise heißt es übrigens im neuseeländischen Strafrecht (§ 164): «Every one who by any act or omission causes the death of another person kills that person, although the effect of the bodily injury caused to that person was merely to hasten his death while labouring under some disorder or disease arising from some other cause.»

[53] In diesem Zusammenhang wäre natürlich auch das Prinzip von der Doppelwirkung zu untersuchen; aber das ist nicht Gegenstand dieses Beitrages.

[54] A. *Günthör*, Anruf und Antwort, 3 Bde., Vallendar-Schönstatt 1993/94, 272 Nr. 316; vgl. auch *H. J. McCloskey*, The Right to Life, in: Mind 84 (1975) 403–425.

[55] Deutsche Bischofskonferenz (Hrsg.), Katholischer Erwachsenenkatechismus II. Leben aus dem Glauben, Bonn 1995, 308.

«Allerdings wird ein Verzicht auf Anwendung von Mitteln zu einer aktiven Euthanasie, wenn es sich um eine schuldhafte Unterlassung handelt, in der die Absicht enthalten ist, das Leben vorzeitig zu beenden.»

Das passt nicht zur vorigen Erläuterung dessen, was aktive Euthanasie sein soll. Offensichtlich handelt es sich hier um eine nachträgliche Einfügung. Die Spannungen in diesem Text dürften sich aus den verschiedenen Stadien des Genehmigungsverfahrens erklären. Jedenfalls ergibt sich folgende Frage: Warum unterscheidet man nicht schlicht zwischen erlaubter und unerlaubter passiver Euthanasie, also zwischen erlaubtem und unerlaubtem Sterbenlassen? In der mutmaßlichen Einfügung ist offensichtlich die Beschreibung von der Bewertung beeinflusst, so dass aktive Euthanasie immer unerlaubt ist, passive dagegen immer erlaubt. Bemerkenswert ist der zweite Teil dieser Aussage, und zwar in zweierlei Weise:
- Der Unterschied zwischen Tun und Unterlassen macht hier nicht allein den Unterschied zwischen aktiver und passiver Euthanasie aus.
- Man will offenbar den Eindruck vermeiden, ein sittlich verwerfliches Sterbenlassen sei moralisch weniger schlimm als ein sittliches verwerfliches Töten.

Wer also betont, der deskriptive Unterschied zwischen Töten und Sterbenlassen könne in den genannten Fragen nicht das einzig relevante Kriterium sein, nicht als solcher moralisch signifikant, dürfte beim kirchlichen Lehramt offene Türen einrennen.

Diese kirchenamtliche Erläuterung von Euthanasie «im eigentlichen Sinn» wird unter Moraltheologen oft nicht ausdrücklich reflektiert. Wenn dann etwa erläutert wird «Passive Euthanasie ist die Erleichterung des Todes durch Unterlassung oder Unterbrechung lebenserhaltender Maßnahmen.»[56], wäre dies in der Beschreibung bzw. Bewertung zu unterscheiden von einer Unterlassung mit noch weiteren Hintergedanken.

4. Die niederländische Praxis

Wenn der Unterschied zwischen Töten und Sterbenlassen deontologisch nicht konsistent zu begründen ist, stellt sich die Frage nach der Relevanz dieser Unterscheidung im Rahmen einer teleologischen Theorie. Da die Frage nach den Folgen legalisierter Tötung auf Verlangen inzwischen nicht mehr rein hypothetisch ist, empfiehlt sich zunächst ein Blick auf die niederländische Praxis. Als Euthanasie gilt dort die aktive Beendigung des Lebens eines Patienten auf sein Verlangen hin, und zwar durch einen Arzt. Das bedeutet, dass andere Formen von «mercy-killing» nicht unter die Bezeichnung Euthanasie fallen. Die Voraussetzungen für die Erlaubtheit sind,[57] dass

---

[56] K.-H. Peschke, Christliche Ethik. Spezielle Moraltheologie, Trier 1995, 343.
[57] Nach Th. Fuchs, Euthanasia und Suizidbeihilfe. Das Beispiel der Niederlande und die Ethik des Sterbens, in: R. Spaemann/Th. Fuchs, Töten oder Sterbenlassen? Worum es

- der Wunsch des Patienten nach vorzeitiger Lebensbeendigung wohlüberlegt, freiwillig und dauerhaft ist
- der Patient ein unerträgliches (nicht notwendig körperliches) Leiden erduldet und keine Aussicht auf Besserung besteht
- keine anderen medizinischen Möglichkeiten bestehen, die Situation des Patienten zu erleichtern
- der Patient über seine Situation vollständig aufgeklärt ist
- ein unabhängiger Kollege die Diagnose und Prognose des behandelnden Arztes bestätigt hat

Aus der Kombination dieser Kriterien ergeben sich freilich einige Probleme:

a) Wenn die Selbstbestimmung, die Autonomie, des Patienten das entscheidende Kriterium ist, müsste die Tötung auf Verlangen in jedem Fall erlaubt sein, nicht nur bei unerträglichem Leiden. Andererseits wäre die Tötung aber bei nicht mehr zurechnungsfähigen Patienten nicht erlaubt.[58] Gerade bei solchen ergibt sich aber auch das Problem unerträglichen Leidens. Hält man in solchen Fällen letzteres Kriterium für entscheidend, wird die Selbstbestimmung praktisch ausgehöhlt, es sei denn, man fasst die Einwilligung als notwendiges, aber nicht zureichendes Kriterium. Im Übrigen erfordert ja normalerweise sowieso jeder medizinische Eingriff das Einverständnis des Patienten. Callahan fragt mit Recht: «Wenn das Vermeiden von Leiden und die Selbstbestimmung des Patienten die ersten Kriterien sind, wie kann ein Arzt jemals ein Verlangen um Euthanasie verweigern?»[59] Andererseits gibt man in Holland auch zu, dass manche Tötungen gegen den Willen des Patienten durchgeführt worden sind.[60] Im Übrigen macht Callahan an anderen Beispielen deutlich, dass Autonomie nicht ein hinreichendes Kriterium sein kann:

---

in der Euthanasiedebatte geht, Freiburg i. Br. 1997, 31–107, hier 38; vgl. zur niederländischen Praxis auch *E. M. H. Hirsch Ballin*, Leiden, Tod und die Rechtsordnung, in: *G. Höver* (Hrsg.), Leiden. 27. Internationaler Fachkongress für Moraltheologie und Sozialethik (Sept. 1995 in Köln/Bonn), Münster 1997 (= Studien der Moraltheologie 1); *C. Ciesielski-Carlucci/G. Kimsma*, The impact of reporting cases of euthanasia in Holland: A patient and family perspective, in: Bioethics 8 (1994) 151–158; und *M. Zimmermann-Acklin*, s. Anm. 41, 134–142, 390–414.

[58] In diesem Punkt war die inzwischen aufgehobene Gesetzgebung des australischen Nordterritoriums strenger: aktive Euthanasie war nur auf das ausdrückliche Verlangen des Patienten erlaubt; vgl. *M. Zimmermann-Acklin*, s. Anm. 41, 130–134.

[59] *D. Callahan*, s. Anm. 47, 52.

[60] Vgl. *D. W. Brock*, s. Anm. 32, 20. Brocks Autonomie-Lösung sieht dagegen folgendermaßen aus: «1. The patient should be provided with all relevant information about his or her medical condition, current prognosis, available alternative treatments, and the prognosis of each. 2. Procedures should ensure that the patient's request for euthanasia is stable or enduring (a brief waiting period could be required) and fully voluntary (an advocate for the patient might be appointed to ensure this). 3. All reasonable alternatives must have been explored for improving the patient's quality of life and relieving any pain or suffering. 4. A psychiatric evaluation should ensure that the patient's request is not the result of a treatable psychological impairment such as depression.» Hier liegt also keine Begrenzung auf die «terminally ill» vor.

«Slavery was long ago outlawed on the ground that one person should not have the right to own another, even with the other's permission. Why? Because it is a fundamental moral wrong for one person to give over his life and fate to another, whatever the good consequences, and no less a wrong for another person to have that kind of total, final power. Like slavery, dueling was long ago banned on similar grounds: even free, competent individuals should not have the power to kill each other, whatever their motives, whatever the circumstances. Consenting adult killing, like consenting adult slavery or degradation, is a strange route to human dignity.»[61]

b) Wenn der Patient das Recht zur Selbstbestimmung bis zum Tode hat, wie kann er dieses Recht auf einen anderen übertragen?

c) Wenn die Erträglichkeit des Leidens prinzipiell unverifizierbar ist und keine objektive Korrelation hat mit der medizinischen Kondition des Patienten, wie kann ein Arzt jemals sicher sein, dass das Leiden eines Patienten tatsächlich unerträglich ist?

d) Das Handeln des Arztes ist auch gerechtfertigt worden im Sinne einer «force majeure», also im Sinne einer Pflichtenkollision. Wenn das so ist, dann kann es erstens nicht kriminell sein. Es muss dann erlaubt, nicht nur straffrei sein. Wenn man dagegen diese Rede wörtlich nimmt, wird die Handlung ihrer Moralität beraubt; es ist kein bewusster und autonomer Akt mehr. Die Betonung der Freiwilligkeit war nach A. Capron[62] nur eine Strategie zur Gewinnung der Akzeptanz dieser Praxis. Nach H. ten Have[63] haben Untersuchungen ergeben, dass Ärzte oft mehr geleitet sind von ihren eigenen Eindrücken über die unausgesprochenen und vermuteten Wünsche des Patienten als durch ausdrückliches mündliches oder schriftliches Verlangen. Andererseits betonten die Gerichte, Leiden sei ein subjektives Phänomen und konsequenterweise könne nur der Patient beurteilen, ob sein Leiden unerträglich sei. Dann dürfte der Arzt nicht darüber urteilen. Offenbar benutzt man die beiden unterschiedlichen Kriterien je nach Bedarf. Ihre Relevanz und ihr Verhältnis zueinander wären deshalb eindeutig zu klären.

Jedenfalls gibt es offensichtlich drei problematische Konsequenzen dieser Praxis:
- Die (vermutliche) Unvermeidlichkeit des Missbrauchs (etwa in Richtung auf nicht-freiwillige oder unfreiwillige Tötung allein wegen fehlender Lebensqualität).
- Die Schwierigkeit der präzisen Bestimmung der Kriterien.
- Die «Slipperiness» der moralischen Gründe für die Legalisierung der Euthanasie, die etwa Kaveny ausdrücklich bestätigt: «The slope is very

---

[61] D. Callahan, s. Anm. 47, 52.
[62] A. M. Capron, Euthanasia in the Netherlands. American Observations, in: Hastings Center Report 22 (1992) 2, 30–33, hier 31: «This view not only robs the action of its morality – it is no longer a conscientious and autonomous act – but also creates the clear sense that it would be wrong for a physician to refuse to provide euthanasia to serve a patient's welfare.»
[63] Vgl. H. A. M. J. ten Have/J. V. M. Welie, Euthanasia: Normal Medical Practice?, in: Hastings Center Report 22 (1992) 2, 34–38, hier 35.

slippery indeed. Applicable guidelines for assisted suicide have been interpreted by the Dutch courts and the Royal Dutch Medical Association in increasingly broad terms.»[64]

So werde «unerträgliches Leiden» als «psychisches Leiden» oder als «potential disfigurement of personality» gelesen. Nach dem Remmelink-Report[65] war die Unmöglichkeit der Schmerzbehandlung nur in 30 % der Fälle Grund. Bei 70 % waren es:

« (1) low quality of life;
(2) no prospect of improvement;
(3) all forms of medical treatment had become futile;
(4) all treatment was withdrawn but the patient did not die; or
(5) one should not postpone death.
In one third of the cases, the fact that family and friends no longer could bear the situation played a role and indeed one respondent even indicated that economic considerations such as shortage of beds played a role.»

Richtig dürfte hier Zimmermann-Acklin urteilen:

«Es ist offensichtlich nicht möglich, die freiwillige aktive Euthanasie zu praktizieren, ohne gleichzeitig umstrittene ärztliche Entscheidungen akzeptieren zu müssen und Bedenken hinsichtlich weiterer unerwünschter Ausweitungsmöglichkeiten mit Hinweis auf die einzuhaltenden Richtlinien ('safeguards') überzeugend widerlegen zu können.»[66]

5. Teleologische Gesichtspunkte

Im Folgenden seien einige weitere teleologische Gesichtspunkte aufgezählt. Im Sinne der Präsumtion für die Signifikanz der Unterscheidung konzentriere ich mich auf Argumente gegen die Tötung auf Verlangen. Die Argumente dafür sind sowieso offensichtlich (v. a. Verkürzung von Leiden).

a) Man könnte zur Verteidigung traditioneller Intuitionen auf R. M. Hares Zwei-Ebenen-Modell der Moral verweisen. Auf das Verbot aktiver Euthanasie wäre dann folgende Aussage anzuwenden:

«Wenn die Menschen das Prinzip verinnerlicht haben, daß es falsch ist, unschuldige Menschen zu töten, aber nicht immer falsch, sie nicht länger am Leben zu erhalten, werden sie in der Praxis eher das Richtige tun, als wenn ihre verinnerlichten Prinzipien keine solche Unterscheidung umfassen. Das liegt daran, daß die meisten Fälle des Tötens sich von den meisten Fällen des unterlassenen Am-Leben-Erhaltens in einer wichtigen anderen Weise unterscheiden, so daß die ersteren mit größerer Wahrscheinlichkeit falsch sind als die letzteren.»[67]

---

[64] *C. M. Kaveny*, Assisted Suicide, Euthanasia, and the Law, in: TS 58 (1997) 124–148, hier 137f. Vgl. zum slippery-slope-Argument die differenzierte Darlegung bei *M. Zimmermann-Acklin*, s. Anm. 41, 351–417.
[65] Nach *H. A. M. J. ten Have*, s. Anm. 63, 36.
[66] *M. Zimmermann-Acklin*, s. Anm. 41, 411.
[67] *R. M. Hare*, Abtreibung und die Goldene Regel, in: *A. Leist* (Hrsg.), s. Anm. 20, 132–156, hier 148.

Mancher Advokat des Lebens wird hier sofort einwenden, eine Präsumtion gegen die Tötung auf Verlangen sei zu wenig. Das mag sein. Es ist jedoch darauf hinzuweisen, dass gerade auch zelotische Deontologen «Grenzfälle» kennen:

> «Es gibt, wie schon Platon wußte, immer Grenzfälle, für die das Gesetz nicht gemacht ist und denen es nicht gerecht werden kann. Moraltheologen und Moralphilosophen stürzen sich heute mit einem verdächtigen Interesse auf solche Grenzfälle und konstruieren von ihnen ausgehend Forderungen für die Formulierung der Gesetze. Ausnahmen sollen nicht mehr als Bestätigung der Regel gelten, sondern die Regel aushebeln. So auch in diesem Fall. Aber wer wirklich einem Freund in einer Extremsituation auf eine Weise helfen möchte, die vom Gesetz nicht gedeckt ist, ohne damit die Schutzfunktion des Gesetzes zu zerstören, der wird bereit sein, für seinen Freundschaftsdienst die vom Gesetz vorgesehene Strafe auf sich zu nehmen, falls der Richter nicht in der Lage ist, seiner besonderen Situation Rechnung zu tragen. Er wird in dem Bewußtsein handeln, mit der Intention von Gesetz und Sitte im Tiefsten (!) im Einklang zu stehen, und als Ausnahme die Regel zu bestätigen.»[68]

Danach wäre das Verbot der Tötung auf Verlangen in bestimmten Fällen als eine lex mere poenalis anzusehen.

Impliziert nun dieser Verweis auf die zwei Ebenen, dass die Unterscheidung auf der Ebene des Erzengels keine Relevanz hätte? Wohl nicht ganz. Wo dem Arzt die aktive Tötung gestattet ist, hat sich die Situation des Patienten relevant geändert. Er hätte sich gegebenenfalls zu fragen, ob er dem Arzt, dem Pflegepersonal, den Angehörigen, der Gesellschaft den weiteren (finanziellen, emotionalen usw.) Aufwand für seine Pflege noch zumuten darf. Wäre Tötung auf Verlangen u. U. moralisch erlaubt, hätte der Kranke gegebenenfalls die Pflicht, darum zu bitten. Wer also Tötung auf Verlangen im Namen der Autonomie des Patienten fordert, muss sich darüber im Klaren sein, dass er damit diese Autonomie in anderer Hinsicht gerade einschränkt. Kass verweist auf den «analogous use of arguments for abortion rights by organizations which hope thereby to get women – especially the poor, the unmarried, and the nonwhite – to exercise their ‹right to choose›, to do their supposed duty toward limiting population growth and the size

---

[68] R. *Spaemann*, Es gibt kein gutes Töten, in: *Ders./Th. Fuchs*, s. Anm. 57, 12–30, hier 27; vgl. die Kontroverse mit E. Schockenhoff, in: *W. Wolbert*, Die in sich schlechten Handlungen und die Menschenwürde, in: ThGl 87 (1997) 563–589; und *E. Schockenhoff*, Zwischen Wissenschaft und Kirchlichkeit? Zum Standort der Moraltheologie, in: ThGl 87 (1997) 590–626. *M. Zimmermann-Acklin* (s. Anm. 41, 303f.) bemerkt treffend zu *E. Schockenhoff* (Naturrecht und Menschenwürde, Mainz 1996, 210–218): «Daher sieht sich der Autor auch gezwungen, die ‹tragischen Grenzfälle› bzw. die ‹unausweichlichen Konfliktsituationen› ohne plausiblen Grund aus seinem absoluten Verbot auszuschließen. Dadurch widerspricht er sich selbst und schließt seine Deontologie genau für die Fälle aus, in der sie eigentlich greifen sollte, nämlich die umstrittenen Situationen am Lebensende.» Und in der Anmerkung (Nr. 70): «Wenn er einige Seiten später im Zusammenhang mit dem absoluten Folterverbot gegenüber den teleologisch argumentierenden Theologen den Vorwurf erhebt, die folgenorientierte Begründung lasse sich in Grenzsituationen nicht widerspruchsfrei durchhalten, so nennt er das wichtigste Gegenargument gegen seine eigene Euthanasieinterpretation selbst.»

of the underclass».[69] Es geht hier nicht nur um die Gefahr moralischen Drucks; der Kranke müsste sich aufgrund der neuen Situation auch ohne Druck von außen die entsprechende Frage stellen. Brock bemerkt richtig:

> «making a new option or choice available to people can sometimes make them worse off, even if once they have the choice they go on to choose what is best for them ... If people are offered the option of euthanasia, their continued existence is now a choice, for which they can be held responsible and which they can be asked by others to justify.»[70]

Spricht dieses Argument nun ebenso gegen das Sterbenlassen?[71] Eine entsprechende Gefahr dürfte faktisch wohl sehr gering sein, da es «Ärzten und dem medizinischen Pflegepersonal gewöhnlich» schwerfällt, «einen schwer leidenden Patienten, der medizinisch ‹aufgegeben› ist, nicht weiter künstlich zu ernähren, auch wenn man sich einig ist, daß es für den betreffenden Patienten besser ist, möglichst bald zu sterben».[72]

b) Vielfach wird auf die Folgen für das Ethos und das Berufsbild des Arztes hingewiesen. Der Experte für die Heilung eines Menschen kann diesen faktisch auch am raffiniertesten töten. Ein Gerät ausschalten kann dagegen jeder. Also ergeben sich auch beim Arzt die größten Missbrauchsmöglichkeiten. Wohl deshalb schrecken bis jetzt viele Ärzte vor dieser Zumutung zurück. Mit gewisser Vorsicht möchte ich hier an das berühmte Sheriffbeispiel erinnern: Hier wird zur Verhinderung eines größeren Übels ein Mensch mit dem Anschein der Legalität getötet. Der Sheriff ist aber in erster Linie der Gerechtigkeit verpflichtet. Ähnlich wäre zu fragen, ob der Arzt nicht dem Leben verpflichtet bleiben sollte. Andernfalls gäbe es sicher auch Tötungen unter dem Anschein der Barmherzigkeit. Was Glover in etwas anderem Zusammenhang sagt, gilt auch hier:

> We all feel more comfortable because we know that almost everyone in the country observes an absolute taboo on killing his fellow citizens. Our sense of security is not undermined to the same extent when we hear of old people dying quietly of cold in their rooms.»[73]

Der Verweis auf die Nazis erfolgt in diesem Zusammenhang häufig zu vorschnell und undifferenziert wie ein Schlag mit dem Holzhammer.[74] Dennoch kann man mit Capron daran erinnern,[75] dass Binding und Hoche zunächst auch nur heilsame Ziele verfolgten:

> «First, the Nazi policies were initially urged by leading academics, physicians, and lawyers. Second, the groups initially affected were the incurably ill and in some proposals ... included consent. Third, The language used is so similar.»

---

[69] L. R. Kass, s. Anm. 10, 37.
[70] D. W. Brock, s. Anm. 32, 17.
[71] Vgl. ebd. 19.
[72] D. Birnbacher, s. Anm. 2, 143f.
[73] J. Glover, Causing Death and Saving Lives, Harmondsworth 1977, 99.
[74] Vgl. hier J. A. Burgess, The great slippery-slope argument, in: Journal of medical ethics 19 (1993) 169–174.
[75] Vgl. A. M. Capron, s. Anm. 62, 32; vgl. die sorgfältige Diskussion bei M. Zimmermann-Acklin, s. Anm. 41, 370–390.

Schmidt zitiert einen Franziskanerpater, der von 1940–1945 in Kaufbeuren Krankenhausseelsorger war und als Zeuge über den Nazi-Arzt Dr. Falthauser aussagte:

> «Dr. Falthauser hat den einzelnen Patienten und insbesondere den Kindern gegenüber sehr viel Gutes getan. So hat er zum Beispiel mit den ärmsten Krüppeln gespielt, in väterlicher Liebe. Ich bin, nachdem ich das Elend in der Heilanstalt Kaufbeuren und besonders im Kinderhaus mit eigenen Augen gesehen und erlebt habe, der Ansicht, daß es für einen Menschen, der nicht aufgrund positiver religiöser Bindung die Tötung jeden menschlichen Lebens für unerlaubt hält, daß es als nützliche Lösung erscheint, solche armen Kreaturen von der Not ihres Lebens zu erlösen. Ich kann dabei aus wirklichem Mitleid oder aus einer gewissen Brutalität heraus handeln.»[76]

Die Folgen im damaligen gesellschaftlichen Kontext sind freilich nicht einfach auf den heutigen zu übertragen. Allerdings wissen wir auch nichts über den gesellschaftlichen Kontext einer Praxis aktiver Euthanasie in naher oder ferner Zukunft.

c) Die bisherigen Gesichtspunkte betreffen nicht die Folgen einer einzigen Tötung auf Verlangen, sondern die Folgen einer Praxis. Es wäre zu fragen, ob hier nicht dem einzelnen Kranken im Falle äußersten Leidens zum Wohle anderer zu viel zugemutet wird. Dieses Problem entfällt bei einer deontologischen Begründung. Dabei zeigte unser erster Gesichtspunkt die problematischen Folgen gerade für die Selbstbestimmung des Einzelnen.[77]

6. Ergebnis

Man pflegt in unserer Frage drei Positionen zu unterscheiden:[78]
- die These der moralischen Äquivalenz, nach der es keinen sittlich relevanten Unterschied zwischen Töten und Sterbenlassen gibt
- die These der moralischen Signifikanz, die einen solchen behauptet
- die Kompromißthese[79], die man besser die These von der modifizierten Signifikanz nennt, nach der die Unterscheidung in Zusammenhang mit anderen Faktoren relevant ist

Auf diese letztere These laufen unsere Überlegungen hinaus. Diese modifizierte Signifikanz bedarf weiterer Überlegungen. Es reicht nicht, zwischen Töten und Sterbenlassen einfach eine «moralische Kluft» zu beschwören.[80]

---

[76] *M. Schmidt*, Was führt zur Tötungshemmung? Psychologische Betrachtung von Handlungsmotiven tötender Ärzte, in: *R. Spaemann/Th. Fuchs*, s. Anm. 57, 118.

[77] Vgl. hier auch *H. Helmchen*, Tötung auf Verlangen aus psychiatrischer Sicht, in: Fundamenta Psychiatrica 6 (1992) 58–62; und *U. Quarnström*, Euthanasia – How to Die, in: *I. B. Corless/B. B. Gemino/M. A. Pittman* (Hrsg.), A Challenge for Living. Dying, Death, and Bereavement, Boston 1995, 145–157.

[78] Vgl. etwa *J.-C. Wolf*, Aktive und passive Euthanasie, in: ARSP 79 (1993) 393–415, hier 409.

[79] Vgl. *M. Zimmermann-Acklin*, s. Anm. 41, 253.

[80] Vgl. *L. S. Cahill*, Hochachtung vor dem Leben und Herbeiführung des Todes im medizinischen Bereich, in: Conc (D) 21 (1985) 184–191, hier 190.

Jean-Claude Wolf

Der intendierte Tod

Die direkte und aktive Tötung einer Person wird meist für sittlich verwerflicher gehalten als die indirekte und passive.[1] Insbesondere die Absicht, ein Leben zu beenden, gilt als Ausdruck eines Mangels an Ehrfurcht vor dem Leben[2] – ein Mangel, der mit dem traditionellen Verständnis der Rolle der Ärztin unvereinbar ist. Die absolute[3] Verurteilung des intendierten Todes lässt sich jedoch selbst innerhalb einer reinen Haltungsethik nicht vernünftig begründen. Die Absicht, das Leben anderer zu beenden, ist nicht notwendig Ausdruck einer Missachtung dieses Lebens bzw. einer in sich bösartigen Absicht. Schließlich ist es eine generelle Schwäche einer reinen Gesinnungsethik zu glauben, die Qualitäten von Absichten seien objektiv richtig- oder falsch-machende Eigenschaften. Die Kernthese dieses Beitrags lautet: Absichten sind keine unabhängigen normative Faktoren. Nur im abgeleiteten Sinne – sofern sie zu Handlungen mit guten oder schlechten Folgen prädisponieren – sind sie moralisch relevant. Die Bewertung von Absichten ist abhängig von der Bewertung von Zielen. Ein vermeintlich absolutes Verbot der *absichtlichen* Tötung lässt sich nicht rational begründen. Die kritische Auseinandersetzung mit der Euthanasie muss daher andere Wege beschreiten, die im ersten Abschnitt kurz skizziert werden.

---

[1] Vgl. *J.-C. Wolf*, Aktive und passive Euthanasie, in: Archiv für Rechts- und Sozialphilosophie 79 (1993) 3, 393–415.

[2] Vgl. *J.-C. Wolf*, Ist Ehrfurcht vor dem Leben ein brauchbares Moralprinzip, in: FZPhTh 40 (1993) 359–383; und *Ders.*, Albert Schweitzers weiter Begriff von Ethik, in: Zwischen Denken und Mystik. Albert Schweitzer und die Theologie heute, hrsg. v. *E. Müller*, Berlin 1997, 224–242.

[3] Unter «absolut» und «Absolutismus» verstehen wir im Folgenden eine Position, der gemäß es mindestens eine sittliche Norm gibt, die ohne Ausnahmen gilt und ohne Rücksicht auf Konsequenzen zu befolgen ist. Eine solche Position vertritt z. B. Kant: vgl. die Kritik in *J. Rachels*, The Elements of Moral Philosophy, New York ²1993, Kap. 9; sowie eine Variante der katholischen Moraltheologie: vgl. *J. Finnis*, Moral Absolutes. Tradition, Revision, and Truth, Washington DC 1991. Finnis beleuchtet die moraltheologischen Hintergründe der Konzeption absoluter Verbote bzw. eines intrinsece malum; seine Verteidigung absoluter Normen ist unplausibel und auch unter katholischen Moraltheologen stark umstritten. Vgl. *G. Grisez/R. Shaw*, Beyond the New Morality. The Responsibility of Freedom, London ²1980; zur Debatte zwischen Absolutisten und Konsequentialisten vgl. *J. Graf Haber* (Hrsg.), Absolutism and Its Consequentialist Critics, Lanham MD 1994. Dieser Sammelband enthält Gründe für und gegen die Annahme absoluter Normen. Wie etwa der Beitrag von Bennett zeigt, mag es zwar politisch opportun sein, gewisse Normen als absolut zu verinnerlichen und zu propagieren, obwohl sie sich im Blick auf alle möglichen Folgen und Umstände nicht rational begründen lassen. Ob Kant durchgehend als Deontologie gedeutet werden kann, ist neuerdings fraglich: vgl. Anm. 17.

1. Direkte und indirekte Gründe gegen Fremdtötung

Der direkte Grund gegen die Tötung einer Person besteht darin, dass der Tod für diese Person ein Übel ist. Der Tod ist darum ein Übel, weil er den Lebenswunsch einer Person (und viele andere Wünsche und Pläne) durchkreuzt.[4] Die meisten Menschen haben diesen Lebenswunsch. Einige Menschen wünschen sich den Tod. Für sie ist nicht der Tod, sondern das Weiterleben das größere Übel. Warum sollte es moralisch falsch sein, solche Menschen zu töten? Kann die Tötung einer Person, die nicht weiterleben will, moralisch falsch sein? Falls sie es ist, dann jedenfalls nicht aus dem Grund, weil ein Wunsch nach weiterleben, den sie ex hypothesei nicht hat, durchkreuzt würde.

Eindeutig scheint der Fall zu sein, in dem eine Person ihrer Tötung zustimmt, denn «volenti non fit iniuria». Die Anwendung dieses Prinzips auf die Fremdtötung ist jedoch nicht unproblematisch. Gegen die Tötung einer zustimmenden Person können folgende Gründe geltend gemacht werden:

a) *Vorübergehende oder instabile Todeswünsche:* Falls eine Person den vorübergehenden Wunsch hat, nicht mehr am Leben zu sein, wird sie, sobald sie wieder wünscht, am Leben zu sein, froh sein, dass sie noch am Leben ist. Da der Tod irreversibel ist, sollte geprüft werden, ob Wünsche nur vorübergehende Launen oder stabile Präferenzen sind.

b) *Exzentrische Wünsche:* Eine Person kann es sich zum Sport machen, das Leben im Allgemeinen und ihr eigenes im Besonderen zu verachten und gering zu schätzen. Sie kann sich aus Langeweile oder Snobismus, aus philosophischem Pessimismus oder Leichtsinn das Leben nehmen wollen, obwohl sie – von außen gesehen – keinen guten Grund dazu hat. Exzentrische oder frivole Wünsche können natürlich niemanden zur Fremdtötung autorisieren. Der Gedanke, dass ich einer Person in schwerster unabwendbarer Not oder unheilbarer Krankheit durch einen «Gnadentod» helfen könnte, fällt hier gar nicht in Betracht. Legale Euthanasie könnte nur – wenn überhaupt – in jenen Fällen in Frage kommen, in denen schwere Leiden und eine unheilbare Krankheit vorliegen. Der Tod würde dann beschleunigt, um größere Leiden zu verhindern, aber nicht um exzentrische oder weltanschaulich bedingte Wünsche zu befriedigen.

---

[4] Dies ist nicht die einzige Option zur Begründung des Tötungsverbotes, und die Bezugnahme auf einen expliziten Lebenswunsch (oder dessen Fehlen) mag sogar problematisch erscheinen, schließt sie doch automatisch Wesen vom Geltungsbereich des Tötungsverbotes aus, die niemals, noch nicht oder nicht mehr über die minimalen geistigen Voraussetzungen für einen solchen Wunsch verfügen, die sich z. B. nicht von anderen unterscheiden und auf Vergangenheit und Zukunft beziehen können. Diese Problematik, welche v. a. die Abtreibung, die Tötung mancher Tiere und gewisse Fälle von nicht-freiwilliger Euthanasie (z. B. an Komapatienten) betrifft, soll in diesem Beitrag ausgeklammert werden. Der Hinweis, dass es sich bei der hier vorausgesetzten Begründungsoption um eine zwar prominente, aber nicht um die einzig mögliche handelt, mag genügen.

c) *Indirekte Gründe:* Auch Menschen mit festen Todeswünschen sollten nicht als «Freiwild für Jäger betrachtet» werden, und zwar aus dem ganz einfachen Grund, dass wir uns vor Suizidenten nicht zu fürchten brauchen, aber vor lizenzierten Mördern. (Der Ausdruck «Mörder» sollte hier eigentlich neutral verwendet werden, doch ich habe aus stilistischen Gründen auf den Ausdruck «Töter» verzichtet.) Man beachte, dass indirekte Gründe für die Geltung des Verbots des Fremdtötung sehr wichtig sind, weil sie dem Schutz der Sicherheit dienen. Gemeint ist vor allem die Sicherheit vor Menschen mit einer Tötungslizenz und den zahlreichen, möglichen Missbräuchen. Könnte man sich vor Gericht einfach darauf berufen, dass man ein zustimmendes oder lebensmüdes Opfer getötet habe, so könnte das zu weiteren Fahrlässigkeiten oder Verbrechen ermutigen. Die bloße Tatsache, dass der Tod für eine Person willkommen ist, sollte allein kein hinreichender Grund für eine straflose Tötung dieser Person sein, weil die Gefahr von Missbräuchen akut ist.

d) *Autonomie:* Die bloße Tatsache, dass ich nicht mehr weiterleben möchte oder dass ich mir den Tod wünsche, autorisiert keine andere Person, mich zu töten, denn Selbsttötung betrifft primär mich selber und kann Ausdruck einer autonomen Entscheidung über mein Leben sein, Fremdtötung dagegen bedeutet immer, über ein fremdes Leben zu entscheiden. Bei Fremdtötung scheint sich immer ein Element von Heteronomie, von Fremdbestimmung oder stellvertretender Ausführung einzumischen. Selbst wer sich den Tod wünscht, wünscht sich nicht automatisch den Tod aus fremder Hand.

e) *Manipulierte Todeswünsche:* Man kann einer Person einreden, ihr Leben sei nicht mehr lebenswert und es wäre das Beste für sie, zu sterben oder rasch und schmerzlos getötet zu werden. Dieser Effekt der Manipulation fremder Wünsche wird evtl. verstärkt durch eine Lizenzierung der Fremdtötung, denn in einer Gesellschaft, in der Euthanasie oft praktiziert wird, könnte der Eindruck entstehen, zögernde oder zur Ausführung des Suizids unfähige Suizidenten seien *verpflichtet*, einer Fremdtötung zuzustimmen.

2. Direkte Tötung als schuldhafte Lebensverachtung

Damit haben wir einige Gesichtspunkte genannt, die vor allem dem Schutz von Opfern und der Sicherheit Dritter gelten. Doch wie steht es mit dem Täter? Was könnte sonst noch gegen den intendierten Tod sprechen, wenn man von den potentiellen Opfern und Ängsten Dritter absieht? Ein einfaches Argument lautet: Der intendierte Tod bringt mangelnde Ehrfurcht vor dem Leben zum Ausdruck. Wer das Leben wirklich achtet, wird nicht die Absicht haben, Leben zu beenden. Die direkte Tötung (im Unterschied

zur indirekten Tötung und manchen Fällen des passiven⁵ Sterbenlassens) bringt eine bewusste (vorsätzliche, beabsichtigte) Entscheidung gegen das Leben zum Ausdruck. Sie spiegelt eine Mentalität, die sich folgendermaßen zusammenfassen ließe: «Dieses Leben (und Leben unter ähnlichen Bedingungen) ist es nicht wert, gelebt, erhalten oder geschützt zu werden.» Direkte Tötung involviert eine nihilistische Lebensverachtung. Das zu untersuchende Argument lautet demnach:
a) Es ist moralisch gesehen immer falsch, sich absichtlich gegen das Leben zu entscheiden.
b) Direkte Tötung bringt immer eine absichtliche Entscheidung gegen das Leben zum Ausdruck.
c) Aktive Euthanasie involviert immer direkte Tötung (passive nicht immer).

Aus a)–c) folgt: Aktive Euthanasie ist immer moralisch falsch. – Aus diesem Argument folgt nicht, dass passive Euthanasie immer richtig ist, sondern nur, dass sie manchmal richtig ist, nämlich dann, wenn sie keine direkte Tötung involviert und wenn andere Bedingungen erfüllt sind. Im Folgenden werden nur die ersten beiden Prämissen und die Konklusion diskutiert. Man beachte, dass dieses Argument gleichermaßen gegen direkten Suizid wie gegen direkte Fremdtötung spricht, denn was macht es im Lichte dieser Beweisführung für einen Unterschied, ob ich das Leben anderer oder mein eigenes verwerfe? Es ist gar nicht so wichtig, gegen wen ich das Unrecht verübe, denn das spezifische Unrecht der direkten Tötung richtet sich nicht primär gegen eine Person, sondern gegen einen Wert. Es ist der Wert des Lebens selber, der bei direkter Tötung auf dem Spiel steht.

Das zu untersuchende Argument stützt sich auf den ersten Blick nicht auf Folgeüberlegungen, sondern auf Überlegungen, die den Charakter des Akteurs betreffen. Wie wir noch sehen werden, ist eine rein gesinnungsethische Auffassung dieses Arguments nicht haltbar. Doch halten wir uns zuerst an den Akzent, den die ersten beiden Prämissen auf die Absicht setzen. Es ist also nicht so sehr das Opfer, sondern vielmehr die Integrität oder die moralische Biographie des Täters (die männliche Form steht hier als Obergriff für Täter und Täterinnen), des «Mörders im moralischen Sinne»,⁶ die

---

⁵ Die Unterscheidungen «aktiv-passiv» und «direkt-indirekt» werden häufig vermischt, und das ist wohl kein Zufall, ist es doch schwierig, sich eine aktive, aber nicht intendierte Tötung vorzustellen. Dagegen scheint es häufiger möglich zu sein, passive Euthanasie ohne direkte Tötungsabsicht zu vollziehen. Gleichwohl zielt die Unterscheidung aktiv-passiv primär auf eine kausaltheoretische Unterscheidung. Bei der aktiven Tötung ist die kausale Rolle des Täters die eines Initiators, während der tödliche Handlungsverlauf beim passiven Sterbenlassen unabhängig vom Akteur eingeleitet worden ist. «Aktiv» heißt «auslösend», «passiv» dagegen verhält man sich gegenüber einem Geschehen, das bereits von anderer Seite ausgelöst wurde. Die Unterscheidung «direkt-indirekt» dagegen spricht die Rolle der Absicht beim Handeln an.

⁶ Vgl. *J. Feinberg*, On Being «Morally Speaking a Murderer», in: *Ders.*, Doing & Deserving. Essays in the Theory of Responsibility, Princeton 1970, 38–54.

zur Debatte steht. Nur die nicht-konsequentalistische Begründung scheint die verbreitete Auffassung adäquat zu erklären und vielleicht auch zu legitimieren, die besagt, dass es zwischen Sterbenlassen bzw. indirekter Tötung und direkter Tötung einen moralisch relevanten Unterschied gibt. Nur bei der direkten (typischerweise aktiven) Tötung macht sich der Akteur der Lebensverneinung oder des Nihilismus in Bezug auf das Leben schuldig. Er macht sich zum «Herrn über Leben und Tod», denn er maßt es sich nicht nur an, den Zeitpunkt des Eintretens des Todes selber zu bestimmen,[7] sondern er entscheidet sich gegen die angemessene Ehrfurcht vor dem Leben. Direkte Tötung entspringt einer lasterhaften Hybris.

Der Kern der Kritik an der direkten Tötung stützt sich auf eine subtile Unterscheidung, nämlich auf die Unterscheidung beabsichtigter Mittel und vorausgesehener (oder voraussehbarer[8]) Nebenwirkungen. Diese Unterscheidung scheint in vielen Fällen intuitiv plausibel zu sein. Wer mit dem Auto einen steilen Abhang hinunterfährt, nimmt eine zusätzliche Abnutzung der Reifen in Kauf, ohne diese zu beabsichtigen. Er ist – im Gegensatz zu einem Vandalen, der die Lust der Zerstörung sucht – kein «Pneuschänder», sondern er nimmt die Abnutzung des Pneus in Kauf. Wer dagegen eine Person (mit deren Zustimmung) tötet, um ihr weitere Leiden zu ersparen, nimmt den Tod nicht nur in Kauf, sondern *beabsichtigt* die Beendigung des Lebens *als notwendiges Mittel* zum Zweck. Sicher wäre es unglaubwürdig zu sagen, wer aktive Euthanasie praktiziere, sehe den Tod einer Person zwar voraus, ohne ihn zu beabsichtigen. So weit das Argument, das sich einer begrifflichen Unterscheidung bedient, die zum Repertoire des Prinzips der Doppelwirkung gehört.

Obwohl wir gelegentlich an die Unterscheidung zwischen Absicht und Vorauswissen appellieren, ist es doch keineswegs klar, welche moralische Rolle ihr zukommt. Selbst Anhänger des Prinzips der Doppelwirkung haben zuzugeben, dass sich die Unterscheidung nicht in allen Kontexten aufrechterhalten lässt bzw. dass sie leicht missbraucht werden kann und auch oft missbraucht worden ist. Wenn ich beispielsweise immer wieder das Auto meines Nachbarn ausleihe und dabei die Reifen abnutze, dann kann ich wohl kaum als Entschuldigung vorbringen: «Tut mir leid, aber das war wirklich nicht meine Absicht. Ich muss doch hoffentlich für diesen Schaden nicht aufkommen.» Umgekehrt ist die Absicht, das Leben einer Person zu beenden, nicht notwendigerweise mit einem maliziösen Wunsch verbunden. Intuitiv betrachtet besteht sicher ein großer Unterschied zwischen einer Person, die sich über den Tod einer anderen freut und davon profi-

---

[7] Auch dieser Gesichtspunkt wird eher der aktiven Tötung zugeschrieben, und man kann sich fragen, ob an dieser Stelle wiederum die aktiv-passiv und die direkt-indirekt-Unterscheidungen vermischt werden.

[8] Voraussehbare Nebenwirkungen werden einer Person moralisch oder rechtlich zugerechnet, wenn zwar keine Absicht, aber Fahrlässigkeit vorliegt. Auf diese Komplikation werden wir im Folgenden nicht eingehen.

tiert, und einer Person, die den Tod einer anderen wünscht, um ihr weitere Leiden zu ersparen. Trotzdem ist die Vorstellung sehr verbreitet, der intendierte Tod bringe immer einen moralisch verwerflichen, weil lebensverneinenden Wunsch zum Ausdruck.

Der Appell an die Ehrfurcht vor dem Leben und ein absolutes Tötungsverbot leuchtet manchen Ärztinnen (der Ausdruck ‹Ärztin› steht im Folgenden als Obergriff für Frauen und Männer) ein.⁹ Ich kann das anekdotisch belegen. Vor einigen Jahren veröffentlichte ich einen Artikel mit dem Titel «Ist Ehrfurcht vor dem Leben ein brauchbares Moralprinzip?». Ich habe in diesem Aufsatz meine Gründe dargelegt, warum ich glaube, die Titelfrage verneinen zu müssen. Meine Skepsis wurde nicht gut aufgenommen. Ein Student gab mir den Text mit folgendem Kommentar zurück:

> Lieber Herr Professor Wolf,
> die «praktische Philosophie» mag das Prinzip der «Ehrfurcht vor dem Leben» entbehren können, die Medizin, d. h. die Ärzte können nicht darauf verzichten.

Auffallend an dieser Erwiderung ist zweierlei: die Ironisierung der praktischen Philosophie durch Anführungszeichen – man stelle sich vor, ich würde dieser Person antworten und die Ausdrücke «Medizin» und «Ärzte» in Anführungszeichen setzen – und die lakonische Kürze der Antwort, die den Charakter eines Bekenntnisses und einer höheren Notwendigkeit hat. «Hier stehe ich – ich kann nicht anders – und alle Ärztinnen können nicht anders.» Obwohl der Student selber kein Mediziner war, ist seine Antwort typisch. Es ist zutreffend, dass sich manche Ärztinnen mit dieser Antwort identifizieren können, doch es ist schwierig abzuschätzen, ob es ihnen beim Bekenntnis zu einem absoluten Tötungsverbot mehr um den guten Ruf ihres Standes oder um eine unumstößliche Gewissensentscheidung geht. Zweifel am absoluten Tötungsverbot werden manche Ärztinnen entweder als intellektuelles Glasperlenspiel oder als gefährliche Ideologie einstufen. Abgesehen von der Berufsehre möchte man im Bereich der Moral glauben, so wie man oft den religiösen Glauben verstanden hat, d. h. glauben ohne Zweifel. Ist die Zulassung von Ausnahmen nicht eine Untergrabung des Glaubens an die erhabene Bestimmung der Medizin und die Heiligkeit menschlichen Lebens? Doch kann man an den Wert des Lebens glauben? Ist es überhaupt sinnvoll, Leben als solches zu einem Grundwert zu machen?

Doch sind Fragen der Moral lediglich Fragen des Bekenntnisses oder eines unerschütterlichen Glaubens? Ehrfurcht vor dem Leben ist eine bequeme Leerformel, die eine rasche verbale Scheineinigkeit erzeugt, weil man gewöhnlich von der Tragweite einer konsequenten Anwendung absieht, die Albert Schweitzer anschaulich und drastisch dargestellt hat. Was

---

⁹ Vgl. *W. Gaylin u. a.*, Doctors Must Not Kill, in: *R. M. Baird/S. E. Rosenbaum*, Euthanasia, Buffalo NY 1989, 25–28.

Schweitzer als Vision gegen die Gedankenlosigkeit im Umgang mit allem Leben inklusive demjenigen von Tieren und Pflanzen verstanden hat, ist zum Schibboleth einer kopflosen Pro-Life-Bewegung degeneriert.

In der Tat scheinen gerade naturwissenschaftlich geschulte Personen die Tendenz zu haben, Werturteile – insbesondere Werturteile, die sie nicht teilen – für subjektive Bekenntnisse zu halten, über die man sinnvollerweise gar nicht disputieren kann. Allerdings ist die Haltung naturwissenschaftlich geschulter Leute zu Wertungsfragen insgesamt betrachtet widersprüchlich, weil sie implizit werten, insbesondere wenn es darum geht, den überlegenen und einzigartig wissenschaftlichen Charakter ihrer Disziplin zur Geltung zu bringen. Häufig halten sich Naturwissenschaftler kraft ihres Fachwissens für Fragen der Moral besonders kompetent. Die Verwechslung von Fachkompetenz und moralischer Kompetenz nimmt etwa in der Verteidigung von Tierversuchen besonders absurde Formen an. Wertungsfragen werden gelegentlich ex cathedra, aus der überlegenen Optik ihres Faches, als unumstößliche Wahrheiten beantwortet. Die Person, die den zitierten Brief verfasst hat, scheint ebenfalls von dieser Zweideutigkeit oder diesem Schwanken zwischen Subjektivismus und Dogmatismus befallen zu sein. Mit dem Wort «mag» wird eine Offenheit und Toleranz gegenüber Wertungsfragen und insbesondere abweichenden Wertungen signalisiert; mit der adversativen Wendung des elegant angehängten Nebensatzes dagegen wird ein Dogmatismus des «Nicht-Könnens» angedeutet, so als gäbe es keine Medizin und keine Ärztinnen, die sich dem Prinzip der Ehrfurcht vor dem Leben gegenüber Skepsis leisten könnten. Die rhetorische Kunst dieser kleinen Notiz besteht darin, dass sie meine Meinung als subjektive Spekulation, die eigene Meinung jedoch als höhere Notwendigkeit hinstellt.

Natürlich ist es schwierig, ein Problembewusstsein in Bezug auf so griffige Formeln wie die «Ehrfurcht vor dem Leben» zu vermitteln, ohne als gefährlicher oder abseitiger Skeptiker eingestuft zu werden. Niemand möchte – und schon gar nicht öffentlich – als Nihilist und Menschenverächter eingestuft werden. Niemand soll es benommen sein, an dieser Formel festzuhalten und sie als letzte Weisheit ärztlicher Ethik zu verkünden. Doch ist sie auch aussagekräftig? Erleichtert sie die praktische Entscheidung?

Entscheidungen über Leben und Tod müssen zwar häufiger von Ärztinnen und Pflegepersonal getroffen und mitgetragen werden als von anderen Leuten, doch damit ist nicht gesagt, dass es um ein spezielles Problem der ärztlichen Sonderethik geht. Entscheidungen über Leben und Tod müssen vom Gesetzgeber und von der Gesellschaft mitgetragen werden. Moralische Kompetenz und Verantwortung können nicht einer naturwissenschaftlichen Elite übertragen werden. Deshalb ist es von großer Bedeutung zu fragen, welchen Stellenwert ein moralisches Prinzip für die ganze Gesellschaft haben kann.

Diese Fragen wurden bereits an anderer Stelle ausführlich erörtert.[10] Hier geht es mir nur um die Frage, ob die *absichtliche* Tötung auf Wunsch oder im Interesse von schwer leidenden und unheilbaren Patienten nur aus den im ersten Abschnitt genannten Gründen oft (aber nicht immer) angreifbar ist oder ob sie immer verwerflich ist, und zwar aus dem scheinbar viel einfacheren Grund, dass die absichtliche Entscheidung gegen das Leben immer Lebensverachtung und damit eine schwere moralische Verfehlung zum Ausdruck bringt. Wäre absichtliche Fremdtötung immer und unter allen Umständen ein Verstoß gegen die Ehrfurcht vor dem Leben, so könnte man sich zumindest erklären, warum aktive Euthanasie als etwas verstanden wird, was von zahlreichen Fällen passiver Euthanasie durch einen qualitativen Sprung unterschieden ist. Steckt in der aktiven Euthanasie und insbesondere in der direkten Tötung nicht die Botschaft: «Dein Leben ist nicht lebenswert, und das Leben so mancher anderer Patienten in ähnlichen Umständen ist nicht lebenswert?» Ist es nicht diese schreckliche Botschaft, welche die aktive Euthanasie zu einem moralischen Verbrechen macht, das auch weiterhin in allen Rechtssystemen mit Strafandrohung verboten werden sollte?

Meine Antwort auf diese Frage lautet: Intendierte oder aktive Tötung muss keineswegs eine solche Botschaft zum Ausdruck bringen. Vielmehr bringt sie eine Bewertung von Lebensqualität unter extremen Umständen zum Ausdruck, die vielleicht anfechtbar, aber nicht offensichtlich Ausdruck einer unsittlichen oder bösartigen Gesinnung ist. An den Fällen von aktiver Euthanasie an zustimmenden oder nicht-zustimmungsfähigen, aber auf jeden Fall schwer leidenden und sterbenden Patienten zeigt sich, dass die Formel der Ehrfurcht vor dem Leben nicht notwendigerweise als eine absolute Norm der Lebenserhaltung oder des Nicht-Eingreifens zu verstehen ist, sondern auch zu Entscheidungen führen kann, die als konfliktreich und unvermeidbar (und deshalb als tragisch) empfunden werden. Aus der Ehrfurcht vor dem Leben lässt sich kein absolutes Verbot der direkten Tötung ableiten, sondern nur eine prima-facie-Pflicht, Leben zu schützen und zu erhalten, so lange dies mit keiner stärkeren Pflicht kollidiert.

Woher stammt die Auffassung, es gebe absolute Verbote, die ohne Ausnahme gelten? Der locus classicus der Auffassung, dass es Gefühle und Handlungen gebe, die unabhängig vom Mehr oder Weniger und unabhängig von den Umständen *in sich schlecht* sind, findet sich bei Aristoteles.[11] In der Übersetzung von W. D. Ross lautet sie folgendermaßen:

> «But not every action nor every passion admits of a mean; for some have names that already imply badness, e.g. spite, shamelessness, envy, and in the case of actions adultery, theft, murder; for all of these and suchlike things imply by their names that they are themselves bad, and not the excesses or deficiencies of them.»

---

[10] Vgl. *J.-C. Wolf*, s. Anm. 2.
[11] Vgl. *Aristotle*, Ethica Nicomachea, translated by W. D. Ross, Oxford 1915, revised by J. O. Urmson, Oxford 1975, 2.6: 1107a 9–17.

Die Übersetzung von Ross ist aus zwei Gründen erwähnenswert, weil sie erstens von einem Autor stammt, der nur an die Existenz selbstevidenter prima-facie-Normen glaubt, die nicht immun sind gegen Ausnahmen, und der deshalb der Annahme absoluter Normen mit Skepsis begegnen muss. Zweitens hat die Übersetzung von Ross Anlass zu Kritik gegeben, die den tautologischen Charakter von absoluten Normen hervorhebt. So gesehen wären absolute oder streng deontologische Normen nichts als auf dem Weg verbaler Definitionen erschlichene Tautologien. «Mord» wäre nicht nur als «absichtliche Tötung»,[12] sondern als «in sich falsche absichtliche Tötung» definiert. «Mord ist in sich falsch» wäre synonym mit der Behauptung: «In sich falsche Tötung ist falsch, weil sie in sich falsche Tötung ist.» So gesehen wäre allerdings die schwächere Behauptung «Absichtliche Tötung ist prima facie falsch» nicht etwa falsch, sondern völlig sinnlos, unverständlich oder absurd, vergleichbar mit der Aussage «Ein Quadrat ist gelegentlich rund». Es ist daher nicht anzunehmen, dass Aristoteles sagen wollte: «Absichtliche Tötung ist in sich falsch, weil der Ausdruck zuvor so definiert wurde», sondern eher: «Absichtliche Tötung gilt als falsch, weil sie *in sich* falsch ist.» Will man Aristoteles vom Tautologievorwurf befreien, so ist die folgende Übersetzung von Terence Irwin vorzuziehen:

> «But not every action or feeling admits of the mean. For the names of some automatically include baseness, e. g. spite, shamelessness, envy [among feelings], and adultery, theft, murder, among action. All of these and similar things are called by these names because they themselves, not their excesses or deficiencies, are base.»

Obwohl diese zweite Übersetzung eher den Anspruch erheben kann, bona fide zu sein – ihre philologische Korrektheit steht hier nicht zur Debatte –, ist damit der Tautologieverdacht noch nicht vom Tisch. Selbst ein wohlwollender Interpret dieser Stelle wie Finnis[13] muss zugeben, dass Ausdrücke wie Lüge, Ehebruch und vor allem Mord in der Alltags- und Rechtssprache einen so starken Vorwurfscharakter haben, dass es nahezu unmöglich ist, sie neutral oder rein deskriptiv zu verwenden und damit die Frage ihrer Bewertung offen zu halten. Das hartnäckigste Problem für die Begründung absoluter Normen besteht darin, folgendes Trilemma zu vermeiden, nämlich Kandidaten zu finden, die

- nicht einfach tautologisch wahr sind
- nicht bloß durch Autorität (z. B. göttliches Verbot) oder zeitgebundenes Vorurteil (z. B. «Homosexualität ist ekelhaft») «begründet» sind
- nicht so generell und abstrakt sind (wie z. B. das Böse oder Ungerechte ist zu meiden), dass sie nicht dazu geeignet sind, konkrete Handlungsnormen zu spezifizieren

---

[12] Wir sehen hier von der Komplikation ab, dass die deontologische Norm gewöhnlich noch spezifischer als «absichtliche Tötung *Unschuldiger*» bzw. «absichtliches *Homizid*» definiert ist, so dass z. B. Todesstrafe, Töten im Krieg und Tötung von Tieren ausgeklammert bleiben.

[13] Vgl. *J. Finnis*, s. Anm. 3, 31, 36f.

Schließlich wurden absolute Normen meist mit der Auffassung in Zusammenhang gebracht, dass gewisse Handlungstypen naturwidrig seien, d. h. gegen eine Absicht der Natur verstießen. Die Tatsache, dass die Verteidigung absoluter Normen meist an metaphysische Deutungen des wahren Zwecks des Menschen oder menschlicher Organe appellierte, macht die traditionelle Konzeption nicht besonders vertrauenswürdig.

Die absichtliche Tötung involviert die Entscheidung gegen ein Leben, doch ist Entscheidung gegen *ein* Leben gleichzustellen mit einer Entscheidung gegen *das* Leben? Verdient sie automatisch jenes Odium, das dem Wort «Mord» anhaftet? Diese Fragen sind m. E. zu verneinen. Pauschale Lebensverachtung und negative Bewertung von Lebensqualität in Ausnahmefällen sind nicht deckungsgleich. Ehrfurcht vor dem Leben ist zwar eine sozial nützliche Grundhaltung, aber sie hat zugleich den Charakter einer Leerformel, der alle Menschen so lange ohne Einschränkung zustimmen, als sie sich nicht näher mit ihrer Konkretisierung vertraut gemacht haben. Indessen ist die tiefere Frage, ob Leben (Am-Leben-Sein) als sui generis Grundwert oder nur als Vehikel zur Realisierung anderer Werte verstanden werden soll, noch nicht beantwortet. Nur wer Am-Leben-Sein unabhängig von Bewusstseinsqualitäten als selbständigen Grundwert neben andere Werte wie Lebensfreude usw. stellen möchte, wird die Auffassung vertreten dürfen, direkte Tötung immer und unter allen Umständen als in sich unmoralischen, weil wertwidrigen Akt zu verstehen.[14] Doch hinter dieser Auffassung von Leben als Grundwert steckt entweder eine problematische Fetischisierung biologischer Lebensprozesse (gestützt durch einen abenteuerlichen Panpsychismus) oder eine unstatthafte Äquivokation in der Verwendung des Ausdrucks «Leben» (i. S. von Am-Leben-Sein und Lebensqualitäten). Wer vom Wert des Lebens spricht, aber damit sowohl den Wert des Am-Leben-Seins als auch den Wert einer bewussten und sinnvollen Lebensführung meint, macht sich dieser Äquivokation schuldig. Das ist der kapitale Fehler, den Autoren wie Grisez, Shaw und Finnis begehen.

Die Abneigung, bestimmte Lebensformen als bloßes «Dahinvegetieren» zu klassifizieren, wird oft damit begründet, dass doch niemand zu solchen Urteilen über den Wert eines Lebens autorisiert sei. Der viel gescholtene Begriff vom «lebensunwerten» Leben muss hier nicht einmal ins Spiel gebracht werden, fördert er doch völlig irreführenden Assoziationen an das «Euthanasie»-Programm der Naziherrschaft. In diesem Programm war aber nicht nur eugenisches und rassistisches Denken im Spiel, sondern auch eine zynische Missachtung des Willens zustimmungsfähiger Personen. Abgesehen von dieser schrecklichen Erinnerung gibt es noch stichhaltigere Vorbehalte gegen die Rede von «lebensunwertem Leben». So kann man sich gegen eine falsche Alternative aussprechen, die besagt: «Entweder ist ein Leben lebenswert, oder es ist nicht lebenswert.» Gewöhnlich gehen wir davon aus,

---

[14] Vgl. *G. Grisez/R. Shaw*, s. Anm. 3, 69f., 142.

dass ein Leben mehr oder weniger lohnend sein kann, und das eigene Leben kann als mehr oder weniger sinnvoll erscheinen. Selbst die Bewertung des eigenen Lebens ist nicht unfehlbar. Jemand mag sein Leben als wenig lohnend bewerten, obwohl man von außen betrachtet vielleicht sagen muss, dass diese Person eigentlich nichts entbehrte von allem, was gewöhnlich für wichtig gehalten wird, um ein lohnendes Leben führen zu können.

Viel delikater ist jedoch die Fremdbewertung, und zwar nicht nur deshalb, weil sie meist fehlbarer ist als die Selbstbewertung, sondern weil sie tendentiell paternalistisch ist. Dies ist v. a. dann der Fall, wenn wir ein Leben unter eigenen Wertgesichtspunkten beurteilen, die der Person, deren Leben wir einschätzen, völlig fremd sind. Auch ein Leben unter großen Schmerzen und mit geringer Überlebenschance mag einem Menschen noch als lohnend erscheinen. So lange dies der Fall ist, müssen wir die Selbstbewertungssouveränität anderer respektieren, auch wenn wir die fremde Selbsteinschätzung nicht teilen. Auch Autonomie ist kein absoluter Wert, doch sie muss besonders hoch eingeschätzt werden, wenn es umso tiefgreifende und irreversible Entscheidungen wie jene über Leben und Tod geht. Ein Urteil von außen über die vermeintliche Misere eines Lebens darf unter keinen Umständen die «Mitleidstötung» einer zustimmungsfähigen, aber nicht zustimmenden Person autorisieren. Wer eine Person, die im Leiden der letzten Lebenswoche eine religiöse Prüfung oder (wie der areligiöse Freud) ein intellektuelles Abenteuer sieht, aus fanatischem Mitleid ermordet, kann unter keinen Umständen entschuldigt werden. Selbsternannte «Todesengel», die anderen Menschen ihr Mitleid oder ihre Wertvorstellungen aufdrängen wollen, müssen streng bestraft und abgeschreckt werden. Fanatismus dieser Art verdient keine moralische Entschuldigung, denn er stellt eine grobe Verletzung dar, und zwar nicht etwa der Heiligkeit des Lebens, sondern der Autonomie.

Für die Frage der Euthanasie im ärztlichen Handlungsfeld[15] kommen ohnehin nur zwei Kandidaten in Frage: Schwer leidende und unheilbare Patienten (oder Patientinnen), die sich selber nicht das Leben nehmen können und die a) entweder dem assistierten Suizid oder – falls dieser nicht möglich ist – der aktiven Euthanasie zustimmen und b) schwer leidende und unheilbare Patienten, die keiner Zustimmung mehr fähig sind.

---

[15] Wir sehen hier zunächst ab von solchen Fällen wie dem des brennenden Autos, in dem ein Fahrer eingeklemmt ist, der nur durch einen «Gnadenschuss» vor einem langsamen und furchtbaren Verbrennen bewahrt werden könnte. Solche Fälle entziehen sich vielleicht einer generellen gesetzlichen Regelung, verweisen aber auf die moralischen Grenzen von Tötungshemmungen. Es könnte unter Umständen moralisch erlaubt oder sogar geboten sein, Tötungshemmungen zu überwinden, um Leiden zu verhindern oder Leben zu retten. Deshalb werden wir auf dieses Beispiel zurückkommen. Es mag in solchen Fällen zutreffen, dass jemand moralisch richtig handelt und trotzdem eine Strafe in Kauf nehmen muss – und zwar als Abschreckung vor Missbräuchen. Bei Euthanasie in ärztlicher Obhut müssen unabhängige ärztliche Diagnosen und mehrere Zeugen gestellt werden, um Missbräuche zu erschweren.

Durch diese Einschränkungen wird ein sog. Euthanasieprogramm wie das der Nazis kategorisch ausgeschlossen. Doch die Frage: Bringt aktive und v. a. direkte Tötung nicht Lebensverachtung zum Ausdruck? bleibt vorerst bestehen. Wie wir bereits angedeutet haben, beruht diese Frage auf einer falschen Verallgemeinerung. Es gibt Beispiele, die das Gegenteil veranschaulichen, nämlich dass aktive Tötung nicht Lebensverachtung zum Ausdruck bringen muss. Das in der Fußnote erwähnte Beispiel eines «Gnadenschusses» für eine Person, die in einem brennenden Auto unrettbar eingeklemmt ist, bringt weder Gleichgültigkeit noch Verachtung für die leidende Person zum Ausdruck, sondern vielmehr die Überzeugung, dass ein Weiterleben unter diesen extremen Bedingungen für jene unglückliche Person schlechthin unerträglich ist. Umgekehrt kann der Verzicht auf den «Gnadenschuss» als grausame Gleichgültigkeit ausgelegt werden. Die aktive und intendierte Tötung als die sichere und raschere Herbeiführung des Todes richtet sich – jedenfalls in solchen und ähnlichen Fällen von tragischer Hilfeleistung – nicht gegen den Wert des Lebens als solchen, sondern gegen den Wert eines grauenhaften Lebens. Der Wert des Am-Leben-Seins als Vehikel und Voraussetzung einer sinnvollen Lebensführung wird von der aktiven Entscheidung gegen das Weiterleben einer schwer leidenden Person gar nicht berührt. Ähnliches trifft auf jene Suizidenten zu, die sich einem unerträglichen Leben entziehen wollen – ihre Entscheidung richtet sich nicht gegen den Wert des Am-Leben-Seins, sondern gegen ihre aktuellen Lebensbedingungen. Deshalb ist es voreilig, alle Fälle von aktiver und direkter Tötung als Missachtung des Wertes des Lebens oder als fehlende Ehrfurcht vor dem Leben zu deuten. Die kategorische Ablehnung der aktiven Euthanasie als Verstoß gegen die Ehrfurcht vor dem Leben kann nicht aufrechterhalten bleiben.

3. Zur Borniertheit haltungsethischer Appelle

Wir haben es bisher vermieden, die Frage nach der normativen Kraft von Absichten[16] in der Ethik zu stellen. Meine Kernthese lautet: Außer für be-

---

[16] Unter «Absicht» versteht man nicht nur den Wunsch, X (eine Handlung) zu tun (oder zu unterlassen), und auch nicht nur ein Motiv, x zu tun, sondern den festen, auf Deliberation beruhenden (oder mit rationaler Deliberation vereinbaren) Willen, X – und damit die erforderlichen Mittel zur Erreichung von X – zu tun. Wünsche sind zwar Ursachen von Verhalten, aber sie müssen von einem rationalen Akteur bejaht oder akzeptiert werden, damit sie den Status von Handlungsgründen für eine Person erhalten. (Wir sprechen hier nur von Gründen-für-die-Person, und nicht darüber, was Beobachter für die besten Gründe einer anderen Person halten könnten.) Die Absicht, jemanden zu töten, schließt also auch die überlegte (oder mit rationaler Überlegung vereinbarte) Unterabsicht ein, z. B. ein Messer mit zu führen und der zu tötenden Person einen tödlichen Messerstich zuzufügen. Die Absicht kann aber auch die Unterabsicht einschließen, einen Mörder zu dingen und für seine Tat zu bezahlen. Dadurch unterscheidet sie sich vom bloßen Wunsch «O möchte mein Feind doch tot sein» oder vom Versuch, meinen Feind durch schwarze

stimmte Formen der Entschuldigung oder Strafmilderung kommt Absichten überhaupt keine eigenständige normative Kraft zu. Die Qualität einer Absicht ist als solche keine richtig- oder falschmachende Eigenschaft. Die Absicht verhält sich zur Richtigkeit einer Handlung wie die Meinung zur Wahrheit des vermeinten Sachverhaltes. Meinungen sind nicht wahrmachende Eigenschaften; Absichten sind nicht richtigmachende Eigenschaften.[17]

Diese Kernthese folgt unmittelbar aus dem Konsequentialismus, für den nur Handlungsfolgen direkte moralische Bedeutung haben, während Ab-

---

Magie zu töten, obwohl ich selber nicht genügend an die Wirkung schwarzer Magie glaube. Absicht, so könnte man geradezu definieren, ist der Wille, etwas effizient zu tun. Natürlich handelt es sich hier um eine reformierende Definition, die nicht lediglich den gewöhnlichen Sprachgebrauch spiegeln will, sondern vielmehr eine zweckmäßige Festsetzung vorschlägt, die eine deutliche Unterscheidung von Absichten, Wünschen und Motiven erlaubt. Absichten setzen voraus, dass eine Person nicht nur einen Zweck, sondern auch die dazu erforderlichen Mittel will. Doch sind Absichten hinreichende Motive? Vielleicht träfe das auf vollkommen rationale Wesen zu, die sich von nichts anderem als von ihren reiflich erwogenen Zielen und Mitteln motivieren ließen. Doch wie steht es mit der Willensschwäche? Und wie steht es mit der Möglichkeit echter Zielkonflikte? Und gibt es nicht Mittel, die, obzwar notwendig zur Erreichung unserer Ziele, zu schrecklich oder einfach zu schwierig sind, so dass wir schwanken? Angesichts dieser Komplexität muss die Frage, ob Absichten hinreichende Handlungsmotive sind, offen bleiben, d. h. sie kann nicht generell bejaht werden. Zur Klärung vgl. *E. D. Pellegrino*, The Place of Intention in the Moral Assessment of Assisted Suicide and Active Euthanasia, in: *T. L. Beauchamp* (Hrsg.), Intending Death. The Ethics of Assisted Suicide and Euthanasie, Upper Saddle River NJ 1996, 163–183, hier 164f. Eine Person kann eine Absicht haben, aber doch zu schwach sein, um sie umzusetzen – sie ist nicht hinreichend motiviert. Absichten unterscheiden sich von Motiven dadurch, dass sie einer Person als Gründe erscheinen müssen, denn sie sind gemäß unserer Definition das Produkt einer Überlegung oder zumindest mit einer rationalen Zweck-Mittel-Überlegung vereinbar. – Inwiefern Motive zuweilen die Richtigkeit von Handlungen affizieren, braucht hier nicht weiter erörtert zu werden, denn zum einen haben wir soeben Absichten und Motive unterschieden und unsere Kernthese bezieht sich nur auf Absichten; zum anderen ist es üblich, die Bewertungen von Handlungen von der Bewertung einer Person zu unterscheiden. Dass für die Bewertung des Charakters einer Person Motive eine Rolle spielen, wird allgemein anerkannt, obwohl man sich auch hier nicht auf die unplausible These festlegen sollte, dass nur die «Reinheit» der Motive über den Wert (des Charakters) einer Person bestimmt.

[17] Nur scheinbar steht die Kernthese im Gegensatz zu Kants berühmter Auszeichnung des guten Willens als der einzigen Quelle sittlichen Wertes. Obwohl sich Kant häufig in einer Rhetorik gegen eine Erfolgsethik ergeht, ist doch das beste, aus dem Kontext seiner Schriften zu rekonstruierenden Argument für seine These über den guten Willen jenes, das besagt: Unter allen denkbaren Motiven ist das Motiv, das Richtige um seiner selbst willen zu tun, das Motiv mit der besten Erfolgsgarantie, um nicht vom Richtigen abzukommen und sich in moralisch irreführenden Rationalisierungen («Schlangenwindungen der Klugheit») zu verlieren. Ob diese Behauptung zutrifft, mag dahingestellt bleiben, doch sie ist offensichtlich konsequentialistischer Natur. Man beachte, dass Kant den guten Willen sogar folgenorientiert «definiert», nämlich als Aufbietung aller in unseren Kräften stehenden Mittel zur Erreichung eines guten Zweckes. Zur konsequentialistischen Deutung von Kant vgl. *J.-C. Wolf*, Zur moralischen Bedeutung von Selbstachtung, in: FZPhTh 44 (1997) 3, 368–395.

sichten als Ursachen von Handlungsfolgen eine bloß abgeleitete moralische Bedeutung haben. Die Triftigkeit der Kernthese lässt sich nicht unabhängig von der Stellungnahme für oder gegen den Konsequentialismus entscheiden. Versuche, die Frage nach der moralischen Signifikanz unabhängig von Pro und Kontra Konsequentialismus entscheiden zu wollen, sind zum Scheitern verurteilt. Sie führen zu einem bloßen Herumtappen in ungeordneten Intuitionen.

Wie könnte nun ein Argument lauten, dass den Absichten einen moralisch konstitutiven Wert attribuiert? Ein Argument, das besagt, dass Absichten moralisch zählen, könnte sich darauf stützen, dass sich Handlung und Person gar nicht separieren lassen, dass sich demnach eine Person mit ihren Handlungen identifizieren muss.[18] Weil sich Person und Handlung nicht trennen lassen, lassen sich auch Handlung und Absicht nicht sinnvoll trennen. Dieses Argument stellt also die beliebte Trennung der Bewertung von Handlungen und von Personen in Frage.

Bei genauerem Hinsehen erweist sich dieses Argument als eine Subspezies von sog. slippery-slope-Argumenten. Man könnte es auch als eine Form von Verrohungsargument bezeichnen: Wer aktiv tötet oder aktive Suizidbeihilfe leistet, wird auch künftig eher töten bzw. das Heilungsverhältnis zwischen sich und Patienten verletzen. Kurz: Er (oder sie) wird ein schlechterer Mensch. In diesem Sinne wird die These, dass Absichten moralisch zählen, ausdrücklich von Edmund Pellegrino verteidigt. Das Argument besagt, dass die Ausführung in sich schlechter Handlungen notwendig eine Rückwirkung auf den Charakter des Akteurs und die Heilungsbeziehung («healing relationship») zwischen Ärztin und Patient habe.

Was kann man auf dieses Argument erwidern? Abgesehen davon, dass es bereits die Existenz einer Klasse von in sich schlechten Handlungen voraussetzt, erweist sich v. a. die Behauptung einer *notwendigen* Rückwirkung als problematisch. Ob eine solche Verrohung eintritt oder nicht, ist doch wohl eine sozialpsychologische Frage, die sich nicht durch bloßes Nachdenken entscheiden lässt. Gegen eine generelle Verrohungsvermutung spricht die Fähigkeit von Menschen, Handlungen von ihrem Charakter bis zu einem gewissen Grade abzuspalten und bestimmte Formen der Tötung seelisch zu departementalisieren. Romantische Kritiker der Entfremdung mögen darin die Quelle allen Unheils sehen, doch nüchtern betrachtet ist eine gewisse Abspaltung oder Entfremdung unvermeidbar, ja sie erlaubt es sogar, Aufträge zu erfüllen und Rollen zu spielen, ohne sich völlig mit ihnen zu identifizieren. Rollendistanz ist eine notwendige Voraussetzung für die Fähigkeit, Rollen, Ämter, Positionen und Institutionen kritisch zu beurteilen. Entfremdung ist nicht oder jedenfalls nicht nur eine Quelle von Leiden und anderen Übeln. Diese Antwort spielt eine wichtige Rolle in der Vertei-

---

[18] Vgl. *E. D. Pellegrino*, s. Anm. 16, 166.

digung des Konsequentialismus gegen jene Kritiker, die ihm Verlust von Integrität oder moralische Schizophrenie vorwerfen.[19]

Versteht man die Verrohungsthese als simple kausale Geschichte, so lässt sie sich mit zahlreichen Gegenbeispielen konfrontieren. So ist etwa der Verdacht, ein Schlächter neige dazu, seine eigenen Haustiere umzubringen, in den meisten Fällen unbegründet. Ebenso unbegründet scheint mir der pauschale Verdacht, Ärztinnen, die u. U. aktive Euthanasie praktizierten, neigten generell zu höherer Gewaltbereitschaft.

Eine umfassende Verteidigung des Konsequentialismus gegen seine Kritiker würde den Umfang dieses Beitrages sprengen. Hier wird davon ausgegangen, dass der Konsequentialismus eine einfache und durchsichtige Begründungsstruktur anstrebt, die grundsätzlich zu begrüßen ist. Über die Annehmbarkeit einer Moraltheorie entscheidet jedoch nicht nur die konsequentialistische Struktur, sondern auch der Inhalt der Werte. Unsere Ausführungen stützen sich auf einen Wertpluralismus: Es gibt mehrere Werte, den Wert von Sicherheit an Leib und Leben, von Autonomie, von Lebensfreude etc. Der Konsequentialismus besagt lediglich, dass es keine prinzipiellen Schranken für Folgenerwägungen gibt.

Ein wichtiges Element der Verteidigung des Konsequentialismus soll hier nur kurz erwähnt werden, weil es von unmittelbarer Bedeutung für die Euthanasiedebatte ist. Zum einen müssen Konsequentialisten (wie übrigens auch Kantianer oder Vertragstheoretiker) unterscheiden zwischen Kriterien und Entscheidungsverfahren. Anders und einfacher gesagt: Die Wahl von Werten und konsequentialistischer Struktur legt die Kriterien einer Theorie fest, aber sie determiniert nicht vollständig die Frage der effizienten Mittel und Wege zur Realisierung dieser Werte. Obwohl der Konsequentialismus eine prinzipielle Begrenzung von Folgenerwägungen ausschließt, verlangt er doch pragmatische Begrenzung und Anpassung des Deliberationsstils und der konkreten Entscheidungsfindung an unseren begrenzten Informationsstand, unsere limitierten Sympathien, die Bedingungen von Vertrauen und Kooperation und an soziale und ökonomische Gegebenheiten, die wir – zumindest kurzfristig – nicht verändern können.

Die Folgen- und Zielorientierung ist nicht identisch mit der Anleitung, ein erwünschtes Ziel direkt oder permanent anzustreben. Absichten, Wünsche und Motive einer Person müssen sich bis zu einem gewissen Grade von ihrer funktionalen Beurteilung verselbständigen und abspalten. Wer einen anderen Menschen liebt, wird nicht ständig an die Funktion der Liebe im Abendland denken können. Manche Ziele wie Glück und Zufriedenheit werden nicht dadurch erreicht, dass man sie direkt und permanent anstrebt. Ein erfolgreicher Bäcker denkt nicht ununterbrochen daran, wie er seine Kunden beglücken kann, sondern er denkt an seinen Ruf und das

---

[19] Vgl. *P. Railton*, Alienation, Consequentialism, and the Demands of Morality, in: Philosophy and Public Affairs 13 (1984) 2, 134–171, wieder abgedruckt in *S. Scheffler* (Hrsg.), Consequentialism and Its Critics, Oxford 1988, 93–133.

Geld, das er für sich und seine Familie verdienen muss. Ein besonders tugendhafter Bäcker oder gar ein kantianischer Bäcker, der seine Pflicht um ihrer selbst Willen erfüllt, ist vielleicht kein besonders erfolgreicher Bäcker und erreicht damit auch nicht unbedingt das Ziel, möglichst viele Kunden zufriedenzustellen. Vielleicht sind die unmittelbaren Absichten, Geld zu verdienen und etwas für die eigene Familie zu tun, effizienter als eine Obsession mit Tugend oder dem größten Glück der größten Zahl. Verdirbt die Absicht, Geld zu verdienen, den moralischen Charakter einer Person oder ihrer Handlung?

Versuche, die Kernthese zu stürzen, ohne den Konsequentialismus zu widerlegen, stützen sich auf Beispiele und isolierte Intuitionen. So wird die Absicht, Geld zu verdienen, als eine schlecht-machende Absicht zitiert.[20] Kommerzielle Absichten scheinen in bestimmten Zusammenhängen als besonders skandalös, etwa angesichts einer Euthanasiepraxis oder einer teuren Sterbeklinik. Ist es nicht besonders verwerflich, aus einer Lizenz zum Töten ein lukratives Geschäft zu machen?

Dieser Einwand ist kennzeichnend für das unsystematische Vorgehen der Kritiker der Kernthese. Sie begnügen sich mit der Verteidigung der moderaten These, die besagt, dass Absichten (bzw. Motive) manchmal, aber nicht immer einen moralischen Unterschied ausmachen.[21] Die Absicht, Geld zu verdienen, ist demnach zuweilen völlig unschuldig, während sie in gewissen Zusammenhängen angeblich zu einer selbständig schlechtmachenden Eigenschaft werden soll. Diese bescheidene These zieht jedoch einen *ethischen Partikularismus* nach sich, d. h. sie stellt die Universalisierbarkeit moralischer Urteile in Frage. Es fragt sich, ob man diesen hohen Preis bezahlen will, nur um einigen vermeintlichen moralischen Intuitionen Rechnung zu tragen. Überdies wird beim Operieren mit Gegenbeispielen selten klar, ob eine Absicht als *selbständiger* falsch-machender Faktor oder bloß im abgeleiteten Sinne, nämlich als verstärkender Faktor schlechter Konsequenzen gelten soll. Auch ein Konsequentialist kann die derivative moralische Bedeutung von Absichten anerkennen. Führt der Wunsch nach Bereicherung zur Vermehrung von Lastern und Verbrechen, so gilt es, diese Quelle der Bereicherung zu verstopfen. Doch die kruziale Frage lautet, ob die Absicht zu töten immer ein Laster darstellt. Da Tötung zur Bereicherung in den meisten Fällen gegen den Willen der Opfer erfolgt (und daher in den meisten Fällen die Bereicherungs«sucht» moralische Rücksichten übertönt), ist es auch sinnvoll, Bereicherungsabsichten als «niedrige Gesinnung» einzustufen und schärfer zu beurteilen als z. B. Tötung im Affekt. Doch bei der Beurteilung lukrativer Sterbekliniken werden sich die Geister scheiden in jene, welche die Absicht, mit der Tötung anderer Geld zu ver-

---

[20] Obwohl der Verfasser von schlecht-machenden *Motiven und Wünschen* spricht, lassen sich seine Überlegungen mutatis mutandis auch auf Absichten übertragen. Vgl. S. Sverdlik, Motives and Rightness, in: Ethics 106 (1996) 327–349, hier 339f.

[21] Ebd. 343.

dienen, als in sich unrein und lasterhaft verwerfen, und Konsequentialisten, welche diese Absicht nur dann kritisieren, wenn sie Anreiz zu Lastern und Verbrechen bildet.

Dass Absichten keine richtig-machende Eigenschaften sind, geht auch aus dem Defizit rein tugendethischer Argumente hervor. Diese sind ihrer Natur nach unvollständig oder zirkulär, das heißt sie setzen eine objektive (von Absichten und subjektiven Einstellungen unabhängige) Charakterisierung der Übel bereits voraus. So ist z. B. das Vorliegen einer Interessenschädigung ein moralisch relevantes Faktum,[22] unabhängig davon, ob die Schädigung beabsichtigt, vorausgesehen oder unvorhergesehen ist. Es ist dagegen eine *offene Frage*, ob Vernichtung von Leben immer eine Form von Interessenschädigung darstellt. Manche Qualitäten des Charakters «werden nur dann offensichtlich als Tugenden betrachtet, wenn sie auf gute Ziele ausgerichtet sind».[23] Dazu gehört auch die Ehrfurcht vor dem Leben, die nach Albert Schweitzers weitem Verständnis von Ethik ohnehin nicht gesetzgeberisch unser Verhalten normiert, sondern vielmehr der Gedankenlosigkeit im Umgang mit Leben einen Riegel schiebt.[24] Haltungsethik eignet sich als Explikation zahlreicher Intuitionen und nuancierter Reaktionen unseres moralischen common sense, doch sie versagt dort, wo wir auf Zweifelsfälle (sog. hard cases) wie beispielsweise Abtreibung, Euthanasie, Tötung von Tieren etc. stoßen, für deren Beantwortung wir sozusagen einen neuen Akt der moralischen Gesetzgebung brauchen.

Dass nicht alle Formen und Modalitäten des vitalen Weiterlebens gleichermaßen gut und sinnvoll sind, ist eine Selbstverständlichkeit, die nicht durch eine «Tabuisierung der Lebensbewertung» oberflächlich zugedeckt werden kann. Ehrfurcht vor dem Leben ist nicht deshalb gut, weil Ehrfurcht per se gut wäre – gibt es doch auch eine pervertierte Ehrfurcht, z. B. den Tanz ums Goldene Kalb. Moralisch wertvolle Ehrfurcht vor dem Leben setzt z. B. bereits eine Verständigung darüber voraus, worin denn das Übel des Todes für ein Wesen besteht. Auch Schweitzers überwältigende Vision, dass ich Leben bin, inmitten von Leben, das Leben will, kann nicht als rationales Fundament einer auf Menschen zugeschnittenen Ethik des

---

[22] Ob man sogar im Sinne eines moralischen Realismus von sui generis moralischen Fakten sprechen kann, mag hier dahingestellt bleiben. Vgl. *P. Schaber*, Moralischer Realismus, Freiburg i. Br./München 1997. In unserem Zusammenhang geht es lediglich um die sehr viel weniger umstrittene Bedeutung von subjektiver und objektiver Richtigkeit. Eine Person kann immer nur das subjektiv Richtige tun, doch es kann sich herausstellen, dass sie das objektiv Falsche getan hat. Wäre diese Unterscheidung illegitim, so wären moralische Irrtümer, irrendes Gewissen und ein Lernen durch moralische Irrtümer unmöglich. Das objektiv Richtige ist nicht identisch mit einer metaphysisch-realistisch verstandenen Richtigkeit, die als unabhängig von einem Sprachrahmen oder einem Entscheidungsverfahren präexistent vorzustellen wäre.
[23] *H. Sidgwick*, Methods of Ethics, London 1907, Neudruck Indianapolis/Cambridge 1981, 392f.
[24] Vgl. *J.-C. Wolf*, s. Anm. 2.

absoluten Lebensschutzes betrachtet werden, sondern nur als Kontraindikation gegen den tief verankerten Glauben an eine natürliche Werthierarchie. Schweitzers starke Präsumtion für das Leben ist ein Plädoyer für den – wie er meint – gleichen Wert aller Lebensformen. Negativ gesprochen bringt sie seine Skepsis gegen die Annahme höherwertiger Lebensformen zum Ausdruck. Es gibt keine objektive Wertordnung in der Natur, aus der *unabhängig von menschlichen Interessen* hervorginge, dass menschliches Leben mehr wert wäre als nicht-menschliches.

Doch kommen wir zurück zur Aufgabe der moralischen Gesetzgebung in Zweifelsfällen. Zwar kann man die Ambition einer gesetzgebenden Moral zugunsten einer eher deskriptiven oder interpretativ verfahrenden Theorie des Ethos völlig ablehnen. Doch mit solchen Einwänden von der Seite eines ethischen Partikularismus wollen wir uns hier nicht näher befassen. Die Mahnung, Moral nicht an das Recht anzugleichen, kann ernst genommen werden, ohne weitere Konzessionen an eine partikularistische Situationsethik zu machen. Bei der Rede von «moralischer Gesetzgebung» handelt es sich um eine *metaphorische* Erweiterung, und die Analogie zwischen Recht und Moral ist durchaus als Analogie, nicht als Gleichsetzung zu verstehen. Bei den Problemen der Abtreibung und der Euthanasie handelt es sich jedoch nicht um rein private Gewissensentscheide, sondern um Fragen, die einer gesetzlichen Regelung harren, die ihrerseits einer moralischen Kritik standhalten sollte. Und selbst dort, wo keine gesetzliche Lösung zu befriedigen vermag, sucht Ethik nach einvernehmlichen Lösungen, welche die spontane Reaktion des guten Herzens an objektivem Gehalt übertreffen. Das Ausweichen auf eine Haltungs- oder gar eine Situationsethik, welche Entscheidungen aus Prinzipien verwirft und diese letztlich dem Gewissen oder dem Ethos anheim stellt, kommt einer theoretischen Kapitulation der Ethik gleich. Prinzipienethik, die nach der Formulierung eines systematischen Moralkodexes strebt, ist einem ethischen Partikularismus vorzuziehen. Nur erstere vermag Moral als ein kohärentes Gefüge theoretisch zu durchdringen und damit moralischen Überzeugungen eine begründete Autorität zu verleihen.[25]

So wichtig Charakter und moralische Qualitäten (Tugenden) für das praktische Leben sind, so notwendig ist ihre Verankerung in einer Ausrichtung des Lebens auf gute Ziele. Bei strittigen Fragen ist der Rückzug auf haltungsethische Argumente eine Form von geistiger Regression. Diese Regression besteht in der nicht informativen Auskunft: «Wenn du wissen willst, was du tun sollst, dann stelle dir vor, was ein weiser, guter oder vollkommener Mensch tun würde – und tue desgleichen.» Aristoteles hat diese Zirkularität und die Wiederholung einer konventionellen Moral zu vermeiden versucht, indem er die Bestimmung der Tugenden an der rationalen Gestaltung des Glücks bzw. am wahren Zweck des Menschen ausgerichtet

---

[25] Vgl. *H. Sidgwick*, s. Anm. 23, 228f.

hat.[26] Das Zerrbild einer auf Tugend begründeten Ethik ist der Slogan von Augustin: «Liebe – und tue, was du willst.» Dieser Slogan kann als Ermutigung verstanden werden, alles zu tun und zu rechtfertigen, wenn es nur im Geist der Liebe geschieht (dass dies nicht der Auffassung von Augustin entspricht, sei am Rande vermerkt). Kein irdischer Richter wird die Berufung auf den «Geist der Liebe», sei sie noch so überzeugend vorgetragen und aufrichtig gemeint, als pauschale Entschuldigung akzeptieren. Auch die Berufung auf Mitleid bei der intendierten Tötung ist keine hinreichende Rechtfertigung. Ich plädiere hier keineswegs für leichtfertige Mitleidtötung, denn fast jedes gute Motiv kann – in Verbindung mit einseitiger oder falscher Information oder in Kombination mit anderen Fehlerquellen – Unheil anrichten.

Auch die verbreitete Intuition, direkte Tötung sei schlimmer als passives Sterbenlassen bzw. indirekte Tötung, ist keine zuverlässige Orientierung, wenn es darum geht, extreme Grenzsituationen zu bewerten und praktisch verbindliche Lösungen zu finden. Im Blick auf die Situation Sterbender ist diese Intuition sogar besonders irreführend, weil sie zu einer Banalisierung mancher Fälle von Sterbenlassen oder passiver Euthanasie führt. Sterbenlassen ist keineswegs ein ruhiger und harmonischer Vorgang, eine mystische Gelassenheit und Ergebenheit ins Schicksal einer Person, sondern es ist die von der Seite der passiven oder eine Behandlung abbrechenden Verantwortlichen bewusste, vielleicht sogar kalkulierte Entscheidung gegen bestimmte Formen von machbarer Verlängerung des Lebens, also eine Entscheidung gegen das Weiterleben und für eine Beschleunigung des Todes einer Person. Ebenso ist die Entschuldigung «Ich habe den Tod zwar vorausgesehen, doch ich habe ihn nicht (als notwendiges Mittel) beabsichtigt» nicht generell akzeptabel. Die hauchdünne handlungstheoretische Unterscheidung zwischen beabsichtigten Mitteln und vorausgesehenen Nebenwirkungen eignet sich nicht, um das moralische Gewicht einer Entscheidung über Leben und Tod zu verändern.

Allerdings gibt es gültige folgenorientierte Gründe, in den meisten Fällen nicht zu Projekten, Wünschen und Entscheidungen gegen das Leben anderer *zu ermutigen*. Es gibt zu viele Versuchungen und Wünsche dieser Art. Deshalb wird die Verurteilung der direkten Tötung vor allem als Signal gegen diese Tötungswünsche verstanden. Doch es gibt einen Unterschied zwischen (vermeintlich in sich) schlechten Verhaltensweisen und solchen, von denen es schlecht ist, sie zu loben. Der Nutzen einer Handlung fällt nicht immer zusammen mit dem Nutzen des Lobs oder Tadels dieser Handlung. Dies trifft etwa zu auf die Beurteilung des Wunsches nach Rache oder Vergeltung: Vergeltungswünsche erfüllen nützliche Auf-

---

[26] Vgl. *Aristotle*, Nichomachean Ethics, translated, with introduction, notes, and glossary, by Terence Irwin, Indianapolis/Cambridge 1985. Der Herausgeber geht in seiner Einleitung auf beliebte Missverständnisse von Aristoteles ein, unter anderem auf den Einwand, die Bezugnahme auf den Weisen sei zirkulär oder konservativ.

gaben, indem sie z. B. potentielle Täter abschrecken. Es ist weit riskanter, eine Person anzugreifen, von der man annehmen muss, dass sie sich schrecklich rächen wird; es besteht dagegen eine gewisse Versuchung, Personen, die immer verzeihen und nachgeben, auszubeuten. Selbst Tötungswünsche können eine latent nützliche Funktion haben, wenn sie z. B. dazu führen, dass man sich gegen Aggressivität anderer schützt. Da jedoch Vergeltungswünsche häufig im Exzess und als ernsthafte Gefährdung Unschuldiger auftreten, ist es nicht nützlich, sie öffentlich zu loben und zu ihrer Kultivierung aufzufordern. Eine deutliche Kritik an der Verherrlichung von Selbstjustiz oder gar einer realen Umsetzung von «Dirty-Harry» (mit Clint Eastwood) und «Murphys Law» (mit Charles Bronson) ist durchaus vereinbar mit der sozusagen stillen Anerkennung der Nützlichkeit von kanalisierten Vergeltungswünschen (insofern hat auch die fiktive Verarbeitung des Rachemotivs in den genannten Filmen und in Western eine kathartische Funktion).

Ein bemerkenswertes Beispiel für die Diskrepanz zwischen dem Nutzen eines Motivs und dem Nutzen seiner Kritik ist der Egoismus. Im Blick auf die Tatsache, dass sich Menschen von ihren Leidenschaften leiten lassen, mag es nützlich sein, einen rationalen Lebensplan zu loben und zu mehr rationaler Selbstliebe zu ermuntern. Das Motiv des eigenen Nutzens ist besonders stimulierend, und oft wissen die Menschen selber am besten, was sie wollen und wie sie es erreichen können. Sie sind besonders motiviert durch die Sorge um ihr eigenes Wohl und das Wohl jener, mit denen sie sich besonders identifizieren. Umgekehrt ist die Verfolgung des Eigeninteresses notorisch mit Rücksichtslosigkeit gegen andere verbunden, so dass es moralisch falsch wäre, die Verfolgung des Eigeninteresses zum einzigen oder höchsten Ziel zu erklären.

Damit soll nun nicht etwa einer opportunistischen oder gar zynischen Moral das Wort geredet werden, welche das Böse will, damit den Menschen daraus Gutes widerfahre. Vielmehr soll eine gewisse Spannung in unserem Alltagsbewusstsein erklärt werden, nämlich die Spannung zwischen der Verdammung gewisser Haltungen (z. B. der Missachtung von Leben) und der Beurteilung von Handlungen, die unter Umständen selbst dann richtig sein können, wenn sie einer im Allgemeinen verdammenswerten Haltung entspringen oder einer solchen nahe kommen. Der Wunsch, das Leben einer schwer leidenden Patientin rasch und schmerzlos zu beenden, ist ein Tötungswunsch. Doch ist diese Tötungsabsicht bzw. die aktive Euthanasie deswegen ein malum intrinsece?[27] Die Frage ist zu verneinen, da wir die Auffassung ablehnen, die Qualitäten von Absichten und Wünschen

---

[27] Zum geschichtlichen Hintergrund dieses Begriffs vgl. *J. Finnis*, s. Anm. 3. In diesem Buch zeichnet sich eine sonst selbst für diesen Autor ungewöhnliche Vermischung von philosophischer und theologischer Denkweise ab. Ein plausibles Argument für seine profilierte Position, dass es einige absolute Normen gebe, habe ich vergeblich gesucht.

seien unabhängig von der Bewertung der Ziele und Umstände an sich richtig- oder falsch-machender Eigenschaften.

Umgekehrt kann einer generell lobenswerten Haltung wie der Ehrfurcht vor dem Leben im Einzelfall eine Entscheidung entspringen, die falsch ist. Eine Haltung oder Verhaltensdisposition kann ihrer Definition nach nur verstanden werden «als eine Tendenz, unter gewissen Bedingungen auf eine gewisse Weise zu handeln oder zu fühlen; und eine solche Tendenz scheint mir klarer Weise nicht wertvoll in sich selber, sondern um der Handlungen und Gefühle willen, in denen sie sich auswirkt, oder um der letzten Konsequenzen derselben willen».[28]

Die Bezugnahme auf Charaktereigenschaften und Haltungen ist demnach nur eine summarische Bezugnahme auf wahrscheinliche Auswirkungen derselben; was für die generelle Tendenz zutrifft, kann im Einzelfall falsch sein. Im speziellen Fall des verantwortlichen Umgangs mit schwer leidenden Sterbenden kann eine einseitige Erziehung zur Ehrfurcht vor dem Leben dysfunktional werden.

Aus der Kritik an der Gesinnungsethik (für die allein oder hauptsächlich der Wert der Absicht zählt) folgt, dass eine rationale Begründung moralischer Normen vor allem auf Handlungsfolgen Bezug nehmen muss. Ethik orientiert sich nicht an der Frage, wie wir es schaffen, uns nie die Hände schmutzig zu machen, sondern wie wir es schaffen, aus der Welt einen besseren Platz zu machen – einen besseren Platz, auf dem es dann auch weniger Anreize dazu gibt, sich die Hände schmutzig zu machen. Nun sind aber immer Umstände und Konsequenzen *denkbar*, welche vermeintlich absolute Normen einschränken. Wäre es tatsächlich nicht der rationale Lebenswunsch, sondern der Wert des Am-Leben-Seins, der für eine Begründung des Tötungsverbotes zählte, so ließe sich daraus ebenfalls kein absolutes Tötungsverbot ableiten, denn es lassen sich zumindest hypothetische Fälle ausdenken, in denen man zwei oder mehr Leben nur dadurch retten kann, dass man eines vernichtet.[29] Daraus folgt keineswegs automatisch, dass es moralisch unbedenklich ist, zu morden, um andere Leben zu retten, sondern dass es *prinzipiell unmöglich* ist, ein absolutes Tötungsverbot rein folgenorientiert zu begründen, *was auch immer für Werte wir voraussetzen*.[30]

Umgekehrt ist der Konsequentialismus keineswegs blind für den besonderen Wert von Sicherheit an Leib und Leben. Garantien der Sicherheit bilden im klassischen Utilitarismus einen Grundpfeiler der Gesellschafts- und Rechtstheorie. Anerkennt man, dass der Wert des Am-Leben-Seins ein fundamentaler modaler Wert ist, der – ähnlich wie der Wert der Sicher-

---

[28] H. Sidgwick, s. Anm. 23, 393.
[29] Vgl. S. Scheffler, s. Anm. 19; J. Graf Haber, s. Anm. 3.
[30] Eine Ausnahme wäre ein Absicht-Konsequentialismus, dessen einziges und oberstes Ziel darin besteht, eine Welt zu schaffen, in der niemand mehr die Absicht haben wird zu töten. Hier kann man fragen, ob es vernünftig ist, dieses eine Ziel zu verabsolutieren, und wie eine solche Welt, in der dieses Ziel verwirklicht wäre, sonst aussähe.

heit – als Voraussetzung zur Realisierung vieler anderer Werte fungiert, so kann man auch die Wichtigkeit dieses Wertes konsequentialistisch begründen. Diese besteht dann nicht darin, dass menschliches Leben an sich heilig ist, sondern dass es – in den meisten Fällen – ein notwendiges Vehikel für eine mehr oder weniger lohnende Biographie ist. Gesteht man überdies zu, dass es Werte wie Autonomie, Wohlbefinden und soziale Beziehungen gibt, welche die Lebensqualitäten (das Glück oder Wohl) einer Person ausmachen, so leuchtet es ein, dass der Wert des Am-Leben-Seins keine absolute oder alles überragende Rolle in der moralischen Deliberation spielen kann.

Das Fazit unserer Überlegungen lautet: Die vermeintliche moralische Asymmetrie zwischen direkter und indirekter Tötung lässt sich weder folgenorientiert (unter Bezugnahme auf das Opfer) noch haltungsethisch (mit Bezugnahme auf den Charakter des Täters) legitimieren. Auch indirekte Tötung muss als Entscheidung gegen das Weiterleben einer Person verstanden werden, aber weder passive noch aktive Euthanasie, weder direkte noch indirekte Tötung bringen immer und unter allen Umständen eine kategorische Geringschätzung des Wertes des Lebens zum Ausdruck. Sobald wir das Terrain einer reinen Gesinnungsethik verlassen, kommen konsequentialistische Erwägungen ins Spiel, die es nicht erlauben, absolute Normen ohne Ausnahmen rational zu begründen. Auch das Verbot des intendierten Todes kann nicht den Status einer absoluten Norm haben. Vielmehr handelt es sich um den Ausdruck einer starken Präsumtion für ein lohnendes und erfülltes Leben, die wir alle teilen sollten, auch wenn wir bereit sind, qualifizierte Ausnahmen zu machen.

Bettina Schöne-Seifert

Ist Assistenz zum Sterben unärztlich?[1]

Einleitung

«Assistenz zum Sterben» – das ist die bisher selten gebrauchte Übersetzung für den im Angloamerikanischen neuerdings viel verwendeten Begriff «assistance in dying». Hierunter fallen Suizidhilfe und aktive Sterbehilfe auf Verlangen. Beide werden häufig als «unärztlich» bezeichnet und abgelehnt. Dieses Verdikt ist Gegenstand meiner nachfolgenden Überlegungen.

Nach kurzen terminologischen Vorklärungen (1) skizziere ich, wie ärztliche Sterbe-Assistenz in Deutschland, der Schweiz, den USA und den Niederlanden rechtlich und «öffentlich-moralisch» bewertet wird (2). In Abschnitt (3) geht es um Argumente zugunsten von Sterbeassistenz; in Abschnitt (4) und (5) um das verbreitete Gegenargument, solche Hilfe sei «unärztlich». Ich werde unterschiedliche Lesarten dieses Arguments analysieren und ihre Plausibilität untersuchen. Mein Fazit (6) enthält eine vergleichende Bewertungsbilanz für die beiden Formen ärztlicher Sterbeassistenz.

Mit Blick auf die sehr umfangreiche, vor allem englisch-amerikanische Literatur bin ich davon überzeugt, dass sich – von empirischen Daten der Gegenwart und Zukunft einmal abgesehen – zum Gesamtkomplex der Sterbehilfe ethisch kaum noch etwas Neues sagen lässt. Was immer sich dafür oder dagegen, auf prinzipieller und pragmatischer Ebene vorbringen lässt – es ist schon vielfach und auf vielfältige Weise vorgebracht worden.[2] Neu können auf der nicht-empirischen Ebene allenfalls noch Aspekte der Darstellung sein: Präzisierungen, Metaphern, Beispiele, argumentative Kombinatorik. Die aber mögen, besonders vor dem Hintergrund empirischer Daten, durchaus neues Licht auf unseren Gegenstand werfen und neue Intuitionen «hochpumpen».

1. Terminologische Unterscheidungen

Die Begriffe, mit deren Hilfe die Diskussion um verschiedene Formen von Sterbehilfe aufgespannt wird, werden verwirrend uneinheitlich benutzt.[3]

---

[1] Ich danke Dieter Birnbacher und Anton Leist für hilfreiche, kritische Hinweise.
[2] Natürlich meine ich damit nicht, dass die prinzipiellen, also problemübergreifenden ethischen Grundfragen, die hier einschlägig sind, zufriedenstellend *beantwortet* seien. Sie sind jedoch identifiziert, und sie lassen sich, meine ich, auf der Anwendungsebene der Sterbehilfeproblematik allein nicht weiter beantworten.
[3] Vgl. *D. Birnbacher*, Tun und Unterlassen, Stuttgart 1995; *B. Schöne-Seifert*, Die Grenzen zwischen Töten und Sterbenlassen, in: *L. Honnefelder/C. Streffer* (Hrsg.), Jahrbuch für Wissenschaft und Ethik, Berlin/New York 1997, 205–226.

Daher muss ich zunächst meinen eigenen Sprachgebrauch erläutern, der sich an der international vorherrschenden Terminologie orientiert. Hiernach fallen unter «Euthanasie» (gutes Sterben, engl. «euthanasia») drei verschiedene Grundtypen, nämlich «passive», «indirekte» und «aktive» Euthanasie. Mit Hinblick auf die Massenmorde durch die Nationalsozialisten und ihre Helfer, die verlogen als Fälle von «Euthanasie» bezeichnet wurden, wird der solchermaßen vorbelastete Begriff im deutschsprachigen Schrifttum sehr häufig durch «Sterbehilfe» ersetzt. Begrifflich vorausgesetzt ist bei beiden Synonyma in der Regel eine humanitäre Motivation.[4] Weitere Differenzierungen sind dann:

- «passive» Sterbehilfe, die im Verzicht[5] auf eine lebensnotwendige Behandlung besteht
- «indirekte» Sterbehilfe, die den Tod des Patienten als in Kauf genommene Nebenfolge einer therapeutisch indizierten und dosierten Gabe von Schmerzmitteln (oder auch eines anderen palliativ erforderlichen Medikamentes) bewirkt
- «aktive» Sterbehilfe, bei welcher der Tod des Patienten durch eine andere Person herbeigeführt wird, *ohne* daß die tödliche Maßnahme zugleich ein Therapieverzicht («passiv») oder eine Palliativtherapie («indirekt») wäre[6]

Dabei sollen diese Klassifizierungen begrifflich noch keine Zulässigkeitsurteile implizieren oder ausschließen (so auch die übliche «akademische» Handhabung): Es sind danach rein deskriptive Unterscheidungen, die sich an unterschiedlicher Kausalität (aktiv versus passiv) und/oder unterschiedlichen Absichtsstrukturen (indirekt versus direkt) orientieren. Das Postulat reiner Deskriptivität wird jedoch in der Sprecherwirklichkeit tendenziell dadurch unterlaufen, dass die genannten Klassifikationsmerkmale aus der Fülle denkbarer anderer Merkmale gerade danach ausgewählt sind, dass sie vermeintlich *normativ* relevante Unterschiede festmachen: Passive Sterbehilfe wird häufig für grundsätzlich zulässig gehalten, eben *weil* sie «nur»

---

[4] Vgl. auch *T. L. Beauchamp*, Introduction, in: *Ders.* (Hrsg.), Intending Death. The Ethics of Assisted Suicide and Euthanasia, New Jersey 1996, 1–22; *D. Birnbacher*, s. Anm. 3, 337ff.

[5] Dieser Verzicht kann entweder von vornherein (primär) erfolgen oder nach einer Versuchs- bzw. in einer Verschlechterungsphase (sekundär).

[6] Offensichtlich werden hier zwei voneinander unabhängige kontradiktorische Eigenschaftspaare eingesetzt (aktiv versus passiv und direkt versus indirekt). Entsprechend muss es vier mögliche Varianten geben: nämlich (1) aktiv direkt; (2) aktiv indirekt; (3) passiv direkt; (4) passiv indirekt. In der Tat kommen alle vier auch vor. Nach der Standardklassifizierung und -auffassung wird (1) zu aktiver Sterbehilfe [weil das Kriterium des Direktseins mit dem des Aktivseins in seiner vermeintlichen «Verwerflichkeit» korreliert]; (2) wird zu indirekter Sterbehilfe [weil jetzt umgekehrt das Indirektsein die «Verwerflichkeit» konterkarieren soll]. (3) und (4) sind durch Passivität hinreichend klassifiziert, weil diese bereits prinzipielle Zulässigkeit garantieren soll]. Dabei kommt (4) vergleichsweise seltener vor – dann, wenn auf die lebenserhaltende Behandlung verzichtet wird, weil sie «als solche» nicht zumutbar oder nicht angezeigt ist.

passiv sei. Und Analoges gilt für die indirekte Sterbehilfe. Das rein deskriptive Verständnis jener Aktiv-passiv-indirekt-Einteilung bürstet also gängige Bewertungen gewissermaßen gegen den Strich.

Bei allen drei Grundtypen von Sterbehilfe wird ferner eine Unterscheidung zwischen der Intervention a) *auf Verlangen*, b) *ohne Verlangen* und c) *gegen den* Wunsch des Betroffenen gemacht. Unter der Bedingung c) wird Sterbehilfe allerdings von niemandem ernstlich vertreten oder auch nur diskutiert; unter b) fallen etwa die Probleme von Neugeborenen-Euthanasie oder von Therapieverzicht bei irreversibel bewusstlosen Patienten; *zwischen* a) und b) schließlich fallen Fragen der Sterbehilfe nach Maßgabe entsprechender Vorausverfügungen. All diese und weitere Sonderfragen werden hier nicht näher behandelt. Zu den Randbedingungen, unter denen die Zulässigkeit von Sterbehilfe zumeist diskutiert wird, gehört neben der des *Verlangens*, dass der betroffene Patient *terminal* krank ist und dass er aufgrund des damit verbundenen und nicht abwendbaren *Leidens* nicht mehr weiterleben will.

Assistenz zum Sterben (assisted death), das sei noch einmal betont, ist – dem Wortlaut entgegen – kein Synonym für «Sterbehilfe». Es ist vielmehr der Oberbegriff für *aktive* Sterbehilfe *und* Suizidhilfe.[7] Letztgenannte gehört systematisch nur *in die Nähe* der Sterbehilfe. Von dieser unterscheidet sich Suizidhilfe – in allen drei Grundvarianten – dadurch, dass es hier der Patient *selber* ist, der den Tod herbeiführt – während andere, etwa der Arzt, ihm dabei nur behilflich sind.[8] Allerdings kann dieser Unterschied so hauchdünn sein, dass er in der Wirklichkeit zu Zuordnungsproblemen führt (man denke an einen hochgradig gebrechlichen Sterbenden, dem der Helfende ein tödliches Medikament bis *fast* an den Mund führen müsste).

Suizidhilfe kann natürlich in auch völlig anderen Konstellationen erbeten werden und erfolgen als im Zusammenhang mit irreversibler schwerster Krankheit. Entsprechend können die Handlungsgründe des Suizidenten wie des Helfers stark variieren. Mir jedenfalls geht es in diesem Zusammenhang um Suizidhilfe nur unter den angeführten «Standardbedingungen» schwerster Krankheit und unabwendbaren Leidens. Eine weitere Begrenzung meines Untersuchungsgegenstandes besteht schließlich darin, dass er in der Bewertung von Sterbe- oder Suizidhilfe speziell durch *Ärzte* besteht. Diese Bewertung lässt sich aber natürlich nicht gänzlich von *generellen* Beurteilungen trennen: Man mag Ärzten absprechen wollen, Assistenz zum

---

[7] In Deutschland ist die Bezeichnung «ärztliche Beihilfe zum Suizid» sehr geläufig. Sie hat, wie mir scheint, deutlich negativere Konnotationen als der englische Begriff «assisted suicide»: «Beihilfe» hat einerseits einen bürokratisch-technischen Unterton, der durch den im Deutschen sehr technisch (wenngleich wertfrei) anmutenden Begriff «Suizid» noch verstärkt wird. Andererseits haftet der «Beihilfe» an, dass sie aus der Juristenfachsprache entlehnt ist und dort einem fraglichen Straftatbestand zugeordnet wird. Schließlich fehlt ihr die Konnotation des Humanen, die «Hilfe» haben kann. Daher entscheide ich mich zur Streichung der Vorsilbe und benutze im Folgenden immer den Ausdruck «Suizidhilfe».

[8] Dabei mag man, je nach sprachlicher Intuition, auch die «Motivation» eines Patienten, der um Sterbehilfe bittet, als «suizidal» bezeichnen wollen.

Sterben zu leisten, a) weil man solche Hilfe generell für unzulässig erachtet, oder b) weil man *spezielle* Gründe hat, Ärzte nicht in dieser Rolle wissen zu wollen. Und man mag umgekehrt c) *auch* oder d) *gerade* Ärzten diese Hilfe zumuten oder zugestehen wollen. Mit diesen unterschiedlichen Positionen werden wir uns befassen müssen.

2. Ärztliche Assistenz zum Sterben: Rechtliche und standesethische Regelungen

In den Niederlanden dürfen Ärzte unter genau festgelegten Umständen aktive Sterbe- oder Suizidhilfe offen und ohne Strafverfolgung leisten. Dafür muss der Patient die oben aufgelisteten «Standardbedingungen» erfüllen, muss ein weiterer unabhängiger Arzt hinzugezogen und muss jeder Fall von erfolgter Euthanasie oder Suizidhilfe gemeldet werden. Schließlich dürfen nur der behandelnde Arzt oder ein sonst mit dem Patienten vertrauter Kollege die Sterbehilfe durchführen. Nach den Ergebnissen ausgiebiger empirischer Begleitforschung,[9] die teilweise von der niederländischen Regierung in Auftrag gegeben worden ist, werden für 1995 die Zahlen auf 3 200 Fälle von praktizierter aktiver Sterbehilfe und 400 Fälle von Suizidhilfe veranschlagt. Das sind 2,3 bzw. 0,4 % der jährlichen Todesfälle. Für 1990 liegen die entsprechenden Zahlen minimal niedriger. Sterbeassistenz wird in Holland überwiegend zu Hause durchgeführt; mehr als die Hälfte aller niederländischen Ärzte hat sie offensichtlich bereits einmal praktiziert; 91 % aller Hausärzte geben an, dass sie dazu prinzipiell bereit wären.

Dieses seit 1990 laufende «soziale Experiment» der Euthanasie-Freigabe (unter genau bestimmten Umständen) wird in Holland auch in der Öffentlichkeit mit deutlicher Mehrheit gutgeheißen. Weltweit wird es mit großer Aufmerksamkeit[10] und teilweise mit erheblichen Ressentiments verfolgt. Dabei sind zwei Aspekte der niederländischen Praxis auch aus dezidiert liberaler Perspektive beunruhigend:
- Für 1995 liegt die Meldequote bei nur 41 % der vermuteten Fälle praktizierter Sterbeassistenz – was allerdings gegenüber 1990 (damalige Meldequote: 18 %) bereits eine signifikante Verbesserung darstellt.

---

[9] Die folgenden Angaben stammen von *P. J. Van der Maas et al.*, Euthanasia, Physician-assisted Suicide, and other Medical Practices Involving the End of Life in the Netherlands, 1990–1995, in: New England Journal of Medicine 335 (1996) 1699–1705; *G. Van der Wal et al.*, Evaluation of the Notification Procedure for Physician-assisted Death in the Netherlands, in: New England Journal of Medicine 335 (1996) 1706–1711; *B. Gordijn,* Euthanasie in den Niederlanden – eine kritische Betrachtung, in: Berliner Medizinethische Schriften, Dortmund 1997, Heft 19. Vgl. auch den Beitrag von Markus Zimmermann-Acklin in diesem Band.

[10] Als Beispiel für eine kritische, aber vorurteilsfreie Betrachtung aus Sicht eines deutschen Medizinethikers vgl. *A. Leist,* Das Dilemma der aktiven Euthanasie. Gefahren und Ambivalenzen des Versuchs, aus Töten eine soziale Praxis zu machen, Berliner Medizinethische Schriften, Dortmund 1996, Heft 5.

– 1995 wurde, mit leicht rückläufiger Tendenz, in etwa 900 Fällen Sterbeassistenz geleistet, ohne dass die betroffenen Patienten, die sich überwiegend in der allerletzten Phase ihres Sterbens befanden, es ausdrücklich verlangt hätten. Diese Form rechtswidriger, beunruhigender Euthanasie würden – nach eigenem Bekunden – 55 % der niederländischen Ärzte unter Umständen praktizieren (bzw. haben dies bereits getan). Ob diese Bereitschaft in einem kausalen Zusammenhang mit der Lockerung des rechtlichen Euthanasieverbots steht, lässt sich offenbar bisher nicht ausmachen.

Was die gewählte Form der Sterbeassistenz betrifft, schreibt Van der Maas, der maßgeblich an der empirischen Forschung mitgewirkt hat, es möge «... vor dem Hintergrund zunehmend geforderter Patientenautonomie erstaunen, dass die Rate der ärztlichen Suizidassistenz konstant und niedrig geblieben ist. Man darf jedoch nicht vergessen, dass man in den Niederlanden die ärztliche Verantwortung bei einer Suizidhilfe für genauso groß befindet wie bei der Durchführung von aktiver Sterbehilfe.»[11]

In Deutschland und der Schweiz ist aktive Sterbehilfe auf Verlangen strafbar. Ein Suizid jedoch ist grundsätzlich kein Straftatbestand. Und damit ist aus Gründen der Rechtsdogmatik, sozusagen sekundär, auch eine Suizid*beihilfe* nicht rechtswidrig. Das gilt bei einem «freiverantworteten» Suizid grundsätzlich auch für ärztliche Hilfe. Die Freiheit speziell zur ärztlichen Suizidhilfe wird jedoch im deutschen Recht durch eine gegenläufige ärztliche *Garanten*pflicht zur Lebensrettung bei erfolgtem Suizidversuch konterkariert.[12] Bisher hat kein höchstrichterliches Urteil diesen gravierenden Normierungswiderspruch grundsätzlich aufgehoben.[13] Solange aber nicht eindeutig festgestellt ist, dass eine (auf «Standardbedingungen» eng begrenzte) ärztliche Suizidhilfe auch heißt, dass der Helfer den Suizidenten *nicht* anschließend wieder ins Leben zurück befördern muss, bleibt die Warnung der Bundesärztekammer: «auch die Mitwirkung des Arztes bei der Selbsttötung ... kann strafbar sein»[14] berechtigt. Die Bundesärztekammer schreibt dies – in ihrem aktuellen Richtlinienentwurf zur Sterbehilfe –

---

[11] *P. J. Van der Maas et al.*, s. Anm. 9, 1704. Hier und im Weiteren sind Zitate aus englischsprachiger Literatur von mir selber übersetzt.

[12] Kritisch hierzu: Vgl. *R. Merkel*, Teilnahme an Suizid – Tötung auf Verlangen – Euthanasie. Fragen an die Strafrechtsdogmatik, in: *R. Hegselmann/R. Merkel* (Hrsg.), Zur Debatte über Euthanasie, Frankfurt a. M. 1991, 71–127.

[13] Im letzten relevanten BGH-Urteil, dem sogenannten Wittig-Urteil (BGHSt 32 [1984] 367ff.), hat das Gericht diese Chance – zumindest aus der Sicht des liberal argumentierenden Schrifttums – verpasst. Vgl. *W. Gropp*, Suizidbeteiligung und Sterbehilfe in der Rechtsprechung, in: Neue Zeitschr. Strafrecht 5 (1985) 3, 97–144. Um unter diesen Umständen strafrechtliche Belangbarkeit *sicher* auszuschließen, sollte ein zur Suizidhilfe entschlossener Arzt seinem Patienten daher das todbringende Medikament beschaffen helfen und sich dann, so ein verbreiteter Rat, möglichst «auf eine Auslandsreise» begeben ... Eine gewisse Korrektur des Wittigurteils erfolgte allerdings durch das OLG München 1987 (Aktenzeichen 1 WS 23/87) im Verfahren gegen Julius Hackethal.

[14] Bundesärztekammer. Richtlinien zur ärztlichen Sterbebegleitung (Entwurf), in: Deutsches Ärzteblatt 94 (1997) 20, 1064f., hier 1065.

nicht etwa bedauernd. Vielmehr formuliert sie apodiktisch, beide Formen der Assistenz zum Sterben widersprächen «dem ärztlichen Berufsethos».[15] Diese Beurteilung kann sich u. a. auf eine entsprechende Entschließung des Deutschen Ärztetages von 1995 stützen.[16] Die «Medizinisch-ethische Richtlinien für die ärztliche Betreuung sterbender und zerebral schwerstgeschädigter Patienten», welche die Schweizerische Akademie der Medizinischen Wissenschaften 1995 publizierte,[17] formulieren dasselbe Verdikt.

Über die persönliche Bewertung von Sterbeassistenz durch deutsche oder schweizerische Ärzte und darüber, ob sie diese im Verborgenen praktizieren, gibt es kaum Daten. Nach einer kleinen Umfrage, die die Zeitschrift STERN 1996 in Auftrag gab,[18] fanden immerhin ein Drittel von 180 antwortenden deutschen Ärzten eine aktive Sterbehilfe auf Verlangen «unter Umständen vorstellbar»; etwa die Hälfte kennt solches Patientenverlangen aus eigener Erfahrung, hat die Bitte aber mit Ausnahme einiger weniger Ärzte (1 % der Klinikärzte/8 % der Niedergelassenen) angeblich immer abgelehnt (bzw. hat auf Befragung die Antwort verweigert). Bitten um Suizidhilfe kennen dieser Studie zufolge 11–15 % der Ärzte. Von den 180 Antwortenden gaben 3 an, der Bitte schon entsprochen zu haben. Auch wenn die quantitative Repräsentativität dieser Daten bezweifelt werden kann, lässt die Studie jedenfalls auf eine deutlich heterogene Beurteilung von Sterbeassistenz durch die betroffenen Ärzte selbst schließen.

Während also in den Niederlanden beide Formen ärztlicher Sterbeassistenz rechtlich und standesethisch als *gleichermaßen zulässig*, in Deutschland, der Schweiz und überhaupt überall sonst als *gleichermaßen unzulässig* bewertet werden, zeichnet sich die US-amerikanische Diskussion der letzten Jahre dadurch aus, dass dort in Teilen einer *differenzierten Zulässigkeit* allein der Suizidhilfe das Wort geredet wird (allein im Bundesstaat Oregon ist sie seit 1997 auch legal). Im Juni 1997 hatte gar der US-Supreme Court diese Frage unter juridischen Aspekten zu behandeln: In den Bundesstaaten New York und Washington hatten Mediziner und Patientenorganisationen gegen die gesetzlichen Verbote von ärztlicher Suizidhilfe geklagt und auf der Ebene der Appellationsgerichte Recht bekommen. Der Bundesgerichtshof hatte nun erstens zu entscheiden, ob es ein von der Verfassung garantiertes Recht auf Suizidhilfe gebe (*Washington v. Glucksberg*). Die zweite Entscheidung betraf die Frage, ob es das Verfassungsprinzip der Gleichbehandlung verletze, wenn ein Schwerstkranker durch passive Sterbehilfe zu Tode kommen dürfe, einem anderen Schwerstkranken aber, dem diese Option kontingenterweise nicht zu Gebote stünde, die Möglichkeit ärztlicher Suizidhilfe verweigert werde (*Vacco v. Quill*). Die neun Bundesrichter ent-

---

[15] Ebd.
[16] Deutscher Ärztetag. Entschließung, in: Deutsches Ärzteblatt 92 (1995) 23, 1243f.
[17] Schweizerische Akademie der Medizinischen Wissenschaften. Medizinisch-ethische Richtlinien für die ärztliche Betreuung sterbender und zerebral schwerstgeschädigter Patienten, in: Schweiz. Ärztezeitung 76 (1995) 1223–25.
[18] Stern. Sterbehilfe, in: Stern (28.11.1996).

schieden in beiden Fällen einstimmig gegen ein Verfassungsrecht auf Suizidhilfe. Dabei umgingen sie die rechtsphilosophische Grundsatzdiskussion und gründeten ihre Auslegung auf Tradition und empirische Werturteile der Bevölkerung, die beide gegen die Zulässigkeit von Sterbeassistenz gerichtet seien.[19] Die Enttäuschung derer, die auf eine liberale Jurisdiktion gehofft hatten, wird so dadurch gemildert, dass das Urteil mehr vorläufigen als prinzipiellen Charakter hat.

Wenngleich also dieses Urteil selber keine systematische Abhandlung der Sterbehilfe-Ethik umfasst, haben sich in seinem Vorfeld und Nachgang zahlreiche Ärzte, Juristen und Ethiker zu Wort gemeldet und so zu einer differenzierten öffentlichen Debatte beigetragen.[20] Besonders bemerkenswert aus philosophischer Perspektive, wenn auch von den Bundesrichtern nicht erwähnt, war eine gemeinsame Stellungnahme von sechs der bekanntesten amerikanischen Gegenwartsphilosophen zugunsten einer legalisierten Suizidhilfe.[21]

Während die American Medical Association ein Votum gegen ärztliche Sterbeassistenz abgegeben hat,[22] zeigen empirische Untersuchungen ein heterogenes Bewertungsmuster auch unter amerikanischen Ärzten. In einer – wiederum kleinen – rezenten Befragung von Ärzten in der AIDS-Versorgung etwa gibt über die Hälfte der 118 Antwortenden an, mindestens einmal schon einem AIDS-Patienten Suizidhilfe geleistet zu haben. 1990 haben 28 % einer vergleichbaren Gruppe angegeben, zu solcher Hilfe bereit zu sein; inzwischen sind es 48 %.[23] In einer neueren Erhebung von E. J.

---

[19] Vgl. *G. J. Annas*, The Bell Tolls for a Constitutional Right to Physician-Assisted Suicide, in: New England Journal of Medicine 337 (1997) 1098–1104; *R. N. Dworkin*, Assisted Suicide: What the Court Really Said, in: New York Rev Books (Sept. 25, 1997) 40–44.

[20] Deutlich befürwortend etwa: Vgl. *M. Angell*, The Supreme Court and Physician-Assisted Suicide – The Ultimate Right. Editorial, in: New England Journal of Medicine 336 (1997) 50–53; *R. N. Dworkin et al.*, Assisted Suicide: The Philosophers' Brief, in: The New York Rev Books (March 27, 1997) 40–47; *R. N. Dworkin*, s. Anm. 19. – Deutlich ablehnend etwa: Vgl. *G. J. Annas*, s. Anm. 19; American Hospital Association. Amicus Curiae in Support of Petitioners, Nancy Beth Cruzan, Lester L. and Joyce Cruzan, Chicago 1989; *K. M. Foley*, Competent Care for the Dying instead of Physician-Assisted Suicide. Editorial, in: New England Journal of Medicine 336 (1997) 54–58; New York Task Force on Life and the Law. When Death is Sought: Assisted Suicide and Euthanasia in the Medical Context, New York 1997. – Sehr abwägend etwa: Vgl. *R. A. Burt*, The Supreme Court Speaks. Not Assisted Suicide but a Constitutional Right to Palliative Care, in: New England Journal of Medicine 337 (1997) 1234–1236; *M. C. Kaveny*, Assisted Suicide, the Supreme Court, and the Constitutive Function of the Law, in: Hastings Center Report 27 (1997) 5, 29–34; *A. Kleinman*, Intimations of Solidarity?, in: ebd. 34–36; *D. Orentlicher*, The Supreme Court and Physician Assisted Suicide. Rejecting Assisted Suicide but Embracing Euthanasia, in: New England Journal of Medicine 337 (1997) 1236–1239.

[21] Vgl. *R. N. Dworkin et al.*, s. Anm. 20, – eine von insgesamt mehr als sechzig *amici curiae*.

[22] Vgl. *M. Angell*, s. Anm. 20.

[23] Vgl. *L. R. Slome et al.*, Physician-Assisted Suicide and Patients with Human Immunodeficiency Virus Disease, in: New England Journal of Medicine 336 (1997) 417–421. – Wäre zwischen 1990 und 1995 ärztliche Suizidhilfe legalisiert worden, so würden Kritiker

Emanuel[24] gibt die Hälfte von 355 Onkologen an, schon um Suizidhilfe gebeten worden zu sein. Jeder Siebte habe dieser Bitte entsprochen, 45 finden solche Assistenz bei unstillbaren Schmerzen akzeptabel. Diese letztgenannte Position vertreten unter befragten onkologischen Patienten 70 %, in der allgemeinen Öffentlichkeit 66 %. Bemerkenswert ist, dass 53 % der Onkologen, aber nur 37 % der Patienten und 44 % der Öffentlichkeit glauben, das Vertrauen eines Patienten zu seinem Arzt werde leiden, wenn zwischen beiden offen über Suizidassistenz gesprochen würde. Umgekehrt meinen nur 15 % der Ärzte, aber 41,6 % der Patienten und 32,8 % der Öffentlichkeit, das Vertrauen würde dann steigen.

Mir geht es nicht um eine umfassendere Darstellung von Meinungsbildern zur Sterbehilfe, die sich ohnehin schwer erheben, interpretieren und vergleichen lassen.[25] Für die systematische Diskussion ist aber von Bedeutung, dass es in vielen Ländern und unter verschiedenen rechtlichen Regelungen Ärzte und Patienten gibt, die Sterbeassistenz richtig und wichtig finden. Für die Frage, ob deren Zulässigkeit ethisch und juristisch akzeptabel ist, spielen Meinungsbilder insofern eine Rolle, als sie Aufschluss über gravierende Besorgnispotentiale geben können, die gegebenenfalls durchaus als Gegenargument ins Gewicht fallen sollten (vgl. unten, Abschn. 6).

3. Rechtfertigungsargumente

Was zugunsten von Sterbeassistenz angeführt werden kann, bedarf kaum der Erläuterung: Respekt vor der Selbstbestimmung eines Patienten, der sich aus einer Situation nachvollziehbaren schwersten Leidens durch den Tod befreien (lassen) möchte. Es ist also die *Konvergenz* zweier Moralprinzipien – des Gebotes, Autonomie zu respektieren[26] und des Wohltätigkeitsgebotes, welche Sterbeassistenz in den Augen ihrer Befürworter rechtfertigt. Durch diese Konvergenz erübrigen sich Bedenken und Probleme, die einerseits dann bestehen, wenn vermeintliche Wohltätigkeit *nicht* auch noch durch den Willen des Betroffenen gedeckt ist (z. B. Sterbehilfe bei Neugeborenen), und andererseits dann, wenn jemandes Selbstbestimmung sich

---

den hier erfassten Wertewandel leicht darauf zurückführen. Man sieht, wie vorsichtig man mit derartigen Deutungen sein muss.

[24] Vgl. *E. J. Emanuel et al.*, Euthanasia and physician-assisted suicide: attitudes and experiences of oncology patients, oncologists, and the public, in: The Lancet 347 (June 29, 1996) 1805–1810.

[25] Vgl. auch *D. Meier*, Doctors' Attitudes and Experiences with Physician-Assisted Death, in: *J. A. Humber/R. F. Almeder/G. A. Kasting* (Hrsg.), Physician Assisted Death, Totowa 1993, 5–24.

[26] Allerdings könnten Kritiker an dieser Stelle einwenden, das Autonomieprinzip umfasse keine positive Hilfe bei der Durchsetzung eines Wunsches und decke somit lediglich das Verbot einer ärztlichen Lebensrettung nach freiverantwortetem Suizid unter Standardbedingungen, aber keine Hilfe dazu. Diese restriktive Auslegung halte ich für unplausibel, ohne dass ich die Grundfrage nach der Reichweite des Autonomiebegriffs hier erörtern könnte.

auf etwas richtet, was von außen unverständlich, bedeutungslos oder selbstschädigend aussieht.

Diesem Argument von der zu respektierenden Sterbe-Selbstbestimmung wird Verschiedenes entgegengehalten: Eine Klasse von Einwänden zielt auf a) die vermeintliche «intrinsische» Verwerflichkeit von Sterbehilfe ab; eine weitere Klasse von Argumenten beschwört b) die Gefahren von Missbrauch und Werteverfall; und wiederum andere Einwände laufen hinaus auf c) die angebliche Vermeidbarkeit oder «Uneigentlichkeit» von Selbstbestimmung, die aufs eigene Sterben gerichtet ist. a) und b) werden in späteren Abschnitten behandelt; an dieser Stelle soll es zunächst um Punkt c) gehen, bei dem das Selbstbestimmungsargument ja nicht – wie in den beiden anderen Fällen – durch Gegengründe aufgewogen, sondern als falsch enttarnt werden soll.

Dabei wird behauptet, die Sterbewünsche Schwerstkranker seien das Resultat unzureichender Palliativbehandlung vor allem mit Schmerzmitteln oder aber die Folge mangelhafter psychosozialer Betreuung – oder beides. Vermeidbare Schmerzen oder behebbare Depressivität, Einsamkeit und Angst würden dem Kranken die Sicht auf sein restliches Leben verdunkeln. Oder, so eine weitere Variante dieser Auffassung, es stehe hinter der scheinbaren Selbstbestimmung allzu leicht eine bloße Verinnerlichung von Urteilen anderer, denen das Leben des Betroffenen von außen unerträglich erscheine.[27] Solche inauthentischen Wünsche ernst zu nehmen, statt ihre – unterschiedlichen – Wurzeln zu bekämpfen, sei moralisch nicht vertretbar.

Diesem letztgenannten Postulat kann man vernünftigerweise gar nicht widersprechen. Auch für Befürworter von Sterbeassistenz ist in aller Regel selbstverständlich, dass bestmögliche Palliativmedizin und menschliche Zuwendung vor und wenn irgend möglich statt tödlicher Hilfe erfolgen sollen. Aus diesem Grund werden attestierte «Unstillbarkeit» des Leidens, ein ärztliches (u. U. psychiatrisches) Konsil sowie die «Freiwilligkeit» des Sterbewunsches als Standardbedingungen gefordert. Dass hier dann allerdings Schlamperei, Ignoranz oder Missbrauch möglich wären, steht zunächst auf einem anderen Blatt (s. u.).

Die Radikalvariante des Inauthentizitätsarguments hält authentische Sterbewünsche überhaupt für *unmöglich*. Das aber ist unplausibel. Erstens lassen sich, selbst bei kontrafaktischer Annahme einer überall verfügbaren optimalen Schmerztherapie, nicht alle Schmerzen durch medizinische Interventionen beseitigen. Vielmehr versagt nach Schätzungen von Fachleuten die Schmerzmedizin bei 5–15 % der terminal kranken Patienten.[28]

---

[27] Beide Positionen z. B. bei *K. Doerner*, Tödliches Mitleid. Zur Frage der Unerträglichkeit des Lebens, Gütersloh 1989; oder bei *H. Grewel*, Zwischen Mitleid, Mord und Menschlichkeit – Wider das Missverständnis der Humanität in der neuen Euthanasiebewegung, in: *J. C. Student* (Hrsg.), Das Recht auf den eigenen Tod, Düsseldorf 1993, 66–89.

[28] Vgl. *D. Orentlicher*, s. Anm. 20, 1237, zitiert sogar Literaturangaben von 15 % und 50 %.

Zweitens ist es ein Missverständnis zu glauben, der Todeswunsch aller terminal kranker Patienten lasse sich darauf zurückführen, dass sie des Unwohlseins, der Schmerzen und anderer qualvoller Empfindungen überdrüssig seien. Manche Menschen wollen vielmehr deshalb sterben, weil ihre Krankheit das Ende dessen bedeutet, was nach den ganz persönlichen elementaren Vorstellungen das eigene Leben bedeutungsvoll und kohärent macht: etwa körperliche Aktivität, soziale Interaktion oder intellektuelle Teilnahme an der Welt. Andere messen – wie es der Rechtsphilosoph Ronald Dworkin eindringlich formuliert hat – der Art ihres Sterbens «spezielle, symbolische Bedeutung bei. Sie möchten, dass ihr Sterben, wenn möglich, diejenigen Werte zum Ausdruck bringe und eindringlich bekräftige, die ihnen für ihr Leben am allerwichtigsten waren. ... Dabei erschöpft sich die Vorstellung eines guten (oder weniger schlechten) Todes nicht darin, *wie* man stirbt – auf dem Schlachtfeld oder im Bett – sondern schließt auch den Zeitpunkt ein.»[29] Und an anderem Ort schreibt Dworkin:

> «Das Bedürfnis eines Menschen danach, sein Lebensende nach seinen eigenen Überzeugungen einzurichten, ist ein so zentraler Teil seines Rechts auf intime und persönliche Entscheidungen, daß es dieses Recht völlig unterlaufen würde, wollte man jenes Bedürfnis nicht schützen.»[30]

Eine andere Variante des Inauthentizitätsarguments beruht auf der «suizidologischen Krankheitsthese», der zufolge *jede* Selbsttötungsabsicht krankhaft ist. Sie hat zwar noch immer Anhänger, wird aber in der empirischen Suizidforschung mit guten Gründen als eine Übergeneralisierung abgelehnt.[31] Nirgends erscheint sie so unplausibel, selbstimmunisierend, ja zynisch wie bei leidenden, lebensüberdrüssigen Todkranken.

Zumindest weltfremd mutet das gelegentlich zu vernehmende Argument an, ein wirklich authentischer Suizidwunsch äußere sich nicht zuletzt darin, dass der Betreffende *alleine* vorgehe. Schon daher müsse eine Bitte um Suizidhilfe in Wahrheit als eine Bitte um *Lebens*hilfe aufgefasst und beantwortet werden. Wer so denkt, weiß zu wenig über die Hilflosigkeitsszenarien im Leben vieler Schwerstkranker. Körperliche Hinfälligkeit, Unkenntnis darüber, wie man sich überhaupt das eigene Leben auf eine Weise nehmen kann, die für andere und für einen selber zumutbar ist, und ein erhebliches Maß an familiärer oder institutioneller Kontrolle können hier entscheidende Hindernisse sein. Der bettlägerige Krebspatient, der von der Krankenschwester beim mühsamen Tablettensammeln in der Nachttischschublade «ertappt» worden ist – sie triumphierend und er hoffnungslos und fast beschämt – bleibt mir noch aus meiner Famulantenzeit in quälender Erinnerung.

---

[29] *R. N. Dworkin*, Die Grenzen des Lebens. Abtreibung, Euthanasie und persönliche Freiheit, Reinbek 1995, 208–210 (Original: Life's Dominion. About Abortion, Euthanasia, and Individual Freedom, New York 1993).
[30] *R. N. Dworkin et al.*, s. Anm. 20, 44.
[31] Vgl. *H. Pohlmeier*, Wann wird Selbstmordverhütung notwendig?, in: Ders. (Hrsg.), Selbstmordverhütung – Anmaßung oder Verpflichtung?, Bonn/Düsseldorf ²1994, 29–52.

Als eine besondere Variante des Inauthentizitätsarguments lässt sich vielleicht die – etwa von Lauter und Fuchs[32] vertretene – Position verstehen, dass die «Zumutung des Leidens» nun einmal zur menschlichen Existenz gehöre und daher nicht Gegenstand eines gegenläufigen Selbstbestimmungsrechts sein *könne*. Wie sich dieses Postulat eines performativen Widerspruchs, den der Suizident ebenso beginge wie der Sterbehelfer, metaphysisch begründen lassen soll und wie sich dann die vielfältigen Leidensminderungen und -verhinderungen, die wir sonst betreiben und vertreten, rechtfertigen lassen, bleibt mir allerdings unklar.

4. «Unärztlichkeit» als unspezifisches Resümee-Verdikt

Wer ein bestimmtes Verhalten als «unärztlich» bezeichnet, kann damit eine rein beschreibende Aussage machen wollen, also soviel sagen wie «das ist für einen Arzt ungewöhnlich, unüblich». Meist aber ist ein normatives Urteil impliziert: Ärzte *sollten* so nicht handeln – und dies meist aus vermeintlich *moralischen* Gründen. Was für Gründe sind das im Fall der Sterbeassistenz?

Um diese Frage angemessen beantworten zu können, muss man unterscheiden zwischen Gründen, die für jedermann – also *auch* für Ärzte – gelten würden, und solchen Gründen, die *arztspezifisch* wären. In diesem Abschnitt geht es um die erste Kategorie. Hier würde Sterbeassistenz als unärztlich bezeichnet, weil sie als *generell* moralisch problematisch oder verwerflich angesehen wird. Weder ein Arzt noch ein Angehöriger oder Freund dürfte sie praktizieren. Aber diese Lesart, so wird man einwenden wollen, ist unplausibel – wer sollte oder wollte denn die Bedeutung von «Unärztlichkeit» so verwässernd unspezifisch machen? Doch wohl manche Ärzte oder Arztpolitiker selber: Sie benutzen diesen Begriff – vielleicht spürend, dass er gewichtiger wirkt als das bloße Verdikt «unmoralisch» – weil er ein privilegiertes Wissen darüber zu implizieren scheint, was *Arztsein* bedeutet. Sie rekurrieren dabei jedoch auf Argumente, die für Nichtärzte in gleicher Weise zutreffen wie für Ärzte. Im Ergebnis kommt dann heraus: unmoralisch *auch* für Ärzte – insofern ist dann das Unärztlichkeits-Verdikt ein Resümee unspezifischer Natur. So verstehe ich zum Beispiel die Positionen der deutschen und der US-amerikanischen Bundesärztekammer, wenn sie der Sterbeassistenz Unärztlichkeit attestieren. Denn es ist nicht erkennbar, dass dieses Verdikt auf *anderen* Gründen basiert als auf den üblichen und eben *generellen* Kausalitäts- und Intentionalitätsargumenten (s. u.), die den Tötungscharakter betonen, den Sterbeassistenz im Gegensatz zu passiver oder indirekter Sterbehilfe habe.

Nun ist der ärztliche Beruf durch viele Probleme, Anforderungen oder Versuchungen moralisch «aufgeladen», ohne dass die diskutierten oder er-

---

[32] Vgl. *Th. Fuchs/H. Lauter*, Kein Recht auf Tötung, in: Deutsches Ärzteblatt 94 (1997) 5, 186–188, hier 187.

forderlichen Normierungen in der Mehrheit inhaltlich spezifisch ärztlich wären. Insofern ist es legitim und geradezu notwendig, Ärzten gegenüber auch unspezifische moralische Normierungen als Teil eines anempfohlenen Arztbildes darzustellen. In diesem Sinn kann man es durchaus als unärztlich bezeichnen, einen Patienten zu hintergehen, die Krankenkassen zu betrügen oder Kollegen «auszustechen» – auch wenn es für die Geltung dieser Normen nur kontingenterweise von Bedeutung ist, dass ihre *Adressaten* Ärzte sind (z. B weil andere Personen kaum in die Lage kommen, die Krankenkassen betrügen zu können). Problematisch ist das unspezifisch gemeinte «Unärztlichkeits»verdikt genau besehen nur dann, wenn es so missverstanden wird, dass es arztspezifisch nicht nur hinsichtlich seiner Adressaten, sondern seiner Gründe sei. Da dieses Missverständnis aber naheliegt und da die weite Lesart von Unärztlichkeit taxonomisch entbehrlich ist, sollte man auf sie verzichten.

Was die Sache selbst angeht, so kann ich die «üblichen» unspezifischen Gründe und meine Kritik an ihrer Plausibilität hier nur in aller Kürze referieren.[33] Sie gehen davon aus, dass Sterbehilfe zulässig sein kann, *wenn* sie durch den Abbruch lebenserhaltender Maßnahmen oder durch eine therapeutisch indizierte Medikamentenüberdosis erfolgt (wenn es sich also um passive oder indirekte Sterbehilfe handelt, die zusammen in den USA inzwischen 70 % der Todesfälle verursachen sollen,[34] während für Deutschland oder die Schweiz keine entsprechenden Daten vorliegen). Demgegenüber sollen sie Sterbeassistenz als verwerflich ausweisen und dafür begründende Unterschiedsmerkmale anführen.

Das erste Spezifikum, welches hier für relevant gehalten wird, ist die besondere Ursächlichkeit von Suizidhilfe wie von aktiver Sterbehilfe: Während ein Patient bei passiver Sterbehilfe *an der Krankheit* sterbe, der nun lediglich ihr Lauf gelassen werde, sterbe ein Patient in den anderen Fällen assistiert von *eigener Hand* bzw. von *Arzteshand*. Ärzte wirken dabei, so könnte man die verbreitete Intuition rekonstruieren, «*stark* ursächlich». In beschreibender Hinsicht gilt in der Tat, dass nur in Fällen passiver Sterbehilfe eine Todesursache vorliegt, die auch bei – kontrafaktischer – Abwesenheit des Arztes hinreichend gewesen wäre. In allen faktischen Sterbehilfekonstellationen aber gilt, dass das Tun oder Unterlassen einer anderen Person (in unseren Fällen: eines Arztes) ein notwendiger Kausalfaktor ist. Bei Sterbeassistenz steht er sehr sichtbar im Vordergrund, bei passiver Sterbehilfe hingegen nicht. Wenn es nun um kausale Verantwortung, um Zurechnung oder gar Schuld geht, spielt Vordergründigkeit, die dem Reden von *der* Ursache gleichkommt, eine entscheidende Rolle. Diese Vorder-

---

[33] Vgl. aber Beiträge in *T. L. Beauchamp* (Hrsg.), s. Anm. 4; *D. Birnbacher,* s. Anm. 3, Kap. 10; *D. W. Brock,* Voluntary Active Euthanasia, in: Hastings Center Report 22 (1992) 2, 10–22; *H. Brody,* Causing, Intending, and Assisting Death, in: Journal of Clinical Ethics 4 (1993) 113–117; *B. Schöne-Seifert,* s. Anm. 3.
[34] American Hospital Association, Brief, zit. v. *M. Angell,* Editorial: Euthanasia in the Netherlands: Good News or Bad?, in: New England Journal of Medicine 335 (1996) 1676–1678.

gründigkeit aber ist von unserem Blick, von unseren Fragestellungen und Interessen abhängig. Und dabei ist der Unterschied zwischen Geschehenlassen und «starker» Ursächlichkeit als solcher gar nicht einschlägig.

Standardbeispiele[35] zur Stützung dieser These sind Fälle von tödlicher ärztlicher Fahrlässigkeit: Auch die Patientin, die an einer fahrlässig-fehlerhaft behandelten Lungenentzündung stirbt, hat eine Krankheit als Todesursache, der ein inkompetenter Arzt ihren *Lauf* lässt. Er ist hierfür nichtsdestotrotz moralisch wie rechtlich verantwortlich. Es wäre also falsch, Verantwortung *nur* (oder aber immer) an «starke Verursachung» zu knüpfen. Dann jedoch müssen andere und komplexere Begründungen und Bestimmungen von moralischer Zurechenbarkeit und Schuld herhalten. Dann ist es keineswegs absurd, wenn etwa der Philosoph Benjamin die *umgekehrte* Kausalverantwortung in den Blick nimmt und schreibt:

> Ein Arzt, der sich weigert, der eindeutig autonomen Sterbehilfe-Bitte eines Patienten zu entsprechen, dessen Schmerzen oder Leiden anders nicht gelindert werden können, wird dadurch mitursächlich für die Schmerzen und Leiden, die der Patient im folgenden zu erdulden hat. Dies ist eine schwere Last, um die Ärzte nicht zu beneiden sind, die jedoch unvermeidbar sein mag, wenn diese jene enge menschliche Beziehung mit ihren Patienten anstreben, welche der Ärztestand immer dann romantisch verklärt, wenn er sich von außen kommenden Einmischungen in dieses Geschehen entgegenstellt.[36]

Das zweite Merkmal von Sterbeassistenz, das üblicherweise als spezifisch und verwerflich angesehen wird, liegt in der *direkten* Absicht, zu töten oder Tötungshilfe zu leisten, die ihr notwendigerweise zugrunde liegt. Es sei, wird hier geurteilt, wohl prinzipiell zulässig, den Tod des Patienten *indirekt,* nämlich als negative Nebenfolge abwägend in Kauf zu nehmen, wenn die Hauptabsicht des Handelnden ein legitimer medizinischer Zweck (z. B. Schmerzstillung) sei, der sich anders nicht realisieren lasse.[37] Allein aufgrund ihrer intentionalen Unterschiede sei indirekte Sterbehilfe moralisch legitim, direkte hingegen nicht. Diese These (und die gesamte Lehre von der Doppelwirkung, der sie entstammt) ist vielfach kritisiert und gegenverteidigt worden. Auch wenn ich meine eigene Kritik hier nicht ausführen kann,[38] möchte ich wenigstens einen Punkt betonen: Die geläufige Intuition, nach der indirekte Sterbehilfe zumindest leichter zu rechtfertigen ist als direkte, hängt – meine ich – entscheidend an der hohen Gewissheit da-

---

[35] Vgl. *M. Benjamin,* Causation and Responsibility in Euthanasia and Assisted Suicide, in: *P. A. French/T. E. Uehling/H. K. Wettstein* (Hrsg.), Moral Concepts, Midwest Studies in Philosophy, Notre Dame 1996, 431–441; *H. Brody,* s. Anm. 33, 115. Ein anderes einschlägiges Beispiel ist das vorsätzliche Verblutenlassen eines Patienten zum Zweck seiner Organentnahme für Transplantatempfänger (*R. N. Dworkin et al.,* s. Anm. 20, 45).

[36] Vgl. *M. Benjamin,* s. Anm. 35, 438.

[37] Dasselbe gilt auch für den (kleinen) Teil passiver Sterbehilfe, dessen Absicht im Verzicht auf eine *beschwerliche* Therapie besteht, ohne die allerdings wenig/keine Hoffnung auf Überleben besteht.

[38] Vgl. jedoch *B. Schöne-Seifert,* s. Anm. 3; siehe auch den Beitrag von J.-C. Wolf in diesem Band.

rüber, dass der indirekte Helfer den Tod des Patienten nur ausnahmsweise, nämlich als Preis für die Vermeidung eines noch größeren Übels, wählt. Diese Gewissheit hat man bei der direkten Sterbehilfe eben nicht.

Das Differenzargument vermischt jedoch leicht zwei Ebenen. Die eine ist die der idealisierenden Betrachtung, bei der wir wüssten, wie der Sterbehelfer *jeweils* motiviert ist. Auf dieser Ebene a) sind der aktive Sterbehelfer und der Suizidhelfer, wenn sie den Tod des Patienten ebenso nur als das kleinere von zwei Übeln betrachten (verglichen nämlich mit ungewolltem, unabänderlichem Siechtum zum Tode), genauso zu bewerten wie der indirekte Sterbehelfer. Die andere Ebene b) ist die realistisch-pragmatische, auf der wir nicht wirklich wissen, wie «Sterbehilfe» im Einzelfall motiviert ist. Dann geht es um Fragen der Missbräuchlichkeit, die ihrerseits eminent wichtig sind. Aber es geht nicht mehr um einen vermeintlich relevanten Unterschied zwischen direkter und indirekter Sterbehilfe als solcher – unter der Voraussetzung bestmöglicher Intentionen (Ebene a).

Ein interessanter Testfall für die moralische Bedeutung, die den Kausal- und Absichtsunterschieden beigemessen wird, ist die *terminale Sedierung*. In den USA wird sie u. a. von der Bundesärztekammer (AMA) als *ultima ratio* für terminale Patienten mit Sterbewunsch bei unstillbaren Schmerzen gesehen.[39] Der Supreme Court hat sich dieser Sicht in seinen Suizidhilfe-Urteilen vom Juni 1997 (s. o.) angeschlossen. Obwohl in der deutschsprachigen Diskussion diese spezielle Variante der Sterbehilfe, soweit ich sehe, bisher keine Rolle spielt, kann man doch annehmen, dass sie als eine Kombination von indirekter und passiver Sterbehilfe weitgehend akzeptiert werden müsste und würde. Worum genau geht es?

Es geht um jene (wenigen) terminalen Patienten, denen Schmerzen, Luftnot oder Übelkeit unerträgliche und unstillbare Qualen bereiten. Ihnen könne und dürfe man, so die AMA-Position, mit Medikamenten zur finalen Bewusstlosigkeit verhelfen und sie dann sterben lassen – nach Stunden oder Tagen. Konsequenter Bestandteil dieses Vorgehens dürfe der Verzicht auf Nahrungs- und Flüssigkeitszufuhr sein, die im Zustand der Sedierung ja nur auf künstlichem Wege erfolgen könnte.

In einer kritischen und überzeugenden Analyse hat David Orentlicher[40] ausgeführt, dass unter die Indirektheitsklausel nur die Sedierung falle und dass erst diese dann die Möglichkeit nach sich ziehe, den Patienten auf eine Weise zu Tode kommen zu lassen, die zwar passiv aussieht, aber doch nur in einem sehr indirekten Zusammenhang mit seiner Krankheit steht: Der Bedarf nach künstlicher Ernährung liegt hier nicht im Normalverlauf der Krankheit, sondern ist ein Sekundärphänomen der Sedierung. *Diese* zwar wird erst durch die Krankheit nötig, aber – so Orentlicher – schaffe diese nicht in anderen Konstellationen ebenso die suizidale Motivation des Kranken?

---

[39] American Hospital Association. Brief at 6, Washington v. Glucksberg, 117 S. Ct. 2258 (1997 zit. v. *D. Orentlicher*, s. Anm. 20*)*.

[40] Vgl. *D. Orentlicher*, s. Anm. 20.

Verglichen mit Suizidhilfe sei die terminale Sedierung missbräuchlicher, da sie auch bei inkompetenten Patienten durchgeführt werden könne; auch vermindere sie die Kontrolle des Betroffenen über sein Sterben, verlängere es und möge als «unwürdiger» empfunden werden. Das alles wiege schwerer als der oberflächlich intuitive Vorteil der terminalen Sedierung, in den akzeptierten Praktiken von Palliativmedizin und Therapieverzicht zu bestehen. Nach dem, was ich oben über die mangelnde normative Bedeutsamkeit von Kausal- und Absichtsunterschieden ausgeführt habe, muss meine eigene Kritik noch weiter gehen: Die Bereitschaft, auch einen Tod durch terminale Sedierung als «Geschehenlassen» zu kategorisieren, signalisiert für mein Dafürhalten ein weiteres Mal, dass diese Kategorien als bedeutsam nur vorgeschoben sind. Und die Bereitschaft, ein solches Sterben als Nebenfolge der Sedierung durchgehen zu lassen, auch wenn der nächste Schritt, der tödliche Verzicht auf Wasser- und Nahrungszufuhr, ja bereits *mit eingeplant* ist, signalisiert dasselbe auch für die intentionalen Kategorien. Zugleich legt dieses Beispiel aber eine andere Differenzierung zwischen Erlaubtem und Verbotenem nahe: sie fällt zusammen mit der möglichen versus nicht möglichen Beschreibbarkeit in Begriffen herkömmlichen ärztlichen Entscheidens (gegen Sinnloses, für Palliatives): Erlaubt sind lediglich solche Handlungen, die sich *ohne* die Begriffe Tod und Sterben beschreiben lassen. Das nun scheint ein spezifisch ärztliches Argument zu sein. Sehen wir es näher an.

5. «Unärztlichkeit» als spezifisches Verdikt

Im Gegensatz zu den bisherigen Überlegungen kann «Unärztlichkeit» auch ein spezifisches Urteil sein, wonach Ärzte[41] keine Sterbeassistenz ausüben sollten. Dann bliebe in einem zusätzlichen Schritt zu klären, ob Dritte – also Angehörige, Freunde oder Seelsorger – Suizid- oder sogar aktive Sterbehilfe leisten dürfen.

Auch unter den spezifischen Verdikten kann man wiederum direkte Argumente von Resümeevarianten unterscheiden. Die im vorigen Abschnitt präzisierte These, Ärzte dürften nur solche Handlungen vollziehen, die *legitimen medizinischen* Zielsetzungen dienen, gehört offensichtlich in die erste Kategorie. Was aber sind Legitimitätskriterien? Eine Resolution des Deutschen Ärztetages von 1995 ist in dieser Frage zugleich typisch und einschlägig:

> «Grundlage des Vertrauensverhältnisses zwischen Arzt und Patient ist seit jeher der Auftrag, menschlichem Leben nicht zu schaden, sondern es zu erhalten und zu fördern. Dieses Vertrauensverhältnis wäre erheblich gefährdet, wenn der Arzt dem Patienten nicht mehr allein in seiner traditionellen Rolle als Heilender und Helfender, sondern ebenso als Tötender begegnen

---

[41] Vgl. *S. H. Miles,* Physician-Assisted Suicide and the Profession's Gyrocompass, in: Hastings Center Report 25 (1995) 3, 17–19.

könnte. Der Auftrag des Arztes verlangt nicht die Verlängerung des Lebens um jeden Preis, schließt aber seine gezielte Verkürzung durch ärztliche Eingriffe aus. Die Angst vor unerträglichem Leiden und vor den medizinischen Möglichkeiten der Lebensverlängerung über ein sinnvolles Maß hinaus darf nicht dazu führen, daß der Arzt auch mit der Erlaubnis zu töten ausgestattet wird.»[42]

Die «Rolle als Helfer und Heiler» ist offenkundig der zentrale Begriff. Diese Charakterisierung des klassischen wie gegenwärtigen Arztbildes ist kaum bestreitbar, steht jedoch für die Befürworter ärztlicher Sterbeassistenz zu dieser gar nicht in Widerspruch. Die Ärztekammer sieht das anders. Welche Argumente lassen sich dafür ausmachen?

a) Es geht natürlich um einen Appell an die *Tradition* des ärztlichen Berufsstandes, die in ihrer dominanten hippokratisch-christlichen Ausrichtung aktive Euthanasie und Suizidhilfe eindeutig ablehnt. Nun wäre ein bloß deskriptives «Das-haben-Ärzte-nie-getan» kein gutes Argument. Ärzte haben bis vor kurzem auch keine optischen Systeme in den Dünndarm eingeführt oder komplizierte Beatmungsmaschinen bedient, ohne dass diese Tatsachen *normativ* bedeutsam wären. Im Fall der Sterbeassistenz ist aber natürlich mehr im Spiel und mehr gemeint als eine deskriptiv-historische Feststellung. Gemeint ist vielmehr, dass es *gute Gründe* dagegen gegeben habe. Aber auch wenn es wohl im Allgemeinen richtig ist, solche Gründe hinter langjährigen normativen Traditionen zu vermuten und ernst zu nehmen, so müssen sie sich letztlich doch in eigenem Recht und im Licht moderner *Gegen*gründe behaupten können.

b) Es wird damit argumentiert, dass Sterbeassistenz das *Vertrauensverhältnis* zwischen Arzt und Patient gefährde, was in der Tat einen gravierenden Gegengrund abgäbe, wenn es denn stimmte. Die Behauptung ist jedoch einigermaßen spekulativ. Wohl leuchtet es ein, dass Patienten sich ihren Ärzten nicht mehr würden anvertrauen können, wenn sie Angst vor *unerbetener* Sterbehilfe haben müssten. Aber diese steht hier ja gar nicht zur Diskussion. Nun könnte jedoch jemand einwenden, es sei ein unmerklicher Übergang von der einen zur anderen Kategorie zu befürchten oder werde zumindest von Patienten befürchtet werden, was allein schon das Vertrauensverhältnis beschädigen müsste. Sicher – nur müsste dann *passive* Sterbehilfe auf Verlangen, wie sie allgemein für zulässig erachtet und häufig praktiziert wird, *vergleichbare* Befürchtungen provozieren. Dafür gibt es keinen Anhalt. Und weder die holländischen Patienten und Angehörigen mit ihren *tatsächlichen* Erfahrungen noch amerikanische Patienten, die nach ihren *hypothetischen* Erwartungen befragt wurden (s. o.), geben empirischen Anhalt dafür, dass Sterbeassistenz Vertrauen zerstört oder zerstören würde.

Dennoch sind Bedeutung und Anfälligkeit öffentlichen und individuellen Vertrauens in den Ärztestand kaum überzubetonen. Das Zutrauen in die Integrität der Medizinerzunft ist, zu Recht oder zu Unrecht, gegenwärtig angeschlagen. Inkorrekte Abrechnungen, wie sie in großer Zahl aufge-

---

[42] Deutscher Ärztetag, Entschließung, 1243.

deckt worden sind, Sexualdelikte oder Strahlenskandale haben hier, zumal in Zeiten medialer Ausschlachtung, deutliche Spuren hinterlassen. Und gerade in Deutschland kommt noch das Wissen um die Verbrechen und die moralische Verrohung vieler Mediziner unter den Nazis hinzu. Vor diesem Hintergrund mögen Ärzte die öffentlich erklärte Abstinenz von aller Sterbeassistenz besonders nötig finden. Wenn aber, andererseits, kontrollierte und öffentlich gewollte Sterbeassistenz weder ruchbar ist noch in der Öffentlichkeit so eingeschätzt wird, dann mag jene Abstinenz wie eine billige «Saubere-Hände»-Rhetorik wirken.

c) Als ein anderes arztspezifisches Argument gegen Sterbeassistenz wird gelegentlich angeführt, die grundsätzliche Zweckbestimmung der Medizin, ihr «Telos», verbiete solches Helfen.[43] In den Augen derer, die diese These vertreten, bestimmt sich über dieses Telos zugleich, was legitime medizinische Ziele und was vertrauenswürdige Ärzte seien. Das Telos-Argument ist also vermeintlich fundamental. Oberflächlich betrachtet fügen sich hier verschiedene Intuitionen einleuchtend zusammen: die Intuition, dass Sterbehilfe durch Schmerzstillung (indirekt) oder durch Behandlungsverzicht (passiv) ganz anders zu bewerten sei als Sterbeassistenz, und die Intuition vom Arzt als *Diener am Leben*. Genauer betrachtet ist es aber alles andere als einleuchtend, dass die Medizin ein quasi selbständiges Telos habe, an dem sich medizinische Moralnormen ablesen ließen. Vielmehr bestimmen die Menschen, die Gesellschaften das Telos ihrer Medizin über unterschiedliche Prozesse des sozialen Aushandelns. Auseinandersetzungen über die Zulässigkeit von Sterbehilfe oder über Verteilungsgerechtigkeit im Gesundheitssystem *sind* dabei gerade selbst zentraler Teil solcher «Telos-Bestimmung». In diesen Bestimmungsprozessen können etablierte, «traditionelle», übergeordnete Zwecksetzungen hilfreiche Orientierungen darstellen. Aber sie sind weder sakrosankt noch mit einer eigenmächtigen Normierungskraft ausgestattet.[44]

Überdies lassen die globalen Zwecksetzungen, die als zustimmungsfähiges Telos auch der modernen Medizin auszumachen sind – nämlich a) Heilen und Lindern, b) das Erhalten von Gesundheit und c) die Sorge für einen möglichst würdigen Tod – es zumindest offen, ob nicht Sterbeassistenz hier als ultima ratio subsumiert werden kann. Entsprechendes gilt für den anderen «konservativ» besetzten Schlüsselbegriff, die *ärztliche Integrität*. Auch hier lassen sich keine *begrifflich* implizierten Verbote von Sterbe-

---

[43] Vgl. *L. Kass*, Regarding the end of medicine and the pursuit of Health, in: *A. Caplan et al.* (Hrsg.), Concepts of Health and Disease, Massachusetts 1981, 3–30. Kritisch *F. G. Miller/H. Brody*, Professional Integrity and Physician-Assisted Suicide, in: Hastings Center Report 25 (1995) 3, 8–17; *R. Momeyer*, Does Physician Assisted Suicide Violate the Integrity of Medicine?, in: Journal of Medicine and Philosophy 20 (1995) 13–24.

[44] Auch kann, nach diesem Verständnis, das Telos einer sozialen Praxis durchaus im Widerspruch zu plausiblen ethischen Urteilen stehen. Eine ausführlichere Diskussion der philosophischen Prämissen bei *R. Momeyer*, s. Anm. 43. Dort auch weitere Literaturangaben.

hilfe aufdecken, wenngleich manche Autoren dies vehement vertreten.⁴⁵ Nach allgemeiner und plausibler Vorstellung ist integres ärztliches Verhalten, wie auch Miller/Brody⁴⁶ in ihrer gegenläufigen Kritik ausführen, kompetent, fürsorglich, wahrhaftig und verschwiegen – und bei alledem durchgehend patientenzentriert. Wie immer die hier bestehenden großen Interpretationsspielräume gefüllt werden – Platz für kompetente, fürsorgliche und strikt am Willen des Patienten ausgerichtete Sterbeassistenz ist dabei prinzipiell schon. Kann es denn nicht sogar umgekehrt *zur* ärztlichen Integrität gehören, dass Ärzte ihren Patienten entsprechende Bitten nicht ausschlagen, sie nicht im Stich zu lassen?⁴⁷

Es mag andere, pragmatische Gegengründe geben. Aber der bloße Verweis auf medizinisches Telos oder ärztliche Integrität richtet nichts aus: Einmal mehr haben wir es hier mit normativen Resümee-Begriffen zu tun, die für das stehen, was ihnen – anderweitig begründet – erst eingeschrieben werden muss.

Nun umfasst *ärztliche Integrität* auch das, was oben als unspezifische moralische Anständigkeit angesprochen worden ist. Um solche Kriterien an ärztliches Verhalten anzulegen, bedarf es oft fachlicher Expertise. Man muss wissen, wie Patienten reagieren können, was häufig Angst hervorruft oder Vertrauen mindert, und man muss therapeutische Schadens- und Nutzenpotentiale veranschlagen können, um richtig aufzuklären, angemessen zu raten oder gerechte Verteilungsvorschläge zu machen. Solches Spezialwissen ist notwendig, aber natürlich nicht hinreichend für gute normative Entscheidungen. Streng – aber nicht immer leicht – zu unterscheiden ist dieses Spezialwissen von *professionsspezifischen Wertungen.*

Mindestens eine solche *arztspezifische* Wertung scheint mir in der Beurteilung von Sterbeassistenz im Spiel: eine Negativbewertung aller Suizide. Während in der allgemein-säkularen Beurteilung der Selbstmord eines leidenden Todkranken auf viel Sympathie stößt, ist offenbar nach verbreitetem ärztlichen Dafürhalten seine bloße Möglichkeit Grund genug, den Patienten fürsorglich unvollständig aufzuklären. Wieviel Zustimmung und Anwendung diese oft als «therapeutisches Privileg» verstandene Ausnahmeerlaubnis tatsächlich erfährt, lässt sich kaum ausmachen und ist hier auch

---

⁴⁵ So schreiben etwa Lauter und Fuchs: «Ein gegen den Organismus als ganzen gerichtetes Handeln [Assistenz zum Sterben] muß, selbst als human intendiertes, letztlich ein die Person negierendes Handeln sein. Es impliziert einen geistigen Akt, der über ihr Leben eine Bewertung als sinnlos und wertlos vollzieht und der sich in einer physischen Vollstreckung gegen die Person selbst als leibseelische Einheit richten muß. Beides ist mit der ärztlichen Sorge für den Patienten und mit der Achtung vor seiner Würde nicht vereinbar.» *Th. Fuchs/H. Lauter,* s. Anm. 32, 188.
⁴⁶ Vgl. *F. G. Miller/H. Brody,* s. Anm. 43.
⁴⁷ Benjamin stellt diese Frage im Zusammenhang mit dem berüchtigten Sterbedoktor Kevorkian, an den sich Patienten als an einen ihnen «Unbekannten» wenden mussten (eine Tatsache, die in der amerikanischen Debatte besonders viel empörte Aufmerksamkeit auf sich gezogen hat), «weil» ihre eigenen Ärzte nicht helfen mochten oder durften. *M. Benjamin,* s. Anm. 35, 438.

nicht wichtig. Mir geht es um den grundsätzlichen Hinweis darauf, dass arztspezifisches und wertungsrelevantes Wissen nicht mit Arztprivilegien in den *Bewertungen* selbst verwechselt werden darf.

d) Ein anderes und bedenkenswertes arztspezifisches Argument gegen Sterbeassistenz ist die Gefahr, dass deren erlaubtes Praktizieren auf die Dauer den Charakter von Ärzten verbiegen werde, sie verrohen oder abstumpfen lasse.[48] Letztlich ist dies eine empirische Frage, die nur *innerhalb* einer tatsächlichen Praxis beantwortet werden kann. Schon deshalb ist das holländische Euthanasie-«Experiment» von so großem allgemeinem Interesse. Die bisher vorliegenden sozialpsychologischen Daten über die niederländischen Ärzte, die Euthanasie praktizieren, lassen solche Schlussfolgerungen bisher nicht zu.[49]

e) Ebenso wie das häufig vorgetragene weitere empirische Argument, die Sorge vor Unkontrollierbarkeit und missbräuchlicher Ausweitung von Sterbeassistenz, ist auch das Charakterargument nicht unabhängig vom sozialen Gesamtklima zu beurteilen, in dem diese praktiziert wird. Es wäre wichtig, denke ich, dass Ärzte Sterbeassistenz in dem Wissen erwögen oder praktizierten, dass sie dabei im Auftrag ihrer Gesellschaft große moralische Verantwortung tragen und sich ihrer fähig erweisen müssen. In solchem Wissen könnte und sollte Potential eher zur Charakterbildung als zur Verrohung stecken – aber auch diese Hoffnung müsste sich am Ende empirisch bewahrheiten.

6. Fazit

Meine bisherigen Ausführungen haben weitgehend vorausgesetzt und nur punktuell dafür argumentiert, dass ich a) zwischen aktiver Sterbehilfe auf Verlangen und Suizidhilfe und b) zwischen diesen beiden auf der einen Seite und passiver oder indirekter Sterbehilfe auf der anderen keine *intrinsischen* moralischen Differenzen ausmachen kann.[50] Ob und wo moralische Unterschiede zwischen diesen verschiedenen Formen von Sterbehilfe gemacht und festgeschrieben werden, ist m. E. vielmehr ein Ergebnis sozialen Aushandelns, das von empirischen Daten und pragmatischen Überlegungen gelenkt sein sollte.[51] *Unärztlichkeit* als Prädikat der einen oder anderen Form von Sterbehilfe kann gegebenenfalls das negative Ergebnis solcher Überlegungen resümieren, stellt aber kein plausibles eigenständiges Argument, sondern gewissermaßen ein Sekundärargument dar.

---

[48] Vgl. *K. M. Foley*, s. Anm. 20.
[49] Vgl. Literatur unter Anm. 9. Kritiker unterstellen gelegentlich einen kausalen Zusammenhang zwischen den beunruhigenden Euthanasiefällen «ohne» Verlangen (s. o.) und der Legalisierung von Euthanasie auf Verlangen. Diese Unterstellung ist meines Wissens nicht durch Daten gestützt.
[50] Vgl. *T. L. Beauchamp*, s. Anm. 4; *M. Benjamin*, s. Anm. 35; *D. Birnbacher*, s. Anm. 3; *D. W. Brock*, s. Anm. 33.
[51] Vgl. auch *M. C. Kaveny*, s. Anm. 20; *A. Kleinman*, s. Anm. 20.

Ärzte selbst erscheinen auf den ersten Blick privilegiert, Unärztlichkeitsurteile zu fällen – und zumindest ihre nationalen Standesorganisationen tun dies auch – mit Ausnahme der Niederlande – *expressis verbis* mit Blick auf die Sterbehilfe. Auf den zweiten Blick sind ihre Urteile jedoch mit Vorsicht zu betrachten: Durch den leichten Zugang zu Sterbehilfe, den sie selber für sich und ihre Nächsten haben, mögen sie unterschätzen, wie verzweifelt und ernsthaft ein vergeblicher Sterbehilfe-Wunsch sein kann. Meinungsbilder von Ärzten, die hier – etwa im Zusammenhang mit AIDS – eigene und direkte Erfahrungen gemacht haben,[52] lassen es nicht unwahrscheinlich aussehen, dass in der intraprofessionellen Bewertung von Sterbeassistenz so etwas wie eine Umbewertung von unten stattfinden wird. Der Generationenwechsel zugunsten einer Ärzteschaft ohne mögliche eigene Nazi-Vergangenheit mag ebenfalls dazu beitragen.

Ohne das moralische Einverständnis nennenswert vieler Ärzte aber wäre ein kontrolliertes und behutsames Zulassen von Sterbeassistenz schon insofern problematisch, als ihre Durchführung oder Verweigerung dann zum standespolitischen Zankapfel, zum Stolperstein auf Arztlaufbahnen, zum Anlass moralischer Diffamierung und deswegen zu einer zusätzlichen Belastung für Patienten, Angehörige und Ärzte werden könnte. Unter pragmatischen Gesichtspunkten hat ärztliche Suizidhilfe gegenüber der aktiven Sterbehilfe deutliche Vorzüge.

- Sie lässt sich, anders als diese, überhaupt nur mit Wissen und Beteiligung des Patienten durchführen.
- Ihre Zulässigkeit wäre ein folgerichtiger Schritt in einer Gesellschaft, die auf säkular-liberalem Fundament den *autonomen* Suizid ihrer Bürger auch unter anderen Umständen toleriert. Schwerste irreversible Krankheit ist aber nun der paradigmatische Umstand, in dem es denk- und nachvollziehbar erscheint, dass jemand wirklich selbstbestimmt Hand an sich legt.
- Zur Freigabe von Sterbeassistenz in Deutschland und der Schweiz wäre keine Änderung des Strafrechts notwendig. Juristisch erforderlich wäre nur, dass ärztliche Beihilfe zum Suizid unter genau definierten Bedingungen ein Aussetzen der gegenläufigen Garantenpflicht (s. o.) verlässlich nach sich zieht. Dazu bedarf es nur einer entsprechenden Auslegung durch exekutive oder jurisdiktive Autoritäten. Die Bedeutung dieses dritten Punktes liegt natürlich nicht darin, dass Suizidhilfe ohne legislative Anstrengungen möglich wäre, aktive Sterbehilfe jedoch nicht. Die Bedeutung liegt vielmehr auf der Ebene der öffentlichen *Wahrnehmung* beider Formen der Sterbeassistenz. Nur Suizidhilfe würde – aus dem genannten Grund – zu Recht nicht als ein Bruch mit althergebrachten rechts- und sozialethischen Positionen imponieren und würde daher weniger Besorgnis, Verunsicherung oder Vertrauensverlust hervorrufen.[53]

---

[52] Vgl. *E. J. Emanuel et al.*, s. Anm. 24.
[53] Die Einschätzung der Bioethikerin Margaret Battin allerdings, die Deutschland auf dem Königsweg der Suizidhilfe als legalisierte und akzeptierte Form der Sterbehilfe wähnte,

Auf der anderen Seite darf nicht aus dem Blick geraten, dass die empirischen Fragen nach Missbrauch und der möglichen Abstumpfung ärztlicher Charaktere weder aus der Luft gegriffen noch bisher negativ-beruhigend beantwortet sind. Daher scheint mir eine extrem restriktive und auf öffentliche Transparenz hin angelegte Regelung ärztlicher Suizidhilfe nicht nur vertretbar, sondern notwendig: Auch wenn solche Regelungen für einzelne Patienten und unter besonderen Umständen belastend oder allzu strikt wären, würde ich dafür plädieren, Suizidbeihilfe

- für Psychiatriepatienten strikt zu verbieten (im Gegensatz zu der niederländischen Entwicklung[54])
- nur nach einem psychiatrischen Konsil zu erlauben[55]
- generell meldepflichtig zu machen

Mit sozialer Phantasie, Behutsamkeit und der Bereitschaft, das «Experiment» sozialpsychologisch begleitend zu bewerten und im Negativfall wieder abzubrechen, müssten Richtlinien und Kontrollmechanismen so eingerichtet werden, dass sie Suizidhilfe nur bei wirklich *autonomem* Sterbewunsch ermöglichen, nicht aber bei Patienten, die behandelbar depressiv sind oder nicht völlig informiert, die nicht authentisch, wohlüberlegt, freiwillig entscheiden oder die keinen Zugang zu bester Palliativversorgung haben. Ärzte müssten sich damit auseinandersetzen, dass es bei der Suizidhilfe um eine *ultima ratio* geht, die nicht empfohlen, sondern nur enttabuisiert und einer Gewissensentscheidung von Patienten und ihren Ärzten anheimgestellt würde. Sie müssten die Gefahren sehen, dass Suizidhilfe zum subtilen Druckmittel *gegen* Patienten verkehrt werden könnte – als Alternative zu kostspieliger und kräftezehrender Medizin und Pflege. Sie müssten sich mit dem Problem der fanatisierten Helfer, also eines unterschwelligen Suizidpaternalismus[56], auseinandersetzen. Unter diesen Vorsichtsmaßnahmen, die im Übrigen zum Credo vieler vorsichtiger Befürworter von Sterbeassistenz gehören,[57] schiene mir die Möglichkeit, in Extremfällen Suizidhilfe zu leisten, die ärztliche Integrität nicht zu gefährden, sondern deutlich zu erhöhen. Ob dann in einer anderen Zeit auch noch die aktive Sterbehilfe auf Verlangen zulässig werden sollte, um die darauf gerichtete Selbstbestim-

---

halte ich für zu optimistisch. Frau Battin gründet ihr Urteil auf Deutschlands besondere strafrechtliche Situation und auf seine traditionell auch positive Bewertung des Suizids (die sich in der Verfügbarkeit des positiv besetzten Begriffs «Freitod» manifestiere). Sie unterschätzt vielleicht den massiven Einfluss standesethischer Suizidablehnung und überschätzt die Verwendung des Freitodbegriffes außerhalb propagandistischer Literatur. *M. Papst Battin,* Assisted Suicide: Lessons from Germany, in: Hastings Center Report 22 (1992) 2, 44–51.

[54] Vgl. *J. H. Groenewoud et al.,* Physician-Assisted Death in Psychiatric Practice in the Netherlands, in: New England Journal of Medicine 336 (1997) 1795–1801.

[55] Vgl. auch *R. M. A. Hirschfeld/J. M. Russell,* Assessment of Treatment and Suicidal Patients, in: New England Journal of Medicine 337(1997) 910–915.

[56] Diese Sorge hegt etwa *H. Hendlin,* Selling Death and Dignity, in: Hastings Center Report 25 (1995) 3, 19–23.

[57] Vgl. z. B. *M. Benjamin,* s. Anm. 35; *R. N. Dworkin et al.,* s. Anm. 20.

mung jener (wenigen) todkranken Patienten zu respektieren, die sich entweder nicht selbst töten können (z. B. weil sie gelähmt sind) oder es nicht wollen[58] – diese Frage sollte dann erst später gestellt werden.

---

[58] Es scheint mir nicht widersprüchlich, dass jemand zugleich einen autonomen Sterbewunsch hat, und ihn nicht selber ausführen möchte. Nur kann das Vorliegen dieser Bereitschaft ein zusätzlicher Autonomie-Indikator sein. So auch *A. Leist*, s. Anm. 10, 11f.

TEIL 2

Theologisch-ethische Aspekte

Adrian Holderegger

Zur Euthanasie-Diskussion in den USA
Erster Teil

Die Sterbehilfe mit ihren ethischen, medizinischen, sozialen und insbesondere juristischen Aspekten gehört in den USA sowohl im akademischen Bereich wie in der Öffentlichkeit zur Zeit wohl zu den meist diskutierten Topoi[1] der medizinischen Ethik. Die Diskussion weist in den USA neben den spezifischen kulturpolitischen Aspekten, neben den Besonderheiten der Rechtsprechung und der Gesetzgebung ebenfalls weiterführende Elemente auf, die für die kontinental-europäische Diskussion durchaus von Interesse sein können. Bislang wurde in dieser Frage die US-amerikanische Debatte – vor allem, was den philosophischen, fallbezogenen Argumentationsgang anbelangt – nur wenig zur Kenntnis genommen. Dies mag zu weiten Teilen damit zusammenhängen, dass die anglo-amerikanische philosophische Kultur mit der «angewandten Ethik» eine Tradition hervorgebracht hat, die auf medizinische Herausforderungen anders, viel flexibler und problemspezifischer reagiert als die europäische Tradition. Umgekehrt gilt aber auch, dass die Sprache nach wie vor ein großes Hindernis für die US-amerikanische Integration nicht-englischsprachiger, namentlich der kontinental-europäischen Literatur darstellt.[2] Dies führt dazu, dass zwar eine stetig wachsende Rezeption der anglo-amerikanischen Fachdiskussion innerhalb der medizinischen Ethik erfolgt, nicht aber umgekehrt eine Auseinandersetzung mit den eher generellen, humanistisch ausgerichteten Denkrichtungen Europas.

Der folgende Beitrag beschäftigt sich mit der jüngeren, vorwiegend ethischen Literatur und versucht, anhand eines systematischen Leitfadens die «mainstreams» der Euthanasie-Diskussion einzuordnen und kritisch zu gewichten. Es wäre allerdings vermessen, wollte man auf einigen Seiten einen umfassenden Überblick über den derzeitigen Stand der weitverzweigten Debatte geben, weil die Literatur hierzu ins Unüberblickbare gewachsen

---

[1] Ethische Fragen zur Gentechnologie werden im Gegensatz zu Europa weit weniger intensiv, aber auch weit weniger kontrovers und unter weit weniger Vorbehalten diskutiert.

[2] Margaret Papst Battin, eine für diesen Fragenkomplex sehr beachtete Autorin, hat den interessanten Versuch unternommen, die bundesdeutsche Gesetzgebung zu «Euthanasie/Suizid» und die entsprechende Erfahrung auf die Relevanz für die amerikanische Diskussion und Legislation hin zu prüfen. Sie kommt zum nüchternen Ergebnis, dass ein Vergleich und ein «Lernen voneinander» viel schwieriger sei als ursprünglich angenommen, nicht bloß aufgrund der sprachlichen Schwierigkeiten, sondern vor allem auch aufgrund kultureller Unterschiede. Vgl. *Dies.*, Assisted Suicide: Can We Learn from Germany?, in: *Dies.*, The Least Worst Death. Essays in Bioethics on the End of Life, New York 1994, 254–270.

ist.³ Es kann sich aber auch nicht darum handeln, die einzelnen Aspekte abschließend zu diskutieren; sie sollen vielmehr im Zeichen der gegenwärtigen Diskussionslage aufgeschlüsselt und ihre kontroversen und nicht ausdebattierten Perspektiven etwas geschärft herausgehoben werden.

1. Der Kontext

Tom L. Beauchamp, einer der prominentesten amerikanischen Medizin-Ethiker, vermerkt im Vorwort eines kürzlich erschienenen Sammelbandes,⁴ es gebe in der medizinischen Ethik und in der medizinischen Praxis keine strengeren moralischen Regeln als diejenigen, die gegen die direkte Beendigung des Lebens eines Patienten gerichtet seien; aber besonders im Bereich der Sterbehilfe sei ein Trend zum flexibleren Umgang mit diesen Normen festzustellen. Die Diskussion gerade um diese Normen verläuft in den USA wohl insofern zugespitzter als im europäischen Kontext, da sich das medizinische Ethos und die medizinische Praxis in einem Konfliktfeld bewegen, das von zwei gegensätzlichen Polen bestimmt ist: Einerseits wird es geprägt von der bislang eher rigoros gehandhabten Regel der *medizinischen Erhaltung* menschlichen Lebens mit der entsprechenden Auswirkung auf die Gerichtspraxis einschließlich der oft übertriebenen Genugtuungssummen; aus Angst nämlich, vor Gericht angeklagt zu werden, ergreift die Ärzteschaft bei todkranken Patienten oft Maßnahmen, die medizinisch nicht mehr angezeigt sind. Andererseits ist das Konfliktfeld bestimmt von der immer entschiedener formulierten Forderung nach *Autonomie* im Sinne des individuellen Selbstbestimmungsrechtes,⁵ das in der liberalen-amerikanischen Gesellschaft mit der traditionellen Hochschätzung individueller Freiheitsrechte einen anderen Klang hat als in Europa.

Daniel Callahan, der ehemalige Leiter des Hastings-Centers in New York, ist einer der schärfsten und bekanntesten Kritiker dieser verabsolutierenden Emphase des Selbstbestimmungsrechtes, die zwar als Reaktion auf den exzessiven medizinischen Paternalismus zu verstehen, aber keineswegs zu rechtfertigen sei. Er schärft sehr kritisch ein, Autonomie dürfe nicht mit Autarkie verwechselt werden, da zur ersteren ebenfalls Abhängigkeit und Angewiesensein auf den anderen gehörten, insbesondere in der späten Le-

---

³ Einen ersten Überblick kann vermitteln: Vgl. *J. Keown* (Ed.), Euthanasia Examined. Ethical, Clinical and Legal Perspectives, Cambridge 1995.
⁴ Vgl. *T. L. Beauchamp* (Ed.), Intending Death. The Ethics of Assisted Suicide and Euthanasia, Prentice Hall NJ 1996.
⁵ Vgl. *M. Charlesworth*, Bioethics in a Liberal Society, Cambridge 1993. Vgl. auch: *J. P. Burgess*, Can I Know that my Time has come? Euthanasia and Assisted Suicide, in: Theology Today 51 (1994) 204–218. («Modern medicine seems to treat biological life as an absolute value ... Autonomy becomes an absolute value», 204f.). *R. A. McCormick S. J.* (Technology, the Consistent Ethic and Assisted Suicide, in: Origins 25 [1995] 27, 450–464) spricht denn auch von einer Verabsolutierung der Autonomie, die als Überreaktion auf den lange praktizierten Paternalismus zu interpretieren sei.

bensphase.⁶ Euthanasie sei nicht bloß eine Frage des individuellen Rechtes auf den eigenen Tod, sondern auch eine Frage gesellschaftlicher Verwiesenheit des Individuums und demnach auch eine Frage von gesellschaftlichen Interessen.

Ferner gilt als wesentlicher Faktor, der diese Debatte bestimmt, die starke, im allgemeinen Trend liegende «Säkularisierungstendenz» (R. A. McCormick), dem die Medizin unterworfen sei; sie wird in der Meinung vieler immer stärker den Regeln des «business» unterworfen, zunehmend «entprofessionalisiert» und dementsprechend vom herkömmlichen Berufsethos abgekoppelt. So wird das Arzt-Patient-Verhältnis mehr und mehr bestimmt vom merkantilen Gesetz von Angebot und Nachfrage. Das ist eine Entwicklung, die wir auch hierzulande kennen, aber insgesamt verläuft sie in den USA wohl dramatischer.⁷ Ein Symptom hierfür dürfte sein, dass ein relativ hoher Prozentsatz von Ärzten und Ärztinnen mit ihrem Beruf nicht zufrieden ist, weil sie ihre humanitären Erwartungen in ihrer beruflichen Ausübung nicht abgedeckt sehen.

Ein weiteres Element, das die Euthanasiedebatte bestimmt, ist in einer medizin-internen Vernachlässigung der *palliativen* Medizin zu suchen, insbesondere im Fehlen einer genügenden ärztlichen Ausbildung in der Schmerzbekämpfung.⁸ Nach wie vor gelten das Nicht-Heilen-Können und das Sich-Beschränken-Müssen auf lindernde Maßnahmen – und damit letztlich auch der Tod – grundsätzlich als Misserfolg der curativen Medizin.

In einem solchen, im Wesentlichen von diesen Elementen beherrschten Kontext gibt es daher – zwar nicht als logische Folge, aber davon klar determiniert – in verschiedenen Teilstaaten der USA Bestrebungen, die medizinisch assistierte Beihilfe zur Selbsttötung von todkranken Patienten zu legalisieren.⁹ Dabei steht zur Diskussion, ob die Freiheit zur Wahl von Zeit-

---

⁶ Vgl. *D. Callahan*, The Troubled Dream of Life, Simon and Schuster, New York 1993, bes. 144ff.; *Ders.*, When self-determination runs amok, in: Hastings Center Report 22 (1992) 2, 52–55.

⁷ Charakteristisch hierfür ist die Äußerung von *J. A. Califano*, in: *Ders.*, Radical Surgery, New York 1994, 58: «Für viele Ärzte und Spitäler ist die medizinische Praxis mehr Geschäft als praktizierte Medizin. Für mich wird es Jahr für Jahr schwieriger, den Unterschied einer Geschäftsführung etwa bei Chrysler und der eines Spitals deutlich zu machen.»

⁸ Vgl. *R. A. McCormick S. J.*, Physician-Assisted Suicide: Flight from Compassion, in: Christian Century 108 (1991) 1133.

⁹ Bisher war in den USA nur die passive Sterbehilfe vom obersten Gericht zugelassen. Einzelne Staaten haben sog. «living will statutes» oder «natural death acts» erlassen, die Bestimmungen über die Abfassung von Patientenverfügungen enthalten, in welchen der Verzicht auf Leben erhaltende Maßnahmen festgehalten werden kann. Aktive Sterbehilfe («mercy killing») ist in allen Gliedstaaten, soweit erkennbar, verboten. Jedoch wollen Initiativen von Gliedstaaten und Gerichtsentscheide in einzelnen Staaten eine Revision des bundesstaatlichen Verbotes aktiver Sterbehilfe erzwingen (vgl. Initiative 119 in Washington 1991: Die Initiative, welche die Legalisierung des «Aid-in-Dying»-Aktes beabsichtigte, wurde verworfen; Proposition 161 in California 1992: Das Gesetz hätte bei Annahme die ärztliche Beihilfe zum Suizid von urteilsfähigen Erwachsenen im terminalen Stadium erlaubt; die Ballot Measure 16 in Oregon 1994: Seit 1997 ist in Oregon die Suizidbeihilfe

punkt und Art des eigenen Todes höher zu veranschlagen sei als das staatliche Interesse, Sterbehilfe z. B. zum Schutz ökonomisch unterprivilegierter Schichten zu verbieten. Es ist nicht zu übersehen, dass in letzter Zeit auch in der entsprechenden Literatur insgesamt immer häufiger Argumente – gerade auch von medizinischer und philosophischer Seite[10] – für die Erfüllung des Todeswunsches von Patienten beigebracht werden.

2. Der Kern der Debatte

Wenn man die derzeitige medizin-ethische Debatte in die Form der am häufigsten gestellten und abgehandelten Fragen auffächert, ergibt sich folgendes Set an Fragen, die Aufschluss geben über den Kern der ethischen Problemstellung:[11]
- Ist das Absetzen lebenserhaltender Maßnahmen bei todkranken Patienten eine Form des Tötens? (Dies ist eine Definitionsfrage)
- Ist diese Handlung als Suizid oder als Euthanasie zu bezeichnen? (Dies ist eine Frage nach fremdverursachter Eigenverfügung oder selbstbestimmter Fremdverfügung)
- Worin besteht der moralische Unterschied zwischen dem direkten Beendigen des Lebens eines Menschen und dem willentlichen Sterbenlassen eines Menschen? Gibt es überhaupt einen moralischen Unterschied zwischen Töten und Sterbenlassen? (Dies ist eine Frage nach der moralischen Differenz von Tun und Lassen)
- Unter welchen medizinischen, rechtlichen und ethischen Bedingungen kann bei einer Lockerung des Verbotes Ärzten und Ärztinnen und dem Pflegepersonal eine Beihilfe zur Selbsttötung erlaubt werden? (Dies ist eine Frage nach einem politisch-pragmatischen Lösungsmodell)

Einige dieser Fragen wurden im Laufe der Geschichte von Philosophen und Theologen ausführlich und ergiebig diskutiert. Naturgemäß stand die Fra-

---

unter bestimmten Umständen legal.) – Am 26. Juni 1997 entschied sich der US-Supreme-Court allerdings gegen ein Verfassungsrecht auf «Assisted suicide». Das Urteil, das sich lediglich mit zwei Gerichtsurteilen (Washington v. Glücksberg; Vacco v. Quill) zu befassen hatte, enthält weder eine eigentliche Rechtssystematik noch ethische, umfassende Grundsatzüberlegungen zur Sterbehilfe. Insofern wird sich der oberste Gerichtshof wohl auch in Zukunft mit dieser Frage beschäftigen müssen. Vgl. hierzu *A. M. Capron*, Death and the Court, in: Hastings Center Report 27 (1997) 5, 25–29; *C. A. Anderson*, Waiting for Hippocrates: «right to die» and the US-Constitution, in: Linacre Quarterly 63 (1996) 3, 60–73.

[10] Inzwischen beteiligen sich renommierte Philosophen wie Ronald Dworkin (Oxford/New York), Thomas Nagel (New York), John Rawls (Harvard) über die Form des Manifestes am politisch-öffentlichen Diskurs.

[11] Mittels philosophischer Schlüsselbegriffe (Deontologie, Konsequentialismus, Pragmatismus) wurde die Debatte sehr hilfreich rekonstruiert von: *J. Fins/M. Bacchetta*, Framing the Physician-Assisted Suicide and Voluntary Active Euthanasia Debate: The Role of Deontology, Consequentialism, and Clinical Pragmatism, in: Journal of the American Geriatrics Society 43 (1995) 563–568.

ge des moralischen Rechtes auf Selbsttötung (Suizid) im Vordergrund.[12] Plato, Aristoteles und die Stoiker in der Antike, Augustinus und Thomas in der Spätantike und im Mittelalter, John Donne[13], Michel de Montaigne, David Hume und Immanuel Kant in der Neuzeit haben eine ganze Reihe von Argumenten hinterlassen, die in der anglo-amerikanischen Literatur zum großen Teil auch heute noch Gegenstand kritischer Analysen sind.[14] In der Antike und im Mittelalter war – von einigen, wenngleich auch starken Ausnahmen abgesehen – die Selbsttötung verboten. Allerdings begannen im 16. Jh. einige Philosophen, die Selbsttötung mehr und mehr als einen Akt persönlicher Freiheit zu betrachten. Es gilt nun nicht, im Einzelnen diese geschichtliche Entwicklung nachzuzeichnen, sondern es ist festzustellen, dass damit in verschiedenen Ländern die *Entkriminalisierung des Suizides* eingeleitet worden ist, die mit der Aufhebung des entsprechenden Strafartikels in England im Jahre 1971 für den okzidentalen Kulturraum als abgeschlossen gelten kann. Gewissermaßen in Fortsetzung dazu steht derzeit die Frage zur Diskussion, ob es ein (verfassungsmäßig) *geschütztes Recht* auf aktive Beendigung des eigenen Lebens geben kann.[15]

In den Vereinigten Staaten beschäftigen sich zur Zeit mehrere Gerichtshöfe mit dieser Frage. In dieser teils heftig geführten Debatte scheint inzwischen nach einigen Irritationen wenigstens darin ein Konsens[16] zu bestehen, dass zwischen dem Verzicht auf lebenserhaltende Maßnahmen und der Beihilfe zur Selbsttötung zu unterscheiden sei. Es hat sich die Meinung durchgesetzt, dass Entscheidungen, die von Arzt und Patient getroffen werden, auf lebenserhaltende Maßnahmen zu verzichten, nicht bloß moralisch vertretbar, sondern angesichts heutiger hochentwickelter Medizin unumgänglich seien; dagegen werden in gesetzlicher Hinsicht – von einigen Re-

---

[12] Hierzu gibt es eine Reihe ausgezeichneter Studien: Vgl. *B. Brody* (Ed.), Suicide and Euthanasia: Historical and Contemporary Themes, Dordrecht 1989; *A. J. Droge*, A noble death: suicide and martyrdom among Christians and Jews in Antiquity, San Francisco 1992; *S. Goldstein*, Suicide in Rabbinic Literature, New York 1989. (Zuletzt erschienene anderssprachige Titel: *G. Minois*, Histoire du suicide: la société occidentale face à la mort volontaire, Paris 1995; *A. J. L. van Hooff*, Zelfdoding in de antieke wereld: van autothanasia tot suicide, Nijmegen 1990).
[13] *J. Donne* kritisiert in «Biothanatos» (1647) als erster die seit der Väterzeit und dem Mittelalter überlieferten theologischen Argumente. Seine Kritik wird von David Hume im wichtigen Traktat «On Suicide» (1776) aufgenommen.
[14] Vgl. insbesondere *M. Papst Battin*, Ethical Issues in Suicide, Practice-Hall NJ 1995, 26–130; *Dies.*, The least worst Death: Essays in Bioethics on the End of Life, New York 1994; *D. C. Thomasma*, An Analysis of Arguments For and Against Euthanasia and Assisted Suicide, in: Cambridge Quarterly of Health Care Ethics 5 (1996) 62–72; *K. Lebacqz/ T. Engelhardt*, Suicide, in: *D. J. Horan/D. Mall* (Eds.), Death, Dying, and Euthanasia, Aletheia Books 1980.
[15] Eine große publikumswirksame Rolle spielt der Bestseller: Vgl. *D. Humphry*, Final Exit: The Practicalities of Self-Deliverance and Assisted Suicide for the Dying, Secaucus, New York 1991; *J. M. Brovins*, Dr. Death: Dr. Kevorkians' RX, Hollywood 1993; *M. Betzold*, Appointment with Doctor Death, Troy MI 1993.
[16] Vgl. *A. Meisel*, The Legal Consensus about Forgoing Life-Sustaining Treatment: Its Status and its Prospects, in: Kennedy Institute of Ethics Journal 2 (1992) 309–345.

formbestrebungen abgesehen – im Allgemeinen der medizinisch assistierte Freitod («assisted suicide») wie auch die direkte Selbst-Beendigung des Lebens («euthanasia») als gesetzwidrig betrachtet. Genau dies sind aber die entscheidenden Herausforderungen an die Gesetzgebung.[17]

Das bedeutet, dass es bezüglich der Erlaubtheit der aktiven Lebensbeendigung in der Öffentlichkeit wie auch in der «scientific community» keinen Konsens gibt.[18] Und ein solcher scheint auch naturgemäß nicht in Sicht zu sein. Es besteht aber auf der anderen Seite Einigkeit darüber, dass das intendierte Sterbenlassen unter bestimmten Umständen moralisch wie gesetzlich vertretbar ist. Kaum moralische oder rechtliche Bedenken liegen beispielsweise dann vor, wenn ein Todkranker aus eigenem Antrieb bei vollem Bewusstsein und in voller Kenntnis der medizinischen Alternativen und Konsequenzen auf weitere Behandlungen verzichtet. Auch wenn über die moralische Legitimität eines solchen Aktes kaum Zweifel bestehen, so besteht hingegen aufgrund unterschiedlicher Definitions-Bestimmungen Uneinigkeit in der Kennzeichnung und damit letztlich doch auch in der moralischen Bewertung dieses Aktes. Soll er als eine Form legitimer Selbsttötung bezeichnet werden oder schlicht als eine Handlung, die den Tod «erlaubt» bzw. in Kauf nimmt? – Aus diesem Zusammenhang heraus hat sich eine wichtige sprachliche und sachliche Differenzierung herausgebildet, die es in ähnlicher Weise im deutschen Sprachraum nicht gibt: «assisted suicide» und «euthanasia».

3. Eine terminologisch-sachliche Differenzierung: Der medizinisch assistierte Tod («assisted suicide») und die Euthanasie («euthanasia»)

Das Wort Euthanasie weist bekanntlich in den verschiedenen Sprachkontexten unterschiedliche Bedeutungen auf. Jeder ethische Diskurs setzt eine klare Sprachregelung voraus, was nicht zuletzt in den verschiedenen Arbeiten zu Definitionsfragen seinen Niederschlag findet.[19] In diesem Zusammenhang ist die Feststellung wichtig, dass in der US-amerikanischen Literatur bis ca. 1970 unter Euthanasie vorwiegend die aktive Beendigung des Lebens eines todkranken Menschen durch einen Dritten verstanden worden ist.[20] Logischerweise ist unter dieser Voraussetzung – allerdings sach-

---

[17] Vgl. *G. B. Palermo*, Should Physician-Assisted Suicide be Legalized – A Challenge for the 21st Century, in: Intern. Journal of Offender Therapy and Comparative Criminology 39 (1995) 367–376.
[18] Vgl. *J. D. Moreno*, Arguing Euthanasia: The Controversery over Mercy Killing, Assisted Suicide, and the «Right to Die», New York 1995; *M. I. Urovsky* (Ed.), The Right to Die: Two-Volume Anthology of Scholarly Articles, New York 1996.
[19] Vgl. *R. M. Veatch*, Death, Dying, and the Biological Revolution. Our last Quest for Responsability, New Haven/London 1989 (Rev. Edition), 15ff.
[20] Vgl. *T. B. Beauchamp*, s. Anm. 4, 3; *M. Wreen*, The definition of euthanasia, in: Philosophy and Phenomenological Research 48 (1988) 4, 637–653; *Ders.*, The definition of suicide, in: Social Theory and Practice 14(1988) 1–23; *T. E. Quill et al.*, Care of the Ho-

lich auch bestritten – weiter unterschieden worden in aktive/passive und in freiwillige/unfreiwillige Euthanasie. Um nun die medizinisch assistierte Beihilfe zum Tod («assisted suicide») von diesen Formen der Euthanasie abheben und in ihrer spezifischen ethischen Eigenart diskutieren zu können, wird eine genauere Definition der Euthanasie vorgeschlagen.[21] Sie wird in der Literatur im Allgemeinen stillschweigend vorausgesetzt, wenn im Unterschied dazu von «assisted suicide» die Rede ist. Euthanasie liegt dann vor, wenn die folgenden und *ausschließlich* diese Bedingungen erfüllt sind:
- Der Tod ist mindestens durch eine weitere Person, deren Handlung zum Tod beiträgt, gewollt.
- Die Person, die stirbt, ist entweder schwer krank oder irreversibel komatös (oder wird es bald sein); die Beendigung dieses Zustandes ist allein der ausschlaggebende Grund für die Lebensbeendigung.
- Die angewendeten Mittel müssen so schmerzlos sein wie möglich, oder dann müssen genügend moralische Gründe für eine schmerzhafte Methode gegeben sein.

Der sogenannte «assisted suicide» kann damit – jedenfalls in begrifflicher Hinsicht – von der «euthanasia» klarer abgegrenzt werden. Diese Handlung meint, dass diejenige Person, welche den Tod veranlasst, selbst die letzte und eigentliche Ursache des Todes ist (oder dann die Ursache einer Kette von Umständen, die zum Tode führen), freilich unter Assistenz anderer.[22] Dagegen meint die direkte und einverständliche Euthanasie, dass die Ursache des Todes eine andere Person ist. Die Verwendung des Begriffes «Suizid» indiziert des weiteren den wichtigen Umstand, dass nicht unbedingt eine tödliche Krankheit vorliegen muss. In dieser Hinsicht deckt also dieser Begriff mehr Handlungsmöglichkeiten ab als der Begriff «Euthanasie». Dass die Frage der Lebensbeendigung in anderen semantischen Kontexten und mit Begriffen, die unbelasteter sind und in der Gesellschaft ohnehin freundlichere Assoziationen wachrufen, diskutiert wird, scheint für die ethische Diskussion wie für die Öffentlichkeit nicht unerheblich zu sein.[23] Damit steht im Vordergrund die in Geschichte, Theorie und Praxis weniger belastete Frage nach dem Recht der Selbstverfügung über das eigene Leben (Selbsttötung), die dann nicht über das Einfallstor der Euthanasie dis-

---

plessly Ill: Proposed Criteria for Physician Assisted Suicide, in: New England Journal of Medicine 327 (1992) 1380–1384.

[21] Vgl. den Artikel: Death and Dying: Euthanasia and Sustaining Life, in: Encyclopedia of Bioethics, *W. Th. Reich* (Ed.), New York ²1995, vol I, 554–577.

[22] Vgl. *D. T. Watts/T. Howell*, Assisted Suicide is not Euthanasia, in: Journal of the American Geriatrics Society 40 (1992) 10, 1043–1046. Vgl. auch den Beitrag von B. Schöne-Seifert in diesem Band.

[23] Jedenfalls ist die Beobachtung interessant, dass der Begriff «Euthanasia» nicht mehr eine prominente Rolle spielt.

kutiert werden muss.²⁴ Soll man dies für einen begrifflichen Trick oder für eine weise und für die Diskussion hilfreiche Klärung halten?²⁵

4. Verantwortung für den Tod

Mit dieser begrifflichen Differenzierung eröffnet sich ein großes Feld weiterer Fragestellungen. Klärungsbedürftig bleibt bei aller begrifflichen Differenzierung die Frage nach der Ursache bzw. nach dem verursachenden Grund des Todes und damit die Frage der Zuschreibung der Verantwortlichkeiten.
- In welcher Art und Weise sind die Ärzte bei einer «Assistenz» involviert?
- Welche Verantwortung tragen sie, selbst wenn der Entscheid zur Lebensbeendigung nicht bei ihnen liegt?
- Welche Rolle spielen Ärzte bei der Herbeiführung des Todes, wenn sie auf Ersuchen ihrer Patienten hin die künstliche Beatmung abschalten oder die Nahrungszufuhr absetzen?
- Verursachen sie den Tod des Patienten und sind sie dafür voll verantwortlich?

Noch bis vor wenigen Jahren wurden diese Fragen dahingehend beantwortet, Ärzte und Pflegepersonal würden an Patienten einen Tötungsakt begehen, wenn sie lebenserhaltende Behandlungen – selbst im unwiderruflich terminalen Stadium – absetzten. Den Patienten wiederum wurde unterstellt, sie begingen Suizid und damit eine in sich verwerfliche Handlung.²⁶

In diesem Stadium der Diskussion war das Bedenken der alten juristischen und ethischen Unterscheidung in *Sterbenlassen und Töten* sehr hilfreich. Vor allem die Gerichte bezogen sich darauf. Für die Legitimität des Sterbenlassens bzw. für das Absetzen bestimmter Behandlungen machten sie folgende Argumente geltend: Im Fall der Absetzung einer Behandlung ist das Versagen des «biologischen Systems» der verursachende Grund des Todes. Die medizinische Technik hat nur eine unterstützende Funktion. Das Leiden des Patienten ist der einzige und entscheidende Grund des Todes. Wird die technische Unterstützung abgesetzt, tritt der natürliche Tod ein, denn der natürliche Prozess nimmt seinen Lauf, den er ohne technische Hilfe genommen hätte. Diese Argumentation war im sog. Quinlan-Fall im Staate New Jersey maßgeblich. Die Entscheidung, dass lebenserhaltende Maßnahmen abgesetzt werden könnten, hatte für andere Gerichte Signalwirkung.

---

²⁴ Vgl. *M. T. CeloCruz,* Aid-in-dying: should we decriminalize physician-assisted suicide and physician-committed euthanasia?, in: American Journal of Law and Medicine 18 (1992) 4, 369–394.
²⁵ Vgl. kritisch dazu *Y. Kamisar,* Physician-assisted suicide: the last bridge to active voluntary euthanasia, in: *J. Keown* (Ed.), Euthanasia Examined: Ethical, Clinical and Legal Perspectives, New York 1995, 225–260.
²⁶ Vgl. *R. Weir,* Abating Treatment with Critically Ill Patients: Ethical and Legal Limits to the Medical Prolongation of Life, New York 1989.

Naturgemäß führte diese in rechtlicher Hinsicht für Ärzte und Pflegepersonal entlastende Unterscheidung zu weiteren, vor allem philosophisch-ethischen Nachfragen. Denn es gibt Fälle, in denen das Absetzen bestimmter Maßnahmen keineswegs gerechtfertigt werden kann. Wenn ein Arzt beispielsweise bei einem Querschnittgelähmten aus Versehen das Respirationsgerät abschaltet, würden wir niemals behaupten, der Tod wäre nicht durch das Handeln des Arztes verursacht worden, sondern er hätte lediglich dem Patienten erlaubt zu sterben. Anders liegt der Fall allerdings bei einem auf den Tod kranken Krebspatienten, der an einer akuten Lungenentzündung leidet und bei dem die lebensverlängernden Maßnahmen abgesetzt werden. Im einen Fall würden wir das Abbrechen lebenserhaltender Maßnahmen, unabhängig von den Motiven, als einen Tötungsakt bezeichnen, während wir im anderen Fall von einem legitimen Sterbenlassen sprechen würden.

5. Der Begriff «Töten»

Damit stellt sich die Frage, ob Sterbenlassen und Töten moralisch unterscheidbare Handlungen darstellen? Wenn ja, worin besteht die Differenz? Nun gibt es allerdings einige Autoren, die keinen Unterschied mehr sehen zwischen Sterbenlassen und Töten, wenn Motive, Intention und Umstände dieselben sind. *James Rachels* vertrat sehr einflussreich diese Position.[27] Er meinte, wenn es moralisch erlaubt sei, einen Patienten absichtlich sterben zu lassen, dann könne die aktive Beendigung des Lebens ebenfalls erlaubt sein, insbesondere dann, wenn damit weniger Schmerzen verbunden sind. Mit Recht macht *Tom L. Beauchamp* darauf aufmerksam, dass wir im Falle der Aufhebung der Unterschiede genötigt sind, einige begriffliche Klärungen vorzunehmen: Beispielsweise müsste der Begriff «Töten» reserviert bleiben für Handlungen, durch die jemand absichtlich und ungerechtfertigterweise den Tod eines anderen Menschen verursacht.[28] Viele Autoren gebrauchen deshalb den Begriff «Töten» im Sinne von «ungerechtfertigtem Töten». Ärztliches Handeln fällt dann nicht unter die Kategorie des Tötens, wenn unter Zustimmung eines todkranken Patienten lebenserhaltende Maßnahmen abgesetzt werden; dagegen wäre dann von einer Tötungshandlung zu sprechen, wenn ein Arzt ohne rechtfertigbaren Grund eine Behandlung abbricht. Schließt man allerdings das Sterbenlassen prinzipiell von Tötungshandlungen aus, dann können jene Handlungen nicht mehr als Tötungshandlungen erfasst werden, durch die jemand gegen alle medizinischen Indikationen (beispielsweise in krimineller Absicht) Behandlungen abbricht oder Apparate entfernt. Aus diesem Grunde plädieren eine

---

[27] Vgl. *Ders.*, Active and Passive Euthanasia, in: New England Journal of Medicine 292 (1975) 78–80; vgl. *Ders.*, The End of Life: Euthanasia and Morality, New York 1986.
[28] Vgl. *T. L. Beauchamp*, s. Anm. 4, 8f.

Reihe von Autoren für die Beibehaltung der Unterscheidung. Damit bleibt aber die Frage nach jenen Momenten, welche eine moralische Differenz begründen, bestehen.

Es dürfte unbestritten sein, dass die Richtigkeit oder Falschheit einer Handlung von rechtfertigenden Gründen abhängt. Nicht die phänomenologisch richtige Beschreibung des Aktes, sondern die auf dem Spiele stehenden Werte, Umstände und Motive spielen eine entscheidende Rolle. In der Kontroverse um Sterbenlassen und Töten steht die Frage nach der *Intention* an zentraler Stelle. Ist die Intention moralisch relevant? Heißt jemanden sterben lassen, auch gleichzeitig dessen Tod intendieren? Heißt jemandem aktive Beihilfe zum Tode leisten, seinen Tod intendieren – oder heißt dies nur, dass mit diesem Akt allein sein Wunsch durchgesetzt werden soll?

Damit stellt sich die Frage nach dem Wesen der Intention und nach den Kriterien, wonach intendierte von nichtintendierten Akten unterschieden werden können. Darüber gibt es eine Fülle an Literatur.[29] Die Positionen scheinen bei aller Verschiedenheit gemeinsam *ein* Element hervorzuheben: Die Handlungsabsicht setzt ein Handlungsprojekt (Plan, Idee) über die Mittel der Handlungsrealisierung wie auch eine Grundidee der Handlungsziele voraus. Oder umgekehrt formuliert: Zur Handlungsintention gehört zumindest in groben Umrissen die Vorstellung, wie Handlungen realisiert werden sollen und welches Ziel damit verfolgt werden soll. Und damit gehört das intendierte Ergebnis notwendigerweise zum Handlungsprojekt. Das bedeutet, dass die Handlungsabsicht zur Beurteilung der Handlung belangvoll ist und ein *moralisch relevantes Kriterium* in der Beurteilung einer objektiv beschreibbaren Tat darstellen kann.[30]

In diesem Zusammenhang wird in den Handlungstheorien üblicherweise unterschieden in Handlungen und Handlungsfolgen, in gewollte und ungewollte, aber vorhergesehene Handlungsfolgen. In einem weiteren Sinn gehören unbeabsichtigte Handlungsfolgen ebenfalls zum Handlungsprojekt, denn Handlungsergebnisse können intendiert sein, auch wenn sie nicht erwünscht sind (z. B. wenn bei einem chirurgischen Eingriff bei der Entfernung einer bösartigen Geschwulst dadurch das ganze Organ – zwar intendiert, aber doch unerwünscht – in Mitleidenschaft gezogen wird). Diese philosophische Unterscheidung hat eine direkte und eine praktische Bedeutung für die Sterbehilfe. Sie spielte eine große Rolle im sogenannten Fall «Rodriguez» in British Columbia,[31] wo einer an Alzheimer erkrankten

---

[29] Vgl. *A. Kenny*, The History of Intention in Ethics, in: *Ders.*, Anatomy of the Soul, Oxford 1973; *Th. Nagel*, The View from Nowhere, New York 1986. Autoren wie A. Gerwith, J. L. Mackie, C. Fried, A. Donagan, G. E. M. Anscombe haben sich damit beschäftigt. Vgl. *E. D. Pellegrino*, The Place of Intention in the Moral Assessment of Assisted Suicide and Active Euthanasia, in: *T. L. Beauchamp*, s. Anm. 4, 163–183; *H. Brody*, Causing, intending, and assisting death, in: Journal of Clinical Ethics 4 (1993) 2, 112–117.

[30] Vgl. den Beitrag von W. Wolbert in diesem Band.

[31] Vgl. British Columbia Court of Appeal Rodriguez v. British Columbia (Attorney General) [1993], B. C. J. Nr. 641.

42jährigen Frau der medizinisch assistierte Freitod mit dem Hinweis verweigert wurde, es handle sich hier nicht bloß um einen in Kauf genommenen, sondern um einen intendierten, aktiv herbeigeführten Tod. Der Gerichtshof argumentierte, es könne klar zwischen einer palliativen, das Leben eventuell verkürzenden Pflege und einem medizinisch direkt assistierten Tod unterschieden werden. Auch wenn sich die Akte äußerlich glichen, läge der moralische Unterschied in der unterschiedlichen Absicht begründet.

6. Die Theorie des doppelten Effektes

Um diese Problematik ethisch möglichst widerspruchsfrei lösen zu können, wurde häufig auf das in der moraltheologischen Tradition[32] herausgearbeitete «Prinzip des doppelten Effektes» zurückgegriffen. Dieses handlungstheoretische Lehrstück versucht das scheinbare Dilemma zwischen den *beabsichtigten und den in Kauf genommenen Folgen* einer Handlung wie auch den Umstand, dass eine Handlung gute und schlechte Folgen haben kann, in einer widerspruchsfreien und plausiblen Theorie zu lösen.

Gemäß der Grundaussage dieser Theorie[33] müssen vier Bedingungen, von denen jede notwendig ist, für die moralische Richtigkeit einer Handlung mit einem doppeltem Effekt erfüllt sein.[34] Eine Handlung mit Doppelfolge ist nur dann moralisch erlaubt, wenn alle Bedingungen, die folgende vier Aspekte betreffen, erfüllt sind:
- Die *Handlung*. Der Akt muss als solcher unabhängig von den Folgen moralisch gut oder moralisch indifferent sein.
- Die *Intention*. Der Handelnde darf allein den guten Effekt intendieren; der schlechte Effekt darf nur in Kauf genommen, aber nicht intendiert werden.
- Das *Mittel*. Die schlechte Wirkung darf kein Mittel zur Erreichung eines guten Zieles sein.
- Die *Verhältnismäßigkeit*. Die guten Effekte müssen im Vergleich zu den schlechten Wirkungen verhältnismäßig sein; diese Verhältnismäßigkeit rechtfertigt die in Kauf genommenen schlechten Folgen.

---

[32] Vgl. *J. T. Mangan*, An Historical Analysis of the Principle of Double Effect, in: Theological Studies 10 (1949) 41–61. In der US-amerikanischen katholischen, medizinethisch orientierten Literatur gilt dieses Prinzip im Allgemeinen als ein geeignetes theoretisches Instrument, um die Fragen der Sterbehilfe lösen zu können. Vgl. die Dissertation von *J. M. Ross*, Proportionalism and the Principle of Double Effect, Berkeley 1994.
[33] Vgl. *J. Boyle*, Toward understanding the principle of double effect, in: Ethics 90 (1980) 527–538; *N. Davis*, The doctrine of double effect: Problems of interpretation, in: Pacific Philosophical Quarterly 65 (1984) 107–123; *R. Gillon*, The Principle of Double Effect and Medical Ethics, in: British Medical Journal 292 (1986) 193f.; *D. B. Marquis*, Four versions of double effect, in: The Journal of Medicine and Philosophy 16 (1991) 515–544.
[34] Vgl. zu den verschiedenen Formulierungen *D. B. Marquis*, s. Anm. 30, ebd.

In der intensiven englisch-sprachigen Diskussion wurden die Theorie als solche, aber auch die einzelnen Bedingungen einer scharfen Kritik unterworfen. In der medizinischen Ethik war insbesondere die zweite Bedingung Gegenstand der Auseinandersetzung.[35]

Der Haupteinwand besagt, dass es bei verschiedenen Fällen schwierig sei, eine moralische Differenz auszumachen zwischen der Verabreichung von schmerzstillenden Mitteln und der Verabreichung einer lebensbeendenden Dosis. In keinem der beiden Fälle will der Handelnde den Tod, und aus der alleinigen Beschreibung der Fälle lässt sich keine moralische Differenz ableiten. Kritiker (z. B. *J. Reichels, Ph. Foot*) wenden ein, es sei nicht einsichtig zu machen, warum eine Schmerzmedikation mit dem intendierten Tod «Tötung» sein soll, dagegen die Handlung mit dem in Kauf genommenen Tod nicht. Für diejenigen, die an einem moralischen Unterschied festhalten, konzentriert sich demnach die Frage darauf, ob es Kriterien gibt, die es erlauben, zwischen einem willentlich herbeigeführten und einem in Kauf genommenen Tod unterscheiden zu können. Bei beiden Handlungen besteht die Intention darin, den Patienten von Schmerzen zu befreien; Schmerzfreiheit ist das eigentliche Ziel der Handlung, und nicht der Tod als «physisches Übel»; denn, um einen schmerzfreien Zustand zu erreichen, wählt wohl niemand das Mittel des Todes, wenn dieses nicht erforderlich ist. Beide Positionen akzeptieren den schlechten «Effekt», weil der gute nur *so* realisiert werden kann; der Unterschied besteht in der Absicht. Gerade zu diesem Punkt dauert die Diskussion an, die aufgrund von Vorbehalten und moralischen Intuitionen eher für eine Beibehaltung der Unterscheidung spricht.[36] Naturgemäß führt sie zu den zentralen Themen der Handlungstheorie zurück und zur Frage nach dem Wesen der Ursächlichkeit von Handlungen überhaupt. Ein weiterer Punkt gegen die Beibehaltung der Unterscheidung wird aus konsequentialistischer Sicht (*J. Rachels, Ph. Foot, T. Quill* u. a.) angeführt, weil das Prinzip zu einigen unannehmbaren Konsequenzen führe. Beispielsweise würde eine indirekte Herbeiführung des Todes bzw. eine langsame Verkürzung des Lebens bei einer entsprechenden Schmerztherapie Tage und Wochen schmerzhaften Lebens bedeuten, wobei eine schnelle Herbeiführung des Todes die Schmerzen rasch beenden würden.

In der Tat ist dies ein Dilemma, das bei der Aufrechterhaltung des Prinzips bestehen bleibt. Denn das Prinzip geht von der fundamentalen Voraussetzung aus, dass die direkte Verursachung des Todes ein fundamenta-

---

[35] Vgl. *Ph. Foot*, The Problem of Abortion and the Doctrine of Double Effect, in: Oxford Review 5 (1967) 59–70; *H. L. A. Hart*, Punishment and Responsability, Oxford 1968; dagegen: *G. E. M. Anscombe*, Action, Intention, and Double Effect, in: Proceeding of the American Catholic Philos. Association 54 (1982) 12–25.

[36] Vgl. *S. Kagan*, The Limits of Morality, New York 1989 (prüft die Argumente pro und contra); *B. Brody*, Withdrawal of Treatment versus Killing of Patient, in: *T. L. Beauchamp*, s. Anm. 4, 90–103 (Brody ist der Ansicht, der Unterschied von notwendiger Bedingung und eigentlicher Ursache würde eine moralische Differenz begründen).

les, aber nicht absolutes Übel darstellt, das in der Regel nicht durch ein anderes Übel (freilich aber unter Umständen durch ein fundamentales Gut) aufgewogen werden kann. Das Prinzip des Doppeleffektes ist gerade darauf ausgerichtet, die *harten Folgen* dieser Grundannahmen abzuschwächen. Ob man nun diesen Ausgangspunkt anerkennt oder nicht, in beiden Fällen hat man sich der Frage nach dem Wesen und nach dem Sinn des Todes und des Schmerzes zu stellen. Dass man hierzu im Umfeld der Sterbehilfedebatte wenig Vertiefendes lesen kann, mag mit dem Umstand zu tun haben, den *Warren Reich* als «Divorce of Norm and Meaning in Bioethics» bezeichnet hat.[37] Es stehen demnach eher Fragen der technischen Kontrolle und des technischen Managements des Todes und damit die entsprechenden ethischen Problemstellungen im Vordergrund als Fragen nach der Anthropologie des Todes. *William F. May* mag recht haben, wenn er meint, dass wir es hier mit einem spezifisch amerikanischen Problem zu tun haben, nämlich mit der Obsession, alle Probleme technisch lösen zu wollen.[38]

7. Die einverständliche aktive Euthanasie

Die Argumente, die zugunsten der aktiven Euthanasie angeführt werden, lassen sich mit den folgenden Schlüsselbegriffen kennzeichnen:
- Anerkennung der Selbstbestimmung (autonomy)
- Gebot des Mitgefühls mit Sterbenden (compassion with the dying)
- Beachtung sozialer Lasten (compassion with caregivers)
- Kontrolle über den Tod (control of dying)[39]

Das Basisargument, das heißt das Argument, in dem letztlich alle anderen rechtfertigenden Argumente gründen, bildet das «Autonomie-Argument», das in der amerikanischen Literatur bekanntlich einen anderen Klang hat; es meint v. a.: Selbstbestimmung, Respektierung der Entscheidung.[40] Das Hauptargument zugunsten der Euthanasie lautet: Wenn entscheidungsfähige Personen ein moralisches und legales Recht haben, Behandlungen zu verweigern,[41] dann gibt es (möglicherweise) auch ein ähnliches moralisches

---

[37] Vgl. *W. Th. Reich*, in: *A. Verhey*, Religion & Medical Ethics. Looking back, Looking forward, Michigan 1996, 97.

[38] Vgl. *W. F. May*, Active Euthanasia and Health Care Reform. Testing the Medical Covenant, Michigan 1996, 41. Der Autor setzt sich hier mit den Folgen einer möglichen «Euthanasie-Praxis» bezüglich der medizinischen Versorgung der Bevölkerung auseinander. Insgesamt stehen hier die sozialen Implikationen und Folgen (Druck auf Patienten vor allem auf die Nicht-Versicherten, Ausweitung der Praxis usw.) zur Diskussion, von denen ansonsten eher nur beiläufig die Rede ist. Vgl. auch *D. A. Ames*, Physician-assisted suicide: a battle of technology and morality, in: Rhode Island Medicine 75 (1992) 3, 129–132.

[39] Vgl. *Ders.*, ebd. 25ff.

[40] Vgl. *M. M. Mendiola*, Autonomy, Impartial Rationality, and Public Discourse, Diss., Berkeley 1991. Vgl. auch den Beitrag in diesem Band.

[41] Die «President's Commission for the Study of Ethical Problems in Medicine» hat 1983 mit der Studie «Deciding to Forego Life-Sustaining Treatment: A Report on the Ethical, Medical, and Legal Issues in Treatment Decisions, Washington DC» die theoreti-

Recht auf Beihilfe zur Lebensbeendigung von Seiten der Medizin. Es stellt sich die Frage, ob es dann nicht moralisch richtig ist, wenn Ärzte und Ärztinnen dabei assistieren? – 1989 haben zwölf prominente amerikanische Ärzte die moralische Richtigkeit der medizinischen Assistenz verteidigt. Ihr Hauptargument[42] liegt genau auf dieser Linie. Sie argumentieren, wenn die Behandlungsverweigerung aus Respekt vor der Autonomie gerechtfertigt ist und die Gesellschaft mit diesen Konsequenzen leben kann, dann muss dasselbe Recht reinterpretiert und erweitert werden. Es wäre eben nicht konsistent zu begründen, warum die Autonomie das Recht auf die Verweigerung einer Behandlung einschließt, das Recht aber auf die Herbeiführung des eigenen Todes ausschließt. Medizinische Assistenz sollte dann erlaubt sein, wenn die Bedingungen für einen Patienten unerträglich werden, die Schmerztherapie versagt, und allein ein ärztlicher Eingriff Erleichterung bringen kann. Auch wenn heute – so wird weiter argumentiert – in den allermeisten Fällen die Schmerzen erträglich gemacht werden können, so bleibt doch die grundsätzliche Frage nach der Vereinbarkeit der aktiven Euthanasie mit dem Recht auf Selbstbestimmung.

Die (noch) vorherrschende Meinung unter den Ärzten und Ärztinnen scheint zu sein, dass die Tötung, d. h. die direkte Herbeiführung des Todes, in der Medizin moralisch nicht zu legitimieren, jedoch das Sterbenlassen bei entsprechenden Voraussetzungen moralisch erlaubt und u. U. sogar geboten sei. Die Kontroverse lässt sich dann auf den Punkt bringen: Kann das Leben bzw. die Gesellschaft einen derartigen «Interessens-Status» begründen, der die Verfügungsautonomie begrenzt und dementsprechend den (staatlichen) Schutz vor einer direkten Verfügung einfordert? Die Interpretationen eines solchen «Interessens-Status» gehen auseinander.

Autoren, die die herkömmliche medizinische und juristische Position verteidigen, greifen in der Regel nicht auf metaphysische, sondern auf berufsethische und sozialpolitische Argumente zurück: Das herkömmliche Berufsethos mit seinem Heil- und Pflegeauftrag ist – so wird gefolgert – mit der direkten Tötungshandlung unvereinbar; die «professionelle Integrität» (professional integrity) stehe auf dem Spiel. Tötungshandlungen bzw. die Assistenz seien mit den Zielen ärztlichen Handelns unvereinbar, denn diese bestünden im Heilen, Wiederherstellen der Gesundheit und in der Hilfe zu einem friedlichen und würdigen Tod.[43]

---

sche Grundlage für alle späteren Gerichtsentscheide gelegt, welche ein solches Recht einfordern. Das Selbstbestimmungsrecht auf den Tod muss auf dem Hintergrund diesem mittlerweile zum «common sense» gewordenen moralischen Standard gesehen werden.

[42] Vgl. New England Journal of Medicine 320 (1989) 844–849; vgl. auch *A. N. Davis*, The Right to Refuse Treatment, in: *T. L. Beauchamp*, s. Anm. 4, 109–125.

[43] Vgl. *F. G. Miller/H. Brody*, Professional Integrity and Physician-Assisted Death, in: Hastings Center Report 25 (1995) 3, 8–17. Vgl. auch die Beiträge von B. Schöne-Seifert und U. Wiesing in diesem Band.

Das zweite Argument (bekannt als «wedge argument», «slippery slope argument»[44]), das die negativen sozialpolitischen Folgen ins Spiel bringt, ist seiner Natur nach komplexer: Empirische Voraussagen oder reine Mutmaßungen bezüglich erosiver Veränderung des gesellschaftlichen Wertesystems, des Risikos des Missbrauchs, des Drucks auf Marginalisierte, auf Unter- und Nichtversicherte sind schwierig, wenn nicht gar unmöglich. Viele teilen diesbezügliche Befürchtungen. In diesem Kontext wird oft auf die Erfahrungswerte der Niederlande[45] rekurriert, die nebst Australien das einzige Land sind, die die legale (medizinisch assistierte) Euthanasie kennen. Die Daten des ersten offiziellen Berichtes geben aber m. E. noch zu wenig Klarheit und sind, wie die Diskussion zeigt, für unterschiedliche Interpretationen offen.[46]

In dieser kontrovers geführten Diskussion räumen verschiedene, nicht (religiös orientierte) Ethiker und Ethikerinnen ein, dass zwar ernst zu nehmende Gründe für den medizinisch assistierten Freitod sprächen, dass sie aber für eine Revision der derzeitigen Gesetze und für eine Revision der Gesundheitspolitik nicht ausreichten. Denn es müsste eben klar unterschieden werden in individuelle Regeln, die unmittelbar im Zusammenhang des Autonomieanspruches stünden, und in gesellschaftliche Regeln, die andere Subjekte wie auch die sozialfürsorglichen und medizinischen Institutionen mitinvolvieren. Diese Unterscheidung erscheint für einige so wichtig, dass sie einer Legalisierung des «assisted suicide» und der «euthanasia» nicht zuzustimmen vermögen. Einer der prominentesten Vertreter dieser Position ist Daniel Callahan.[47] Dies ist im Weiteren auch die Position der «American Medical Association», die sich mehrfach in ihrem offiziellen Publikationsorgan JAMA zu Wort gemeldet hat.[48]

Der nachfolgende zweite Teil geht auf einige wichtige ethische Schlüsselbegriffe der US-amerikanischen philosophisch-theologischen Auseinandersetzung ein.

---

44 Vgl. *D. Walton*, Slippery Slope Argument, Oxford 1992.
45 Vgl. *P. J. van der Maas et al.*, Euthanasia and other Medical Decisions Concerning the End of Life: An Investigation Performed Upon Request of the Commission of Inquiry into the Medical Practice Concerning Euthanasia, Amsterdam 1992.
46 Vgl. den Beitrag von M. Zimmermann-Acklin in diesem Band.
47 Vgl. *D. Callahan*, Self-extinction: the morality of the helping hand, in: *R. F. Weir* (Ed.), Physician-Assisted Suicide, Bloomington 1997, 69–85; Ders., When self-determination runs amok, in: Hastings Center Report 22 (1992) 2, 52–55; Ders., «Aid-in-dying»: the social dimensions, in: Commonweal 118 (1991) 14, Suppl., 476–480.
48 Andere, grundsätzlichere Bedenken ergeben sich, wenn religiös-theologische Gesichtspunkte berücksichtigt werden. Vgl. *M. P. Previn*, Assisted Suicide and Religion – Conflicting Conceptions of the Sanctity of Human Life, in: Georgetown Law Journal 84 (1996) 589–616; Episcopal Dioseses of Washington DC, Committee on Medical Ethics, Assisted Suicide and Euthanasia: Christian Moral Perspectives, Harrisburg 1997.

Richard M. Gula S. S.

Zur Euthanasie-Diskussion in den USA[1]
Zweiter Teil

In den letzten Jahren sind in den USA die Themen Euthanasie und ärztliche Suizidbeihilfe zu wichtigen Fragen der öffentlichen Diskussion geworden. Mit der Veröffentlichung von «It's over Debbie» im renommierten *Journal of the American Medical Association*[2] im Jahr 1988 wurde das Euthanasiethema auch vermehrt in medizinischen Fachzeitschriften aufgegriffen. 1989 sprach sich eine Gruppe von bekannten Ärzten für die Legalisierung tödlicher Injektionen bei Patienten in hoffnungslosem Zustand aus.[3] Die *American Medical Association* wies diesen Vorschlag entschieden zurück. Das Interesse am Thema wuchs mit dem Bekanntheitsgrad, den der pensionierte Pathologe Jack Kevorkian aus Michigan – auch Dr. Death genannt – in der Tagespresse erlangte. Damit wurde er zur bekanntesten Persönlichkeit im Zusammenhang mit der Suizidbeihilfe. 1990 assistierte er Janet Adkins in seinem mit Infusionsschläuchen ausgestatteten VW-Bus bei ihrem Suizid. Sie war die erste von vielen. Der Staat Michigan entzog ihm daraufhin die Arztlizenz, ohne dass er wegen Mordes angeklagt und verurteilt worden war.

In der amerikanischen Bevölkerung gibt es in den letzten zwanzig Jahren von Meinungsumfrage zu Meinungsumfrage eine stetig steigende Zahl von Bürgern, die – unabhängig von Alter und Religionszugehörigkeit – eine Legalisierung der Euthanasie und der ärztlichen Suizidbeihilfe unterstützen.[4] Die Befürwortung in der Öffentlichkeit ist weniger durch ethische Argumente ausgelöst worden als durch emotionale Reaktionen auf die erschreckenden Erfahrungen einiger unheilbar kranker Patienten, die – an Maschi-

---

[1] Originalbeitrag: Euthanasia and Assisted Suicide in the United States, übersetzt von Adrian Holderegger.
[2] «It's over Debbie», Journal of the American Medical Association 259 (1988) 272. Dieser Artikel wurde ohne einführenden Kommentar anonym publiziert. Der Bericht – in der Ich-Form verfasst – handelt von einem Assistenzarzt der Gynäkologie, der mitten in der Nacht zu einer jungen Frau gerufen wird, die an einem Eierstock-Karzinom leidet und im Sterben liegt. Der Arzt hat die Patientin nie zuvor gesehen, kennt weder ihre Krankengeschichte noch hat er sich jemals mit ihr selbst, ihrem Arzt oder ihrer Familie unterhalten. Ihre einzigen Worte waren: «Lasst uns Schluss machen.» Er weiß nicht, was sie genau sagen will und ob sie es ernsthaft meint. Er zieht keine Alternativen in Betracht, die ihr Linderung oder Erleichterung verschaffen könnten. In der Absicht, den Tod herbeizuführen, verabreicht er ihr eine tödliche Injektion Morphin. Ob dieser Bericht einem tatsächlichen Ereignis entspricht, ist nicht bekannt.
[3] Vgl. *S. H. Wanzer et al.*, The Physician's Responsibility Toward Hopelessly Ill Patients: A Second Look, in: New England Journal of Medicine 320 (1989) 844–849.
[4] Vgl. *A. Greeley*, Live and Let Die: Changing Attitudes, in: The Christian Century 108 (1991) 1124–1125.

nen angeschlossen – hilflos der Situation ausgeliefert sind und oftmals an übergroßen Schmerzen oder unter einem Übermaß an Beruhigungsmitteln leiden. Es ist durchaus verständlich, wenn Menschen aufgrund solcher Erfahrungen den assistierten Suizid oder die Euthanasie in Betracht ziehen. In Frieden zu sterben scheint zusehends schwieriger zu werden, denn immer häufiger geraten Patienten in eine sog. «technologische Falle», in der zwar ihre biologischen Prozesse aufrechterhalten werden, ihre Persönlichkeit jedoch einen erheblichen Abbau erfährt.

Die organisierte Unterstützung der Euthanasie ist vor allem durch die *Hemlock Society* mit Sitz in Eugene, im Staate Oregon, vorangetrieben worden. Ihr Präsident, der ehemalige Journalist Derek Humphry, machte sich vor allem das Bedürfnis der Menschen zunutze, aus ihrem Tod eine Angelegenheit der persönlichen Wahl machen zu wollen. Im Jahre 1991 erschien sein pragmatisches, mit Anleitungen versehenes Suizid-Handbuch *Final Exit*.[5] Es gelangte rasch auf die Bestsellerliste und bestätigte damit das enorme öffentliche Interesse an der Selbstbestimmung des Todeszeitpunktes.

Der politische Flügel der *Hemlock Society* unterstützte Initiativen zur Legalisierung der Euthanasie. Die Abstimmungsinitiativen in den Staaten Washington (1991) und Kalifornien (1992) wurden beide nur knapp, d. h. mit 45 % der Stimmen verworfen. 1994 erreichte die Diskussion in den USA einen neuen Höhepunkt, als der Bundesstaat Oregon den «Death With Dignity Act» annahm und somit der erste Staat wurde, der die ärztliche Suizidbeihilfe legalisierte. Auf die Verfügung eines Bundesbezirksgerichts («Federal District Court») hin wurde aber das Inkrafttreten des Gesetzes bis zur Entscheidung über dessen Verfassungsmäßigkeit aufgeschoben. 1996 erklärten die zuständigen Bundesberufungsgerichte (der «Court of Appeals for the Ninth Circuit» und der «Court of Appeals for the Second Circuit») die in den Staaten Washington und New York geltenden Verbote der ärztlichen Suizidbeihilfe für verfassungswidrig. Im Juni 1997 hingegen bekräftigte der Oberste Gerichtshof («Supreme Court») der USA, die höchste richterliche Instanz des Landes, die Rechtmäßigkeit des Verbotes der ärztlichen Suizidbeihilfe in diesen beiden Bundesstaaten. Das Oberste Gericht betonte, dass Todkranke keinen gesetzlichen Anspruch auf ärztliche Suizidbeihilfe geltend machen könnten und dass Bundesstaaten das Recht hätten, diese zu verbieten.

All diese Aktivitäten zeigen das immense Interesse sowohl an der Euthanasie als auch an der ärztlichen Suizidbeihilfe. Allerdings sind die in der Debatte verwendeten Begriffe nicht immer klar genug. Wenn von Euthanasie oder Suizidbeihilfe die Rede ist, sprechen wir nicht notwendigerweise über das – bildlich gesprochen – «Herausziehen des Steckers» oder über einen Behandlungsverzicht. Es handelt sich bei der Euthanasie *nicht* um ei-

---

[5] Vgl. *D. Humphry*, Final Exit, Eugene 1991; in deutscher Übersetzung erschienen unter dem Titel: In Würde sterben. Praxis Sterbehilfe und Selbsttötung, Hamburg 1992.

nen angemessenen Behandlungsabbruch oder um einen Verzicht auf medizinische Maßnahmen, wenn sie für die Patienten nutzlos sind oder eine unverhältnismäßige Belastung darstellen. Es geht *auch nicht* um den Einsatz von Mitteln zur Schmerzlinderung unter Inkaufnahme einer Lebensverkürzung. Die Gleichsetzung dieser ethisch unproblematischen Handlungen mit Euthanasie oder ärztlicher Suizidbeihilfe stiftet nur Verwirrung in der zur Diskussion stehenden moralischen Fragestellung. Die Debatte in den USA wird darüber geführt, ob es in bestimmten Fällen ethisch legitim und damit auch rechtlich erlaubt sein könnte, dass Ärzte absichtlich das Leben eines entscheidungsfähigen, todkranken Patienten beenden, der um die Herbeiführung des Todes (*Euthanasie*) bittet; ferner wird darüber diskutiert, ob Ärzte entscheidungsfähigen, todkranken Patienten die entsprechenden Informationen und Mittel zur Verfügung stellen dürfen, damit sie zum gewünschten Zeitpunkt ihr Leben selbst beenden können (*ärztliche Suizidbeihilfe*). Während sich die Euthanasie von der Suizidbeihilfe durch den jeweiligen Akteur unterscheidet, welcher die zum Tod führende Intervention durchführt, besteht dagegen in den moralischen Aspekten kein grundlegender Unterschied. Deshalb sind diese beiden Tötungshandlungen bezüglich der angeführten Argumente nicht weiter zu unterscheiden.

In der folgenden Übersicht werden die wichtigsten philosophischen und theologischen Argumente dargestellt, wie sie von einigen der bekanntesten Philosophen, Theologen und Ärzten in den USA vertreten werden. Die Rekonstruktion der Debatte erfolgt nach den am häufigsten verwendeten Schlüsselbegriffen: Autonomie, Töten und Sterbenlassen sowie Fürsorge (beneficence).[6]

1. Autonomie

Autonomie oder das Recht auf Selbstbestimmung ist das Hauptargument in der Rechtfertigung der Euthanasie. Es muss wohl davon ausgegangen werden, dass Euthanasiehandlungen immer häufiger als die logische Ausweitung des Rechts auf Selbstbestimmung verstanden und akzeptiert werden. Autonomie basiert auf der Überzeugung, dass jede Person Würde besitzt, Respekt verdient und ihr der letzte Entscheid über das eigene Schicksal zusteht. Die vorherrschende Auffassung von Autonomie innerhalb der amerikanischen Öffentlichkeit widerspiegelt jene des sog. «ethischen Liberalismus». Einige seiner hervorstechendsten Eigenschaften sind die Maximierung der eigenen Interessen möglichst unabhängig von Zwängen und sozialer Verantwortung sowie die Möglichkeit für alle, das eigene Leben selber planen und es auf individuelle Weise realisieren zu können, solan-

---

[6] Einen Überblick über den Diskussionsverlauf bietet *E. J. Emmanuel*, The History of Euthanasia Debates in the United States and Britain, in: Annals of Internal Medicine 121 (1994) 793–802.

ge dies nicht andere in der Verfolgung gleicher Ziele behindert oder einschränkt. So hat jede Person das Selbstbestimmungsrecht über den eigenen Körper und das eigene Leben, einschließlich dessen End. Die Person sollte folglich auch das Ausübungsrecht dieses Selbstbestimmungsrechts besitzen.

«Habits of the Heart»[7], eine von Robert Bellah und seinen Mitarbeitern an der «University of California» in Berkeley durchgeführte, soziologische Studie diagnostiziert die amerikanische Kultur denn auch als eine vom Individualismus geprägte Kultur. Sie favorisiert offensichtlich die Maximierung der Eigeninteressen unter weitgehender Missachtung äußerer Einschränkungen und sozialer Verantwortung. Die Studie zeigt, dass wir uns dermaßen auf Inseln des eigenen Interesses zurückgezogen haben, dass wir kaum mehr über intersubjektive Werte sprechen können. Moralisch richtig und falsch definieren sich demnach einzig von den eigenen Präferenzen her. Uns Amerikanern ist nicht wichtig, ob die verfolgten subjektiven Interessen zum Wohle der Gesellschaft beitragen; im Vordergrund steht vielmehr die Selbstverwirklichung. So neigen wir bei der Lösung ethischer Probleme und bei der Ausgestaltung der Rechtsordnung dazu, die individuelle Freiheit zu maximieren, ohne über die persönlichen Bedürfnisse im Lichte des Gemeinwohls nachzudenken. Unser Sinn für das Gemeinwohl ist wenig entwickelt, weil wir andere nicht als Partner, sondern als Konkurrenten betrachten, die uns in unserer Entfaltung behindern.

Auf diese liberale Sicht des Selbstbestimmungsrechts stützt sich die Argumentation von sechs Philosophen, die beim Obersten Gerichtshof zugunsten der Suizidbeihilfe interveniert haben. Sie argumentieren, dass das Prinzip, das einem Patienten erlaubt, eine lebenserhaltende medizinische Behandlung abzulehnen, auch für die ärztliche Beihilfe zum Tod gelte.[8] Ein ähnliches Argument findet sich im Entscheid des Bundesberufungsgerichts des «neunten Circuit»; dort wird das Gesetz des Bundesstaates Washington, das die ärztliche Suizidbeihilfe verbietet, für verfassungswidrig erklärt. Das Gericht argumentiert, die von der Verfassung geschützte Freiheit,[9] die es dem Patienten erlaubt, eine lebenserhaltende Behandlung zu verweigern, sollte auch für die ärztliche Suizidbeihilfe gelten. Der Oberste Gerichtshof stellte jedoch die Nichtzulässigkeit dieser Schlussfolgerung fest. Jack Kevorkian ist ein Verfechter dieser «verabsolutierten» Autonomie:

«Aus meiner Sicht ist das höchste Prinzip der medizinischen Ethik – wie jeder Ethik überhaupt – die persönliche Autonomie, die Selbstbestimmung. Entscheidend ist der Wille des Patienten bzw. dessen Präferenzen. Das ist vorrangig.»[10]

---

[7] Vgl. *R. Bellah et al.*, Habits of the Heart, Berkeley 1995.
[8] Vgl. *R. Dworkin/Th. Nagel/R. Nozick/J. Rawls/Th. Scanlon/J. Jarvis Thomson*, Assisted Suicide: the Philosopher's Brief, in: The New York Review of Books (27.03.1997) 41–47.
[9] Vgl. den vierzehnten Verfassungszusatz.
[10] *J. Kevorkian*, Free Inquiry, 1991, 14.

In einer solchen Sicht ist die «Freiheit der Wahl» das einzige Kriterium für die Richtigkeit einer Handlung. Andere Werte wie Verantwortung und nicht unmittelbar zum Tode führende Alternativen haben keinen Einfluss. Was der Wahlfreiheit im Wege steht, wird als Bedrohung der persönlichen Würde empfunden.

Derek Humphry und die «Hemlock Society» verfechten in dieser Sache die gleichen Anliegen wie Dr. Kevorkian. Sie heißen die Euthanasie nicht nur als eine moralisch zulässige Praxis gut, sondern streben auch eine gesetzliche Verankerung derselben an und erklären sie zu einem Bürger- bzw. Menschenrechts-Anliegen. Für sie verkörpert das Recht auf Euthanasie das Äußerste an bürgerlicher Freiheit. Denn die Lebensqualität, insbesondere auch am Ende des Lebens, hängt von der eigenen, gestaltenden Selbstverfügung ab. Wir alle sollten die Entscheidungsmöglichkeit haben, wann, wie und durch wessen Hand wir sterben wollen. Beim «Recht auf Sterben» und beim «Tod in Würde» ist damit nicht bloß das Recht auf Behandlungsverweigerung bzw. -abbruch gemeint, sondern auch das Recht, den Todeszeitpunkt, das tödliche Mittel wie auch den Sterbebeistand selbst bestimmen zu können.[11]

H. Tristram Engelhardt jr., Professor für Medizin und Sozialmedizin am «Baylor College of Medicine» in Texas, ist ein vehementer Verfechter dieser liberalen Auslegung der Autonomie. Töten ist nach Engelhardt nicht etwa deshalb unmoralisch, weil die Verfügung über das Leben an sich unmoralisch ist, sondern weil die Tötungshandlung allein aufgrund der fehlenden Einwilligung des Patienten unmoralisch wird.

> «Gegen jedes Argument, das sich auf die ‹Heiligkeit des Lebens› stützt, können Gegenargumente vorgebracht werden, welche die Achtung der Wahlfreiheit betreffen. Es kann nicht bewiesen werden, dass das Töten einer anderen Person ein *malum in se* ist, zumindest nicht unter Verwendung von allgemeinen philosophischen Argumenten, die nicht eine bestimmte ideologische oder religiöse Ansicht voraussetzen. Das Verwerfliche am Mord ist die Tatsache, dass über das Leben einer anderen Person ohne deren Zustimmung verfügt wird. Die Zustimmung verändert die Moralität der Handlung. Eine urteilsfähige Person, die sich das Leben nimmt, gibt sich selbst diese Zustimmung.»[12]

Dieser Auffassung von Autonomie ist sowohl von theologischer wie auch von philosophischer Seite widersprochen worden. Aus theologischer Sicht wird argumentiert, menschlicher Autonomie werden durch die Souveränität Gottes und – damit verbunden – durch die Treuhänderschaft des Menschen entsprechende Grenzen gesetzt. Denn Gott als der Ursprung von Leben und Tod bestimmt den Zeitpunkt des Lebensendes und nicht wir. Die

---

[11] Vgl. *D. Humphry*, The Case for Rational Suicide, in: The Euthanasia Review 1 (Herbst 1986) 172–175.

[12] *H. T. Engelhardt jr.*, Death by Free Choice: Modern Variations on an Antique Theme, in: Suicide and Euthanasia: Historical and Contemporary Themes, hrsg. v. *B. A. Brody*, Philosophy and Medicine, Bd. 35, Boston 1989, 264–265.

religiöse Überzeugung von der Herrschaft Gottes über Leben und Tod besagt, dass wir als Geschöpfe unser Dasein, unseren intrinsischen Wert und unser Leben letztendlich Gott verdanken. Dies schließt die totale Herrschaft des Menschen über das eigene Leben und das anderer aus.

Der angesehene methodistische Theologe und Ethiker an der «Princeton University», Paul Ramsey, war bis zu seinem Tode im Jahr 1988 ein überzeugter Verfechter der deontologischen Position, dass niemand je den Tod als Ziel (d. h. absichtlich) wählen dürfe. Er begründete die moralische Verwerflichkeit des selbst gewählten Todes mit der religiösen Überzeugung der Verdanktheit menschlichen Lebens. «Den Tod absichtlich wählen heißt, dem Gebenden das Geschenk zurückgeben; es ist eine Zurückweisung seines Schenkens.»[13] Ramsey führt weiter aus, dass wir unser eigenes Leben und das der anderen nicht nur respektieren müssen, weil das Leben in Gott begründet ist, sondern auch, weil Gott uns das Leben als Wert zur treuhänderischen Verwaltung übergeben hat. Wir sind Treuhänder, nicht Eigentümer unseres Lebens. Die eigenmächtige Bestimmung des Todeszeitpunktes bedeutet die Ablehnung der Treuhänderschaft und die Leugnung von Gottes Vertrauenswürdigkeit (trustworthy).[14]

Die unmissverständliche Position gegenüber der Euthanasie des «Ramsey-Colloquiums»,[15] einer Gruppe von dreizehn jüdischen und christlichen Theologen, Philosophen und Rechtsgelehrten, ist ganz im Sinne von Paul Ramsey. Sie argumentieren unter anderem, Euthanasie stelle grundsätzlich eine Zurückweisung des göttlichen Gebotes zum Sorge tragen (to care) dar.[16]

Zwei katholische Theologen und ein katholischer Arzt und Philosoph argumentieren ebenfalls aus einer theologischen Perspektive: Benedict Ashley, Professor für Moraltheologie am «Pontifical Pope John Paul II Institute» (Ehe- und Familieninstitut) in Washington DC, und Kevin O'Rourke, Direktor des Zentrums für Ethik im Gesundheitswesen an der «St. Louis University», vertreten die Ansicht, die Treuhänderschaft über das Leben impliziere die Erhaltung desselben. Der assistierte Suizid und die Euthana-

---

[13] *P. Ramsey*, Ethics at the Edges of Life, New Haven 1978, 146.
[14] Vgl. ebd. 147.
[15] Zum «Ramsey Colloquium» gehören: Hadley Arkes, Amhest College; Matthew Berke, First Things Magazine; Midge Decter, Institute on Religion and Public Life; Rabbi Marc Gellman, Hebrew Union College; Robert George, Princeton University; Pastor Paul Hinlicky, Lutheran Forum; Russell Hittinger, Catholic University of America; The Rev. Robert Jenson, St. Olaf College; Gilbert Meilaender, Oberlin College; Pater Richard John Neuhaus, Institute on Religion and Public Life; Rabbi David Novak, University of Virginia; James Nuechterlein, First Things Magazine und Max Stackhouse, Andover Newton Theological School.
[16] Vgl. Ramsey Colloquium, Always to Care, Never to Kill, in: Wall Street Journal, 27. November 1991. Gegen die vom «Ramsey Colloquium» vertretenen philosophischen Positionen argumentieren *F. G. Miller/J. C. Fletcher* von der University of Virginia, in: The Case for Legalized Euthanasia, Perspectives in Biology and Medicine 36 (1993) 159–176.

sie kommen einer Zurückweisung der Gabe des Lebens gleich.[17] Der Arzt und Philosoph Edmund Pellegrino, Direktor des Zentrums für klinische Bioethik am «Georgetown University Medical Center», ist der Überzeugung, das stärkste Argumente der jüdisch-christlichen Tradition gegen die Euthanasie sei das Argument der Treuhänderschaft. Das zweite, allerdings weniger starke Argument liege in der «Sinnbedeutung» des Leidens.[18]

Aus diesen und ähnlichen theologischen Überlegungen ergibt sich ein entsprechendes Verständnis menschlichen Lebens, mit dem uns zwar eine große, aber begrenzte Freiheit gegeben ist. Eine der Begrenzungen liegt in der menschlichen Verfügungsmacht. Unsere Verantwortung für das Leben besteht in der Treuhänderschaft und nicht in der Ausübung radikaler Verfügungsmacht. Die mit dieser Treuhänderschaft verbundene Pflicht bringt es mit sich, dass Menschen weder sich selbst noch anderen das Leben nehmen dürfen. Die Treuhänderschaft verlangt im Rahmen des Zumutbaren Anstrengungen zur Lebenserhaltung und Wiederherstellung der Gesundheit. Selbst wenn die Genesungskräfte einer sterbenden Person erschöpft sind, verbietet die Pflicht der Treuhänderschaft die Beendigung dieses Lebens und gebietet den fürsorglichen Beistand.

Das theologische Gegenargument, das sich auf die Idee der Treuhänderschaft stützt, ist von theologischer wie von philosophischer Seite kritisiert worden, so zum Beispiel von Daniel C. Maguire, Moraltheologe an der «Marguette University». Er besteht mit Nachdruck darauf, dass der Mensch als «Ebenbild Gottes» Mitschöpfer Gottes ist und an der Vorsehung Gottes teilhat. Als Mitschöpfer Gottes ist der Mensch nicht zum biologischen Determinismus bestimmt, sondern ist gerade befähigt, mittels Verstand und Freiheit den Lauf der Dinge zu steuern.[19] Eine solche Sicht gestattet zwar niemandem die Euthanasie, erlaubt aber eine umfassendere Verfügung über Leben und Tod als die herkömmliche Auffassung.

Auf philosophischer Seite greift Dick Westley, Philosophieprofessor an der «Loyola University» in Chicago, das theologische Argument des «Geschenks» und der «Treuhänderschaft» auf. Für ihn ist das Leben, selbst als Geschenk unserer Freiheit unterstellt. Hier von Treuhänderschaft zu sprechen, sei fehl am Platz. Die Treuhänderschaft bezieht sich nur auf den Umgang mit dem Leben anderer. Wir haben kein Recht zur Herrschaft über das Leben anderer, sondern «nur» die Pflicht zu einem respekt- und liebevollen Umgang. Für Westley ist Autonomie im Hinblick auf die Verantwortung für das eigene Leben nur in bestimmter Hinsicht ein relatives Privileg; es ist nur relativ, sofern es Gottes Herrschaft untergeordnet wird.

---

[17] Vgl. *B. M. Ashley/K. D. O'Rourke*, Healthcare Ethics: A Theological Analysis, St. Louis ³1989, 378.

[18] Vgl. *E. D. Pellegrino*, Doctors Must Not Kill, in: The Journal of Clinical Ethics 3 (1992) 95–102; *Ders.*, Euthanasia and Assisted Suicide, in: *J. F. Kilner/A. B. Miller/E. Pellegrino* (Hrsg.), Dignity and Dying: A Christian Appraisal, Grand Rapids 1996, 105–119.

[19] Vgl. *D. C. Maguire*, Death by Choice, aktualisierte und erw. Auflage, Garden City 1984, 118–122.

Wenn wir aber wirklich nach dem Bilde Gottes geschaffen sind, gehört alles, was der göttlichen Herrschaft untersteht, auch uns. Damit ist uns auch die freie Verfügung über unser Leben gegeben.[20]

Allerdings gibt es auch philosophische Argumente gegen die die Euthanasie rechtfertigende Autonomie. Allen Verhey, Theologe und Ethiker am «Hope College» in Michigan, argumentiert beispielsweise, dass bei einer gesellschaftlichen Etablierung der Euthanasie im Namen einer Freiheitsmaximierung gerade dieser Grundsatz die Freiheit der Menschen einschränken würde, am Leben bleiben zu dürfen, ohne dass sie ihre Fortexistenz rechtfertigen müssen. Die Verletzlichsten und die Abhängigsten haben die grössten Schwierigkeiten, einen Entscheid gegen die Todeswahl zu rechtfertigen. Verhey vertritt den Standpunkt, die Freiheit werde am besten durch Wahrung ihrer Grenzen gesichert.[21]

Susan Wolf, Assistenzprofessorin für Recht und Medizin an der «University of Minnesota Law School», wendet sich aus einer feministischen Perspektive gegen das Recht auf Selbstbestimmung. *Erstens* ist sie der Ansicht, die Rede von «Rechten» ignoriert den Kontext und die Lebensumstände der Patienten, z. B. ob sie auf Unterstützung im Bekanntenkreis, auf Mittel zur Situationsbewältigung, auf eine ausreichende Deckung der Pflegekosten oder auf eine angemessene Palliativ-Pflege zählen können. *Zweitens* isoliert die Betonung der «Rechte» den Patienten von der Verantwortung des staatlichen Gesundheits- und Fürsorgewesens, das durch entsprechende Unterstützung jedwelcher Art den Patienten zur Wahrnehmung der Autonomie befähigen könnte. *Drittens* vermischt das Argument der «Rechte» die Zuständigkeiten von Patient und Arzt. Eine mögliche Reaktion auf eine ernsthafte Erkrankung und auf heftige Schmerzen kann der Suizidwunsch sein. Aber die eigentliche Frage ist, wie von ärztlicher Seite darauf reagiert wird. Der Arzt ist im Unterschied zum Patienten durch seinen Berufsstand an gewisse Berufspflichten gebunden. Falls der Patient Sterbehilfe verlangt, bedeutet dies aber noch nicht, dass der Arzt diesem Anliegen auch nachzukommen braucht.[22]

Daniel Callahan, Mitbegründer des «Hastings Centers» und einer der bedeutendsten Bioethiker in den USA, betont, dass Rechtfertigung und Förderung der Euthanasie auf der Grundlage der Autonomie ein Irrweg sei. Eine seiner Begründungen bezieht sich auf John Stuart Mills berühmtes Argument, niemand würde seiner eigenen Versklavung zustimmen können. Einer Bitte um Tötung im Namen der Freiheit zuzustimmen, widerspräche gerade eben derjenigen Freiheit, die damit respektiert werden soll. Die ei-

---

[20] Vgl. *D. Westley*, When It's Right to Die, Mystic CT 1995, 76f.
[21] Vgl. *A. Verhey*, Choosing Death: The Ethics of Assisted Suicide, in: The Christian Century 113 (1996) 716–719.
[22] Vgl. *S. M. Wolf*, Gender, Feminism, and Death: Physician-Assisted Suicide and Euthanasia, in: *Dies.* (Hrsg.), Feminism and Bioethics: Beyond Reproduction, New York 1996, 298–301.

gene Freiheit unwiderruflich aufzugeben, stünde damit im Widerspruch zur Freiheit. Die grundlegendste Bedrohung der Freiheit besteht also darin, jemand anderem eine freiheitszerstörende Verfügungsmacht über das eigene Leben zuzugestehen. Das Leben ist eine Grundvoraussetzung, welche die Freiheit erst ermöglicht. Um die Freiheit zu schützen, sind wir gezwungen, das Leben zu schützen.

Weiter argumentiert Callahan, Euthanasie sei nicht einfach eine private Angelegenheit. Die Reduktion der Euthanasie auf eine Privatangelegenheit kommt einem «Selbstbestimmungs-Amoklauf» gleich.[23] Jede Euthanasiediskussion muss über die simple Frage nach Nutzen oder Schaden für das individuelle Wohl hinausgehen. Euthanasie ist eine gemeinschaftsbezogene Handlung und muss deshalb in ihren gesellschaftlichen Dimensionen bewertet werden. Sie betrifft die Person, die getötet wird, diejenige, die tötet, und eine einwilligende Gesellschaft, die das Vorgehen als legitim erklärt. Bei näherer Betrachtung ist das Töten in der Perspektive des persönlichen Nutzens – selbst aus einer Haltung des Mitleids heraus, die darauf abzielt, Leiden zu lindern – eine zu einschneidende Verfügungsmacht, um sie zum Gegenstand einer privatrechtlichen Regelung zu machen. De facto stellen wir das Töten unter die öffentliche Kontrolle und unterwerfen es strikten Regeln, um das Wohlergehen anderer (z. B. im Falle der Todesstrafe oder des gerechten Krieges) oder um uns selbst zu schützen (z. B. im Falle der Notwehr). Diese öffentlichen Kontrollmechanismen betonen das starke öffentliche Interesse, das auf dem Spiel steht, wenn es um die Lebensverfügung geht. Die Duldung der Euthanasie würde nicht nur den Geltungsbereich der Autonomie ausweiten, sondern auch das private Töten in der Gesellschaft neu definieren. Andernfalls müsste die Öffentlichkeit davon überzeugt werden, dass dies der Gesellschaft als ganzer mehr nützt als ein Verbot. Callahan besteht darauf, dass die Berufung auf den Grundsatz der Autonomie zur Rechtfertigung der Euthanasie weder der sozialen Dimension noch der möglichen Wirkung auf das Allgemeinwohl genügend Rechnung trage.[24]

Charles Dougherty, Direktor des «Creighton Center» für Gesundheitspolitik und Ethik in Omaha, Nebraska, argumentiert ebenfalls aus der Perspektive des Gemeinwohls.[25] Seine Begründung stützt sich demgegenüber auf die Überzeugung, das Gesamtwohl der Gesellschaft sei nicht die Summe des Einzelwohls der Individuen. Die Verantwortung für das Gemeinwohl hat zwar die Interessen einzelner Personen zu respektieren und ihnen

---

[23] Vgl. *D. Callahan*, When Self-Determination Runs Amok, in: Hastings Center Report 22 (1992) 2, 52–55.
[24] Vgl. *Ders.*, What Kind of Life: The Limits of Medical Progress, New York 1990, 224; *Ders.*, The Troubled Dream of Life: Living With Mortality, New York 1993, 103–107.
[25] Vgl. *C. Dougherty*, The Common Good, Terminal Illness, and Euthanasia, in: Issues in Law and Medicine 9 (1993) 151–166.

zu dienen, muss aber letzten Endes das kollektive, dem Einzelwohl vorausliegende Wohl garantieren. Das Gemeinwohl erfordert solche Handlungen und Grundsätze, die zum gesamten Wohl der Einzelpersonen wie auch der Gemeinschaft beitragen.

Die Vorstellung jedoch, die Gesellschaft stelle einen lockeren, durch Eigeninteressen zusammengehaltenen Verband verschiedener Individuen dar, verfehlt den Sinn des Gemeinwohls; denn die Gesellschaft ist eine Gemeinschaft gegenseitig abhängiger und aufeinander angewiesener Individuen. Ein Engagement für das Gemeinwohl kann daher aufgrund unserer gegenseitigen Verwiesenheit keine scharfe Trennung zwischen öffentlicher und privater Sphäre machen. Die Verfolgung persönlicher Ziele hat auch eine Wirkung auf das Wohl der ganzen Gesellschaft. Ein Engagement für das Gemeinwohl zwingt uns zur Frage, ob es nicht Dinge gibt, die wir zwar für uns selbst wollen, aber nicht verfolgen sollten, um dem Wohl des Ganzen besser gerecht zu werden. Kurz: das Gemeinwohl fordert ein ständiges Gleichgewicht zwischen der Befriedigung persönlicher Bedürfnisse und dem Beitrag zum Wohl der Gesellschaft.

2. Töten und Sterbenlassen

Die Unterscheidung zwischen Töten und Sterbenlassen ist ein weiteres zentrales Problem in der Euthanasiedebatte. «Töten» ist jene Handlung oder Unterlassung, die den Tod direkt zum Ziel hat. «Sterbenlassen» dagegen ist ein Unterlassen oder ein Absetzen einer unverhältnismäßigen Behandlung; der todkranke Patient wird sich selbst überlassen, was schließlich zum Tod führt. Die Bedeutung dieser Unterscheidung darf nicht unterschätzt werden. Das Bundesberufungsgericht für den «zweiten Circuit», der das New Yorker Verbot der Suizidbeihilfe für verfassungswidrig erklärt hat, hält allerdings fest, es gebe keinen relevanten Unterschied zwischen Töten und Sterbenlassen. Der Oberste Gerichtshof der USA hat hingegen in seinem Entscheid zugunsten des New Yorker Verbots die Relevanz der Unterscheidung bestätigt. Je nachdem, ob man einen moralischen Unterschied zwischen Töten und Sterbenlassen annimmt, wird die Position in der Euthanasiefrage bestimmt.

2.1 Kein moralischer Unterschied

Der Standpunkt, der keinen moralischen Unterschied erkennt, wird von der «Hemlock Society» vertreten und erfährt bei Philosophen zunehmend an Zustimmung. Repräsentativ sind darunter die Positionen von James Rachels[26], «University of Birmingham», und von Dan Brock[27], «Brown

---

[26] Vgl. *J. Rachels*, The End of Life, New York 1986, 111–114.

University». Ihr Hauptargument besagt, der Unterschied zwischen beiden Handlungen sei nur ein deskriptiver, aber mit beiden Handlungen würde gleichermaßen das Leben beendet. Weil in beiden Fällen das Ergebnis der Tod ist, gäbe es keinen moralischen Unterschied zwischen Töten und Sterbenlassen. Während andere Elemente (wie der Wunsch des Patienten) für bestimmte Handlungsweisen durchaus moralisch relevant sind, ist das Faktum für sich genommen, ob der Tod durch Töten oder Sterbenlassen verursacht wird, kein Grund, das eine als moralisch besser zu betrachten als das andere. Da es für die beiden Philosophen keinen moralischen Unterschied gibt, fordern sie, unsere gegenwärtige Billigung des Sterbenlassens auf die aktive Tötung derjeniger Fälle auszudehnen, in denen die aktive Herbeiführung barmherziger wäre.

2.2 Ein bedingter Unterschied

Es gibt mehrere Theologen und Philosophen, die an der moralischen Bedeutung des Unterschieds festhalten, diese aber nicht als absolut betrachten. Zum Beispiel hat sich Paul Ramsey gegen die Euthanasie ausgesprochen, weil sie den Forderungen der gegenseitigen gesellschaftlichen Verpflichtungen widerspreche. Er anerkennt den moralischen Unterschied zwischen Töten und Sterbenlassen, findet aber dennoch, er sei im Falle von Patienten nicht anwendbar, bei denen aufgrund eines irreversiblen Komas oder unstillbarer Schmerzen Pflege und Fürsorge aussichtslos geworden sind. In solchen Fällen würde Ramsey eine Ausnahme von der allgemeinen Regel zulassen.[28]

Der Moraltheologe Daniel Maguire, der die Unterscheidung ebenfalls in den meisten Fällen für gültig erachtet, hält eine direkte Beendigung des Lebens dann für möglicherweise gerechtfertigt, wenn dies einem größeren Wohl als dem physischen Leben dient. Er führt einige Beispiele an:

> «Falls wir uns für den Tod eines Patienten entscheiden, der sich nur noch in einem vegetativen Status befindet, dann aus der Überzeugung heraus, dass das physische und nicht-sittliche Übel des ‹Todes› durch entsprechende Werte aufgewogen würde. Dazu zählten: die Beendigung der unwürdigen Aufrechterhaltung eines nur noch vegetativ existierenden Körpers; die Beendigung hoffnungsloser Behandlungen; die Erleichterung für trauernde Familien; das Freiwerden medizinischer Ressourcen.»[29]

Mit seinem Argument zugunsten einer direkten Beendigung des Lebens – unter bestimmten Bedingungen – billigt Maguire die Euthanasie nicht

---

[27] Vgl. *D. Brock*, Death and Dying, in: *R. M. Veatch* (Hrsg.), Medical Ethics: An Introduction, Boston 1989, 342ff.; vgl. auch *Ders.*, Voluntary Active Euthanasia, in: Hastings Center Report 22 (1992) 2, 10–22.

[28] Vgl. *P. Ramsey*, The Patient as Person, New Haven 1970, 153; *Ders.*, Ethics at the Edge of Life, New Haven 1978, 146ff.

[29] *D. C. Maguire*, Death by Choice, Aktualisierte und erw. Ausgabe, Garden City 1984, 107.

schrankenlos, sondern er behauptet nur, es gebe Situationen, in denen sie in Betracht gezogen werden könnte.

Der Moraltheologe Charles D. Curran von der «Southern Methodist University» hält ebenfalls am moralischen Unterschied zwischen Töten und Sterbenlassen wie auch am allgemeinen Euthanasieverbot fest, obwohl er beiden nur unter bestimmten Umständen zustimmt. Er kommt zu dem Schluss, dass die Unterscheidung dem Menschen bereits eine Möglichkeit zugestehe, eine gewisse Herrschaft über den Prozess des Sterbens auszuüben. Wenn der Sterbeprozess irreversibel wird und nach menschlichem Ermessen keine weitere Behandlung mehr angezeigt ist, dann habe das Leben seine Grenzen erreicht, und der moralische Unterschied zwischen Töten und Sterbenlassen erübrige sich.[30]

Der Moralphilosoph Robert M. Veatch vom «Kennedy Center» für Bioethik an der «Georgetown University» führt fünf Argumente an, die für die Beibehaltung der Unterscheidung zwischen Töten und Sterbenlassen sprechen:
- beide Handlungen sind psychologisch verschieden
- sie unterscheiden sich durch die Absicht
- die Langzeitfolgen sind unterschiedlich
- die Todesursache ist eine andere
- das Töten widerspricht dem Auftrag des Arztes, zu heilen und Leben zu erhalten

Veatch glaubt, keiner dieser Gründe könnte für sich allein die Unterscheidung legitimieren, zusammengenommen aber ergäben sie ein überzeugendes Argument. Nach Veatch könnte keines dieser Argumente ein unbedingtes Tötungsverbot begründen. Obwohl Töten prinzipiell immer als moralisch falsch angesehen werden sollte, könnte dies in seltenen Fällen im Sinne der Gerechtigkeit sein, um grösstmögliches Unheil abzuwenden wie im Falle einer an unstillbaren Schmerzen leidenden, sterbenden Person.[31]

Der Philosoph James Childress von der «University of Virginia» ist ebenfalls der Meinung, die Unterscheidung sollte beibehalten werden, fügt aber hinzu, einige Akte des Tötens könnten Ausdruck von Liebe, Erbarmen, Güte und Fürsorge sein, insbesondere im Falle von unkontrollierbaren Schmerzen, sofern die leidende Person aus einer solchen Not erlöst werden möchte.[32]

Jene, die zwar die Unterscheidung für die meisten Fälle für relevant halten, aber dennoch unter bestimmten Bedingungen Ausnahmen zulassen, brauchen den Schluss nicht zu ziehen, aus einer bestimmten, möglicherwei-

---

[30] Vgl. *C. E. Curran*, The Fifth Commandment: Thou Shalt Not Kill, in: Ongoing Revision, Notre Dame 1975, 145f., 158–161.
[31] Vgl. *R. M. Veatch*, Death, Dying and the Biological Revolution, überarbeitete Auflage, New Haven 1989, 61–74.
[32] Vgl. *J. F. Childress*, Love and Justice in Christian Biomedical Ethics, in: *E. E. Shelp* (Hrsg.), Theology and Bioethics, Boston 1985, 227.

se legitimen Euthanasiehandlung folge eine gesellschaftliche Norm für eine allgemeine, gutzuheißende Praxis. In ihrem einflussreichen Werk *Principles of Biomedical Ethics* argumentieren die Philosophen Tom Beauchamp und James Childress: Ein Gesetz wäre durchaus vorstellbar, das die Möglichkeit der Lebensverfügung möglichst restriktiv handhabt, um in weniger dramatischen Situationen unerwünschte Konsequenzen zu verhindern, selbst wenn die Verfügungshandlung als solche moralisch nicht verwerflich ist. Eine Aufhebung der Einschränkungen gegen das Töten würde verschiedene psychische und soziale Kräfte mobilisieren und damit die Aufrechterhaltung der wichtigen Unterscheidung in der Praxis erschweren. Würde Euthanasie zur allgemeinen Praxis, könnte dies zur Diskriminierung aufgrund von Behinderungen und aus Gründen der Belastung für Familien und die Gesellschaft werden und das öffentliche Vertrauen in die Ärzteschaft gefährden.[33]

2.3 Ein moralischer Unterschied

Die protestantischen Theologen und Ethiker Allen Verhey und Gilbert Meilaender plädieren für einen moralischen Unterschied aus *theologischen* Gründen: Das *Sterben* erhält durch die biblische Schöpfungs- und Erlösungsgeschichte eine andere Bedeutung. Die Schöpfungsgeschichte bezeugt den Geschenkcharakter des Lebens, das in Dankbarkeit angenommen und vor Vernichtung bewahrt werden soll. Die Erlösungsgeschichte bezeugt Gottes Heilswirksamkeit im angenommenen Tod. *Töten* hingegen ist mit den biblischen Geschichten unvereinbar und widerspricht der Gott geschuldeten Dankbarkeit für das Leben. Sterbenlassen jedoch erleichtert angesichts des nahegekommenen Endes das Loslassen des Lebens. Nach Verhey kann die Unterscheidung nur schwer aufrecht erhalten werden, wenn die sie begründende biblische Deutung geleugnet oder ignoriert wird.[34]

Der Moraltheologe Richard A. McCormick von der «University of Notre Dame» verwendet die Begriffe «vorsittliches Übel» und «angemessener Grund», um aufzuzeigen, dass es keinen ausreichenden Grund für die Lebensbeendigung eines sterbenden Patienten gibt. Die Unvermeidlichkeit des Sterbeprozesses oder die unmittelbare Nähe des Todes mache die Art, in der jemand stirbt, nicht moralisch bedeutungslos. Die kurz- und langfristigen Folgen und Wirkungen von Tötungshandlungen wie auch des Sterbenlassens erforderten den moralischen Unterschied.

---

[33] Vgl. *T. L. Beauchamp/J. F. Childress*, Principles of Biomedical Ethics, New York ⁴1994, 228–231.
[34] Vgl. *A. Verhey*, Choosing Death: The Ethics of Assisted Suicide, in: The Christian Century 113 (1996) 716f.; *G. Meilaender*, The Distinction Between Killing and Allowing to Die, in: Theological Studies 37 (1976) 467–470.

«Bloße Unterlassungen ziehen weder logisch noch faktisch die gleichen Konsequenzen nach sich wie direkte Handlungen. Wenn dem so ist, ergibt sich daraus eine unterschiedliche Gewichtung der Verhältnismäßigkeit der Rechtfertigungsgründe. Für die Verhältnismäßigkeit muss das Wohl der Patienten wie auch aller Betroffenen in Betracht gezogen werden. ... Bei einer Abwägung aller Werte würde ich annehmen, dass der angemessene Grund, einen todkranken Patienten sterben zu lassen, nicht für die direkte Verursachung des Todes ausreichend ist. Unter dieser Voraussetzung sind Unterlassen und Handeln *moralisch* nicht identisch, zumindest insofern nicht, als die moralische Relevanz bis zu den Wirkungen verfolgbar ist oder durch diese aufgezeigt wird.»[35]

Daniel Callahan hält an der Gültigkeit der moralischen Unterscheidung aus drei Gründen fest: einem metaphysischen, einem moralischen und einem medizinischen.

- Die *metaphysische* Perspektive gründet in einem realen Unterschied zwischen uns und der äußeren Welt mit ihrer je eigenen kausalen Dynamik. Wir können daher keine unbegrenzte Herrschaft über die Natur ausgeübt haben. Die Leugnung dieser Differenz führt zur Annahme der totalen Beherrschung der ganzen Natur.
- Die *moralische* Perspektive zieht eine scharfe Trennlinie zwischen jenem Tod, der durch das Schicksal (z. B. durch Krankheit) verursacht wird und für den niemand verantwortlich gemacht werden kann, und dem Tod, der durch eine menschliche Handlung (z. B. eine Todesspritze) herbeigeführt wird. Auch wenn sich die Trennlinie in einigen Fällen verschiebt, so dass wir im Falle des Sterbenlassens genauso schuldig werden wie im Falle des Tötens, heißt das nicht, dass Töten und Sterbenlassen immer dasselbe sind.
- Die *medizinische* Perspektive hebt die gesellschaftliche Relevanz der Unterscheidung hervor. Die Ärzteschaft wird dahingehend geschützt, dass sie ihre medizinischen Kenntnisse vielmehr zur Heilung und Linderung als zur Lebensbeendigung einsetzen kann.[36]

Diese drei Aspekte – im Hinblick auf die Unterscheidung zwischen Töten und Sterbenlassen – sind für die Euthanasiedebatte von Bedeutung. Wird keine moralische Differenz gemacht, kann jede Entscheidung, eine übermäßig belastende Behandlung einzustellen oder zu unterlassen als direkte Tötung aufgefasst werden. Unter dieser Voraussetzung würden wir bereits jetzt eine breite Euthanasiepraxis betreiben.

---

[35] R. A. McCormick, The New Medicine and Morality, in: Theology Digest 221 (1973) 318.
[36] Vgl. D. Callahan, Vital Distinctions, Mortal Questions, in: Commonweal 115 (1988) 399ff.; Ders., Can We Return Death to Disease, in: Hastings Center Report 19 (1989) 5f.; Ders., What Kind of Life, New York 1990, 221–249; Ders., The Troubled Dream of Life, New York 1993, 76–80.

3. Wohlfahrts- bzw. Fürsorgeprinzip

Der dritte Schlüsselbegriff in der Euthanasiedebatte ist das Wohlfahrts- bzw. Fürsorgeprinzip; es umfasst die Pflicht, in Not Geratenen zu helfen und Schaden zu vermeiden. Drei Elemente des Fürsorgeprinzips haben bisher in der Euthanasiedebatte eine bedeutende Rolle gespielt:
- die «spezifische» Zielsetzung der Medizin
- die Pflicht der «Leidminderung»
- die Pflicht des «Mitleidens» gegenüber Leidenden und Sterbenden

3.1 Das Spezifische der Medizin

Wenn in den USA in den Fragen der Euthanasie noch kein ethischer Konsens gefunden worden ist, dann liegt dies vornehmlich in der uneinheitlichen Einschätzung dieser drei Aspekte. Es gibt bezüglich des ärztlichen Rollenverständnisses wie auch des Umfanges des ärztlichen Engagements unterschiedliche Meinungen. Die Frage stellt sich, ob die Lebensbeendigung zu den ärztlichen Aufgaben gehört und ob sie unter die Zielsetzungen der Medizin subsummiert werden kann.

Timothy Quill, Professor für Medizin und Psychiatrie an der «University of Rochester» in New York und Arzt an einem Spital für Todkranke, ist vielleicht der dezidierteste Gegner des traditionellen, ärztlichen Berufsverständnisses. Er war der erste praktizierende Arzt, der eine Suizidbeihilfe öffentlich zu Protokoll gab. Er legte den Fall einem Geschworenengericht vor, das allerdings von einer Anklage abgesehen hatte, denn er argumentierte, dass «die Beschäftigung mit ihrer Angst (sc. der Patientin) vor dem schleichenden Tod sie daran hinderte, das Beste aus ihrer verbleibenden Zeit zu machen, insbesondere eine verlässliche Diagnose einzuholen».[37] Aus seinen Bemerkungen geht hervor, dass er seine medizinischen Kenntnisse nicht bloß zur medizinischen Behandlung eingesetzt hat, sondern auch, um den Vorstellungen über die Lebensqualität des Patienten zu entsprechen. Seine Rechtfertigung der Suizidbeihilfe in Fällen, in denen die medizinische Behandlung versagt, stellt ihn außerhalb der traditionellen Rolle des Arztes, denn dieser hat als Fachperson sein Wissen und seine Fähigkeiten in den Dienst des Heilens zu stellen; mit der Entscheidung über die Lebensqualität weitet er den herkömmlichen Bereich aus. Für T. Quill steht nicht die Suizidfrage im Vordergrund, sondern die Frage nach der Qualität der Betreuung im terminalen Stadium.

Gegner dieser Position führen an, die aktive Lebensbeendigung gehöre üblicherweise weder zu den Zielsetzungen der Medizin noch zu den ärztlichen Berufsaufgaben. Beispielsweise macht der Theologe und Philosoph

---

[37] T. E. Quill, Death and Dignity: A Case of Individualized Decision Making, in: New England Journal of Medicine 324 (1991) 693.

Albert Jonsen von der «University of Washington School of Medicine» deutlich, die eigentliche Berufsaufgabe der Ärzteschaft bestünde in «der Bereitstellung ihrer Fachkenntnisse und ihrer klinischen Erfahrung für Entscheidungsfindung, für Beratung in Prävention und Therapie sowie für die Praxis im Gesundheitswesen».[38] Die Tötung von Patienten durch ein tödliches Gift sei keine eigentliche medizinische Tätigkeit.

Ähnlich rechtfertigt der Arzt und Philosoph Leon Kass von der «University of Chicago» die Rolle des Arztes; sie definiere sich durch die Zielsetzung der Medizin, nämlich dem Gesamtwohl der kranken Person zu dienen. Die absichtliche Tötung eines Patienten verletzt nach Kass das Wesen der ärztlichen Kunst, das heißt sie widerspricht dem Heilauftrag und der Pflicht, das Gesamtwohl zu fördern. Voraussetzung für das Wirken zum Wohle eines Patienten sei das Überleben des Patienten, damit dieser Nutznießer ärztlichen Heilens sein könne.[39]

Daniel Callahan betont ebenfalls die Unvereinbarkeit der Euthanasie mit den Zielen der Medizin und der Zuständigkeit des Arztes. Nach Callahan stellen sich damit Ärzte, die Euthanasie durchführen oder Suizidbeihilfe betreiben, außerhalb des eigentlichen Aufgabenbereiches der Medizin, nämlich Gesundheit zu fördern und zu erhalten; sie stoßen gleichsam in den «metaphysischen Bereich» vor, wo über die Erhaltenswürdigkeit des Lebens entschieden wird. Doktor Quills Patientin Diane beispielsweise bat um die Erlösung von ihrem Leiden, weil sie ihr Leben angesichts der Leiden für nicht mehr lebenswert hielt. Callahan argumentiert: Voraussetzung, jemandem aus dem Leiden zu erlösen, sei die Kompetenz, über Fragen des Lebensglückes befinden zu können. Über Sinn und Glück menschlichen Lebens zu befinden, sei im Allgemeinen Sache der Theologie oder Philosophie und nicht Sache des Arztes. Callahan hält entschieden daran fest, es könne nicht in der Zuständigkeit der Medizin liegen, darüber zu urteilen, welche Art von Leben im Falle hoffnungsloser Lebensbedingungen lebenswert sei.[40]

3.2 Leiden

Die Pflicht, Leiden zu lindern, ist der zweite Aspekt des «Fürsorgeprinzips». Im Gegensatz zu Callahans Argument spricht sich Franklin G. Miller, Instruktor für medizinische Erziehung an der «Virginia School of Medicine», zusammen mit Vertretern aus Medizin, Philosophie und Recht zugunsten eines freiwillig assistierten Todes aus, denn es gelte, die Selbstbe-

---

[38] A. R. Jonsen, Beyond the Physicians' Reference – The Ethics of Active Euthanasia, in: Western Journal of Medicine 149 (1988) 196.
[39] Vgl. L. Kass, Neither for Love Nor Money: Why Doctors Must Not Kill, in: The Public Interest 94 (1989) 40f.; Ders., Why Doctors Must Not Kill, in: Commonweal 118 (1991) 474.
[40] Vgl. D. Callahan, s. Anm. 23, 55.

stimmung zu respektieren wie auch das Leiden zu lindern. Beihilfe zum Tod sollte aber ultima ratio sein und komme nur dann in Frage, wenn sich die palliativen Standard-Maßnahmen als unbefriedigend erwiesen haben.[41]

Dagegen hat der Arzt und Philosoph Eric Cassell vom «Cornell University Medical College» gezeigt, dass das Leiden über das rein Physische hinausreicht. In welchem Ausmaß Menschen leiden und ob sie das Leben als leer und sinnlos empfinden, hat weniger mit ihrer körperlichen Verfassung zu tun als vielmehr mit ihrer Lebensauffassung. Leiden ist eher eine persönliche Angelegenheit denn eine Sache unangenehmer physischer Empfindungen, weil es von der Haltung und dem Wertsystem einer Person abhängt.[42]

Die Medizin sollte sich aber an den Schmerz als physischer Ursache des Leidens halten. Tatsächlich steigert die Unmöglichkeit der Schmerzlinderung zusammen mit anderen, sich negativ auf die Lebensqualität auswirkenden Symptomen die Wahrscheinlichkeit der Nachfrage nach Suizidbeihilfe.[43] Doch über die Behandlung der leidverursachenden Symptome hinaus haben Ärzte keine spezielle Kompetenz im Umgang mit dem Leiden, das mit der condition humaine gegeben ist. Auch haben sie keine spezielle Kompetenz für Sinnfragen, die sich aus den Grenzen der menschlichen Existenz ergeben. Dies sind fundamentale philosophische oder weltanschauliche oder Fragen.

Hier knüpfen Vincent Genovesi,[44] Professor für Moraltheologie an der «St. Joseph's University» in Philadelphia, und James Bresnahan, Professor für klinische Medizin an der «Northwestern University Medical School» in Chicago, an sowie Marsha Fowler,[45] Med. Assistentin und Pastoraltheologin an der Schule für Krankenpflege und Theologie der «Azusa Pacific University» in Kalifornien. Nach ihnen wäre der Sinn für die Kontingenz und der Sinn für die Kreatürlichkeit des Lebens wieder zu entdecken, der Umgang mit den Grenzen des Lebens einzuüben, Shalom-Gemeinschaften zu gründen und zu bestärken, in denen Leidende aufgehoben sind.

---

[41] Vgl. *F. G. Miller et al.*, Regulating Physician-Assisted Death, in: New England Journal of Medicine 331 (1994) 119–123. Außer Franklin G. Miller sind die übrigen Autoren Timothy E. Quill, Genesee Hospital; Howard Brody, Michigan State University; John C. Fletcher, University of Virginia School of Medicine; Lawrence O. Gostin, Georgetown Johns Hopkins Program für Gesetz und öffentliche Gesundheit; Diane E. Meier, Mount Sinai School of Medicine.
[42] Vgl. *E. J. Cassell*, The Nature of Suffering, New York 1991, 30–47.
[43] Ein Fall einer solchen Anfrage wird dokumentiert in *K. M. Foley*, The Relationship of Pain and Symptom Management to Patient Requests for Physician-Assisted Suicide, in: Journal of Pain and Symptom Management 6 (1991) 289–297.
[44] Vgl. *V. J. Genovesi*, To Suffer and Die in Christ, in: America 174 (1996) 8–15; *J. F. Bresnahan*, Catholic Spirituality and Medical Interventions in Dying, in: America 164 (1991) 670–675.
[45] Vgl. *M. Fowler*, Suffering, in: *J. F. Kilner/A. B. Miller/E. D. Pellegrino* (Hrsg.), Dignity an Dying: A Christian Appraisal, Grand Rapids 1996, 51.

3.3 Mitleid

Beim Fürsorgeprinzip geht es letztlich um Mitleid, d. h. im Wesentlichen um die Frage, wie weit wir wechselseitigen Verpflichtungen nachkommen. Euthanasiebefürworter operieren in diesem Zusammenhang mit dem Begriff der «Tötung aus Mitleid». Nur in dieser Perspektive wäre den Ärzten eine «Assistenz zum Tode» möglich. Der Philosoph Dan Brock ist der Meinung, über die ethische Zulässigkeit der Euthanasie sollten die Motive den Ausschlag geben und nicht die Frage, ob es sich bei der Handlung um Töten oder Sterbenlassen handelt.[46] Der Philosoph Howard Brody beschreibt die Euthanasie und die Suizidbeihilfe als außergewöhnliche Akte des Mitleids, d. h. als Reaktion auf die medizinische Unmöglichkeit, Leben verlängern, Lebensprozesse wiederherstellen oder Schmerzen wirkungsvoll bekämpfen zu können.[47]

Stanley Hauerwas, Theologe und Ethiker an der «Duke University», bekannt für seine Abhandlungen über die «tugendhafte Gemeinschaft» (virtuous community), argumentiert, dass wir Partner in einer gesellschaftsvertraglich abgesicherten Gemeinschaft seien.[48] In der Berufung auf die Bibel haben – nach S. Hauerwas – diejenigen einen speziellen Anspruch auf Mitleid, die besonders auf die Gemeinschaft angewiesen sind. Der Arzt verkörpert insbesondere gegenüber unheilbar kranken Menschen die «Tugend der Treue» innerhalb einer sich wechselseitig verpflichteten und fürsorglichen Gemeinschaft (caring community). Euthanasie ist demnach ein Vertrauensbruch gegenüber der Pflicht, Leiden zu mindern, wie auch eine Aufkündigung der Pflicht, besonders Hilfsbedürftigen beizustehen. Die Ablehnung der Suizidbeihilfe bestärkt die gegenseitige Verbundenheit, fördert die gegenseitige Treue und das fürsorgliche Mittragen. Euthanasie, so Hauerwas, ist eine todesorientierte und nicht eine lebensorientierte Lösung für das Problem des Sterbebeistandes. Die Herausforderung, aber auch die Aufgabe für diejenigen, die Leidenden oder Sterbenden beistehen, besteht im Erweis, dass sie von der menschlichen Gemeinschaft nicht allein gelassen werden.

Das herkömmliche Ethos der Medizin erachtet das Töten als Widerspruch zum Heilauftrag. Doch die befürwortenden Stimmen stellen die gesellschaftliche Rolle des Arztes wie auch das traditionelle Ethos der Medizin zunehmend in Frage. Die Religion vermittelt ein Sinnangebot für die Leidens- und Kontingenzbewältigung, das in der amerikanischen Bioethik-Debatte immer weniger Beachtung findet. Die Bioethik-Bewegung selbst

---

[46] Vgl. *D. Brock*, Voluntary Active Euthanasia, in: Hastings Center Report 22 (1992) 2, 10ff.
[47] Vgl. *H. D. Brody*, Assisted Suicide – A Compassionate Response to a Medical Failure, in: New England Journal of Medicine 327 (1992) 1384–1388.
[48] Vgl. Stanley Hauerwas mit Richard Bondi, Memory, Community, and Reasons for Living: Reflections on Suicide and Euthanasia, in: *Ders.*, Truthfulness and Tragedy, Notre Dame 1977, 101–115.

hat aber keine Hilfen erarbeitet, wie mit Begrenzungen zu leben und wie dem Leben jenseits jeder Machbarkeit ein Sinn zu geben ist.

4. Schlussbemerkung

Die Euthanasie-Debatte wird in den Vereinigten Staaten aus teils einander widersprechenden ethischen Perspektiven und unterschiedlichen Wertpositionen geführt. Dieser kurze Überblick versucht, einen Einblick in die repräsentativen Positionen zu geben. Die einander widersprechenden Meinungen zeigen, dass die Euthanasiedebatte eng bestimmt ist von der methodischen Eigenart des bioethischen Diskurses und vom Stellenwert, den man dem religiösen Glauben in der ethischen Argumentation wie auch in der öffentlichen Politik beimisst. Die Menschen sind mit den unterschiedlichsten Ansichten konfrontiert, ohne dass ihnen für das Urteilen und Handeln orientierende Gesamtperspektiven vermittelt werden. Während die herkömmlichen Überzeugungen einst einen stark meinungsbildenden Einfluss ausübten, scheinen sie in der ethischen Debatte wie in der politischen Öffentlichkeit nicht mehr dieses Gewicht zu haben. Dennoch ist der Umgang mit unserer eigenen Endlichkeit im Grunde eine tief religiöse Frage. Es geht dabei um unsere Lebensauffassung wie auch um unsere Lebenspraxis. Menschen reagieren verschieden auf die Euthanasiebewegung, weil sie die unterschiedlichsten Ansichten über die letzte Lebensbestimmung, den eigentlichen Lebenssinn und über die praktische, gegenseitig gestützte Lebensbewältigung haben.

Die der Euthanasie-Debatte zugrunde liegende Frage ist letztlich nicht die nach unserem Handeln, sondern die nach unserem Sein und dessen Bestimmung. Das Wissen darum, wer wir sind, kann uns helfen, unsere Verantwortung in der Gesundheitsfürsorge besser zu definieren. Tod und Sterben konfrontieren uns mit letzten Fragen nach dem Lebenssinn und nach der wechselseitigen Angewiesenheit. Die Euthanasiebewegung in den USA ist ebenso eine Herausforderung an die Tiefe unserer moralischen Einstellungen und unseren religiösen Glauben wie an die stichhaltige ethische Argumentation. Doch Fragen der Einstellung, der «Lebensauffassung» oder der religiösen Überzeugung sind aus den öffentlichen Debatten verdrängt worden. Dennoch sind die Art und Weise, wie wir Gesetze ändern, die moralische Argumentation differenzieren oder die medizinische Praxis angesichts der Sterbeproblematik revidieren, fundamentale Fragen, die unsere Lebensauffassung und unsere moralische Einstellung determinieren. Letzten Endes entspringen viele unserer Probleme im Umgang mit der Euthanasieproblematik in der öffentlichen Politik und Moral unserer Einstellung gegenüber Fragen wie diesen: Was macht ein sinnvolles Leben aus? Wie sollte ich leben, um gut zu sterben? Wieviel Leiden ist mir zuzumuten und aus welchen Gründen? Muss ich alles beherrschen, um meine Würde bewahren zu können?

James F. Keenan S. J.

Fallstudien, Rhetorik und die amerikanische Debatte über die ärztliche Suizidbeihilfe[1]

Durch die kürzlich getroffene Entscheidung des obersten Gerichtshofs der Vereinigten Staaten, das Verbot der ärztlichen Suizidbeihilfe als verfassungskonform zu beurteilen, bleibt es zukünftig den fünfzig Einzelstaaten überlassen, ob sie den ärztlich assistierten Suizid verbieten wollen oder nicht. Auf diese Weise ermutigte das Gericht die Einzelstaaten zu regionalen Auseinandersetzungen. In diesem Beitrag wird die These vertreten, dass die Auswahl des Falls, anhand welchem die vorliegende Problematik angegangen wird, letztlich das Ergebnis der Debatte bestimmt.

Wir Amerikaner lieben Fallstudien, ganz besonders in ethischen Auseinandersetzungen.[2] Ein Blick in die Literatur zum ärztlich assistierten Suizid zeigt, dass nahezu jeder Beitrag mit einem Fallbericht beginnt, anhand dessen einerseits die zu evaluierenden Werte und Normen deutlich werden sollen und mit der andererseits die Meinung des Lesers bereits in Richtung der Position des Autors gelenkt wird. Als typisches Beispiel für eine Fallstudie, welche *Befürworter* der ärztlichen Suizidbeihilfe an den Anfang ihres Artikels stellen, kann der Beitrag von zwei Juristen im «Harvard Magazine»[3] gelten:

> Onkel Louis hatte sehr große Schmerzen, zumal er keine ausreichende Schmerztherapie erhielt. Nachdem an ihm alle denkbaren Therapien und Operationen durchgeführt worden waren, hatte sich seine Krebserkrankung als eindeutig terminal erwiesen. Er realisierte seine Situation und entschied sich nach einem Gespräch mit seinem ihm seit langem vertrauten Arzt für den begleiteten Suizid als letzten Ausweg. Diese Entscheidung fällte er bei klarem Verstand, konnte sie jedoch nicht ausführen, da das staatliche Gesetz die ärztliche Suizidbegleitung verbietet.

Die Befürworter schließen diesen Fallbericht mit der rhetorischen Frage, ob Onkel Louis tatsächlich weiterhin leiden solle, obgleich er ja eigentlich ein Recht auf das Sterben habe. – Es handelt sich hier also um eine der typischen Fallstudien, die im Rahmen der Debatte um die ärztliche Beihilfe zur Selbsttötung eingesetzt werden.

In der Ethik kann ein solcher Fall als besonders schwieriger Fall oder Härtefall bezeichnet werden. Das Besondere an einem Härtefall besteht da-

---

[1] Originalbeitrag: «Cases, Rhetoric, and the American Debate about Physician Assisted Suicide», übersetzt von Markus Zimmermann-Acklin.
[2] Zur Kasuistik und Rhetorik vgl. *A. Jonsen/S. Toulmin*, The Abuse of Casuistry, Berkeley 1988, 60–88, 257f., 298; *F. Mormando*, «To Persuade Is a Victory»: Rhetoric and Moral Reasoning in the Sermons of Bernardino of Sienna, in: *J. F. Keenan/Th. Shannon* (Eds.), The Context of Casuistry, Washington DC 1995, 55–84; vgl. hier auch die Kommentare von *J. F. Keenan* und *Th. Shannon*, in: The Context, ix–xxiii, 221–231; auch: *S. Hauerwas*, Casuistry as a Narrative Art, in: Interpretation 37 (1993) 377–388.
[3] Vgl. *J. Vorenberg/S. Wanzer*, Assisting Suicide, in: Harvard Magazine (March/April 1997) 30–31, 89.

rin, dass er uns dazu zwingt, alle unsere Vorurteile hinsichtlich einer bestimmten Problematik zu überdenken.⁴ Diejenigen, die mit der Geschichte des Wucherzinses vertraut sind, werden hier unmittelbar an den Härtefall des «triple contract» erinnert, welcher den Ethikern die entsprechenden Umstände liefert, um die unmittelbare Zustimmung zu einer ansonsten umstrittenen Form des Geldverleihs zu erhalten.⁵

In diesem Jahrhundert haben Moraltheologen eine Fülle sogenannter Härte- oder Dilemmafälle⁶ vorgeschlagen und durchdacht, um auf diese Weise in Frage zu stellen, ob die absoluten moralischen Aussagen, wie sie beispielsweise in der Enzyklika «*Humanae vitae*» vertreten werden, allen möglichen und moralisch relevanten Umständen wirklich angemessen sind.⁷ Bei der Behandlung der ethischen Problematik, ob der Einsatz kontrazeptiver Mittel unter Umständen auch gerechtfertigt sein kann, haben die Autoren als Fallstudie natürlich nicht die Situation einer zweiundzwanzigjährigen Frau gewählt, die durch den Einsatz empfängnisverhütender Mittel einfach eine Schwangerschaft verhindern will. Als besonders schwierigen Fall haben sie vielmehr die Situation einer Mutter von acht Kindern herangezogen, die eine weitere Schwangerschaft kaum überstehen könnte und deren Ehemann die sexuelle Abstinenz als alternative Verhaltensmöglichkeit völlig ablehnt. Der Hinweis auf diesen Fall macht die Frage unumgänglich, ob Geburtenkontrolle eine immer schlechte Handlung darstellt oder nicht. Auf ähnliche Weise haben Theologen auch stets im Hinblick auf ein totales Verbot des Schwangerschaftsabbruchs auf Dilemmasituationen verwiesen.⁸

Härtefälle tauchen stets im Kontext von universalen oder ausnahmslos geltenden Normen oder moralischen Regeln auf. Die Dilemmafälle beim Schwangerschaftsabbruch, der Geburtenkontrolle und dem Wucherzins sollen den Leser – entgegen den bereits gefassten Urteilen – davon überzeugen, dass berechtigte Ausnahmen von den betreffenden absoluten Regeln beste-

---

⁴ Zur Notwendigkeit solcher Härtefälle oder «hard cases» vgl. *D. Blake*, The Hospital Ethics Committee, in: Hastings Center Report 22 (1992) 1, 6–11.

⁵ Vgl. *J. T. Noonan jr.*, The Scholastic Analysis of Usury, Cambridge 1957, 202–229.

⁶ Vgl. die Kommentare von *R. McCormick,* in: Moral Theology. 1940–1989. An Overview, in: Theological Studies 50 (1989) 3–24, bes. 11–12. Als Beispiel für einen unterhaltsamen Einsatz der Kasuistik hinsichtlich ähnlicher Situationen vgl. *J. Dedek*, Titius and Bertha Ride Again, New York 1974.

⁷ Vgl. *J. Fuchs*, The Absoluteness of Behavioral Moral Norms, in: *Ders.*, Personal Responsibility and Christian Responsibility, Washington DC 1983, 115–152.

⁸ James Gustafson hat 1970 in einem die konfessionellen Unterschiede zwischen katholischen und protestantischen Ethikern betonenden Essay einen Abtreibungsfall behandelt, der keinen Leser unberührt lassen kann: Eine Frau in den Zwanzigern, deren alkoholkranke Mutter und drogensüchtiger Vater ihre drei Kinder missbrauchten, wurde von ihrem Mann geschieden, dem auch die Verantwortung für die Kinder zugesprochen wurde. Alleingelassen, ohne Arbeit und an einer Magen-Darm-Krankheit leidend wird die Frau schwanger, nachdem sie von ihrem früheren Ehemann und dessen drei Freunden vergewaltigt wurde. – Vgl. *J. Gustafson*, A Protestant Ethical Approach, in: *J. T. Noonan jr.* (Ed.), The Morality of Abortion, Cambridge 1970, 101–122, hier 107. Dies ist zwar ein wirklicher Extremfall, kann also wohl kaum als repräsentativ angesehen werden.

hen. So verstanden sind sie rhetorische Mittel, die uns dazu anhalten, die Dilemmasituation eines anderen besser zu begreifen: Das moralische Verbot einer bestimmten Handlung soll zwar grundsätzlich anerkannt werden, dessen Gültigkeitsbereich durch die Schilderung komplizierter Umstände jedoch bloß auf die wirklich eindeutigen Fälle beschränkt werden. Anders formuliert: Über den Hinweis auf Härtefälle soll die Möglichkeit absoluter Normen in Frage gestellt werden. Ihr Einsatz offenbart schließlich, dass die Kasuistik «in Bezug auf moralische Themen in einem rhetorisch ausgefeilten Argumentieren besteht».[9]

Allerdings ist der Gebrauch von derartigen Dilemmafällen, der in erster Linie die Ablehnung bestimmter Vorurteile zum Ziel hat, welche eine partikuläre Beurteilung zurückweisen, vom Einsatz repräsentativer Fallstudien zu unterscheiden, die z. B. im Hinblick auf die Einführung eines neuen Gesetzes formuliert werden. Die Legitimität einer einzelnen Ausnahme stellt nämlich nicht die Bedeutung eines ganzen Gesetzes in Frage, eine Aussage, welche gerade im Hinblick auf die Debatte der ärztlichen Suizidbegleitung außerordentlich wichtig ist. Daniel Callahan, der Mitbegründer und ehemalige Präsident des Hastings Centers, schreibt dazu:

> «Es mag Fälle geben, in denen eine Lebensbeendigung aus Mitleid der einzige Ausweg bleibt. Dabei handelt es sich allerdings um die Ausnahme, welche die Regel bestätigt. Diese Ausnahme ist vergleichbar mit der Situation, in welcher eine von ihrem Ehemann jahrelang missbrauchte Frau diesen schließlich erschießt. Vielleicht ist diese Handlung auch gerechtfertigt. Aber machen wir daraus gleich ein Gesetz, welches eine Liste mit Verhaltensweisen von Ehemännern bietet, für die man sie umbringen darf?»[10]

Dieser Extremfall des Ehemanns, der seine Frau missbraucht, mag uns zwar davon überzeugen, dass die Handlung der Frau zu entschuldigen bzw. auch moralisch richtig ist, so dass auch ein Richter oder eine Jury ihre Handlung entschuldigen würden. Ein solches Vorgehen jedoch grundsätzlich zu erlauben und dies auch im Gesetz zu verankern, gefährdet normale Lösungsstrategien in anderen privaten Konflikten und ist deshalb abzulehnen.

Ein Härte- oder Dilemmafall, der in diesem Sinn als Ausnahme die Regel bestätigt, kann nicht zum Ausgangspunkt eines neuen Gesetzes werden.[11] Er stellt auch die geltende gesetzliche Regelung nicht in Frage, sondern überzeugt uns vielmehr bloß von der ethischen Legitimität dieser ganz spezifischen Ausnahme.

---

[9] *A. Jonsen*, Casuistry: An Alternative or Complement to Principles, in: Kennedy Institute of Ethics Journal 5 (1995) 237–251, hier 241.

[10] Vgl. *P. Wilkes*, The Next Pro-Lifers, in: The New York Times Sunday Magazine (July 21, 1996) 22–27, hier 25, 42–44.

[11] Dies heißt nicht unbedingt, dass Paul Ramseys wichtiges Argument zurückgewiesen werden muss; vgl. *Ders.*, The Case of the Curious Exception, in: *G. Outka/P. Ramsey* (Eds.), Norm and Context in Christian Ethics, New York 1968, 67–135. Hier betont er, dass es grundsätzlich keine moralischen Ausnahmen gebe; wenn, dann wäre eine als Ausnahme wahrgenommene Situation unter einer anderen moralischen Regel einzuordnen.

Nachdem die Überprüfung eines Härtefalls zu der Einsicht geführt hat, dass eine bestimmte moralische Norm nicht ausnahmslos gilt, muss sicherlich weiter überlegt werden, ob diese Dilemmasituation tatsächlich bloß einen Einzelfall darstellt oder eventuell auch eine ganze Gruppe von Fällen repräsentiert, auf die dann einzugehen wäre. Stellt sich diese Vermutung als begründet heraus, wäre die betreffende Norm tatsächlich zu ändern. Dieses Vorgehen ließe aus der ursprünglich als Härtefall verstandenen Situation einen repräsentativen Fall werden.

Ob der oben geschilderte Fall von Onkel Louis tatsächlich eine moralisch gerechtfertigte Ausnahme von der Regel darstellt, bleibt zu diskutieren. Sicherlich gäbe es in der katholischen Moraltheologie genügend theoretische Ansätze, um den Wunsch Onkel Louis zurückzuweisen. Zu denken wäre hier beispielsweise an die Argumente von Thomas von Aquin gegen den Suizid[12] oder an die heute im «Katechismus der katholischen Kirche»[13] und in der Enzyklika «Evangelium vitae»[14] von Johannes Paul II. dargelegten Vorbehalte gegen den ärztlich assistierten Suizid. Zugunsten der Beweisführung ist es allerdings vorzuziehen, den Fall von Onkel Louis als einen Härtefall anzuerkennen und ihn damit unter moralischem Gesichtspunkt als Beleg für notwendige Ausnahmen vom universalen Verbot der ärztlichen Suizidbeihilfe gelten zu lassen. Kann der Fall unter diesen Umständen zur Grundlage eines neuen Gesetzes werden? Ist er repräsentativ für eine ganze Gruppe von Menschen, die sich in einer vergleichbaren Lage befinden und daher allgemein von einem ärztlich assistierten Suizid profitieren könnten? Wenn diese Fragen bejaht werden, so muss sicherlich ein neues Gesetz zum Schutz der Rechte dieser Personen geschaffen werden. Ist der Fall von Onkel Louis hingegen nicht repräsentativ, dann ist er – ebenso wie der Fall der missbrauchten Hausfrau – schlicht als ein einzelner Ausnahmefall einzustufen.

In acht bedeutenden Punkten unterscheidet sich der Härtefall von Onkel Louis jedoch von einem repräsentativen Fall, der einen typischen Patienten beschreibt, der einen Suizid unter ärztlicher Begleitung begeht. Diese Punkte sollen nun im Einzelnen aufgegriffen werden.

---

[12] Vgl. *Thomas von Aquin*, STh II-II, q. 64 a. 5: Er nennt hier vier Gründe gegen den Suizid, nämlich: Dieser wende sich gegen die Liebe, denn wir sollten uns selbst lieben; gegen das Naturrecht, denn es missachtet unsere natürliche Neigung zur Selbsterhaltung; gegen die Gerechtigkeit, denn durch die Selbsttötung verstoßen wir gegen das Allgemeingut; und schließlich gegen die Heiligkeit des Lebens, welche Gott allein als Herr über Leben und Tod anerkennt.
[13] Vgl. den Katechismus der katholischen Kirche, Nr. 2277.
[14] Vgl. *Johannes Paul II.*, Evangelium vitae, Nr. 64– 67. Zur Bedeutung dieser Enzyklika vgl. meinen Aufsatz: J. F. Keenan, The Moral Argumentation of Evangelium vitae, in: *K. W. Wildes/A. C. Mitchell* (Eds.), Choosing Life: A Dialogue on Evangelium vitae, Washington DC 1997, 46–62.

1. Frauen sind besonders betroffen

Zunächst ist das Geschlecht der Person in einem Fall ärztlicher Suizidbeihilfe typischerweise weiblich. Liest man die Fallberichte von Dr. Kevorkian, dem amerikanischen Arzt, der Suizidbegleitung anbietend durch den Staat Michigan reist, so fällt sehr stark auf, wie viele Frauen sich unter den von ihm in den Tod begleiteten Personen befinden. Von 43 beschriebenen Fällen sind in 15 Situationen Männer und in 28 Frauen betroffen gewesen. Frauen scheinen öfter um die Suizidbegleitung zu bitten als Männer: Dr. M. Cathleen Kaveny konnte zeigen, dass 60 % der über fünfundsechzigjährigen und 75 % aller über achtzigjährigen Betroffenen Frauen waren. Dabei ist die höhere Lebenserwartung der Frauen nur ein Grund neben weiteren, sind doch z. B. 75 % aller über fünfundsechzigjährigen Armen weiblichen Geschlechts. In einem Land wie den USA, in dem die Armen medizinisch nicht ausreichend versorgt sind, ist es darum kein Zufall, dass anteilmäßig mehr Frauen als Männer zu den Personenkreisen zählen, die um eine ärztliche Suizidassistenz bitten. Schließlich liegt ein weiterer wesentlicher Grund in der Tatsache, dass Frauen doppelt so häufig unter Depressionen leiden als Männer; immerhin sind insgesamt 15 Millionen Amerikanerinnen und Amerikaner von dieser Krankheit betroffen, und die Depression ist gleichzeitig zu den Hauptmotiven zu zählen, die de facto zur Bitte um einen ärztlich begleiteten Suizid führen.[15]

Nun ist es von nicht zu unterschätzender Bedeutung, wenn in einer Fallstudie das Geschlecht der betroffenen Person abgeändert wird. Hinsichtlich einiger wirtschaftlicher Bedingungen wie in Bezug auf das Einkommen, die Gesundheitsversorgung oder die Arbeitsplatzmöglichkeiten, werden Frauen nämlich diskriminiert. Daher sind die Frauen in dieser Hinsicht auch zurecht sehr misstrauisch geworden. Falls nun eine repräsentative Fallstudie zur Liberalisierung der ärztlichen Suizidbegleitung in diesem Sinne geschlechtsspezifisch zu bestimmen wäre, würden die Frauen ähnlich misstrauisch gegenüber einem medizinischen Programm reagieren, welches sie im Vergleich zu den Männern «bevorzugt» berücksichtigt. Wäre die typische und repräsentative Fallstudie tendenziell eher auf Frauen bezogen, so stünden nicht mehr so sehr die Autonomie oder die involvierten Rechte, sondern vielmehr soziale Benachteiligungen und die Opferbereitschaft der Frauen im Vordergrund der Auseinandersetzung. Eine derartige repräsentative Fallstudie unterstützt sogar soziale Benachteiligungen, falls es sich bei der betroffenen Person um eine Frau handelt, die während Jahren für ihren Ehemann gesorgt hat und nun bereit ist, durch einen ärztlich unterstützten Suizid ihren eigenen «würdigen» Tod ins Auge zu fassen, auf dass sie ihren Kindern nicht noch zu einer Bürde wird. Susan Wolf bemerkte einmal dazu:

---

[15] Vgl. *M. C. Kaveny*, Kevorkian and Women, in: USA Today (October 21, 1996) 19A; vgl. weiterhin *Dies.*, Assisted Suicide, Euthanasia, and the Law, in: Theological Studies 58 (1997) 124–148, bes. 137; und *Dies./J. Langan*, The Doctor's Call, in: The New York Times (July 15, 1996) A11.

> «Die Parallelität zu anderen Formen verborgener Gewalt gegen Frauen legt die Frage nahe, warum eine Frau soweit kommt, welche kontextuellen Umstände sie soweit bringt und warum sie denkt und fühlt, es gäbe keine bessere Möglichkeit des Daseins mehr für sie.»[16]

Gegenüber dem ärztlich assistierten Suizid sind die Frauen misstrauisch, ganz besonders gegenüber der Art und Weise, wie dieser von Dr. Kevorkian praktiziert wird. Seine acht ersten Patientinnen waren Frauen; werden jedoch Anspielungen auf seine Frauenfeindlichkeit gemacht, findet Kevorkian auch Männer als Patienten. Stephanie Gutman kommentiert dieses Verhalten folgendermaßen:

> «Den meisten von Kevorkian behandelten Männern wurde durch ihre eigenen Ärzte bestätigt, dass sie sich im terminalen Stadium befinden; sie litten an andauernden, schweren und krankheitsbedingten Schmerzen (...). Dagegen befanden sich die meisten Frauen, die Kevorkian begleitet hat, weder im Terminalstadium noch litten sie unter schweren und andauernden Schmerzen. Auffällig sind Fälle von Brustkrebs (für die mittlerweile große Heilungschancen bestehen), Emphyseme, rheumatische Arthritis und Alzheimer (eine Situation, die meist die Angehörigen stärker trifft als die Betroffenen selbst). (...) In typisch weiblicher Manier schienen die Patientinnen meist von den Auswirkungen ihrer Krankheit auf andere betroffen zu sein. Ist es möglich, dass ein bestimmter Frauentyp – depressiv, zurückhaltend und bescheiden, damit beschäftigt, anderen am Lebensende zu dienen – besonders verletzlich auf die ‹rationale› und ‹heroische› Lösung des Dr. Death reagiert?»[17]

Die Bedingungen, welche dazu führen, dass Frauen zu Patientinnen von Kevorkian werden, sind in unserer Gesellschaft noch immer bestimmende Realität. Es ist natürlich wahr, dass Kevorkian mit seinem Engagement die Nachteile des amerikanischen Gesundheitssystems markiert. George Annas hat Recht mit seiner Bemerkung, Kevorkian sei nicht einfach ein irrender Arzt, er sei vielmehr «ein Symptom eines Gesundheitssystems, das ernsthafte Mängel in der Behandlung Sterbender aufweist».[18] Die medizinischen Mängel einerseits und die sozialen Missstände hinsichtlich der Gerechtigkeit zwischen den Geschlechtern andererseits überschneiden sich jedenfalls präzise in dem repräsentativen Fall der ärztlichen Suizidbegleitung.

---

[16] *S. Wolf,* Gender, Feminism and Death: Physician-Assisted Suicide and Euthanasia, in: *Dies.* (Ed.), Feminism and Bioethics, New York 1996, 282–317, hier 293. Vgl. weiterhin *B. Logue,* Last Rights: Death Control and the Elderly in America, New York 1993; *A. Kaplan/ R. Klein,* Women and Suicide: The Cry for Connection, in: *D. Jacobs/H. Brown* (Eds.), Suicide: Understanding and Responding, Madison CT 1989; *H. Kushner,* Women and Suicide in Historical Perspective, in: Signs: Journal of Women in Culture and Society 10 (1985) 537–552.

[17] *S. Gutman,* Death and the Maiden: Dr. Kevorkian's Woman Problem, in: The New Republic 214 (1996) 20–24, hier 21.

[18] Vgl. das entsprechende Zitat bei *J. Paris,* Autonomy and Physician Assisted Suicide, in: America 176 (1997) 17, 11–14, hier 12. Vgl. weiterhin *G. Annas,* Physician-Assisted Suicide – Michigan's Temporary Solution, in: New England Journal of Medicine 328 (1993) 1573–1577.

2. Mangelhafte Schmerztherapie

Wird im repräsentativen Fall die Schmerzbehandlung berücksichtigt, so geschieht dies nicht aufgrund fehlender Möglichkeiten, sondern deshalb, weil eine solche nicht angeboten worden ist. Die Schmerztherapie ist in den Vereinigten Staaten nach wie vor unterentwickelt. Christine Gorman schreibt dazu:

> «Schaut man hinter die heutigen Schlagzeilen über den ärztlich assistierten Suizid oder das Recht zu sterben, so offenbart sich als das wirklich behandelte Thema der Umgang mit den unerträglichen Schmerzen – oder besser gesagt, der unbeholfene bzw. unprofessionelle Umgang mit der Schmerztherapie.»[19]

Eine aktuelle Studie über das Ergehen von 4 000 Patienten, die nach einer Spitalbehandlung gestorben sind, besagt, dass 40 % der Betroffenen meistens unter schweren Schmerzen gelitten haben.[20] Dieses Versagen wird von nahezu jeder medizinischen Organisation zugegeben. Das «Institute of Medicine» beispielsweise kritisiert Ärzte aufgrund ihrer «mangelnden Fähigkeit, Schmerzen und Stress am Lebensende genügend zu bekämpfen»:

> «Aufgrund der mangelhaften Erfahrung von Ärzten und von anderen Personen, die im Gesundheitswesen tätig sind – auch von den Versicherungen – verstehen viele Leute das Sterben als eine demütigende und schmerzvolle letzte Lebensphase, welche eine Bitte um Suizidassistenz nahelegt.»[21]

Diese beklagenswerten Verhältnisse sind nicht etwa darauf zurückzuführen, dass keine schmerztherapeutischen Mittel zur Verfügung stehen, im Gegenteil: Die Schwierigkeiten bestehen nur deshalb, weil die Schmerztherapie selbst in eindeutigen Notsituationen keine Anwendung findet. Im Jahre 1994 hat die «Task Force on Life and the Law» im Staat New York auf folgende Tatsache hingewiesen:

> «Gesamthaft gesehen gewährleisten die modernen schmerztherapeutischen Mittel in nahezu allen Fällen eine befriedigende Schmerzlinderung, sieht man von wenigen Extremfällen einmal ab. Es wurden unterschiedliche Techniken entwickelt, um Patienten in verschiedenen Situationen effektiv behandeln zu können.»[22]

---

[19] *C. Gorman*, The Case for Morphine, in: Time (April 28, 1997) 64–65, hier 64.
[20] Vgl. *J. Lynn/ J. M. Teno/ R. S. Phillips* et al., Perceptions by Family Members of the Dying Experience of Older and Seriously Ill Patients, in: Annals of Internal Medicine 126 (1997) 97–106.
[21] *W. Leary*, Many in US Denied Dignified Death, in: The New York Times (June 5, 1997) A14. Dieses wie auch die beiden vorausgehenden Zitate finden sich in: *J. Fuller*, A Physician's Perspective on Physician-Assisted Suicide, in: 52nd Annual Convention of the Catholic Theological Society of America, Minneapolis, June 7, 1997.
[22] New York State Task Force on Life and the Law, When Death is Sought: Assisted Suicide and Euthanasia in the Medical Context, 1994, hier 40; zit. nach *S. Martyn/ H. Bourguignon*, Physician-Assisted Suicide: The Lethal Flaws of the Ninth and Second Circuit Decisions, in: California Law Review 85 (1997) 2, 400.

Auch Ada Cox hat im «New England Journal of Medicine» darauf aufmerksam gemacht, dass Schmerzen, die aufgrund einer Krebserkrankung auftreten, in 90 % der Fälle «auf relativ einfache Weise» angegangen werden können.[23]

Angesichts dieser Erkenntnisse kann es kaum als repräsentativ bezeichnet werden, wenn sich Patienten aufgrund fehlender Möglichkeiten zu einer effizienten Schmerztherapie für den assistierten Suizid entscheiden. Die Schmerztherapie wäre eigentlich vorhanden; die Tatsache, dass sie nicht zum Einsatz kommt, weist vielmehr auf eine weitere Lücke im Gesundheitssystem hin. Dieses markante Versagen trifft die Patienten letztlich in zweierlei Hinsicht: Zum einen wird vielen Kranken und Sterbenden die notwendige Schmerztherapie vorenthalten, zum anderen wird die öffentliche Meinung in ihrem Vorurteil bestärkt, es gäbe keine Möglichkeit zur effizienten Schmerzbekämpfung. Der oben beschriebene Fall von Onkel Louis zum Beispiel belegt diese doppelte Täuschung.

Ähnlich gestalten sich auch Entscheidungen zum Sterbenlassen eines Patienten in den USA sehr schwierig, besonders, wenn man zusätzlich die gesellschaftlich verankerte, unterschiedliche Behandlung der Geschlechter mitberücksichtigt. Nimmt man die Erfahrungen der Frauen zur Grundlage, die in amerikanischen Gesundheitsinstitutionen mit ihrem Sterben und Tod konfrontiert werden, so bestätigen sich die sozialen Missstände hinsichtlich der unterschiedlichen Behandlung der Geschlechter noch einmal. Steven Miles und Allison August haben Fälle von nicht mehr entscheidungsfähigen Patienten näher angesehen, die vor Gericht entschieden wurden: In diesen Fällen von Behandlungsabbruch am Lebensende wurde zunächst von den Angehörigen das Zeugnis darüber verlangt, dass der mutmaßliche Wille des betroffenen Patienten bzw. der betroffenen Patientin darin bestand, die lebenserhaltenden Maßnahmen abzubrechen. In diesen Situationen sprachen sich die Richter in 75 % der Fälle zugunsten des Patienten aus, falls dieser ein Mann war, hingegen votierten sie nur in weniger als 15 % der Fälle zugunsten der Patientinnen, wenn die Betroffene eine Frau war! Die Autoren vermochten mit ihrer Untersuchung zu belegen, dass die Richter die von Männern getroffenen Entscheidungen als rational oder vernünftig, die von Frauen gefällten Entscheidungen hingegen als unreflektiert, gefühlsmäßig und unreif beurteilten.[24]

---

[23] Vgl. *A. Jacox et al.*, New Clinical Practice Guidelines for the Management of Pain in Patients with Cancer, in: New England Journal of Medicine 330 (1994) 651.

[24] Vgl. *S. Miles/A. August*, Courts, Gender and the Right to Die, in: Law, Medicine and Health Care 18 (1990) 85–95. Vgl. weiterhin zur Problematik, dass Gerichte auch regelmäßig die Wünsche der betroffenen Frauen im Bereich der Geburtshilfe übergehen, bei: *V. Kolder/J. Gallagher/M. Parsons*, Court-Ordered Obstetrical Intervention, in: New England Journal of Medicine 316 (1987) 1192–1196. Ich danke Maria Houghton für den Hinweis auf diese Studien.

Die Unfähigkeit der amerikanischen Mediziner, für eine angemessene Schmerztherapie zu sorgen, ist eigentlich unverständlich. Dies v. a. angesichts der Tatsache, dass mit der anerkannten SUPPORT-Studie ein eigenes, auf fünf Jahre hin und mit einem Budget von 25 Millionen Dollar angelegtes Projekt mit dem Ziel durchgeführt worden ist, die amerikanische Ärzteschaft dabei zu unterstützen, Behandlungen am Lebensende grundsätzlich zu verbessern: Offensichtlich waren die Veranstalter dieses Unternehmens nicht in der Lage, das medizinische Establishment zu einer effizienteren Anwendung von Entscheidungen zum Reanimationsverzicht, zum Einsatz der ICU's (Intensive Care Units) bzw. der Schmerzbehandlung anzuleiten.[25] In diesem Unvermögen und nicht im Pochen auf die menschliche Selbstbestimmung oder Autonomie ist der Schlüssel zur Erklärung der Diskussion um die ärztliche Suizidbeihilfe zu suchen.

3. Das Motiv der Schmerzlinderung

Die Schmerzlinderung spielt bloß eine untergeordnete Rolle in den Entscheidungen zur ärztlichen Suizidassistenz, wie dies der Medizinethiker Ezekiel Emanuel anhand der niederländischen Euthanasiepraxis aufgezeigt hat. 1984 wurde durch das oberste Gericht in Holland die ärztliche Suizidbeihilfe entkriminalisiert. Anschließend formulierten die Gerichte und die Königlich-Niederländische Ärztegesellschaft strikte Richtlinien zur Durchführung der ärztlichen Suizidbeihilfe. In den Jahren 1990 und 1996 wurden im sog. «Remmelink-Report» Daten hinsichtlich der Befolgung der Richtlinien publiziert. Emanuel berichtet, dass die Schmerzbehandlung lediglich in 32 % aller ärztlichen Suizidbeihilfen eine Rolle gespielt haben; er fügt aufgrund einer anderen Studie hinzu, dass in niederländischen Alten- und Pflegeheimen die Schmerzbehandlung in 29 % der Fälle erwähnt und bloß in 11 % der Fälle als wichtigster Beweggrund angegeben worden ist.[26] Andere Forscher berichten aufgrund einer Studie über sterbende Patienten im amerikanischen Staat Washington (der gemeinsam mit Oregon die strikteste Gesetzgebung der ärztlichen Suizidbeihilfe kennt), dass weniger als ein Drittel der Betroffenen die Schmerzbehandlung als ihr Motiv zur Bitte um Suizidbeihilfe angegeben haben.[27] Tatsächlich belegt eine Untersuchung von Krebspatienten aus Boston, dass Patienten, die unter starken Schmerzen lit-

---

[25] Vgl. *The SUPPORT Principal Investigators*, A Controlled Trial to Improve Care for Seriously Ill Hospitalized Patients: The Study to Understand Prognoses and Preferences for Outcomes and Risks of Treatments (SUPPORT), in: Journal of the American Medical Association 274 (1995) 1591–1598.
[26] Vgl. *E. Emanuel*, Whose Right to Die?, in: The Atlantic Monthly (March 1997) 73–79, hier 75.
[27] Vgl. *A. Back et al.*, Physician Assisted Suicide and Euthanasia in Washington State: Patient Requests and Physician Responses, in: Journal of the American Medical Association 275 (1996) 919, 921f.

ten, die Suizidbeihilfe öfters ablehnten als andere und überdies den Arzt wechselten, wenn sie von dessen Suizidbeihilfepraxis gehört hatten.[28] Emanuel schließt aus diesen Daten:

> «Keine Studie konnte bislang belegen, dass bei der Motivation der Patienten, die um Suizidbeihilfe oder Euthanasie bitten, die Schmerzen eine große Rolle spielen.»[29]

4. Zur Bedeutung der Depressionen

Weiterhin wird es in einem repräsentativen Fall nicht um eine Person gehen, die bei klarem Verstand und voll bei Bewusstsein ist, sondern eher um Menschen, die an Depressionen leiden. Der wichtigste Grund für eine Nachfrage um Suizidbeihilfe scheint darin zu bestehen, dass der Betroffene Angst davor hat, eine Last für andere zu werden; so schätzen es jedenfalls 93 % der Ärzte von Oregon in einer Umfrage ein.[30] In der bereits zitierten Studie vom Staat Washington haben drei Viertel (75 %) der Kranken im Terminalstadium ihrer Befürchtung Ausdruck gegeben, sie könnten zu einer Last für andere werden.[31] Clive Seale und Julia Addington-Hall untersuchten, «warum Menschen früher sterben möchten» und fanden dabei heraus, dass Verzweiflung, Leiden und Abhängigkeit die bedeutendsten Faktoren sind. Sie schlossen daraus:

> «Diese Ergebnisse tragen wichtige Implikationen für die öffentliche Euthanasiedebatte (...). Wenn eine gute Pflege den Wunsch, früher sterben zu wollen, vermeiden hilft, so sollte sie sowohl auf das Problem der Abhängigkeit als auch auf dasjenige der Symptomkontrolle eingehen; dies sind genau die Aspekte, welche die Hospizbewegung auf beeindruckende Weise verbessert hat.»[32]

Wenn der Druck auf die Familien und die Lieben dermaßen bedeutsam ist, wird dann ärztlich assistierte Suizid nicht zu einer äußerst ambivalenten «Lösung», wie der AIDS-Experte John Fuller einmal bemerkt hat? Fuller ist der Meinung, dass angesichts der mangelhaften Schmerztherapie bzw. der unzureichenden Behandlung psychischer Belastungen die ärztlich assistierte Selbsttötung zum Ausweg aus einer Situation wird, welche im Grunde durch das Gesundheitssystem hätte gelöst werden sollen.[33] Daniel Callahan meint bestätigend:

---

[28] Vgl. *E. Emanuel*, Euthanasia and Physician-Assisted Suicide: Attitudes and Experiences of Oncology Patients, Oncologists and the Public, in: The Lancet 347 (1996) 1805, 1809.
[29] *E. Emanuel*, s. Anm. 26, 75.
[30] Vgl. *M. Lee et al.*, Legalizing Assisted Suicide – Views of Physicians in Oregon, in: New England Journal of Medicine 334 (1996) 310, 312, hier zitiert nach: *S. Martyn/ H. Bourguignon*, s. Anm. 22, 395.
[31] S. o. Anm. 27.
[32] *C. Seale/J. Addington-Hall*, Euthanasia: Why People want to Die earlier, in: Social Science and Medicine 39 (1994) 5, 647–654, hier 654.
[33] S. o. Anm. 21.

«Die Einführung des ärztlich assistierten Suizids droht eine grundlegende gesellschaftliche Veränderung mit sich zu bringen: Man geht davon aus, dass es gut, menschlich, würdig und grundsätzlich möglich sei, diese Praxis ohne drohenden Missbrauch systematisch anzuwenden. Aber unter dem Vorwand einer neuen Form der Empathie handelt es sich dabei bloß um eine Übung in Selbstaufgabe, quasi um einen sozialen Selbstbetrug unter dem Deckmantel der Medizin. Warum sollte man sich groß um die Gesundheitsreform oder um die Hospizpflege bemühen, wenn mit dieser Abkürzung bereits eine Alternative besteht?»[34]

Callahan betont anschließend, wie wenig der Fall von Onkel Louis mit dem heute tatsächlich repräsentativen Fall übereinstimmt. Der Fall von Onkel Louis berichtet von einem Menschen, der alle möglichen Alternativen ausprobiert hat und trotzdem unerträglichem Leiden ausgesetzt gewesen ist, der Ärzte und Familienangehörige in seine Entscheidung einbezogen und aus voller Überzeugung eine Entscheidung gefällt hat, der jedoch gleichzeitig nicht in der Lage ist, diese Entscheidung auch auszuführen, da der Staat ihm seine Rechte verweigert. Dieser Fall ist zwar überzeugend, beruht jedoch gleichzeitig auf einer unglaublichen Täuschung, insofern er uns versichern soll, dass der Schritt hin zum ärztlich assistierten Suizid einen Fortschritt hinsichtlich der Umsetzung der individuellen Menschenrechte darstellt.[35] Der repräsentative Fall ist eher derjenige einer Frau, die, insofern sie sich vor Schmerzen fürchtet, in Wirklichkeit Bedenken hat, dass ihr Gesundheitssystem eine angemessene Schmerztherapie nicht bereitzustellen in der Lage ist, eine Frau, die eine Entscheidung zum Suizid deshalb fällt, weil sie ihrer Familie nicht zur Last werden will und weil ihre Erfahrungen mit der «Gesundheitsindustrie» viel problematischer aussehen als die von Onkel Louis. Die Ironie des rhetorischen Mittels, die der Fall von Onkel Louis transportiert, besteht darin, dass diese Fallstudie uns zum Mitgefühl mit einer kleinen Gruppe von relativ selbstbewussten Menschen anhält, und zwar auf Kosten der Solidarität mit denjenigen, welche den ärztlich begleiteten Suizid deshalb suchen, weil sie sich von der Gesellschaft, der Familie und vom Gesundheitssystem im Stich gelassen sehen. Darum ist der Fall von Onkel Louis im besten Fall als Manipulation zu beurteilen.

Der Mangel sowohl einer wirksamen Schmerztherapie als auch – noch bedeutender – dem fehlenden Ernstnehmen des Gefühls, für andere zu einer Last zu werden, sind die wahren Gründe, warum Menschen einen Ausweg in der ärztlich begleiteten Selbsttötung sehen. Kathleen Foley schreibt, dass «wir uns zuerst um den Zugang zu einer Behandlung der belastenden Symptome – wozu neben den Schmerzen sowohl die psychischen Belastungen als auch die Lebensqualität zu zählen sind – kümmern müssen, bevor wir uns den Anliegen der Lebensbeendigung zuwenden können.»[36]

---

[34] Zitiert bei *P. Wilkes*, s. Anm. 10, 25.
[35] Zum Mythos, der fälschlicherweise behauptet, das öffentliche Interesse am ärztlich begleiteten Suizid sei eine relativ neue Entwicklung: vgl. *E. Emanuel*, s. Anm. 26, 74.
[36] *K. Foley*, The Relationship of Pain and Symptom Management to Patient Requests for Physician-Assisted Suicide, in: Journal of Pain and Symptom Management 6 (1991) 289–297, hier 289.

5. Freiwilligkeit der Tötung?

Außerdem ist zu bemerken, dass es in einem wirklich repräsentativen Fall nicht möglich wäre, die Freiwilligkeit der Entscheidung dermaßen stark zu gewichten, wie dies im Fall von Onkel Louis geschieht. Dieses überraschende Ergebnis offenbart der gesamte Remmelink-Report, insofern hier deutlich wird, dass die ursprünglich von der Königlich-Niederländischen Ärztegesellschaft geforderten Richtlinien de facto nicht eingehalten werden. Aus diesem Bericht geht nämlich hervor, dass jährlich 9 700 Bitten um einen ärztlich assistierten Suizid bzw. Euthanasie ausgesprochen werden, denen in 3 600 Fällen auch entsprochen wird. Dies betrifft immerhin über 2 % aller Sterbefälle in diesem Land! Allerdings werden über die Hälfte aller Fälle von Suizidbeihilfe oder aktiver Euthanasie nicht offiziell gemeldet; darüber hinaus handelt es sich bei über 1 000 dieser 3 600 Fälle um Akte der sogenannten nicht-freiwilligen aktiven Euthanasie (d. h. ein Arzt tötet einen Patienten, ohne den ausdrücklichen Wunsch der Familie oder des Patienten zu kennen).

Andere Entwicklungen lassen noch mehr aufhorchen. So hat im Jahre 1993 eine Kommission der Königlich-Niederländischen Ärztegesellschaft gefordert, dass eine Tötung aus Mitleid («mercy killing») auch für Psychiatriepatienten möglich sein sollte. 1995 haben die niederländischen Gerichte schließlich die Tötung eines Säuglings gerechtfertigt, der an Spina bifida litt. Drei von acht niederländischen Stationen für Neonatalmedizin betreiben gegenwärtig die aktive Euthanasie.[37] Diese Zahlen rütteln dermaßen auf, dass die beiden Richter Martyn und Bourguignon kommentieren:

> «Die schleichende Entwicklung hin zur unfreiwilligen Euthanasie und der Mitleidstötung hat in den Niederlanden mittlerweile eine unkontrollierte Eigendynamik entwickelt, und dies allen rechtlichen Barrieren, welche die Freiwilligkeit garantieren sollten, zum Trotz.»[38]

Die niederländische Erfahrung ist aus drei Gründen auch für die amerikanische Debatte von Bedeutung: Zunächst liegen hier die ersten Zahlen vor, welche die Praxis der ärztlichen Suizidbeihilfe in der industrialisierten Welt betreffen. Zweitens wäre die Missbrauchsmöglichkeit der ärztlichen Suizidbeihilfe «im amerikanischen Kontext exponentiell größer», wie Kaveny bemerkt. Angesichts der Tatsache, dass die niederländische Gesellschaft relativ homogen zusammengesetzt ist und neben einer umfassenden Gesundheitsversorgung auch «ein besser entwickeltes Netzwerk sozialer Leistungen» garantiert, fragt Kaveny: «Wie würde die Praxis des assistierten Suizids in unserer von Rassenvorurteilen geprägten und wirtschaftlich sehr differenziert gegliederten US-amerikanischen Gesellschaft aussehen?» Schließlich bleibt

---

[37] Vgl. für diese Daten *E. Emanuel*, s. Anm. 26, 76ff.; bzw. *S. Martyn/H. Bourguignon*, s. Anm. 22, 410–419; vgl. auch *J. Keown*, Euthanasia in the Netherlands, in: *Ders.* (Ed.), Euthanasia Examined, New York 1995, 261–296.

[38] *S. Martyn/H. Bourguignon*, s. Anm. 22, 417.

darauf hinzuweisen, dass es beide Berufungsgerichte in den USA, die zugunsten der ärztlich assistierten Selbsttötung votierten, abgelehnt haben, die niederländischen Erfahrungen als relevant einzustufen.[39] Trotzdem bleiben Befürworter dabei, im Sinne der Stellungnahme im «Harvard Magazine» Fallstudien wie diejenige von Onkel Louis zu präsentieren, welche sich eher mit der Forderung nach bestimmten Rechten als mit der Situation möglicher Klienten beschäftigen. Die Autonomie der Patienten wird dabei als gesetzliche Regelung einfach zugrunde gelegt. Stellt man jedoch die möglichen Betroffenen in den Mittelpunkt der Überlegungen, so scheint genau diese Autonomie durch die Einführung des ärztlich begleiteten Suizids gefährdet zu sein. So hat sich das «Wall Street Journal» in einem Editorial gegen den assistierten Suizid ausgesprochen:

> «Selbst wenn kein Geld im Spiel ist, zweifelt doch niemand ernsthaft daran, dass die Legalisierung des Suizids dazu führt, daß Patienten, die einer gewissen Grauzone zuzuordnen sind, zumindest anfällig für diese ‹Lösung› würden.»[40]

Im neuen Urteil des obersten Gerichtshofs hat der oberste Richter Rehnquist – entgegen dem Urteil des neunten Appellationsgerichts – geltend gemacht, dass er «die Vernachlässigung der staatlichen Verantwortung gegenüber benachteiligten Personen, die in einen ärztlich begleiteten Suizid gedrängt werden könnten, als grotesk empfinde». Und er fügte hinzu: «Wir haben den subtilen Zwang und die übertriebene Einflussnahme als reales Risiko bei Entscheidungen am Lebensende deutlich erkannt.»[41]

6. Zur Häufigkeit der Bitten um eine Tötung

Ebenfalls sollte in einem repräsentativen Fall die Häufigkeit der assistierten Selbsttötung nicht unterschätzt werden, die in Folge einer Legalisierung derselben zu erwarten ist. In der Literatur zu diesem Thema werden die individuellen Rechte den sozialen Prozessen und Verstrickungen gegenüber gestellt, so dass die Schilderung der Einzelfälle die Einzigartigkeit jedes Suizids suggerieren. Der Annahme jedoch, der repräsentative Fall könne darauf basieren, dass die Nachfrage zahlenmäßig sehr niedrig bleibt, stehen andere berechtigte Voraussagen entgegen. Warum sollten diese Bitten nicht in einer gewissen Regelmäßigkeit auftauchen? In den Niederlanden ersuchen mehr als 5 % der Bevölkerung um Suizidbeihilfe, 2 % von ihnen erhalten diese Hilfe schließlich auch. Ist tatsächlich anzunehmen, dass wir so erfolgreich wie die Holländer wären und die jährliche Rate auf dem Niveau

---

[39] Vgl. diese Einschätzung der Juristin und Ethikerin *M. C. Kaveny*, Assisted Suicide, s. Anm. 15, 138; sie liefert hier ebenfalls eine Beschreibung der beiden Gerichtsurteile.
[40] Against Assisted Death, in: The Wall Street Journal (April 1, 1997) A18.
[41] Chief Justice *W. Rehnquist*, From the Decision in Washington v. Glucksberg, in: Excerpts from Decision that Assisted Suicide Bans Are Constitutional, in: The New York Times (June 27, 1997) A18.

von 2 % halten könnten? (Diese Annahme ist derzeit zweifelhaft, da die sozialen Bedürfnisse in den Niederlanden weit effizienter in ein Gleichgewicht gebracht werden können als in den USA.) Trotzdem: Würde es uns gelingen, die jährliche Rate der assistierten Selbsttötung bei 2 % zu halten, so bedeutete dies, dass 43 500 Amerikaner pro Jahr mit Hilfe ihres Arztes sterben würden.[42] Diese amerikanische Unterschätzung der Wirksamkeit von gesetzlich verankerten Verboten kennt bereits ein Beispiel. Stephen Carter, Rechtsprofessor an der Yale University, erinnert uns an das Faktum, dass sich die Mitglieder des obersten Gerichtshofs bei ihrer Entscheidung zur Legalisierung der Abtreibung im Jahr 1973 niemals vorgestellt hätten, dass «die USA zu einem Land mit 1,5 Millionen Abtreibungen pro Jahr werden könnte».[43] – Die Fallstudien der Befürworter betonen die individuellen Rechte und übergehen dabei die große Zahl der von Depressionen betroffenen Menschen, die im Falle einer Gesetzesänderung die Selbsttötung ins Auge fassen würden.

7. Bleibt der Suizid tatsächlich ein Ausnahmefall?

Schließlich gilt es zu betonen, dass der ärztlich assistierte Suizid im repräsentativen Fall nicht als ein allerletzter Ausweg dargestellt werden kann. Befürworter betonen ja immer wieder, dass die Suizidbegleitung lediglich als letzte Maßnahme ergriffen würde. Diese Annahme ist fiktiv. Sicherlich ist es gegenwärtig noch so, da der assistierte Suizid noch illegal ist, dass nur wenige den Ausweg darin suchen und vorher alle anderen Möglichkeiten ausgeschöpft werden; im Falle der Legalisierung jedoch stellt sich die Frage, warum ein Patient sich gezwungen sehen sollte, den Suizid bloß als allerletzten Ausweg anzusehen. Daniel Callahan gibt Folgendes zu bedenken:

> «Wenn diese Möglichkeit als so menschlich geschildert wird, wird sie zu einer legitimen medizinischen Option. Menschen mit einer aussichtslosen Diagnose sehen sich dann einer Situation ausgesetzt, in der ihr Arzt darin nicht nur eine Möglichkeit, sondern sogar die naheliegendste, sensibelste und menschlichste Option sieht.»[44]

Ruft man sich noch einmal den Unterschied zwischen der Gesundheitsversorgung in den USA und den Niederlanden in Erinnerung, so fragt man sich, ob der ärztlich assistierte Suizid für die Leute ohne Krankenversicherung letztlich nicht sogar der einzige Ausweg bleibt? Die «New York State Task Force» schätzt diese Prognose besonders alarmierend ein:

---

[42] Vgl. *S. Martyn/H. Bourguignon*, s. Anm. 22, 412; sie berufen sich auf eine Erhebung aus dem Jahr 1992, die von gesamthaft 2 175 613 Todesfällen berichtet.
[43] *S. Carter*, Rush to a Lethal Judgement, in: The New York Times Sunday Magazine, (July 21, 1996) 28–29, hier 29.
[44] Zitiert bei *P. Wilkes*, s. Anm. 10, 25.

Der ärztlich assistierte Suizid könnte «besonders für die Menschen gefährlich werden, deren Autonomie und Wohlfahrt bereits durch die materielle Armut, den fehlenden Zugang zu einer guten medizinischen Versorgung und der Zugehörigkeit zu einer bereits stigmatisierten sozialen Gruppe eingeschränkt ist.»[45]

Der bekannte Bioethiker Arthur Caplan formuliert es kurz und bündig folgendermaßen:

«Angesichts der 30 Millionen unversicherten Menschen in dem jetzt bestehenden System bin ich entsetzt über die neuen Tendenzen. So betreibt nicht eine einzige Organisation, welche die Anliegen der materiell armen Leute in unserem Land vertritt, Lobbying zugunsten der Legalisierung der ärztlichen Suizidbeihilfe.»[46]

Das Beharren auf dem letzten Ausweg verdunkelt die tatsächliche Situation, dass der ärztlich begleitete Suizid nämlich für einige Menschen der einzige verbleibende Ausweg sein könnte. Tatsächlich teilen gerade die verletzlichsten Mitglieder der Gesellschaft die Ansicht von Caplan. So zeigt eine beeindruckende amerikanische Umfrage, dass 51 % der Amerikaner den ärztlich begleiteten Suizid als gute Möglichkeit schätzen, darunter 54 % der Männer und 47 % der Frauen. Während 55 % der weißen Bevölkerung diese Möglichkeit unterstützen, wird sie bloß von 20 % der afro-amerikanischen Befragten positiv beurteilt. 57 % der Menschen im Alter von 40–49 begrüßen den begleiteten Suizid, jedoch nur 35 % der über Siebzigjährigen teilen diese Meinung. Während 58 % derjenigen, welche über $ 75 000 verdienen, positiv urteilen, unterstützen lediglich 37 % der unter $ 15 000 verdienenden Leute diese Meinung.[47] Sind diese Unterschiede etwa damit zu erklären, dass die Afro-Amerikaner, die Älteren und die Armen weniger Sinn für die Bedeutung der individuellen Rechte haben als die Angehörigen anderer demographischer Gruppen? Oder spiegelt diese unterschiedliche Einschätzung vielmehr realistische Ängste der verwundbarsten Mitglieder des Gesundheitssystems wider?

8. Der empathische Arzt

Zuletzt bleibt hinzuzufügen, dass in einem repräsentativen Fall nicht auf die sogenannte lange und intensive Beziehung zwischen Arzt und Patient hin-

---

[45] Zitiert bei *M. C. Kaveny*, Assisted Suicide, s. Anm. 15, 137. Rehnquist beschwor die «Task Force» bei verschiedenen Gelegenheiten und fügte hinzu: «Das staatliche Verbot des assistierten Suizids bringt das politische Ziel zum Ausdruck, dass das Leben von Sterbenden, von behinderten und älteren Menschen genauso gewichtet werden muss wie das Leben junger und gesunder Menschen, und dass der suizidale Impuls bei einer stark behinderten Person auf dieselbe Weise verstanden und behandelt werden sollte wie bei jedem anderen Menschen.»

[46] *G. Shur Bilchik*, Dollars and Death, in: Hospitals and Health Networks (December 20, 1996) 18–22, hier 21.

[47] Die Umfrage wurde im März 1996 von der «The Washington Post» durchgeführt. Sie erschien jüngst in folgendem Essay: *D. Rosenbaum*, Americans Want a Right to Die. Or So They Think, in: The New York Times (June 8, 1997) E3.

gewiesen werden kann. Sicherlich haben einige Ärzte die strafrechtlich vorgegebene Grenze bereits überschritten und bei einem vertrauten Patienten die Suizidbegleitung durchgeführt; sie berufen sich in solchen Fällen auf die gute und persönliche Beziehung zum betroffenen Patienten, welche sie zur Überschreitung eines Gesetzes gedrängt hätte. Dieses Detail erscheint häufig in bekenntnishaften Erzählungen, die die Überzeugung des Arztes beschreiben, in Extremfällen auch das Gesetz brechen zu müssen. Diese Fälle sind selten, sehr persönlich und für viele Leute auch nachvollziehbar.

In diesem Zusammenhang ist es angebracht, sich an den «empathischen Arzt» (den «compassionate physician») zu erinnern, der in den Diskussionen um den Fall «Roe versus Wade» (der ja in den USA zur neuen Gesetzgebung geführt hat) im Zusammenhang mit schwierigen Abtreibungsfällen immer wieder aufgetaucht ist. Was geschah in der Zwischenzeit bis heute mit den einfühlsamen und mitleidenden Ärzten, die vor der Gesetzesliberalisierung in den besonders schwierigen Fällen Frauen begleiteten, die um eine Abtreibung baten? Warum verschwanden mit der neuen Gesetzesregelung auch diese mitfühlenden Ärzte? Warum wurden legale Abtreibungen nicht in die alltägliche Krankenhauspraxis integriert? Warum werden um Hilfe suchende Frauen bei einem Schwangerschaftsabbruch in spezielle Kliniken verwiesen und somit marginalisiert? Lautet in diesen Fällen nicht vielmehr das zentrale und darum zur Diskussion stehende Problem, dass der Arzt den Auftrag erhalten soll, *regelmäßig und systematisch* absichtlich zu töten?[48]

Falls das Ausmaß den Anteil von 2 % der Bevölkerung überschreiten sollte: Wer von den Ärzten fühlt sich dann zuständig, die Suizidbegleitungen durchzuführen? Dies ist eine wichtige Frage! Wenn wir die Abtreibungen in spezielle Kliniken verweisen und damit an Menschen delegieren, die zu dieser Praxis bereit sind: Warum sollte nicht Ähnliches im Fall des ärztlich assistierten Suizids geschehen? Wer wird all die Suizidbegleitungen übernehmen, wenn diese Praxis in einem Gesundheitssystem mit 30 Millionen Unversicherten erst einmal legalisiert worden ist? Der narrative Hinweis auf eine besonders lange und intensive Beziehung zwischen Arzt und Patient erscheint hier besonders fraglich.

Dr. Fuller lenkt unsere Aufmerksamkeit zu dem berühmten Essay «It's Over Debbie», dem ersten klaren Bekenntnis zum assistierten Suizid, das in einer bedeutenden amerikanischen Medizinzeitschrift veröffentlicht worden ist. Er beschreibt es folgendermaßen:

---

[48] Vgl. *K. Quinn*, Intending to Kill, in: America 176 (1997) 5, 9f.; *Ders.*, Assisted Suicide and Equal Protection: In Defense of the Distinction Between Killing and Letting Die, in: Issues in Law and Medicine 13 (1997), erscheint demnächst. Weiterhin *J. Bresnahan*, Killing and Letting Die: A Moral Distinction Before the Courts, in: America 176 (1997) 3, 8–16. Eine gute Übersicht über weitere Literaturangaben vgl. *M. C. Kaveny*, Assisted Suicide, s. Anm. 15, 134f. Zur Unterscheidung selbst vgl. *J. F. Keenan*, Töten oder Sterbenlassen, in: Stimmen der Zeit 201 (1983) 825–837; *Ders.*, Assisted Suicide and the Distinction Between Killing and Letting Die, in: Catholic Medical Quarterly 42 (1992) 5–9.

«In diesem Bericht wird von einem Arzt in der Weiterbildung erzählt, der von sich selbst behauptet, er hasse die mitternächtlichen Telephonanrufe, weil sie ihn am nächsten Tag so deprimiert stimmen. Dieser Arzt erhielt nun einen solchen Anruf von einer zwanzigjährigen sterbenden Frau, die an einem Ovarkarzinom litt. Er beschreibt nun seinen Weg vom ärztlichen Aufenthaltsraum zur jungen Frau: ‹(...) Ich trottelte verschlafen den Wänden entlang und um die Ecken herum (...) ungläubig, ob ich wirklich schon wieder aufgestanden bin.› Er kommt schließlich zu einer verfallenen Person, die seit zwei Tagen weder gegessen noch geschlafen hatte und nach Luft schnappte, was belegt, dass nicht einmal die grundlegende palliative Pflege zur Verfügung gestellt wurde. Nachdem sie die wenigen Worte zu ihm gesagt hatte: ‹Let's get this over with›, kam er mit einer intravenösen Injektion von 20 Milligramm Morphin zurück, an deren Wirkung die Frau innerhalb von fünf Minuten verstarb.»[49]

Wie groß ist die Wahrscheinlichkeit, dass ein Arzt in einem repräsentativen Fall nicht genauso distanziert und unpersönlich handelt wie der hier beschriebene Arzt?[50]

9. Schlussbemerkungen

Wir können nicht – gleichsam mit einem Blick in eine Kristallkugel – in die Zukunft schauen, sondern bloß vermuten, was eine Legalisierung der ärztlichen Suizidbeihilfe für die Gesellschaft an Folgen mit sich bringen würde. Fallstudien sind jedenfalls als rhetorische Mittel zu verstehen; auch der von mir erarbeitete Fall – nennen wir ihn einmal «Mary X» – verfolgt rhetorische Ziele, genauso wie der kritisierte Fallbericht von Onkel Louis. Allerdings leidet die Anwendung rhetorischer Mittel in den USA an einer unglaublichen Kurzsichtigkeit, welche in dieser Debatte die Befürworter des ärztlich assistierten Suizids bevorteilt. Ihre pathetischen Zeugnisse berühren zwar, ihre wichtigste Botschaft aber ist, dass eine Förderung der Autonomie am besten über die Einführung des ärztlich begleiteten Suizids zu erreichen ist. Falls die starke Anziehungskraft der Autonomie nicht mit der relativ seltenen Situation eines schwer leidenden Mannes, sondern mit dem repräsentativeren Fall einer Frau verglichen wird, die weder zur Last noch vereinsamt und depressiv werden will, und die im besten Fall über einen unsicheren Zugang zu einer angemessenen medizinischen Behandlung verfügt, dann würden wir realisieren, dass das entscheidende Thema in der amerikanischen Debatte um eine angemessene Behandlung am Lebensende in Wirklichkeit nicht der Mangel an Autonomie ist.

---

[49] *J. Fuller*, s. Anm. 21, 3.
[50] Eigenartigerweise bemerkte der ermüdete Arzt anschließend: «Die Patientin war müde und bedurfte einer Rast. Die Gesundheit konnte ich ihr nicht zurückgeben, aber ich konnte ihr diese Rast verschaffen.» Der Name des Autors wurde auch auf Anfrage nicht bekanntgegeben; vgl. It's Over, Debbie, in: Journal of the American Medical Association 259.2 (1988) 272.

Der Fall, den ich unter der Bezeichnung Mary X beschreibe, ist der repräsentative Fall für einen ärztlich begleiteten Suizid und kein Extremfall. Vielmehr spricht dieses Fallbeispiel gegen die Forderungen nach der Verwirklichung von individuellen Rechten, die anhand der Extremfälle eingebracht werden. Als solcher demonstriert er nicht fehlende Autonomie (Autonomie ist letztlich nur ein Kriterium der Mächtigen), sondern die ungleiche Verteilung der Macht, die Unfähigkeit, angemessen für die Sterbenden zu sorgen, und schließlich das Fehlen eines Entwurfs des Allgemeinwohls, welches gegenwärtig die soziale Landschaft Amerikas demoralisiert.

Der Fall von Mary X wirft eine Frage auf, welche derjenige von Onkel Louis nie hervorgebracht hätte: Welche Konsequenzen zieht eine gesetzliche Liberalisierung des ärztlich assistierten Suizids nach sich?[51] Befürworter des Falls von Onkel Louis, die ausschließlich an der Verwirklichung der individuellen Autonomie interessiert sind, vergessen, diese Frage nach den sozialen Folgen eines neuen Gesetzes zu stellen. Dadurch, dass sie sich einzig an den extremen Ausnahmefällen orientieren, stoßen sie niemals auf die sozial repräsentativen Fälle. Befürworter des Falls von Mary X hingegen sind der Meinung, dass in einer Gesellschaft, die bereits eine Reihe von gesetzlichen Vorteilen für Menschen wie Onkel Louis bietet, die wenigen Sicherheiten, die Leute wie Mary X schützen, nicht aufs Spiel gesetzt werden sollten, bloß um den ohnehin bereits Bevorteilten und Mächtigen ein «würdiges» Sterben zu ermöglichen.[52] Der Fall von Mary X als repräsentativer Fall zielt auf die Erhaltung und Förderung des Allgemeinwohls, ein Ziel, welches durch Extremfälle nie zur Geltung kommen wird.

---

[51] Vgl. *R. R. Cooper*, The Dignity of Helplessness: What Sort of Society Would Euthanasia Create?, in: Commonweal (October 25, 1996) 12ff.

[52] Vgl. dazu den wichtigen Beitrag von *J. Cardinal Bernardin*, Euthanasia in the Catholic Tradition, in: Theology Digest 43.3 (1996) 246–254, weiterhin: *Th. Kopfensteiner*, Death with Dignity: A Roman Catholic Perspective, in: Linacre Quarterly 63.4 (1996) 65–75; *J. Keating/J. Corbett*, Euthanasia and the Gift of Life, in: Ebd. 63 (1996) 3, 33–41; *D. Sulmasy*, Death with Dignity: What Does It Mean?, in: Josephinum 4 (1997) 1, 13–24.

Klaus Demmer

Handeln als Einüben des Sterbens
Ein Kapitel theologischer Anthropologie

Am Tod scheiden sich die Geister. Die Sicherheit, mit der er eintritt, verlangt nach Gewissheit seiner denkerischen Bewältigung. Wer – wie der Theologe – beansprucht, letztverbindliche Antworten zu geben, muss sich jeder Nachfrage stellen. Die gegenwärtig herrschende demokratische Denkkultur bürdet diese Verantwortung dem Einzelnen auf, gleich ob sich dieser zu einer freien Überzeugungsgemeinschaft bekennt oder die Last alleine trägt. Sie vereinnahmt niemanden, und der freie Markt der Meinungen ist prinzipiell grenzenlos. Das plausible Argument, so die durchgängige Überzeugung, wird sich unweigerlich durchsetzen. Mitverantwortung aller ist darum das Gebot.[1]

Das Thema Euthanasie mag als Paradigma kognitiver Komplexität erscheinen.[2] Das Bewusstsein von der Begrenztheit aller Einsicht sowie ihrer Vernetzung mit einer Vielfalt von Voraussetzungen unterschiedlichster Art verdichtet sich in ihm. Dem geistig wachen Zeitgenossen wird zugemutet, denkerische Konsequenz nicht nur auszuhalten, sondern in die Konsequenz seines Lebens hineinzuhalten. Kann er mit seiner Position – sofern sie ihm klar vor Augen steht – leben und sterben? Er wird gern nach Hilfen ausschauen, und auf den theologischen Ethiker richtet sich sein erwartungsvoller Blick. Was hat Theologie zu sagen, wenn der Mensch in ausweglose Situationen hineingerät, die ihm über die Verwirrung des Geistes hinaus ein Maximum an seelischer und körperlicher Belastung eintragen? Gilt sie nur für Schönwetterlagen, oder hält sie auch stand, wenn es hart auf hart geht? Der Grenzfall ist schließlich die Nagelprobe für den Normalfall, er fordert jene intellektuelle Redlichkeit ein, die als Ausweisschild praktischer Vernunft zu gelten hat. Der Erweis von Solidarität misst sich an ihm.[3]

---

[1] Eine Beschreibung der Situation liefert *R. Neuberth*, Ethik, Vernunft und Rationalität. Bericht zur Jahrestagung 1996 der Societas Ethica, in: Zeitschrift für evangelische Ethik 41 (1997) 48–55. – Vgl. ebenso *C. A. M. Hermans/J. A. Van der Ven*, Das moralische Selbst: Diskurs und Kommunikation in einer pluralistischen Gesellschaft, in: *K. Golser/ R. Heeger* (Hrsg.), Moralerziehung im Neuen Europa, Brixen 1996, 131–164; *H. J. Sandkühler*, Pluralismus, in: Dialektik (1996) 3, 23–48; *U. Czaniera/B. Haferkamp*, Die Autorität der Freiheit. Pluralismus in liberalen Zivilgesellschaften, ebd. 151–162.

[2] Eine Zusammenfassung der Diskussion bei *E. Schockenhoff*, Ethik des Lebens. Ein theologischer Grundriß, Mainz 1993, 287–340; Vgl. *F. Böckle*, Menschenwürdig sterben, in: *L. Honnefelder/G. Rager* (Hrsg.), Ärztliches Urteilen und Handeln. Zur Grundlegung einer medizinischen Ethik, Frankfurt a. M. 1994, 284–318; vgl. den Überblick in: Zeitschrift für medizinische Ethik 39 (1993) Heft 1.

[3] Eine Kette ist so stark, wie das schwächste ihrer Glieder; das gilt auch für das einigende Band aller Entscheidungen.

Im Tod ballt sich die Dramatik einer Lebensgeschichte zusammen. Wie man in Gedanken mit ihm umgeht, so geht man mit der Unübersichtlichkeit allen Tuns und Unterlassens um. Der Tod erschöpft sich ja nicht darin, das biologische Ende zeitunterworfener Existenz zu markieren. Er ist der stille und unsichtbare Teilhaber an jedem Zeitmoment, und je wacher ein Mensch lebt, umso beklemmender ist seine Bedrohung gegenwärtig. Denn in allem, was bedacht und bejaht wird, wird der Tod einschlussweise mitbedacht und mitbejaht.[4] Eine Position will darum bezogen sein, mit der man sich ohne Wenn und Aber identifiziert, die sich jeder weiteren Hinterfragung verschließt. Irgendwann im Leben stößt man an einen «point of no return», es sei denn, man gebe seine eigene Identität auf. Nichts spricht dagegen, dass er sich weiter ausdifferenziert, weil der Problemstand neue, bislang unbeachtet gebliebene Dimensionen hinzugewonnen hat, seien die auslösenden Gründe nun ökonomischer, gesellschaftspolitischer oder theologisch-anthropologischer Art.[5]

Die folgenden Überlegungen haken an dieser Stelle ein. Sie suchen den Gesichtspunkt des theologischen Ethikers in die öffentliche Diskussion einzubringen, wohl wissend, wie riskiert ein solches Unternehmen ist. Sie werben um Verständnis beim Glaubenden wie beim Nicht-Glaubenden, sie bewegen sich in der Binnenwelt des expliziten Glaubens und suchen doch zugleich, die Außenperspektive nicht auszuklammern. Denn Theologie ist öffentlich, jedermann, so er nur guten Willens ist, muss sich in ihr wiedererkennen können, oder sie hat ihr Ziel verfehlt.

1. Theologisch-anthropologische Markierungen zum Thema Tod

Der theologische Ethiker muss sich immer neu Rechenschaft über seine theologische Denkkompetenz ablegen. Was tut er eigentlich, wenn er behauptet, Theologie zu treiben? Macht er sich im Grunde unangreifbar, weil prinzipiell unkontrollierbar, wenn er sich auf solche Größen wie göttliche Offenbarung und kirchliche Lehrautorität beruft? Oder lässt er sich auf ein Denkabenteuer ein, dem sich, in welch chiffrierter Form auch immer, jeder geistig wache Mensch unterschiedlichster Weltansicht stellt? Schließlich gilt es als unbezweifelte theologische Meinung, dass der Mensch, allem gegenteiligen Anschein zum Trotz, ein von Natur religiöses Wesen ist. Mit dieser Hypothese arbeitet der Theologe, er klammert sich an die Überzeugung, Menschheitsthemen aufzugreifen und auf ihren letzten Grund hin aufzuschließen.

---

[4] Vgl. *E. Jüngel*, Tod, Stuttgart/Berlin ³1973, 46–50.
[5] Vgl. dazu u. a. *H. Schlögel*, Der erneute Streit um die Euthanasie – Theologisch-ethische Aspekte, in: Zeitschrift für katholische Theologie 114 (1992) 425–439.

Gott erdenken und immer neu bedenken zu können mag als Wunder des Geistes betrachtet werden.[6] Höchste Leistung erkennt ihre unbedingte Verdanktheit. Der Gipfel zuhandener Abstraktionskraft ist erreicht, die sich im gleichen Atemzug der Fülle des Seins eröffnet. Wer Gott zu denken wagt, der beansprucht, alle kreatürlichen Grenzen zu überspringen und in diesem Sprung die Wirklichkeit der Kreatur vollendet einzufangen. Weder kann von einer Verklärung des Daseins noch von einer Entlastung des Denkens die Rede sein. Eher stellt sich der Verdacht der Komplizierung und Belastung ein. Das spricht für die Wahrheit des Gottesgedankens. Denn man verfällt nur solchen Irrtümern, die sich in irgendeiner Form auszahlen. Der Gottesgedanke hingegen fordert vollen Tribut! Und dies vorzüglich dort, wo der Mensch an den Rand des Abgrunds, ja vor das Nichts geführt wird.[7] Die Grenzsituation ist ein «locus theologicus», sie fordert einen geistigen Gewaltakt, der als Einsatzzeichen allen weiteren Denkens gelten kann. So mag es sich nahelegen, an die verschüttete Tradition der negativen Theologie mit den ihr gemäßen anthropologischen Korrelaten zu erinnern. Gottes Unbegreiflichkeit steht uneinholbar vor jedem Zugriff des Begreifens; der Vorbehalt ist die Form der Aussage, die Negation durchstimmt die Proposition, und dies über die Gesamtbreite des Lebens hinweg.[8] Kein Wunder darum, wenn den wahren Theologen eine Denkkultur der Bescheidenheit auszeichnet, Ahnung und Vermutung sind ihre unverzichtbare Signatur.[9]

Die Aussage, Gott sei der Herr des Lebens, fügt sich in diese Perspektive ein. In ihr liegt ein Topos biblischen Denkens vor, sie markiert einen Schlüsselbegriff theologischer Anthropologie. Erinnerte Verdanktheit ist gemeint, wenn Herrschaft gesagt wird.[10] Das impliziert Zuerkenntnis unzerstörbarer Personwürde, der Mensch ist dem Menschen prinzipiell entzogen, alles Verfügenwollen über den anderen ist verschärft rechenschaftspflichtig. Diese Forderung radikalisiert sich im Blick auf alle Weisen der Totalverfügung, die hohe Vermutung steht gegen sie. Das Tötungsverbot

---

[6] Vgl. *K. Demmer*, Gottes Anspruch denken. Die Gottesfrage in der Moraltheologie (SThE 50), Freiburg i. Ue./Freiburg i. Br. 1993, 122–126.
[7] Vgl. *J. B. Metz*, Im Eingedenken fremden Leids. Zu einer Basiskategorie christlicher Gottesrede, in: *Ders./J. Reikerstorfer/J. Werbick*, Gottesrede, Münster 1996, 3–8.
[8] Vgl. *J. Reikerstorfer*, Leiddurchkreuzt – zum Logos christlicher Gottesrede, ebd. 46–57.
[9] Vgl. *N. Fischer*, Die Leichtigkeit des Schwierigen. Weisheit und Wissenschaft im philosophischen Denken des Cusanus, in: Theologie und Glaube 86 (1996) 245–259, zumal 255ff.: Der Bezug von Weltwissen und Gotteswissen müsste auch für sittliche Erkenntnis gelten, schließlich denkt der theologische Ethiker im Horizont des Gottesgedankens. Man kann nicht Gott mutmaßen und im gleichen Atemzug ethische Sätze behaupten, oder man gibt seinen Status als Theologe auf.
[10] Vgl. *Johannes Paul II.*, Enzyklika «Evangelium vitae» Nr. 39. Dazu u. a. *J. Fuchs*, Das «Evangelium vom Leben» und die «Kultur des Todes». Zur Enzyklika «Evangelium vitae», in: Stimmen der Zeit 213 (1995) 579–592, zumal 584f.: Das Tötungsverbot entzieht sich einer fundamentalistischen Interpretation.

in seiner kasuistischen Ausdifferenzierung sucht diesen Anspruch zu fassen.[11]

Aber es bedarf weiterer anthropologischer Korrelate. Wer den Gottesgedanken in menschliches Selbstverständnis einbettet, unterstellt ein qualifiziertes Verständnis von Zeit. Zeit ist mehr als kosmische Wirklichkeit, die unaufhaltsam ihrem bestimmten Ende zuläuft oder sich in unbestimmter Endlosigkeit auflöst. Vielmehr wird sie von der Anstrengung des Denkens eindeutig finalisiert, und darin erweist sich der Mensch als der Herr seiner Geschichte. Er ist imstande, Lebens- und Handlungsziele zu entwerfen, die Spuren des Ewigen in sich tragen, weil und sofern sie die scheinbare Sinnlosigkeit des Todes überdauern. In der theologischen Anthropologie ist keimhaft eine Geschichtstheologie enthalten, deutende Entschlüsselung aller Widerfahrnisse macht glaubende Denkkompetenz aus. Zeit avanciert zum Träger von Verheißung. Das wird zum Skandalon in all jenen Situationen, die auf den ersten Blick nur als sinnloses Verfügtwerden erlebt werden; vielleicht gibt es auch in ihnen ein ganz unscheinbares Verfügen. An diesem Punkt verstummt allerdings jeder allgemeine Satz.[12]

Herrschaft über die Geschichte meint kluge Vorsehung, sie fordert Geistesgegenwart ein. Jedermann verbindet mit seinem Leben Vorstellungen von Sinnerfülltheit, Gelingen und Glücken, sie sollen sich im Laufe der Lebensgeschichte bewahrheiten, und alles Denken und Planen zielt darauf ab. Ein beherrschendes Intentionsfeld wird aufgebaut und durchdringt jede, noch so unbedeutend erscheinende Entscheidung. Dies geschieht angesichts der bedrängenden Erfahrung des Entschwindens der eigenen Lebenszeit. Der Vergänglichkeit soll Bleibendes abgerungen werden. Es gilt, auf der Höhe des Lebens den Tod zu bewältigen, wie er sich in seinen vielen Vorboten immer neu und gnadenlos in Erinnerung bringt, sei es über herbe Verluste, körperliches und seelisches Leid. Fassungslosigkeit kann die Szene kennzeichnen, man ist nicht mehr Herr, sondern nur noch Opfer, man führt nicht, sondern wird geführt.[13] Das fordert die Fähigkeit, gegen den Augenschein denken zu können. Lebenseinstellungen müssen erworben werden, die dieser Bedrängnis standzuhalten vermögen, damit Würde nicht verlorengehe. Gegenfinalitäten müssen erkundet werden, die so etwas wie einen Protest gegen dieses Verhängnis ausdrücken. Alles Operieren mit

---

[11] Vgl. *E. Schockenhoff*, Insgesamt schlüssig. Eine moralphilosophische Analyse von «Evangelium vitae», in: Herder-Korrespondenz 49 (1995) 541–548; *J. Römelt*, Freiheit, die mehr ist als Willkür. Christliche Ethik in zwischenmenschlicher Beziehung, Lebensgestaltung, Krankheit und Tod, Regensburg 1997, 266–268.

[12] Vgl. *K. Demmer*, Anfang und Ende des Lebens – wie fließend sind die Grenzen ärztlichen Handelns?, in: Gregorianum 77 (1996) 287–307, hier 299–301.

[13] Vgl. *H. J. Münk*, Glück und Erfolg – christliche Lebensinhalte?, in: Theologie der Gegenwart 37 (1994) 82–96, zumal 90f.: Das Haben als hätte man nicht, mit Verweis auf 1 Kor 7, 30, erzeugt eine kontrafaktische Hoffnung als alles Glücksuchen durchdringende und transformierende Grundtendenz. – Ebenso *K. Demmer*, Das vergeistigte Glück. Gedanken zum christlichen Eudämonieverständnis, in: Gregorianum 72 (1991) 99–115, zumal 104–109 (Das Glück und die Lebensziele).

dem Leitbegriff des gelungenen Lebens hat sich dieser Anfrage zu stellen, wenn anders es nicht dem Naivitätsverdacht, ja dem stillen Vorwurf des Zynismus verfallen will.[14]

Nun wäre es nicht genug, wollte man es mit diesem Hinweis bewenden lassen. Denn es könnte der Eindruck erweckt werden, Ergebung sei das letzte Wort, das der Glaube dem Menschen mitzuteilen und abzuverlangen habe. In Wirklichkeit ist die Zumutung höher.[15] Ergebung muss in Vergebung einmünden, das kann nur als Ärgernis empfunden werden. Dort wo Hass die ganz spontane Reaktion ist und alle Kräfte zum Widerstand mobilisiert, tritt Bereitschaft zur Versöhnung ganz unmerklich an die Stelle und errichtet einen, vielleicht vorreflexen archimedischen Punkt, der in aller Weltgestaltung als der stille Herrscher über die Zeit anwesend ist. Geschichtstheologie lebt von dieser Voraussetzung, und Vorsehung über das eigene Leben stellt sich auf diesen Ernstfall so nüchtern wie gefasst ein. Es ist dann eine Frage des Suchens und Wahrnehmens, wie die sinnfällige Umsetzung in konkrete sittliche Bewährung aussehen kann.[16]

Glaube an die Auferstehung von den Toten provoziert die Frage, was man berechtigterweise für dieses Leben erhoffen darf. Welche Vorstellungen von Gelingen und Glücken sind legitim, wenn jedes Zeitsegment auf Ewigkeit hin transparent gedacht und gemacht werden kann? Solche Denkarbeit ist dem Glaubenden Läuterungsarbeit, die sich allerdings vom Verdacht eines tendenziell dualistischen Spiritualismus fern zu halten sucht. Dies schon darum, weil ihr alles entscheidender Referenzpunkt im Kreuzesgeschehen liegt. Hier ist Innehalten geboten, jedes Wort hat sein Gewicht. Kreuzestheologie heißt, das Verhängnis von Schuldgeschichte bis ins Extrem zu denken. Was der Mensch dem Menschen sein und antun kann, kann dramatischer nicht mehr ausgedrückt werden. Von Gott und von den Menschen verlassen, darin fasst sich die anthropologische Sinnspitze zusammen und rührt somit an den schwächsten Punkt humaner Existenz.[17] Er liefert das Einsatzzeichen von Theologie mit innerer Ausrichtung auf den je schwächsten Mitmenschen als Zeitgenossen hin. Jesus von Nazareth ist das reine Opfer, nach Golgatha verbietet sich daher eine Opfertheologie. Nicht, als ob nun Konflikte theologisch weggedacht würden, aber sie bergen, wie versteckt auch immer, die Verheißung der Heilung in sich.

---

[14] Vgl. *P. Fonk*, Gegen-Finalitäten – die Ethik des gelingenden Lebens vor der Frage nach dem Leiden, in: G. Höver (Hrsg.), Leiden, Münster 1997, 73–93: Es bedarf, im Anschluss an R. Guardini, eines asketischen Grundakts (82), der die eigene wahre Lage akzeptiert und alle Beschwichtigungsformeln demaskiert (85).

[15] Vgl. *V. Lenzen*, Die Heiligung des göttlichen Namens (Kiddusch HaSchem): Jüdische Ethik des Lebens und Leidens, ebd. s. Anm. 14, 151–167.

[16] Vgl. *K. Demmer*, s. Anm. 13, 109–114: Alle einzelnen Lebensgüter werden in ihrem Verweischarakter auf die Ewigkeit so erkannt, dass sie tragfähige Handlungsziele abgeben.

[17] Vgl. *F. Böckle*, s. Anm. 2, 317: «Das Entsetzliche seines (scl. Jesu) Sterbens war das Erlebnis äußerster Gottverlassenheit, das gerade er in seiner einzigartigen Gottverbundenheit in der Konfrontation mit dem Tod erfahren hat. ... Seither darf der Glaubende dem Tod entgegengehen im Vertrauen, daß Gott ihm in aller Verlassenheit die Treue hält.»

Alle Hoffnungsgestalten knüpfen sich an dieses Gedächtnis, was der Mensch erinnert, das kann er auch ersehen. Damit Sehnsucht aber Gestalt gewinne, ist eine inventive Kraft der sittlichen Vernunft gefordert, die erklärtermaßen mit schwachen Kategorien operiert.[18] Eine höhere Kühnheit, ja Verwegenheit des Denkens ist nicht mehr vorstellbar. Von einem Paradigmenwechsel zu sprechen, erscheint nur konsequent. Aber was bedeutet er für den theologischen Ethiker? Ihm ist eine advokatorische Funktion angetragen. Er muss in denkerischer Kongenialität versuchen, Motivationen, Intentionen und vielleicht gar Handlungsmodelle zu konstruieren, die sich an dieser Matrix inspirieren, ohne der wohlfeilen Versuchung eines frommen Rigorismus, der das Maß zuhandener Kräfte missachtet, zu verfallen.[19]

Diese Aufgabe verlangt einen geistigen Spagat zwischen der dünnen Luft oberster Prinzipien und der dichten Bodennähe konkreter Imperative. Wer Prinzipien formuliert, besitzt bereits ein Vorwissen von ihrer Anwendung, und das Anwendungswissen zeitigt Rückwirkungen auf die zugrunde liegende Prinzipieneinsicht. Maximen und Handlungsnormen erleichtern die Vermittlung, sie schlagen die gedanklich nachvollziehbare Brücke zur Entscheidung, beziehen also, wie unausdrücklich auch immer, den Nächsten mit ein. Was als handlungsleitendes Rahmenwerk dem Einzelnen zur Verfügung steht, ist ja das Ergebnis kollektiver Denkleistung, in der eine Vielzahl von Lebensleistungen zusammengeschmolzen wurde. Einsicht und Erfahrung mit Einsicht in konkreten Konstellationen bilden eine im Bild der Perichorese zu verstehende Vollzugseinheit, deren inhärente Spannung sich nicht kurzerhand auflösen lässt.[20]

An dieser Nahtstelle wird das Denkpotential des Glaubens wirksam, es bringt eine Reflexionsgeschichte ein, die von den bisher entwickelten theologisch-anthropologischen Impulsgebern in Bewegung gehalten wird. Ein denkerischer Mehrwert sucht sich durchzusetzen und aufzuschlüsseln. Aber worin besteht er, wie lässt er sich vor Ort so fassen, dass er seine Synthese von Plausibilität und Handlungsrelevanz darstellt? Hier wäre auf die Erlebnisqualität des Glaubens abzuheben, auf die seelische Gestimmtheit des Glaubenden, sofern er nur sein Christsein bewusst lebt. Es gibt Erfahrungen geistlichen Glücks und Tröstung des Gewissens, die, wie kurz und sporadisch sie auch sein mögen, lange Perioden des Unglücks und der Trostlosigkeit aufwiegen können.[21] Wer aus solch dichter Erinnerung lebt, wird

---

[18] Vgl. *J. B. Metz*, s. Anm. 7, 8–15; vgl. ebenfalls die Beiträge in: Jahrbuch Politische Theologie, Bd. 1, 1996.
[19] Der theologische Ethiker ist mehr als jeder seiner Kollegen anderer Disziplinen des klassischen Fächerkanons ein Existenzdenker, das bewahrt ihn vor wirklichkeitsfremder Spekulation. Abstraktion muss zur Wirklichkeit befreien, nicht von ihr wegführen.
[20] Der biographische Wurzelgrund ethisch theologischer Reflexion steht nicht gegen universale Geltungsansprüche; ihre denkerische Vermittlung ist Aufgabe hermeneutischer Sensibilität.
[21] Vgl. *J.-P. Wils*, Der Schmerz und das Leiden. Über Sprache und Identität als Probleme theologischer Ethik, in: *G. Höver* (Hrsg.), s. Anm. 14, 125: Die im Leiden zu leis-

nicht von lähmender Angst überfallen und aufgerieben sein, wann immer er in Situationen scheinbarer Ausweglosigkeit hineingerät, von ihnen geradezu überfallen wird. Geistesgegenwart des Glaubenden verlangt aber prophylaktische Einübung auf dem unscheinbaren Exerzierfeld des Alltagsethos, und die Kriterien wachsen einem unmerklich zu.

2. Mut zur normativen Festschreibung

Sittliche Handlungsnormen schenken mit Recht erwartbare Entlastung, damit ihr Adressat in Momenten der Anfechtung nicht an Überforderung scheitere. Sie sind so etwas wie eine öffentliche Geste denkerischer Solidarität; die sittliche Kommunikationsgemeinschaft verbürgt sich, zumindest prinzipiell, für ihre theoretische Geltung wie praktische Lebbarkeit zugleich. Ein Vorschuss geht in komplexe Entscheidungssituationen ein, er stülpt nicht nur eine korrekturoffene Vermutung über die zu leistende empirische Situationsanalyse, sondern bezieht die geistige Verfassung des Handelnden stillschweigend mit ein. Er geht davon aus, dass sittliche Kraft tendenziell unbegrenzt ist, also mit dem Grad der Beanspruchung Schritt hält.[22] Aber wie steht es mit ihrer Einbettung in lebensgeschichtliche Zusammenhänge und leibliche Konditionierungen? Sie können, so die Vermutung, verschuldete oder unverschuldete Brechungen herbeiführen, so dass im Einzelfall mit einem Mischurteil zu rechnen ist. Hier wird das Feld der Feinabstimmung betreten, und es ist ein Gebot der Solidarität, den Betroffenen mit seinem Gewissen nicht allein zu lassen; es wäre dies ein Zeichen der Entsolidarisierung mit möglicherweise dramatischen Konsequenzen. Das kirchliche Lehramt macht sich diese Besorgnis zu eigen und gibt ihr in der Vorlage in sich schlechter Handlungen gültigen Ausdruck. In einer regionalisierten und zunehmend unübersichtlichen geistigen Landschaft müssen Fixpunkte als Zeichen starker Identität aufgerichtet werden, und dies unbeschadet grundsätzlicher Bereitschaft zu semantischer Präzisierung.[23]

Der theologische Ethiker ist gut beraten, wenn er mit der Leitvorstellung einer selbstkritischen Vernunft operiert. Aufdeckung aller relevanten

---

tende Überprüfung unserer Einstellungen verlangt m. E. über eine vorreflexe Synthesis hinaus eine wie verschüttet auch immer gegebene Glückserfahrung.

[22] Normethik gründet in Tugendethik. Vgl. dazu *G. Beirer*, Wert, Tugend und Identität: zur Gestaltung und Vermittlung sittlicher Kompetenz. Ein Beitrag zur Revitalisierung einer Tugendethik, in: *V. Eid/A. Elsässer/G. W. Hunold* (Hrsg.), Moralische Kompetenz. Chancen der Moralpädagogik in einer pluralen Lebenswelt, Mainz 1995, 76–116, hier 95: Handlungen liegen Tugenden als Fähigkeiten der Selbstgestaltung zugrunde.

[23] Vgl. *Johannes Paul II.*, Enzyklika «Veritatis Splendor» Nrn. 79–83; vgl. GS 27. – Was als in sich schlechte sittliche Handlung aufgeführt wird, bewegt sich auf unterschiedlichen Abstraktionsniveaus oder operiert mit a priori unwertbesetzten Begriffen: Mord, Völkermord, Abtreibung, Euthanasie, freiwilliger Selbstmord, Verstümmelung, körperliche und seelische Folter, unmenschliche Lebensbedingungen, willkürliche Verhaftung, Verschleppung, Sklaverei, Prostitution, Mädchenhandel, unwürdige Arbeitsbedingungen.

Prämissen ist sein Gebot, das gilt für Inhalt wie Form des Denkens gleicherweise.[24] Dabei müsste sich herausstellen, dass der partikuläre Entstehungskontext von normativen Sätzen kein Indiz gegen ihre universale Geltung ist. Die denkerische Verantwortung des theologischen Ethikers zielt darauf, das Hin und Her von Partikularität und Universalität hermeneutisch zu bewältigen. Die anthropologisch-theologischen Markierungen zu Leiden und Sterben leisten für diese Aufgabe Hilfestellung. Sie fangen eine allgemeine humane Befindlichkeit ein und sind doch zugleich imstande, als Medium für ein Gesprächsangebot zu dienen, das sich an jeden Menschen guten Willens richtet.[25] Der normative Diskurs trägt die Strukturen dieser Polarität in sich. Er nimmt Sinnvorgaben auf und sucht sie allgemein konsensfähig zu machen. Einige Besonderheiten dieses Vorgangs seien jedoch hervorgehoben. So dürfen keine Übererwartungen an seine Leistungsfähigkeit kultiviert werden. Was an anthropologisch-theologischen Prämissen vorliegt, ist nicht nach Art von Obersätzen zu verstehen, die einen in allem schlüssigen Deduktionsprozess in Gang setzen, der mit eiserner Konsequenz in normative Folgesätze einmündet. Der Anspruch hält sich bescheidener. Statt Logik könnte eher von Konvenienzgründen die Rede sein, Prämissen liefern Hinweise, die dem weiteren Nachdenken die Richtung weisen. So lassen sich Handlungsweisen finden, die dem Glauben entsprechen, ihm geradezu angemessen sind.[26] Und des Weiteren bliebe zu beachten, dass kein ethisches Erkennen, Reflektieren und Argumentieren ohne kritisch-konstruktives Vergleichen gibt. Ethosformen werden auf ihre qualitativ recht unterschiedliche Problemlösungskompetenz hin angeschaut und gewogen, die eigene Position schält sich so heraus.

Vor diesem Hintergrund sucht der normative Diskurs die unbedingte Sinnhaftigkeit des Lebens bis in den Tod hinein auf die praktischen Möglichkeiten des Bestehens zu prüfen, um sie dann festzuschreiben.[27] Leitend ist die Überzeugung, der Tod stelle keine Alternative zum Leben dar, beide seien inkommensurable Größen, und darum könne man sich nur für das Leben und niemals für den Tod entscheiden. Konsequent ist dann der Satz, es gebe kein Recht auf den Tod, sondern einzig und allein auf das Leben. Das Recht auf Leben impliziert aber ein solches auf menschenwürdiges Sterben, weil das Sterben konstitutiv zum Leben gehört, und zwar von An-

---

[24] Vgl. *J. Reikerstorfer*, s. Anm. 8, 23f., 42f.; *U. Czaniera/B. Haferkamp*, s. Anm. 1, 151.

[25] Vgl. *M. Heimbach-Steins*, Das Menschenrechtsethos vor der Realität des Leidens, in: *G. Höver* (Hrsg.), s. Anm. 14, 231f.

[26] *Th. R. Kopfensteiner*, The metaphorical structure of normativity, in: Theological Studies 58 (1997) 331–346: Die menschliche Natur ist einer Landkarte vergleichbar, die noch nichts über die Ziele aussagt; dazu bedarf es inventiver Kraft, und anthropologische Muster befreien dazu mit Hilfe metaphorischer Redeweise. Das gilt auch für die anthropologischen Implikationen des Glaubens.

[27] Sinnhaftigkeit bis in den Tod ist eine anthropologische Implikation der zugrunde liegenden Geschichtstheologie; Erfahrung mit der Kraft der Freiheit muss sie vor der Gefahr eines zynischen Rigorismus schützen.

fang an.²⁸ Eine solche Position lässt sich gut theologisch begründen, hat man nur das christliche Gottesverständnis vor Augen. Gott ist in der Geschichte gegenwärtig als ihr Herr, und alle Widerfahrnisse lassen sich in dieser Perspektive deuten. Das Wort vom Vermissungswissen ist dabei imstande, die erlittene Negativität und Nicht-Identität zur Befindlichkeit des Protestes gegen das aufgezwungene Leid jeglicher Form und Herkunft zu stilisieren.²⁹ Das Einüben des Sterbens hält sich darum fern von jeder unterschwelligen Tönung des Resignativen, des Sich-abfindens mit dem Unabänderlichen, was dann im Grunde doch auf eine strategische Ökonomie der Kräfte hinausliefe. Man würde danach trachten, die unvermeidlichen Reibungen und Konflikte auf ein erträgliches Maß zurückzuschreiben. Aber wer so denkt, bewegt schon nichts mehr, er hat sich, wie sublim auch immer, angepasst.

Der Rang des fundamentalsten Rechtsgutes ist dem Leben sicher, ohne Beigeschmack von Vitalismus. Strategische Präferenz im Sinn eines Fundierungsverhältnisses zu allen übrigen humanen Gütern zielt zwar unmittelbar auf das biologische Substrat, verliert aber die Gesamtkonzeption von Sinnhaftigkeit in ihrem theologischen Anspruch nicht aus dem Auge. Das absolute Verbot der direkten und willentlichen Tötung unschuldigen Lebens verlangt nach Einordnung in diesen Rahmen, damit das komplexe Gefüge der Abwägungen das prinzipielle Selbstverständnis des Glaubenden nicht verfehle. So wird eine Demarkationslinie nach unten gezogen, aber das tut der Weite des Interpretationsrahmens keinen Abbruch.³⁰ Zwar ist eine Totalverfügung über menschliches Leben ausgeschlossen, aber das hindert nicht eine Partialverfügung, die sich nach Maßgabe aller Kräfte bemüht, die grundsätzliche Leidensbereitschaft auf die wirklich bestehende Leidensfähigkeit abzustimmen. Das geschieht für gewöhnlich in der Form des kleinen, aber vorbehaltlosen Ja, um sich für das je größere Ja offenzuhalten.³¹

Wenn sittliche Handlungsnormen eine Geste der Solidarität von Seiten der Kommunikationsgemeinschaft sind, dann sammelt sich in ihnen mehr als denkerische Kompetenz an, sie sind vielmehr satzhaft geronnene Lebensleistungen, mithin Anzeiger einer gewonnenen moralischen Kompetenz. Wer Normen formuliert, tut dies im Bewusstsein, dem gleichen Anspruch zu unterstehen. Hier liegt ein bezeichnendes Merkmal der Kir-

---

²⁸ Das ist der Tenor kirchlicher Lehrverkündigung, wie sie sich in der Enzyklika «Evangelium vitae» Nr. 20 und passim zusammenfasst. In diesem Sinne auch *L. Rillinger*, Tod auf Wunsch, in: Die politische Meinung 42 (1997) 37–44, hier 38.
²⁹ Vgl. *J. Reikerstorfer*, s. Anm. 8, 56: Die Prädikationen des Vermissungswissens schützen die Leidenserinnerung und halten den eschatologischen Verheißungshorizont offen.
³⁰ Die Erklärung der Kongregation für die katholische Glaubenslehre «Iura et bona» (5. Mai 1980) erinnert an die Unterscheidung zwischen angemessenen und unangemessenen Mitteln, die des offenbleibenden Ermessensspielraums Herr zu bleiben sucht.
³¹ Vgl. *J. Werbick*, Was das Beten der Theologie zu denken gibt oder: Ein Versuch über die Schwierigkeit, ja zu sagen, in: *J. B. Metz/J. Reikerstorfer/J. Werbick*, s. Anm. 7, 60: Das Gebet ist Vorentwurf der Entscheidung.

che als Lebenswelt unter dem Kreuz.[32] Es zählt zu den bedrückendsten Menschheitserfahrungen, dass Leiden, zumal des Unschuldigen, in die Isolation treibt. Da ist es hohe Verantwortung der Kirche, Gegenfinalitäten zu erkunden und zeugnishaft durchzusetzen. Leiden besitzt in ihr eine Öffentlichkeitsdimension, so wird ihm der schlimmste Stachel, nämlich die Vereinsamung, genommen. Wer aus dem Eingedenken des Leidens lebt, besitzt die Gabe des Eindenkens in fremdes Leiden.[33] Dies bietet wiederum Gelegenheit, auf die anthropologischen Korrelate des Glaubens abzuheben, diesmal im Blick auf jene Gleichheit, die in der Kenose Gottes mit ausgesagt wird. Sie übersteigt die Ebene demokratisch-zivilgesellschaftlichen Gleichheitsdenkens in jene Dimension hinein, in der das gleiche Leidensgeschick beheimatet ist.

In der Konsequenz ihres Selbstverständnisses fällt der Kirche ein spezifischer Bildungsauftrag zu. Sie muss lehren, mit Leiden umzugehen. Prophylaktische Ethik ist gefordert, die es versteht, eine leidversöhnte Innenwelt der Gedanken und Gefühle aufzubauen, ehe es zu spät ist. Auf den vorbereitenden Anwegen wird der Ausgang der späteren Schlacht entschieden. Wer immer aus dem Ungeist der Durchsetzung auf Kosten anderer lebt, wird diese Gelegenheit zwangsläufig versäumen, der Ernstfall überrascht ihn dann unvorbereitet und hilflos.[34] Im Blick auf körperliches Leiden mag dies leicht einleuchten, wobei die gewachsenen Möglichkeiten der Schmerztherapien in Anschlag zu bringen sind. Weit niederdrückender kann seelisches Leiden sein, die Grenzen der Belastungsfähigkeit hängen wenigstens zum Teil von der Gestaltung der Vorgeschichte ab. Immer aber gilt, dass die Fähigkeit der Selbstbeurteilung eine Frucht der Selbsterziehung ist. Das erleichtert die Kommunikation mit Arzt und Pflegepersonal, Verstehensblockaden stellen sich nicht so schnell ein.[35]

Die Kirche ist privilegierter Ort der Einübung in solche Partnerschaft. Am Kreuz entstanden fällt ihr eine hohe Sendung zu, sie bekennt sich zu ihr in der Spendung der Taufe. Wer in Tod und Auferstehung Jesu Christi hineingenommen ist, übernimmt einen Denkstil, der in erlittener Nicht-Identität die eschatologische Verheißung nicht nur offenhält, sondern im Handeln schrittweise ausfüllt. Ein gepflegter Denkstil erwirkt aber einen ihm gemäßen Kommunikationsstil, man gewinnt die Fähigkeit und das

---

[32] II. Vatikanisches Konzil, SC 5.
[33] Vgl. *H. Schlögel*, Ekklesiologie und christliche Sozialethik in ökumenischer Perspektive. Wegstrecken und Werkstücke, in: *M. Heimbach-Steins u. a.* (Hrsg.), Brennpunkt Sozialethik. Theorien, Aufgaben, Methoden, Freiburg i. Br. 1995, 261–277, hier 271–273.
[34] Vgl. *S. Ernst*, Ethik in einer egoistischen Zeit. Zu Peter Singers neuem Buch «Wie sollen wir leben?», in: Stimmen der Zeit 215 (1997) 319–330, hier 325. Die Erklärung «Iura et bona» (s. Anm. 30) sowie die Enzyklika «Evangelium vitae» (Nr. 46f., 50f.) entwickeln eine handlungsbezogene Theologie des Leidens.
[35] Vgl. *H. M. Sass*, Selbstbestimmung und Selbstentwurf in der Nähe des Todes? Zur Differentialethik medizinischer Betreuungsverfügungen, in: Zeitschrift für evangelische Ethik 41 (1997) 179–185, hier 182f.

Gespür für den rechten Moment des Sprechens und des Schweigens. Wer allein in Kategorien der Patientenautonomie und technischen Bewältigung denkt, wird eine wichtige Dimension des Lebens verfehlen.³⁶ Wer indessen aus dem Bewusstsein des Angewiesenseins auf Gottes Barmherzigkeit lebt, für den ist das Angewiesensein auf die Barmherzigkeit des Nächsten kein Grund zur Beschämung, es lässt sich mit Personwürde gut zusammendenken. Und auch die Vorstellung von Lebensqualität leidet keine Einbuße, hat man sich nur darauf besonnen, dass die Denkbarkeit wie Sagbarkeit, mithin auch die Lebbarkeit des Gottesgeheimnisses im Paschaereignis ihren Grund besitzen.

3. Entlastung durch Kasuistik

Sittliches Handeln steht quer zum Paradigma von Wirkhandlungen, sofern letzteres Ausschließlichkeitsanspruch anmeldet. Zwar bewirkt es im Normalfall etwas, sei es durch Tun oder Unterlassen. Aber seine hinlängliche Bestimmung hängt sich an die ihm innewohnende Ausdrucksdimension, es ist ganz ursprünglich Selbstdarstellung des Handelnden. Alles was an Unterscheidungen und Präzisierungen von der theologischen Ethik erarbeitet worden ist, kommt auf den Versuch hinaus, den komplexen Mix denkerisch zu beherrschen und kommunikationsfähig zu machen. Verschiedene Denkstile reichen sich dabei die Hand, sie umgreifen exakte Phänomenanalyse wie deutende und wertende Stilisierung. Und eine leitende Weltansicht steht im Hintergrund.³⁷

Theologische Ethik und kirchliches Lehramt haben sich nicht gescheut, feste Pfähle in das schwammige Erdreich zu rammen. Es muss immer schon Selbstverständlichkeiten geben, ehe man zu problematisieren anhebt. In dieser Hinsicht kann die Lehre von den innerlich schlechten Handlungen nur als Wohltat empfunden werden, sie drückt zudem ein fundamentales Lebensgefühl aus. Die Notwendigkeit weiterer Feinarbeit wird auch keineswegs geleugnet. Immer neu will erklärt sein, was mit den einzelnen Begriffen hier und jetzt gemeint ist.³⁸ Diese Aufgabe spitzt sich zu, wenn die Handlungsstrukturen in den Blick rücken. Die moraltheologische Tradition hat sich dieser Herausforderung insbesondere in der Lehre von den Handlungen mit Doppelwirkung gestellt; Tun und Unterlassen, direktes

---

³⁶ Vgl. *A. Holderegger*, Zur Euthanasie-Diskussion in den USA. Eine kritische Einführung, in: Freiburger Zeitschrift für Philosophie und Theologie 44 (1997) 137–151, hier 138.

³⁷ Eine sittliche Handlung ist wie die Spitze eines Eisbergs. Es bedarf hermeneutischer Besinnung auf ihre verborgene Tiefendimension, das reine Phänomen bleibt ambivalent und lässt eine Mehrzahl von Interpretationen, mithin von Bewertungen zu. Letztlich ausschlaggebend ist ein allbeherrschendes Lebensgefühl, das sich aus unzerstörbarer Sinneinsicht speist.

³⁸ Vgl. Anm. 23.

und indirektes Handeln sind in der gleichen Perspektive angesiedelt.[39] Ohne in diesem Zusammenhang auf Details der Diskussion einzugehen, kann doch als ihr Tenor festgehalten werden, dass alle Aufbauelemente einer Handlung nach Art einer Perichorese ineinander übergehen, ohne ihr jeweiliges Eigengewicht preiszugeben. Sie interpretieren sich gegenseitig, und vor diesem Hintergrund ist das Axiom «bonum ex integra causa, malum autem e quocumque defectu» anzuwenden.[40] Der stille Referenzpunkt liegt in der zugrunde liegenden Konzeption eines Sterbens, das zumindest ein Minimum an Lebensqualität für sich bewahrt.[41] Es zu erkunden ist der Kasuistik aufgetragen. Sie liefert nicht nur das nötige Anschauungsmaterial, sondern verbindet mit ihm einen Gestaltungsauftrag. Alle verwandten Begriffe bilden nicht nur eine bestehende Wirklichkeit ab, sie durchformen sie zugleich, Denken und Handeln sind wurzelhaft ineinander vermittelt.[42]

Es ist ein Topos katholischer Tradition, dass es keine Lebensverlängerung um jeden Preis geben muss. Nur wenn der Begriff Lebensqualität in der Sterbephase keine Handlungssicherheit schenkt, verschiebt sich der Akzent auf das biologische Überleben, und dies unter dem Vorbehalt des je differenzierteren Urteils.[43] Das reflexe Prinzip «in dubio pro vita» verträgt keinen reduktionistischen Vitalismus, es ermöglicht nichts anderes als ein Moratorium, eine Verschnaufpause des Denkens, damit kein irreparabler Schaden angerichtet werde. Wenn in ihrem Gefolge weitere therapeutische Maßnahmen unterbleiben, dann nicht aus der Absicht, den Tod herbeizuzwingen.[44] Vielmehr soll die verbleibende Zeitspanne mit einem Maximum an Leben ausgefüllt werden. Da die Schlacht ohnehin verloren ist, hat der Sterbende ein Recht, nicht unnötig zu leiden. Die gesicherte Grundversorgung eröffnet den Freiraum für jede Form einer gesteigerten menschlichen

---

[39] Vgl. *K. Demmer*, Art. Akt, II. Theologisch – ethisch, in: LThK³, Bd. 1, 1993, Sp. 302f.

[40] Die Aufbauelemente einer Handlung lassen sich nicht, in der Weise einer Momentaufnahme, gegenständlich ablichten, sie tragen Prozesscharakter an sich.

[41] Die Lehre von den Handlungen mit Doppelwirkung formuliert als letztentscheidende Bedingung den verantwortbaren Ausgleich von Gut und Schaden; er wird durch den Begriff Lebensqualität markiert. – Vgl. *K. Arntz*, Unbegrenzte Lebensqualität? Bioethische Herausforderungen der Moraltheologie, Münster 1996, 353ff.

[42] Vgl. *H. Schlögel*, Tugend – Kasuistik – Biographie. Trends und ökumenische Perspektiven in der Moraltheologie der USA, in: Catholica 51 (1997) 187–200, hier 196: Der Kasuist von heute kennt die Methoden, nicht die Antworten (J. F. Keenan); Kasuistik ist einem Laboratorium vergleichbar, in dem Freiheit experimentierend ihre Möglichkeiten ausschöpft.

[43] Vgl. *K. Arntz*, s. Anm. 41, 353: Der Begriff Lebensqualität korrespondiert mit Behandlungsqualität, er sagt über Lebenswert prinzipiell nichts aus.

[44] Das betont *H. J. Münk*, Die aktiv/passiv Unterscheidung in der arzt-ethischen Sterbehilfediskussion, in: Theologie der Gegenwart 36 (1993) 106–118. Vgl. *M. Zimmermann-Acklin*, Tun und Unterlassen. Ein Beitrag von Dieter Birnbacher zu einem bedeutenden Problem ethischer Handlungstheorie, in: Freiburger Zeitschrift für Philosophie und Theologie 43 (1996) 449–458, hier 450: Es handelt sich um eine prima facie Faustregel, die angesichts aller relevanten Umstände weiterer Differenzierung bedarf.

Zuwendung. Würdelosigkeit des Leidens beginnt, wo eine Solidargemeinschaft hinter diesem Anspruch zurückbleibt, wo sie vermeidbares Leiden zulässt, indem sie den Leidenden alleinlässt. Der Erweis von Nähe signalisiert Distanz gegenüber jeder Tendenz einer insgeheimen Leidensverklärung; Leiden wird nicht gesucht, sondern, wo es unvermeidlich ist, gefasst angenommen. Das geschieht im Horizont einer Theologie der eigenen Lebensgeschichte, die sich durch alle Unbegreiflichkeit hindurch am Vertrauen in Gottes gütige Vorsehung festmacht. Die Theodizeefrage, sofern vom Christen gestellt, steht vor der Hintergrundfolie des Kreuzes. So sind Deutungsversuche des Leidens, die der Einzelne für sich wagt, Bekenntnis der Hoffnung; sie aber kurzerhand auf den Nächsten ausdehnen zu wollen, wäre vom Beigeschmack des Zynismus nicht frei.

Die Schöpfungstheologie gibt zu erkennen, dass die eigene Existenz grundlos verdankt ist und so avanciert Dankbarkeit zu einer christlichen Grundhaltung.[45] Wer dankbar ist, kultiviert eine entsprechende Innenwelt des Denkens, Fühlens und Wahrnehmens; ihm ist die Vorstellung fremd, zum Leben oder gar Weiterleben verurteilt zu sein, als Bauernopfer auf dem Schachbrett öffentlicher Sicherheit zu dienen, weil ein Dammbrucheffekt droht, wenn auch nur ein Zoll Boden preisgegeben wird. Er weiß, dass Leidenslinderung diesen Denkraum besetzt, so vertraut er auf die Verlässlichkeit seines Nächsten. Dem tut der verbleibende Ermessensspielraum keinen Abbruch, er ist an ein Ineinanderspiel objektiver wie subjektiver Bedingungen gebunden. Gedacht ist nicht nur an das Maß technischer und ökonomischer Ressourcen, auch die zuhandene Widerstandskraft will erwogen sein. So mögen Situationen eintreten, in denen es offensichtlich genug ist, der nahende Tod nimmt die Gestalt des erlösenden Freundes an. Auf diesen Moment hin muss man alle Schritte ordnen, bereits in Gedanken die unplanbare Wirklichkeit so arrangieren, dass die Lebenspraxis unmerklich folgt. Dies geschieht vorzüglich über die Läuterung der Motivschicht. Was in der spirituellen Theologie unter dem Stichwort der guten Meinung behandelt wird, besitzt hier seinen ursprünglichsten Sitz im Leben. Sie macht nicht lebensuntüchtig, man starrt nicht versteinert auf das Ende, um darüber das Leben zu versäumen.[46] Vielmehr wird einem die Gabe eines dichten Lebens zuteil, die geschenkte Zeit wird ausgekauft, weil letztlich Dankbarkeit zu unzerstörbarer Glückserfahrung verhilft. Unübersehbar ist der Wink an den theologischen Ethiker. Es bedürfte von seiner Seite einer Weise der Kasuistik, die es versteht, geistliche Erfahrung in ei-

---

[45] Vgl. *M. Thürig*, Was ich tun will, muß ich auch tun können. Menschliche Reife und Dankbarkeit, in: *K. Arntz/P. Schallenberg* (Hrsg.), Ethik zwischen Anspruch und Zuspruch. Gottesfrage und Menschenbild in der katholischen Moraltheologie (SThE 71), Freiburg i. Ue./Freiburg i. Br. 1996, 226–250, hier 229–232.

[46] Vgl. *E. Schockenhoff*, Sterbehilfe und Menschenwürde. Begleitung zu einem «eigenen Tod», Regensburg 1991, 115: «Im Angesicht des Todes lebt deshalb nicht, wer immer an ihn denkt, bis er darüber krank und lebensunfähig wird, sondern wer bereits jetzt von dem lebt, das auch im Tod noch Bestand hat.»

nen ihr gemäßen Lebensstil so einzudenken, dass alltägliche Lebenserfahrung davon getroffen und umgewandelt wird.[47]

Normative Festschreibungen müssen über Kasuistik ihren Härtetest bestehen. Da Normen den Status von Konsenslösungen besitzen, sind die Glieder einer Konsensgemeinschaft auch in Kasuistik involviert, ja, für ihre Ausdifferenzierung mitverantwortlich. Dies gilt auf allen Ebenen menschlichen Miteinanders. Mitverantwortung bezeugt sich zuallererst über den Stil des Miteinanderumgehens. So will die Kunst erlernt sein, jede Begegnung verheißungsvoll enden zu lassen. Der andere muss um jene unbedingte Bejahung wissen, die ihm entgegenschlägt. Er ist angenommen, und das schenkt ihm Lebenswillen. Jeder Abschied, gleich wie vorläufig auch immer, bietet vorzügliche Gelegenheit, ein Band der Hoffnung zu knüpfen. Er mahnt an, zumindest grundsätzlich, dass dies auch in der Sterbephase so sei. Hoffend miteinander umgehen verlangt zudem nach Zügelung der Aggressivität, und diese Arbeit setzt in der Innerlichkeit des Denkens ein. Wohlwollen bringt aber den Mut zu Konflikt und Widerstand auf, es hält sich frei von sentimentalem Mitleid, das im Grunde nur das eigene unruhige Gewissen zu beschwichtigen sucht. Fremdmitleid als kaschiertes Selbstmitleid pervertiert christliche Nächstenschaft. Wer selbstlosen Widerstand einübt, vermag darum auch in der Todesstunde aggressive Zumutungen abzuwehren, und das ist für jedermann gültig. Man muss wissen, was man einander begründeterweise zumuten darf und was nicht, sonst wird man von drangvollen Situationen überrollt, ist dann schon nicht mehr Herr seiner Entschlüsse.

Gewachsene technische und ökonomische Möglichkeiten sind von Ambivalenz nicht frei; sie bewirken nicht nur Linderung von Leiden, sondern schaffen auch Dilemmasituationen, die zu früheren Zeiten nicht möglich waren. Das ist der Preis des Fortschritts; es bedeutet keineswegs, man sei ihm immer und überall hilflos ausgeliefert. Es gibt auch Chancen für eine prophylaktische Kasuistik, die einen asketischen Lebensstil einzuüben sucht. Wer zeitlebens auf Selbstdurchsetzung bedacht war, vielleicht rücksichtslos auf Kosten anderer, wird sich in der Terminalphase kongeniale Probleme schaffen, sei es durch Leidensunfähigkeit, sei es durch überzogene Ansprüche an die ärztliche und pflegerische Umgebung. Auch das ausdrückliche Verlangen nach aktiver Beendigung des Leidens mag chiffrierter Ausdruck einer latent aggressiven Lebenseinstellung sein. Expansion gibt sogar angesichts des nahen Todes noch den Ton an. Darum wird Selbsterziehung danach trachten, mit Grenzen leben zu lernen, Erwartungen zurückzuschrauben, mit moderatem Einsatz von Technik dem je Bedürftigeren eine reelle Chance zu geben. Wo diese Herausforderung versäumt wird, kann ein folgenreicher Mentalitätswandel eintreten: Der Ruf nach aktiver

---

[47] Theologische Ethik verweist auf eine biographische Dimension, die von einer theologischen Persönlichkeit denkerisch verantwortet und selbstkritisch auf Möglichkeiten der Verallgemeinerung geprüft wird. Kasuistik übernimmt da eine Pilotfunktion.

Euthanasie verhallt darum nicht ungehört, weil eine hochgeschraubte Anspruchshaltung an ihre Grenzen stößt. Hier gilt es, den Anfängen zu wehren.[48]

Mitverantwortung und Mitwirkung sind zwei Seiten der gleichen Medaille; in ihrer wechselseitigen Bezogenheit treffen sie allererst die Kirche als Lebenswelt. Der anzustrebende Idealfall sucht das geistig-geistliche Profil des Patienten mit der Umgebung abzustimmen. Zwar zieht die kirchenamtliche Lehre eine klare Demarkationslinie zur aktiven Euthanasie, lässt aber darüber hinaus breite Ermessensspielräume, die in freimütiger Kommunikation mit dem Sterbenden ausgefüllt sein wollen. Und wiederum wird im anzustrebenden Idealfall der Sterbende den Ausschlag geben, Freiheit und Autonomie seines Gewissens sind grundsätzlich zu respektieren.[49] Das wird im Sinne einer Faustregel auch dann der Fall sein, wenn sich begründete Zweifel am wohlinformierten Gewissensurteil regen sollten. Schließlich lässt sich die Verfassung eines Sterbenden von außen nur über ambivalente Symptome mutmaßen; vielleicht weiß er instinktiv besser, wie es um ihn bestellt ist, und wann es genug sein muss. Ist beharrliche Nahrungsverweigerung als ein solches Indiz zu werten? Natürlich stößt eine solche Mutmaßung auch an Grenzen. Es muss mit der Möglichkeit eines verhängnisvollen ethischen oder medizinischen Irrtums beim Patienten gerechnet werden. Arzt und Pflegepersonal sind dann gehalten, sich durchzusetzen.[50] Ihre Fürsorgepflicht gebietet ihnen, Schaden fernzuhalten.[51] Dabei sind sie von der Konsensgemeinschaft gedeckt.

In einer plural verfassten Gesellschaft sind Pattsituationen unvermeidlich, Weltansichten stoßen unversöhnlich aufeinander.[52] So kann es geschehen, dass ein Patient im Rahmen seines Wertsystems ganz konsequent die aktive Beendigung seines Lebens fordert. Wenn überhaupt von Irrtum die Rede sein kann, dann auf der Ebene der anthropologischen Prämissen.[53] Darf man im Namen der Toleranz nachgeben und einem solchen Wunsch willfahren? Die Frage lässt sich nicht allein im Blick auf Schadensverhütung beantworten, auch die Selbstachtung des Arztes darf nicht unter den Tisch fallen. Der Wille des Patienten firmiert nicht als oberstes und

---

[48] Vgl. *F. Furger*, Sterben und Tod, in: *W. Ernst* (Hrsg.), Grundlagen und Probleme der heutigen Moraltheologie, Würzburg 1989, 307–321, hier 312–315.
[49] Vgl. *Ph. Schmitz*, Selbstbestimmung bis in den Tod?, in: Stimmen der Zeit 206 (1988) 241–251.
[50] Vgl. *D. Witschen*, Grenzen der Gewissensfreiheit aus ethischer Sicht, in: Trierer Theologische Zeitschrift 102 (1993) 189–214.
[51] Die Berufung auf einen gesellschaftlichen Konsens reicht allerdings über den Status einer Vermutung nicht hinaus. Im Grunde handelt es sich um einen Kunstgriff, der den Arzt in seiner Bedrängnis salviert.
[52] Vgl. *H. J. Sandkühler*, s. Anm. 1, 23, 27.
[53] In solchen Situationen wird eine plural verfasste Gesellschaft allerdings in letzter Konsequenz mit der Wahrheitsfrage konfrontiert. Und die Autonomie des Sittlichen muss ihre Bewährungsprobe bestehen. Es gilt, auf der Ebene von Brückenprinzipien, einen Konsens zu erreichen, der zumindest keinem der Involvierten Gewalt antut.

ausschließliches Gesetz ärztlichen Handelns, der Arzt wäre so zum belebten Werkzeug, ja, zum Erfüllungsgehilfen des Patienten degradiert. Eine plural verfasste Gesellschaft bedarf auch des entschiedenen Mutes zum Dissens, zumal eine demokratische, die selbst aus dem Dissens entstanden ist. Sie lebt geradezu aus dem undramatischen Widerstand an der Basis, das hält sie funktionstüchtig, wenn Spitzenherausforderungen eintreten. Jedem Willen nachgeben ist Zeichen von Entsolidarisierung, von Nivellierung und prinzipieller Auswechselbarkeit aller zwischenmenschlichen Beziehungen. Dem steht das christliche Menschenbild diametral entgegen, die Einmaligkeit von Dasein und Lebensgeschichte muss sich in solchen Situationen bewähren. Was für jeden Staatsbürger gilt, ist für den Arzt eine Selbstverständlichkeit.

Arzt und Patient sind partnerschaftlich miteinander verbunden. Paternalismus ist demokratischem Denken in seiner christlichen Matrix fremd.[54] Zumal in Situationen extremster Schwäche dürfen Menschen nicht noch bevormundet werden; aber auch Überforderungen sind zu vermeiden. Vielleicht ist der Sterbende schon nicht mehr entscheidungsfähig, und Verfügungen, die auf der Höhe des Lebens getroffen wurden, besagen nur wenig, wenn alles auf dem Spiel steht. Stellvertreterentscheidungen sind darum unvermeidlich, und sie stützen sich – was den Patientenwillen angeht – auf mehr oder weniger begründete Mutmaßungen. Die in der moraltheologischen Tradition entwickelten Moralsysteme erscheinen darum brandaktuell. Nun ist im gegenwärtigen gesellschaftlichen wie wissenschaftspolitischen Kontext ein probabilistischer Grundzug zu konstatieren. Dem ist an dieser Stelle entschieden zu wehren. Nur tutioristisches Denken lässt sich legitimieren. Das bedeutet für den Fall eines unüberbrückbaren Dissenses Präferenz für das eigene Gewissen. So erscheint es auch wenig sinnvoll, schwache Argumente auf theoretischer Ebene durch starke praxisorientierte Gründe kompensieren zu wollen. Gewiss lassen sich solche Verwischungen bisweilen tolerieren, die Lehre vom ethisch verantworteten Kompromiss stellt sich dem Problem. Aber wenn es um Leben und Tod geht, ist die maximal erreichbare Trennung von Theorie und Praxis ein Gebot intellektueller Redlichkeit.[55]

In einer Kultur verschwimmender Lebenswelten mit oftmals nur bedingt tragfähigen Konsenspositionen bedarf es sittlicher Persönlichkeiten. Wenn sie sich auf Kasuistik einlassen, so um den konkreten Anspruch komplexer Konstellationen nicht zu verfehlen. Das geschieht über Analysie-

---

[54] Vgl. *L. Rillinger*, s. Anm. 28, 39f.; *H. M. Sass*, s. Anm. 35: Das Prinzip «voluntas aegroti suprema lex» ergänzt das klassische «salus aegroti suprema lex». Aber wieweit trägt eine Wertanamnese, die das Wertprofil des Patienten zu erheben sucht (182f.)?

[55] Bei durchgehaltener Präferenz für das eigene Gewissen kommt man auch um eine Präferenz für das fundamentalere Rechtsgut nicht herum. Die hier vorausgesetzte Begründungsarbeit gibt dem schwachen theoretischen Argument die Präferenz gegenüber dem starken Argument der praktischen Ordnung. Nur so lässt sich Eindeutigkeit erzielen, wenn es hart auf hart geht.

ren und Vergleichen. Kasuistik erschöpft sich aber nicht in der Ausdifferenzierung von Anwendungswissen, sie konfrontiert, bisweilen schmerzhaft, mit dem tragenden Selbstverständnis wie den leitenden Grundoptionen. Praxis zwingt zum Überdenken von Theorie, ihr Verhältnis ist im Bild der Perichorese zu denken.

4. Schluss

Die gesellschaftliche wie kulturelle Gegenwart ist durch zunehmende Flexibilisierung aller ethisch relevanten Strukturen gezeichnet. Die Ambivalenz dieses Vorgangs ist unübersehbar, denn die Gefahr einer Unterbietung erreichter Standards von Moralität und mithin Humanität droht mit der gleichzeitigen Auszehrung gewachsener Lebenswelten. Und oftmals ist es auch unvermeidlich, mit hypothetischen Lösungen zu leben, Korrekturbereitschaft ist die Signatur einer offenen Lerngesellschaft. Umso dringlicher wird dann die Pflicht, sich auf Sicherheiten zu besinnen und Eckwerte zu setzen. Eine Tradition darf nicht vertan werden, und das kirchliche Lehramt versteht sich zu Recht als ihre Hüterin. Soll der Auftrag gelingen, muss er früh einsetzen, sein neuralgischer Punkt liegt in der Lebensplanung des Einzelnen. Wenn die Lehramtssprache das Wort von der Kultur des Todes prägt, so bliebe diese von einer Kultur des Lebens zu unterfangen. Dem Glaubenden wird zugemutet, eine Grundentscheidung zu fällen, die von der äußersten Grenze her denkt und jede Einzelentscheidung in ihre Perspektive einordnet. Der Nächste ist immer schon in sie eingeschlossen, auch er wird in seiner äußersten Gefährdung gedacht. Das gilt in der strikten Gegenseitigkeit liebender Unberechnetheit. So wandelt sich, gleichsam unter der Hand, die Mithilfe zu einem menschenwürdigen Leben in eine solche zum menschenwürdigen Sterben. Was ein Leben lang eingeübt worden ist, das verdichtet sich in der Stunde des Todes; was auf der Höhe des Lebens versäumt wurde, lässt sich im Eiltempo nicht mehr nachholen. Solche Wahrnehmungskompetenz zu erlernen ist darum eine christliche Lebensmaxime.

Thomas R. Kopfensteiner

«Sanctity of Life» vs. «Quality of Life»[1]

Einleitung

Wird das Verhältnis zwischen der Ansicht der Heiligkeit des Lebens und dem Modell der Lebensqualität als widersprüchlich und einander ausschließend verstanden, so sieht man sich mit der Schwierigkeit konfrontiert, entweder ausschließlich die eine oder die andere Sicht als Grundkriterium moralischer Urteile bzw. zur Beurteilung der Praxis heranzuziehen. Hingegen versteht ein integrativer Ansatz beide Positionen als einander ergänzend und zusammengehörig. So können beide als die zwei Seiten derselben Medaille gedeutet werden, die auf ihre je eigene Art beschreiben, wie ein menschenwürdiges Sterben zu beurteilen ist. Im Zusammenhang mit den Überlegungen zu einem würdigen Sterben spielen nämlich beide Kriterien eine wesentliche Rolle. Die Ansicht der Heiligkeit des Lebens dient als moralische Kurzformel, welche an den verantwortlichen Umgang mit dem Leben erinnert; die Position der Lebensqualität dagegen stellt sicher, dass in der ethischen Diskussion das Leben nicht unabhängig von anderen menschlichen Gütern verstanden wird.

Die Frage nach einem menschenwürdigen Sterben ist im Zusammenhang mit dem technischen Fortschritt in der Medizin neu aufgetaucht, insofern der Fortschritt auch neue Mittel zur Lebensverlängerung mit sich gebracht hat. Die Vorstellung, ein Sterben in Würde werde durch die moderne Technologie verunmöglicht, ängstigt heute viele Menschen. Mit Berufung auf den Schutz der menschlichen Würde wird gefordert, die durch die moderne Medizin hervorgebrachten und daher unnatürlichen Hindernisse zu beseitigen, um auf diese Weise ein menschliches Sterben zu ermöglichen. Allerdings ist die Annahme, ein sogenannter «natürlicher» Tod sei stets auch ein menschenwürdiger Tod, völlig unbegründet; die menschliche Würde kann nämlich sowohl durch das Vorenthalten vorhandener medizinischer Mittel als auch durch einen übermäßigen Einsatz bestimmter Therapien gefährdet werden. Darüber hinaus ist natürlich nicht zu übersehen, dass sich die Diskussion über ein menschenwürdiges Sterben mittlerweile auf die Forderung der freien Wahlmöglichkeit von Art und Zeitpunkt des Sterbens ausgeweitet hat. – Kann die Freiheit des Menschen im Umgang mit der Natur auf die Bestimmung von Art und Zeitpunkt des Sterbens ausgedehnt werden? Kann die Selbstverfügung über das eigene Leben jemals zu einer vernünftigen, verantwortlichen und würdigen Handlung werden, oder beinhaltet sie notwendigerweise die Verletzung der Heiligkeit des Lebens bzw. der Souveränität oder Entscheidungsbefugnis Gottes über das Leben?

---

[1] Originalbeitrag: «Sanctity of Life» vs. «Quality of Life», übersetzt von Markus Zimmermann-Acklin.

Die Zielsetzung des vorliegenden Beitrages besteht darin, die Bedeutung des menschenwürdigen Sterbens so zu bestimmen, dass eine der Problematik angemessene moralische Beurteilung sowohl auf das Kriterium der Heiligkeit des Lebens als auch auf Überlegungen zur Lebensqualität zurückgreifen muss. Dies versuche ich in den folgenden fünf Schritten zu zeigen:

Da die Thematik des menschenwürdigen Sterbens unmittelbar mit dem christlichen Glauben an den Tod und die Auferweckung Jesu Christi geknüpft ist, *beginnt* mein Beitrag mit Überlegungen zum Verhältnis von Glaube und Ethik. In einem *zweiten* Schritt soll deutlich werden, inwiefern die kirchliche Praxis von gegenwärtigen lehramtlichen Beiträgen geleitet ist, welche das römisch-katholische Verständnis eines würdigen Sterbens wiedergeben. Anschließend wird *drittens* die Arzt-Patient-Beziehung analysiert, und zwar so, dass im Hinblick auf Therapieentscheidungen sowohl das Standesethos des medizinischen Personals als auch die Autonomie des Patienten berücksichtigt werden. *Viertens* erfolgt eine Überprüfung der Methoden, die in der Tradition zur Lösung von zweifelhaften Fällen herangezogen worden sind. *Abschließend* folgt dann – quasi exemplarisch – eine rhetorische Untersuchung von Fallstudien, die gewöhnlich im Umfeld der Probleme um die künstliche Ernährung und Hydrierung auftauchen. In diesem letzten Schritt soll besonders deutlich werden, wie schwierig es bei der ethischen Beurteilung eines Konfliktfalls ist, in der Anwendung der beiden hier betrachteten Kriterien der Heiligkeit und der Qualität menschlichen Lebens ein Gleichgewicht herzustellen.

1. Glaubenseinsichten

Ausgangspunkt aller Überlegungen zu einer christlichen Ethik ist die vom Glauben erhellte Vernunft (DS 3006). Religiöse Beiträge zur Euthanasiediskussion bringen deshalb nicht einen vereinfachenden oder naiven Gebrauch der Heiligen Schrift mit sich.[2] Die Naturrechtstradition bewahrt davor, eine moralische Vorschrift alleine auf die biblische Autorität zu gründen. Die Autonomie des ethischen Argumentierens verhindert wiederum, das moralische Gesetz als eine heteronome Vorgabe einer göttlichen Autorität zu verstehen.[3] Der Glaube ersetzt insofern nicht die Notwendigkeit des Studiums und Nachdenkens, er setzt unsere Vernunftfähigkeit nicht außer Kraft. Trotzdem wird jede Moraltheorie, welche den gegenwärtigen hermeneutischen Herausforderungen gegenüber sensibel bleibt, die moralische Autonomie als relationale Autonomie verstehen, das heißt, die durch den

---

[2] Moralische Normen können insofern nicht voluntaristisch verstanden werden. Vgl. dazu *J. Fuchs*, Das Gottesbild und die Moral innerweltlichen Handelns, in: Stimmen der Zeit 202 (1984) 363–382; weiterhin die Diskussion in: *A. Verhey/S. E. Lammers* (Eds.), Theological Voices in Medical Ethics, Grand Rapids 1993.

[3] Vgl. *J. Fuchs*, Christlicher Glaube und Verfügung über menschliches Leben, in: Stimmen der Zeit 204 (1986) 663–675.

Glauben inspirierte Ethik stets eingebettet in einem ursprünglicheren Kontext begreifen. Das Bekenntnis zum Glauben ist auf dieser tieferen Ebene wirksam und übernimmt insofern eine integrierende, stimulierende und kritisierende Funktion im Hinblick auf den ethischen Meinungsbildungsprozess.[4]

Hier sind verschiedene Voraussetzungen zu beachten, die vom christlichen Glauben abstammen und in der Diskussion um die Pflichten gegenüber Kranken und Sterbenden eine bedeutende Rolle spielen. Obgleich diese Voraussetzungen keine spezifische Norm mit sich bringen, verhelfen sie doch, die entscheidenden Probleme und die Richtung einer möglichen Lösung zu erkennen. Sie begründen eine kognitive Matrix, welche im Prozess des Argumentierens die legitimen Grenzen vorgibt:[5]

a) Diese Matrix beinhaltet zunächst den Hinweis auf die unzerstörbare Würde jeder Person. Der religiöse Hintergrund dieser Rede von der menschlichen Würde liegt in der Schöpfungserzählung von Gen 1,26, in der von der Erschaffung des Menschen als Gottes Ebenbild berichtet wird. Insofern ist die Menschenwürde unverdient; sie kann weder durch die Sünde verlorengehen noch durch Krankheit vermindert oder durch die Gesellschaft oder den Einzelnen entzogen werden. Die dem Menschen innewohnende Würde schützt jede und jeden von uns vor der beliebigen Manipulation durch andere (Ex 20,13).

b) Diese kognitive Matrix umfasst die Anerkennung der Gleichheit aller Personen. Hintergrund dieses Anspruchs ist die Menschwerdung Christi: In dem Maße er uns gleich geworden ist, hat er uns alle gleich gemacht (Gal 3,28). Durch sein Leben mitten unter uns hat Jesus eine neue Gemeinschaft oder Solidarität unter uns gestiftet (1 Kor 12,26f), die alle Menschen zu Nachbarn gemacht hat, welche unserer Liebe und unseres Schutzes würdig sind.

c) Eine letzte Voraussetzung, welche die Praxis der christlichen Gemeinschaft anleitet, besteht schließlich in der Überzeugung, dass der Tod nicht als eine Katastrophe zu verstehen ist, die es um jeden Preis zu verhindern gilt. Für Christinnen und Christen ist der Tod kein unlösbares Rätsel. Der Tod Christi hat den Tod zum Tod verbannt (1 Kor 15). Seine Auferweckung hat den Schleier der Absurdität von der menschlichen Geschichte genommen. Durch den Tod erreichen die Christinnen und Christen das ewige Leben (Röm 6,23).[6] Der Glaube an die Auferweckung verankert unsere Hoffnung angesichts von Leiden und Tod. Weil und insofern der Tod mit-

---

[4] Diese bekannte These von *A. Auer* ist wieder aufgenommen worden in: *Ders.*, Zur Theologie der Ethik. Das Weltethos im theologischen Diskurs (SThE 66), Freiburg i. Ue./Freiburg i. Br. 1995, 218ff.

[5] Vgl. *K. Demmer*, Leben in Menschenhand. Grundfragen des bioethischen Gesprächs (SThE 23), Freiburg i. Ue./Freiburg i. Br. 1987, 24–28.

[6] Entsprechend beten wir in der Bestattungsliturgie: «Gott, für deine Gläubigen hat sich das Leben bloß verändert, aber es ist nicht zu Ende. Wenn auch der irdische Körper gestorben ist, erreichen wir doch eine ewige Heimstatt im Himmel.»

ten im Leben voraus- und hineingenommen ist, können wir in Weisheit den Tod als den Höhepunkt des Lebens annehmen.

2. Das Lehramt und die christliche Praxis

Die katholische Tradition spricht vom Leben als einem fundamentalen Gut. Wenn das Leben auch als Ausgangspunkt und Basis zum Genuss aller anderen menschlichen Güter verstanden wird, folgt daraus nicht unmittelbar, dass dieses Basisgut auch um jeden Preis und unter Einsatz aller technischer Mittel erhalten werden muss, handelt es sich doch nicht um ein absolutes Gut.

Was die Kirche hingegen absolut untersagt, ist «eine Handlung oder Unterlassung, die ihrer Natur nach oder aus bewusster Absicht den Tod herbeiführt, um so jeden Schmerz zu beenden».[7] Während die direkte Tötung aufgrund einer als sinnlos empfundenen Lebenssituation, ob in Form einer Selbst- oder einer Fremdtötung, strikt verboten wird, anerkennt die katholische Tradition die Tatsache, dass der Tod nicht um jeden Preis hinausgeschoben werden muss. Auch in einer theologischen Anthropologie, die alles Leiden im Rahmen des christlichen Geheimnisses von Tod und Auferstehung versteht, kann nach katholischer Tradition das Leiden sinnlos, übermäßig und entwürdigend werden. In der Tradition ist das Leiden nie verherrlicht worden. Die katholische Ethik hat sich vielmehr stets zwischen folgenden zwei Extrempositionen bewegt: Das menschliche Leben wird nie, selbst in den letzten Momenten, als bedeutungslos angesehen, dagegen kann die lebenserhaltende Technologie unter Umständen als sinn- oder nutzlos betrachtet werden.

Die christliche Bejahung des Lebens und die Anerkennung der Angemessenheit des Todes steht auch im Hintergrund der traditionellen kirchlichen Unterscheidung zwischen gewöhnlichen und außergewöhnlichen lebenserhaltenden Maßnahmen.[8] Die ärztliche Pflicht zur Anwendung gewöhnlicher Therapien schließt den Verzicht auf bestimmte Therapien oder die Unterlassung derselben in individuellen Fällen nicht aus, nämlich dann, wenn eine Situation unerträglich wird. Die Erklärung der Glaubenskongregation zur Euthanasie führt hier mit der Unterscheidung zwischen angemessenen und unangemessenen medizinischen Mitteln eine Formulierung ein, die auch im neuen Katechismus übernommen worden ist.[9] Wie auch immer diese traditionelle Unterscheidung formuliert wird: Das entscheidende Kri-

---

[7] Erklärung der Kongregation für die Glaubenslehre zur Euthanasie, Bonn/Vatikanstadt 1980, Verlautbarungen des Apostolischen Stuhls Nr. 20, 8 (AAS 72 [1980] 545); vgl. ebenso *Johannes Paul II.*, Evangelium Vitae, Nr. 65, Bonn 1995, Verlautbarungen des Apostolischen Stuhls, Nr. 120, 79f. (AAS 87 [1995] 65).

[8] Vgl. *Pius XII.*, Rechtliche und sittliche Fragen der Wiederbelebung. Ansprache an eine Gruppe von Ärzten am 24.11.1957 (AAS 49 [1957] 1027–1033).

[9] Vgl. den Katechismus der Katholischen Kirche, Nr. 2278.

terium zur Bestimmung der Angemessenheit einer therapeutischen Entscheidung bleibt das umfassende Wohlbefinden des Patienten, der Grad der Angemessenheit von lebenserhaltenden Maßnahmen wird aufgrund der Situation und Befindlichkeit des betroffenen Patienten bestimmbar. Die traditionellen Handbücher der Moraltheologie zählen hier eine Reihe von Faktoren zur Bestimmung der Befindlichkeit des Patienten auf, u. a. die begründete Hoffnung auf Wiedergenesung, die Fähigkeit zur Kommunikation mit den Angehörigen, die Erträglichkeit von Schmerzen und Behinderungen, schließlich die Zumutbarkeit von Einschränkungen, welche durch die lebenserhaltenden Mittel selbst verursacht werden.[10]

Bei der Bestimmung der traditionellen Unterscheidung zwischen gewöhnlichen und außergewöhnlichen Mitteln ist immer davon ausgegangen worden, dass sich das entscheidende Kriterium nicht alleine aus dem Stand des medizinischen Wissens bzw. der technischen Möglichkeiten in der Medizin ergeben kann. Andernfalls wäre das, was gestern noch außergewöhnlich gewesen ist, heute bereits gewöhnlich – und was heute noch außergewöhnlich ist, wäre morgen bereits als gewöhnliche Therapie einzustufen. Selbstverständlich können technische Neuentwicklungen neue Verpflichtungen mit sich bringen. Fortschritte in der Behandlung einer bestimmten Krankheit vermindern offensichtlich die damit bislang verbundenen Risiken und Belastungen und eröffnen die Hoffnung auf neue therapeutische Möglichkeiten. Es zeigt sich also, dass die Bestimmung von angemessenen und unangemessenen Behandlungsformen nicht eindimensional festgelegt werden kann.

Eine unterschwellige, jedoch echte Bedrohung dieser katholischen Tradition besteht darin, die Verfügbarkeit über die hochentwickelte medizinische Technologie von Seiten der Gesellschaft als völlig normal und selbstverständlich anzusehen. Die Selbstverständlichkeit der Integration medizinischer Technik in den Alltag war noch vor kurzer Zeit undenkbar. Diese Einstellung steht einer Wiederbelebung der katholischen Moraltradition – mit deren heiklen Balance zwischen der Ansicht der Heiligkeit des Lebens und der Ansicht der Lebensqualität – eher im Wege als diese zu stützen. In einer Technikgesellschaft kann die Ansicht der Heiligkeit des Lebens völlig reduziert auf die Anwendung aller zur Verfügung stehenden Mittel zur Lebenserhaltung verstanden werden. Der Tod tritt dann ein, wenn die Technik an ihre Grenzen stößt; der Tod mutiert schließlich zu einem technischen Problem. Der Einsatz der Technologie in diesem unkritischen Sinne – d. h. ohne Rücksicht auf die Befindlichkeit des Patienten – macht aus der Technik einen Götzen und läuft Gefahr, den Betroffenen zu einem bloßen Objekt zu degradieren. Ein derartig naiver Einsatz der Technik führt ironischerweise zur Unterstützung der Initiativen zur Einführung des ärztlich assistierten Suizids. Als Reaktion auf einen unkritischen Gebrauch der

---

[10] Vgl. *D. Cronin*, The Moral Law in Regard to the Ordinary and Extraordinary Means of Conserving Life, Rome 1958; weiterhin: *K. W. Wildes*, Ordinary and Extraordinary Means and the Quality of Life, in: Theological Studies 57 (1996) 503–507.

Technik wird gerade die in diesen Initiativen geforderte Suizidbeihilfe als wirksame Schutzeinrichtung vor einer technischen Manipulation der Patienten dargestellt.

Die Betreuung der Patienten kann sich allerdings nicht auf die Bereitstellung technischer oder medizinischer Mittel zur Lebenserhaltung oder zur Schmerzbekämpfung beschränken. Die den Kranken und Sterbenden angebotene «Assistenz» wird vielmehr menschliche Solidarität und Mitleid umfassen (Lk 10,25-38). Diese Forderung lässt sich nicht normativ formulieren. Die Bereitschaft einer Gemeinschaft, Sterbende einzubeziehen, erweitert vielmehr die ethische Diskussion um das würdige Sterben und macht den notwendigen Einbezug von interpersonalen Aspekten des menschlichen Leidens und der mitmenschlichen Sorge deutlich. Der Massstab christlichen Handelns kann nicht an den bereitgestellten technischen Mitteln genommen werden, sondern am Mitleid und der Zuneigung zu denjenigen, die in ihrem Leiden und Sterben die Grenzen der menschlichen Existenz erfahren.[11] Das Vertrauen, die Liebe und die verschiedensten Formen von Unterstützung, die für jedes menschliche Leben notwendig sind, bleiben dies auch im menschlichen Sterben. So einsam der Tod auch macht, so kann daraus doch nicht gefolgert werden, dass wir auch alleine sterben sollten. Werden unangemessene therapeutische Mittel unterlassen oder abgebrochen, so wird der Patient nicht verlassen; vielmehr kann darin die Pflicht zum Ausdruck kommen, Leiden zu mindern und von der Heilung zur sorgenden Pflege überzugehen.

In diesem Zusammenhang können die Vorbereitungen eines Sterbenden zur Selbsttötung oder der Wunsch an einen Arzt oder eine Pflegerin, den Schmerzen durch die Beendigung des Lebens zu begegnen – weit entfernt von einer freien und selbstbestimmten Handlung – als ein «angstvolles Rufen nach Hilfe und Liebe»[12] verstanden werden. Eine solche Bitte um Lebensbeendigung kann das moralische Versagen einer Gemeinschaft anzeigen, einen Menschen in seinen letzten Lebensphasen unterstützend zu begleiten und der menschlichen Gebrechlichkeit einen Sinn zu verleihen. Solche Menschen, die um Lebensbeendigung bitten, fühlen sich verlassen. In einem Umfeld, in dem sich der Sterbende isoliert und außerhalb jeder mitmenschlichen Solidarität erlebt, wo überdies keine mögliche Sinndeutung für sein Leiden angeboten wird, ist er noch empfänglicher für Angebote wie den «ärztlich assistierten» Suizid. Angesichts einer solchen Tragödie sollte die moralische Verurteilung nicht alleine die Handlung des Arztes oder die Bitte des Patienten umfassen, sondern genauso auch die umgebende Gemeinschaft, die offensichtlich ihr Gespür für menschliche Solidarität mit den schwächsten und verletzlichsten Mitgliedern der Gesellschaft verloren hat.

---

[11] Vgl. *Johannes Paul II.*, Salvifici Doloris. Über den christlichen Sinn des menschlichen Leidens, Bonn 1984, Verlautbarungen des apostolischen Stuhls, Nr. 53 (AAS 76 [1984] 28ff.).

[12] Vgl. Erklärung der Kongregation f. die Glaubenslehre zur Euthanasie, s. Anm. 7, 9.

Religiöse Gemeinschaften von Männern und Frauen bezeugen dagegen ein authentisches Beispiel dafür, was tatsächlich unter einem würdigen Sterben zu verstehen ist. Religiöse Gemeinschaften, die sich besonders der Krankenpflege widmen, nehmen sich Zeit für eine sterbende Schwester und helfen ihr, das bevorstehende Sterben vorzubereiten. Mitglieder der Gemeinschaft bleiben Tag und Nacht bei ihr, beten mit ihr, begleiten ihr Sterben mit der Schriftlesung, aber auch mit dem Vortrag von Gedichten und Liedern. Der Sterberaum gleicht einer Kapelle. Die Umstehenden gewähren der Sterbenden die Möglichkeit, noch einmal Rechenschaft über ihr Leben abzulegen, angesichts ihrer Vergehen Vergebung zu erbitten und vor ihrem Abschied letzte gute Wünsche aussprechen zu können. Dieses Beispiel lehrt uns vor allem, dass wir nicht die unausweichliche Konfrontation mit dem Tod befürchten sollten; vielmehr sollten wir davon Abstand nehmen, unvorbereitet in den Tod zu gehen, d. h. unversöhnt mit den eigenen Lebensentscheidungen, einsam, isoliert und ohne menschliche Zuneigung zu sterben.

Das Zeugnis solcher religiöser Gemeinschaften macht auf eine wichtige und notwendige Korrektur an der Diskussion um das Recht auf einen menschenwürdigen Tod aufmerksam, insofern in dieser Auseinandersetzung meist vorausgesetzt wird, dass die Wahlfreiheit mit der menschlichen Würde gleichzusetzen sei. So gesehen basiert das Freiheitsverständnis auf einer modernen Epistemologie, welche die persönliche Autonomie besonders gewichtet.[13] In diesem Rahmen werden moralische Probleme im Hinblick auf eine mögliche Einschränkung der Freiheit oder der Autonomie formuliert. Das Zeugnis der christlichen Gemeinschaft stellt nun nicht das Recht auf ein menschenwürdiges Sterben in Frage, sondern bezweifelt den Wert dieses modernen Ansatzes, der die Abhängigkeit von anderen als widersprüchlich zur menschlichen Würde begreift.

Die Kirche betont ebenfalls, dass die durch die Pflege eines sterbenden Angehörigen entstehende Last für die Familie in die Entscheidung über angemessene Behandlungsmaßnahmen mit einbezogen werden soll. Jede Familie kann in der Begleitung und Pflege eines Angehörigen an ihre Grenzen geraten, und zwar nicht bloß an ihre finanziellen, sondern auch an ihre psychischen und moralischen. Auch angesichts dieser Erfahrung besteht eine Herausforderung an die Gemeinschaften, angesichts neuer technischer Möglichkeiten der Lebensverlängerung das menschliche Leiden zu humanisieren. Konkrete Beispiele bieten die Hospizbewegung und Pflegekonzepte, die auf der Pfarreiebene funktionieren: Es geht nicht ausschließlich darum, für die Sterbenden zu sorgen, ihnen ein menschliches Abschiednehmen im Kreis der Angehörigen zu ermöglichen, sondern darüber hinaus auch um die gemeinschaftliche Unterstützung der Familien, die – völlig sich selbst über-

---

[13] Vgl. beispielsweise *T. Quill*, Death and Dignity: A Case of Individualized Decision Making, in: New England Journal of Medicine 324 (1991) 691–694 (in deutscher Übersetzung von *H. Degner*, erschienen in: *T. Quill*, Das Sterben erleichtern. Plädoyer für einen würdevollen Tod, München 1994, 13–23).

lassen – stark überfordert wären. Durch die Unterstützung solcher Programme und Initiativen kann die kirchliche Gemeinschaft andere zur Nachahmung eines hohen Pflegestandards anregen. Die christliche Ethik zeichnet sich durch ein besonderes Gespür für die Leidenden aus; Kranke und Sterbende sollten innerhalb der christlichen Gemeinschaft sogar einen besonderen Platz einnehmen. Die christliche Vision der Menschenwürde beinhaltet nämlich nicht bloß die Fähigkeit, eine Leidenssituation anzunehmen und im Licht des Glaubens umzuwandeln, sondern auch die Herausforderung, die Leiden anderer großherzig und einfühlsam mitzutragen.[14]

Eine große finanzielle Belastung der Familie oder der Gemeinschaft kann ebenfalls zu einem entscheidenden Faktor in der Beurteilung von gewöhnlichen und außergewöhnlichen Mitteln werden. Ein Einzelner trägt hier die Verantwortung, nicht das gesamte familiäre Vermögen in eine Behandlung zu stecken, die im Hinblick auf die Ergebnisse unangemessen ist.[15] Sind die Angehörigen nicht in der Lage, eine möglicherweise sinnvolle Therapie zu bezahlen, geschieht es nicht selten, dass es zu einer Finanzierung unter Beteiligung einer öffentlichen Unterstützung kommt. Solche Situationen könnten die Entwicklung neuer Kriterien zur Verteilung der vorhandenen Güter oder neuer Formen der Verteilung medizinischer Güter in Gang bringen, um die Schaffung von Präzedenzfällen zu verhindern. Öffentlich akzeptierte Begrenzungen im Zugang zu medizinischen Gütern müssen jedoch so formuliert werden, dass nicht die ohnehin bereits Hilfsbedürftigen noch stärker marginalisiert werden.

3. Die Arzt-Patient-Beziehung

Die Lehre der Kirche betont das fundamentale Lebensrecht jedes Menschen.[16] Eine Person sollte sicher sein können, dass ihr Recht auf Leben anerkannt wird und niemand befugt ist, ihr dieses abzusprechen. Das Berufsethos der medizinischen Berufe ist um die eine zentrale Pflicht herumgestaltet, menschliches Leben zu erhalten und zu schützen. Auf dieser Berufspflicht baut schließlich das grundlegende Vertrauen der Patienten auf, menschenwürdig behandelt zu werden. Fortschritte in der medizinischen Technologie ziehen diese Pflicht zwar nicht in Zweifel, können jedoch bewirken, dass in Grenzsituationen, gerade in den verletzlichsten Momenten, Fragen um die Reichweite und Grenzen dieser Pflicht zur Lebenserhaltung auftauchen.

---

[14] Vgl. *M. A. Farley*, Issues in Contemporary Christian Ethics: The Choice of Death in a Medical Context, in: The Santa Clara Lectures 1 (1995) 11–17; vgl. ähnlich bei *A. Autiero*, Dignity, Solidarity, and the Sanctity of Life, in: *K. W. Wildes* (Ed.), Birth, Suffering and Death, Dordrecht 1992, 79–84.

[15] Vgl. Erklärung der Kongregation für die Glaubenslehre zur Euthanasie, s. Anm. 7, 12.

[16] Vgl. Katechismus der Katholischen Kirche, Nr. 2258 und 2270; Evangelium Vitae, Nr. 57, 62 und 65.

Die Pflicht zur Lebenserhaltung sollte die weiteren Pflichten, die ein Arzt gegenüber dem Patienten übernimmt, nicht völlig verdrängen. Die Arzt-Patient-Beziehung erschöpft sich nicht in der Achtung des Lebensrechts. Die ärztliche Pflicht zur Lebenserhaltung ist vielmehr stets mit anderen Pflichten abzuwägen, besonders der Pflicht zur Schmerzlinderung, auch wenn die Anwendung schmerzlindernder Maßnahmen das Leben des Patienten verkürzen könnte.[17] Obgleich die Toleranzgrenze bei körperlichen Schmerzen sehr unterschiedlich empfunden wird, ist niemand auf ein heroisches Durchhaltevermögen zu verpflichten. Die unter Umständen auch lebensverkürzend wirkende Verabreichung schmerzstillender oder betäubender Mittel durch einen Arzt geschieht in Übereinstimmung mit der Lehre der katholischen Tradition. Auch wenn die äußerlich beschreibbare Struktur der Handlung beinhaltet, dass der Arzt dem Patienten das Leben nimmt, unterhöhlt diese Lebensverkürzung nicht den moralischen Charakter der Handlung. Der Arzt intendiert nicht den Tod des Patienten – das Handlungsobjekt besteht in der Schmerzlinderung. Es handelt sich hierbei um eine akzeptable Anwendung des traditionellen Prinzips der Handlung mit Doppelwirkung.

Auch im Rahmen der Diskussion um den ärztlich assistierten Suizid geht es um Möglichkeiten effektiver Schmerzbehandlung. Auf dieser Diskussionsebene umfasst das Recht auf ein menschenwürdiges Sterben («the right to die») nicht mehr den Verzicht auf unverhältnismäßige Behandlungsmittel, sondern die Möglichkeit eines Arztes, einem unerträglich leidenden Patienten bei seiner Lebensbeendigung zu helfen. Analog wird in diesem Zusammenhang häufig auf das Beispiel des verwundeten Soldaten hingewiesen, der seine Kameraden darum bittet, ihn zu erschießen, um ihm ein schlimmeres Sterben zu ersparen. Es ist offensichtlich richtig, dass niemand einem körperlich schmerzvollen Sterben ausgesetzt werden sollte; die Tragödie des tödlich verwundeten Soldaten jedoch kann leicht überinterpretiert werden. In diesem Fall wurde deshalb getötet, weil es keine Alternativen dazu gab. Die Frage ist nur, inwieweit dieses Fallbeispiel mit den gegenwärtigen Situationen im medizinischen Alltag zu vergleichen ist. Worin bestehen die relevanten Ähnlichkeiten im Hinblick auf die Arzt-Patient-Beziehung? Eine wirksame Schmerztherapie sollte schließlich auch eine echte Entlastung für die Sterbenden garantieren.

Zusätzlich zu den Pflichten der Lebenserhaltung und Schmerzlinderung ist der Arzt weiterhin dafür verantwortlich, dass der Sterbende – soweit immer möglich – bei Bewusstsein bleibt bzw. seine Umgebung noch wahrzunehmen vermag.[18] Der Patient hat das Recht, den Tod aufmerksam und

---

[17] Vgl. Erklärung der Kongregation für die Glaubenslehre zur Euthanasie, s. Anm. 7, 10; daneben: Katechismus der Katholischen Kirche, Nr. 2279.

[18] Vgl. *Pius XII.*, Drei religiöse und moralische Fragen bezüglich der Anästhesie. Ansprache an die Teilnehmer des IX. Nationalkongresses der italienischen Gesellschaft für Anästhesiologie (AAS 49 [1957] 129–147); weiterhin: *Ders.*, Die psychopharmakologische Therapeutik im Lichte der christlichen Moral. Ansprache an die Teilnehmer der 1. Tagung

bewusst anzunehmen. Der Sterbende sollte daher nicht zugunsten einer Lebensverlängerung um seine Kommunikationsfähigkeit mit den Ärzten, Pflegenden, den Angehörigen und Freunden gebracht werden. Diese Pflicht dient der Humanisierung des individuellen Leidens und schützt den Patienten vor einem unkritischen oder missbräuchlichen Einsatz der Technik.

Die menschliche Beziehung zwischen Arzt und Patient gründet schließlich auf gegenseitigem Vertrauen.[19] Patienten haben das Recht, über ihren Zustand wahrheitsgetreu aufgeklärt zu werden. Diese Informationspflicht gilt in Abhängigkeit zur Möglichkeit und Fähigkeit des oder der Betroffenen, eine derartige Mitteilung überhaupt aufnehmen zu können. Dabei trägt der Arzt die Verantwortung bezüglich der Patienteninformation nicht alleine; vielmehr benötigt der Patient oftmals emotionale, psychologische und geistige Begleitung und Unterstützung. Am besten wird diese Unterstützung durch eine Zusammenarbeit von Ärzten und Pflegepersonal, den Angehörigen und Seelsorgern gewährleistet. Trifft den Patienten die Nachricht über eine schlimme Diagnose und Prognose, ohne dass dieser sich zuvor auf Tod und Sterben vorbereitet hat, so reagiert dieser nicht selten zornig und abweisend. Umgekehrt zeigt die Erfahrung, dass bei einem auf den Tod und das Sterben vorbereiteten Menschen die Mitteilung solcher schlechter Nachrichten einfacher möglich ist. Die Mitteilung über den wahren Zustand wird dann eher als eine Erleichterung und eine Hilfestellung erlebt, sich mit dem eigenen Tod auseinanderzusetzen und sich auf das Sterben vorzubereiten. Die Wahrheit sollte einem Patienten oder einer Patientin auf einfühlsame und manchmal auch in dosierter Weise zugemutet werden, das Vorenthalten der wahren Diagnose hingegen ist als eine versteckte Hegemonie und als eine missbräuchliche Form des ärztlichen Paternalismus zurückzuweisen.[20]

Die genaue Kenntnis und Information über den eigenen Zustand fördert und ermöglicht letztlich die persönliche Freiheit. Der Patient und die Patientin haben ein Recht darauf, alle Informationen zu erhalten, die ihre Person und die Behandlung betreffen: die Risiken und Chancen, Nebenwirkungen, Folgen, Kosten, ebenso alle denkbaren und moralisch legitimen Alternativen, den Behandlungsverzicht mit eingeschlossen. Erst diese umfassenden Mitteilungen bilden die Basis für die informierte Zustimmung des Patienten (den «informed consent»), die zu respektieren ist.

Auch wenn diese informierte Zustimmung des Patienten für den Arzt und die Ärztin verbindlichen Charakter hat, ist die Ärzteschaft nicht dazu

---

des «Collegium Internationale Neuro-Psycho-Pharmacologicum» am 09.09.1958 (AAS 50 [1958] 687–696).
[19] Vgl. *W. F. May*, The Physician's Covenant: Images of the Healer in Medical Ethics, Philadelphia 1983, 106–144; *J. Römelt*, Auf dem Weg zu einem neuen Arztbild? Knappheit ökonomischer Mittel und verantwortbare Verteilung der Ressourcen, in: Stimmen der Zeit 213 (1995) 262–266.
[20] Vgl. *J. Reiter*, Es geht um den Patienten. Grundfragen medizinischer Ethik neu bedacht, in: Stimmen der Zeit 214 (1996) 435–448.

verpflichtet, gegen die eigenen berufsethischen Standards zu handeln. Dem Arzt bzw. der Ärztin bleibt vielmehr stets die Berufung auf das eigene Gewissensurteil vorbehalten.

4. Wahrung und Förderung der Menschenwürde in Zweifelsfällen

Zweifelsfälle werden gewöhnlich unter Anwendung von Moralsystemen gelöst.[21] Diese Moralsysteme, beispielsweise der Probabilismus und der Tutiorismus, bieten dem Handelnden praktische Sicherheit im Umgang mit schwierigen Situationen. Für den Probabilismus genügt zur Lösung eines Zweifelsfalls, dass ein solider und einleuchtender Rechtfertigungsgrund vorliegt. Das leitende Prinzip dabei lautet: *qui probaliter agit pudenter agit*. Der Tutiorismus hingegen geht davon aus, dass in Zweifelsfällen in jedem Fall der sichere Weg gewählt wird, auch wenn grundsätzlich das Prinzip der Freiheit angestrebt wird. Ist – wie im Fall der Sterbebegleitung – das fundamentale Gut des Lebens betroffen, wird in der Regel dem tutioristischen Weg der Vorzug gegeben.

Der Tutiorismus sollte allerdings nicht naiv oder vereinfachend missverstanden werden. Tutiorismus ist nicht mit einem moralischen Rigorismus zu verwechseln; aus diesem Moralsystem lässt sich beispielsweise nicht ableiten, dass das Leben unter allen Umständen geschützt und erhalten werden sollte. Im Tutiorismus wird nicht die Erhaltung des Lebens als absolutes Gut über alle anderen Güter gesetzt, ansonsten würde das Prinzip der Heiligkeit des Lebens auf einen groben Vitalismus reduziert, der in dieser Form der katholischen Tradition fremd ist. Hier finden vielmehr mit der Sicherheit der Diagnose und Prognose auch Aspekte der Lebensqualität Berücksichtigung, damit das Recht des Patienten auf einen menschenwürdigen Tod bzw. ein christliches Sterben gewahrt werden kann.

Zweifellos gilt es für einen Arzt oder eine Ärztin, in einer Notfallsituation zunächst *zugunsten* einer Behandlung zu entscheiden in der Hoffnung, dass sich dieser Eingriff auch vorteilhaft für das Patientenwohl auswirkt. Diese Regel zum Schutz der Heiligkeit des Lebens gilt allerdings bloß in Notsituationen, in denen unter starkem zeitlichen Druck entschieden werden muss. Eine derartige Behandlung kann aber auch an die Grenze des ursprünglich anvisierten Ziels stoßen. Wenn die weitere Behandlung eine Patientin lediglich in einer miserablen Lebenssituation erhält oder dieselbe in eine Situation versetzt, in der sie selbst die umstehenden Angehörigen nicht mehr wahrzunehmen vermag bzw. in einem chronisch komatösen Zustand gehalten wird, würde eine vernünftige und verantwortliche Handlung in einem Behandlungsverzicht oder -abbruch bestehen. Ist eine Patientin noch entscheidungsfähig oder hat sie ausdrückliche und schriftliche Wünsche bezüglich ihrer Behandlung hinterlassen, müssen diese Entscheidungen respek-

---

[21] Zum Verständnis und Einsatz von Moralsystemen im Rahmen der medizinischen Ethik vgl. *K. Demmer*, s. Anm. 5, 54–59.

tiert werden. Schwieriger ist es dann, wenn ein Patient entscheidungsunfähig ist und über früher geäußerte Wünsche nichts bekannt ist. Hier fällt die Entscheidung einer eigens dafür bestimmten Person («a surrogate decision maker») oder den Angehörigen in Absprache mit dem medizinischen Personal zu.

5. Das Dilemma bei Patienten im chronisch-vegetativen Zustand

Eines der gegenwärtig diskutierten Probleme betrifft die Frage, ob es lebenserhaltende Mittel gibt, die unabhängig von der Befindlichkeit eines Patienten oder einer Patientin stets gewährleistet werden müssen. Im Hintergrund dieser Diskussion steht die Frage nach einem möglichen Entzug der künstlichen Ernährung und Wasserzufuhr. Diejenigen Bischöfe und Theologen, die sich bisher dazu geäußert haben, setzen in ihren Beiträgen grundsätzlich die Gültigkeit des kirchlichen Euthanasieverbots voraus. Ebenso unbestritten bleibt dort die Tatsache, dass keine moralische Pflicht zur Aufrechterhaltung der künstlichen Ernährung und Flüssigkeitszufuhr besteht, wenn sie einem unmittelbar Sterbenden keine Erleichterung mehr bringen oder sein Körper diese gar nicht mehr aufnehmen kann. Kein Konsens hingegen besteht darüber, ob der Entzug der künstlichen Ernährung und Flüssigkeitszufuhr auch bei Patienten im chronisch vegetativen Zustand moralisch zu rechtfertigen ist.[22]

Sinnvoller als eine kasuistische Auseinandersetzung mit diesem Problem ist der Hinweis auf gegenwärtige Studien zum Verhältnis zwischen Sprache und Denken.[23] Diese Studien vermögen aufzuzeigen, dass bereits die Beschreibung eines Problems die Lösung desselben impliziert, insoweit die sog.

---

[22] Wird die Blutversorgung des Hirns unterbrochen (Ischämie, eine Blutleere), so erhält das Gehirn keinen Sauerstoff mehr (Hypoxämie, eine Verminderung des Sauerstoffs im Blut). Geschieht dies während vier bis sechs Minuten, wird die Großhirnrinde schwer und irreversibel geschädigt. Bereits nach fünfzehn Minuten ist die gesamte Funktionskapazität des Hirns zerstört. Lebt die Großhirnrinde nicht mehr, funktioniert der Hirnstamm aber noch normal, so befindet sich der betroffene Patient im chronisch vegetativen Zustand («persistent vegetative state»). Dieser Zustand ist medizinisch vom Hirntod, dem Koma und der Demenz zu unterscheiden. In den schlimmsten Fällen eines chronisch-vegetativen Zustands verflüssigt sich das neocorticale Gewebe, so dass ein EEG keine Hirnaktivität mehr anzeigt. Da der Hirnstamm jedoch weiterhin seine Funktionen ausübt, können die Betroffenen ohne Unterstützung eines Beatmungsgeräts atmen, ihre Augen bleiben geöffnet und sie erleben weiterhin die gewohnten Schlaf- und Wachzyklen. Dabei nehmen sie ihre Umgebung nicht mehr wahr, unternehmen keinen Versuch, mit anderen Kontakt aufzunehmen, empfinden weder Schmerz und Leiden noch Hunger und Durst. Da sie nicht mehr dazu in der Lage sind, selbständig zu essen, werden sie über eine Nasen- oder Magensonde künstlich ernährt. Werden künstliche Ernährung und Flüssigkeitszufuhr gestoppt und die Pflege weiterhin aufrechterhalten, zeigt der Patient keine Symptome des Verhungerns oder Verdurstens (ausgetrockneter Mund, ausgetrocknete und aufgesprungene Lippen, schweres Atmen, trockener Auswurf, Krämpfe etc.).

[23] Vgl. beispielsweise *A. Ortony*, Metaphor and Thought, Cambridge 1979.

«kognitive Funktion» der Sprache berücksichtigt wird. Untersucht man die bei der Problembeschreibung benutzte Sprache – im vorliegenden Fall sind hier v. a. die Metaphern zu berücksichtigen, anhand derer eine Person im chronisch-vegetativen Zustand charakterisiert wird –, so verlagert sich die Aufmerksamkeit von einer unmittelbaren Problemlösung hin zu den in diesen Metaphern bereits enthaltenen Wertungen, welche die ethische Beurteilung eines Behandlungsverzichts letztlich maßgeblich bestimmen.

a) Es wird oft behauptet, man ließe einen Menschen im chronisch-vegetativen Zustand durch den Nahrungs- und Flüssigkeitsentzug verhungern und verdursten. Auf diese Weise wird also der Tod eines Patienten im chronisch-vegetativen Zustand mit dem Hungertod eines Menschen verglichen, der bei vollem Bewusstsein ist. Dieser Vergleich präjudiziert eine kognitive Taxonomie, welche Beobachtungen zur Lebensqualität unberücksichtigt lässt.[24] Es ist natürlich die erste Pflicht, einem verdurstendem und verhungerndem Menschen Wasser und Nahrung zu geben; auf welche Weise dies geschieht, ist dann völlig irrelevant. Wird das Problem mit dieser Metapher beschrieben, bleibt einzig die Möglichkeit, auf die Soziallehre der Kirche Bezug zu nehmen, welche die Pflicht der Bereitstellung von Nahrung und Wasser unterstreicht: «Ernähre den Verhungernden, denn andernfalls hast du ihn getötet.» Dies ist sicher der emotional überzeugendste Hinweis zugunsten der Ernährung und Flüssigkeitszufuhr bei Menschen im chronisch-vegetativen Zustand. Mit dieser Metapher formuliert kann die Ernährung und Versorgung mit Flüssigkeit nichts anderes als eine angemessene medizinische Behandlung zur Lebenserhaltung darstellen; sie hingegen zu unterlassen, kann nur bedeuten, den Menschen in den Tod zu treiben. Konsequenterweise kann der Entzug nur als eine direkte Tötung eines Patienten durch absichtliches Verhungern- und Verdurstenlassen beschrieben werden.

b) Eine zweite Metapher, oft verknüpft mit der ersten Metapher eingesetzt, beschreibt den chronisch-vegetativen Zustand als eine mentale Einschränkung («a mental impairment»).[25] Der Mensch im chronisch-vegetativen Zustand ist demgemäß stark behindert und unfähig, sich selbst zu versorgen. Im Verstehenshorizont dieser Metapher wird kein Unterschied zwischen dem Koma, der Demenz, dem chronisch-vegetativen Zustand oder einer anderen vergleichbaren Behinderung gemacht. In diesem Sinne wird der Nahrungs- und Flüssigkeitsentzug bei Menschen im chronisch-vegetativen Zustand nicht bloß eine missbräuchliche Handlung, sondern zusätzlich zu einem Akt der Diskriminierung behinderter Menschen. Ein weiteres Element in diesem Sprachkonzept besteht in der strikt aufrechterhaltenen

---

[24] Die Unangemessenheit dieses Ansatzes verdeutlicht *J. F. Keenan*, The Concept of Sanctity of Life and Its Use In Contemporary Bioethical Discussions, in: *K. Bayertz* (Ed.), Sanctity of Life and Human Dignity, Dordrecht 1996, 1–18.

[25] Vgl. *Bishop J. McHugh*, Principles in Regard to Withholding and Withdrawing Artificially Assisted Nutrition and Hydration, in: Origins 19 (1989) 314–316; *W. E. May et al.*, Feeding and Hydrating the Permanently Unconscious and Other Vulnerable Persons, in: Issues in Law and Medicine 3 (1987) 203–211.

Unterscheidung zwischen Behandlung und Pflege: Verpflegung mit Nahrung und Wasser gehören dann zur gewöhnlichen Grundpflege und sind selbstverständlich jedem Patienten und jeder Patientin zu gewährleisten. Vertreter dieses Konzepts betonen folgerichtig, dass mit der Nahrungs- und Wasserzufuhr nicht eine Krankheit behandelt wird, sondern lediglich die Lebensgrundlagen gesichert werden. Der Entzug dieser gewöhnlichen Mittel käme dem Eingeständnis in die Überflüssigkeit bzw. Nutzlosigkeit dieses Menschen im chronisch-vegetativen Zustand gleich. Folgerichtig wird auch kein Unterschied zwischen diesem Entzug und der beabsichtigten Tötung eines Menschen gesehen. Auch wenn zugegebenermaßen der Tod in diesem Fall durch eine Unterlassung herbeigeführt wird, handelt es sich doch aufgrund der Intention um einen echten Fall von Euthanasie.[26] Aus dieser Perspektive ist der Nahrungs- und Flüssigkeitsentzug bei Menschen im chronisch-vegetativen Zustand bloß ein weiterer Schritt auf der rutschigen Bahn (der «Slippery Slope»), die schließlich zur Toleranz gegenüber der aktiven Euthanasie führen wird.

Zweifellos verdankt sich dieses Konzept, den chronisch-vegetativen Zustand als eine Form von Behinderung zu bezeichnen, der Idee einer grundlegenden Pflicht zur Lebenserhaltung. Nimmt man das Moralsystem des Tutiorismus zum Maßstab, wird somit die Pflicht zur Erhaltung des physischen Lebens betont. Der Nutzen einer bestimmten Technologie bleibt solange nicht hinterfragt, wie die Anwendung derselben die physische Lebenserhaltung ermöglicht. Ein solcher Zugang zur Problematik übergeht Kriterien wie die Kommunikationsfähigkeit des Patienten oder dessen Möglichkeit, auf seine Umgebung zu reagieren. Die Folgen des Einsatzes einer Magensonde dagegen sind minimal, da dieser weder physische Schmerzen hervorruft noch teuer ist und von den Pflegenden relativ leicht gehandhabt werden kann.

c) Eine dritte Metapher beschreibt den Patienten im chronisch-vegetativen Zustand als Sterbenden. Verglichen mit den anderen beiden Metaphern liegt dieser Variante ein breiteres Konzept zugrunde, in dem Schaden und Nutzen einer Behandlung abgewogen werden können.[27] Die mit dieser Metapher einhergehende kognitive Taxonomie erlaubt eine Abwägung von Aspekten, die aus dem Prinzip der Heiligkeit des Lebens stammen, mit jenen, die der Ansicht der Lebensqualität entspringen. In dieser Perspektive wird keine Phase der Befindlichkeit des Patienten isoliert betrachtet, son-

---

[26] Soweit die Position der Bischofskonferenz von Pennsylvania, vgl. Pennsylvania Bishops' Conference, Nutrition and Hydration: Moral Considerations, in: Origins 21 (1992) 548.
[27] Vgl. hierzu die Meinung der texanischen Bischöfe: The Texas Bishops, On Withdrawing Artificial Nutrition and Hydration, in: Origins 20 (1990) 53–55; Oregon and Washington Bishops, Living and Dying Well, in: Ebd. 21 (1991) 345–352; weiterhin: R. McCormick, Nutrition and Hydration: The New Euthanasia?, in: Ders., The Critical Calling: Reflections on Moral Dilemmas Since Vatican II, Washington DC 1989, 369–388; K. O'Rourke, Prolonging Life: A Traditional Interpretation, in: The Linacre Quarterly 58 (1991) 2, 12–26.

dern sowohl Diagnose als auch Prognose in einem Kontinuum verstanden. Dieses Kontinuum berücksichtigt Formen der Behandlung, welche eine Genesung des Patienten zum Ziel haben, bis zu jenen, die im Hinblick auf den notwendigen Schutz der menschlichen Würde als sinnlos einzustufen sind. Auf dieser Beurteilungsskala verschiedener Behandlungen finden bei der Bestimmung von Schaden und Nutzen die Unfähigkeit zur Kommunikation und Kontaktaufnahme mit anderen als moralisch relevante Faktoren ihre Berücksichtigung. Kommt der Tutiorismus in diesem Konzept zur Anwendung, wird man sich auf die Notwendigkeit beziehen, eine eindeutige Diagnose des chronisch-vegetativen Zustands sicherzustellen, und nicht auf die Pflicht, das Leben des Patienten unter allen Umständen zu erhalten. Im Unterschied zu den beiden anderen Sprachkonzepten wird hier klar zwischen dem chronisch-vegetativen Zustand einerseits und dem Koma bzw. der Demenz andererseits unterschieden, weniger deutlich hingegen zwischen der Basispflege und bestimmten Behandlungsformen. Dabei wird weniger Wert darauf gelegt, *was* genau verabreicht wird als vielmehr darauf, *wer* etwas aus welchem Grund bekommt. Die notwendige Balance zwischen medizinischen Behandlungsentscheidungen, welche das Prinzip der Heiligkeit des Lebens berücksichtigen, und Therapieentscheidungen, welche sich in erster Linie Überlegungen zur Lebensqualität verdanken, betonen die amerikanischen Bischöfe, wenn sie schreiben:

> «Grundsätzlich sollte bei allen Patientinnen und Patienten der Lösung zugunsten der Beibehaltung von Nahrungs- und Flüssigkeitszufuhr der Vorzug gegeben werden, eingeschlossen auch die Patientinnen und Patienten, welche auf eine künstliche Nahrungs- und Flüssigkeitszufuhr angewiesen sind; dies jedenfalls solange, wie die für den Patienten oder die Patientin nützlichen Folgen die schädlichen Konsequenzen überwiegen.»[28]

Wird der Patient im chronisch-vegetativen Zustand als Sterbender gesehen, wird die künstliche Nahrungs- und Flüssigkeitszufuhr nicht allein deshalb aufrechterhalten, weil ein Abbruch dieser Maßnahmen zum Tod des Patienten führen würde; die Unabänderlichkeit des eintretenden Todes kann nicht das entscheidende Kriterium in der Bestimmung der Unverhältnismäßigkeit der angewandten Therapie sein. Vielmehr wird das bestimmende Kriterium der Angemessenheit jeder Behandlung das umfassende Wohlbefinden des Patienten sein, das nicht losgelöst von den eigenen Überzeugungen eines sinnvollen Lebens und würdigen Sterbens interpretiert werden kann. In diesem Sinne wird die medizinische Technik im Dienste der menschlichen Ziele verstanden – und nicht zur bloßen Erhaltung physischen Lebens. In diesem Verstehenskontext kann die Tatsache, einen Menschen im chronisch-vegetativen Zustand weiterhin mit Nahrung und Flüssigkeit zu versorgen, als zu aufwendig und schädlich für den Patienten verstanden werden; ein Leben ohne Behandlung wird einem Leben unter Einsatz aller medizinischen Mittel vorgezogen.

---

[28] National Conference of Catholic Bishops, The Ethical and Religious Directives for Catholic Health Care Services, Washington DC 1994, Directive 58.

Darüber hinaus wird in dem Verstehenskontext, in welchem der Patient als Sterbender gesehen wird, der Verzicht auf die bzw. Abbruch der Versorgung mit Nahrung und Flüssigkeit als ein gesondertes moralisches Ziel oder Handlungsobjekt betrachtet. Das Handlungsziel beim Abbruch von Nahrungs- und Flüssigkeitszufuhr darf niemals darin bestehen, einen Menschen sterben zu lassen, dessen Leben zu verkürzen oder Behinderte zu diskriminieren. Das moralisch relevante und auch zulässige Handlungsobjekt besteht vielmehr darin, dem Betroffenen eine schädliche Behandlung mit lebensverlängernder Wirkung zu ersparen. Der Behandlungsverzicht signalisiert kein gefühlloses im Stich lassen des Patienten, sondern ein Eingeständnis in die menschlichen Gegebenheiten und die Grenzen einer sinnvollen Behandlung.

6. Schlussbemerkungen

Entgegen einer hartnäckigen Anwendung von medizinischer Technik zugunsten der Lebenserhaltung, die manchmal angeblich sogar im Sinne der Wahrung der Heiligkeit des Lebens angewendet wird, muss sich die Kirche für das Recht auf einen würdigen und christlichen Tod engagieren. Auf diese Weise finden sowohl die Ansicht der Heiligkeit des Lebens als auch das Anliegen der Lebensqualität Berücksichtigung. In der katholischen Tradition bedeutet dieser Einsatz zugunsten eines menschenwürdigen Sterbens für die betroffenen Patientinnen und Patienten die Sicherheit, dass das menschliche Leben nicht willkürlich abgekürzt wird, dass niemand sinnlos zu leiden hat, dass niemand unnötige und schädliche Therapien durchzustehen hat, dass die medizinische Technik stets zur Erhaltung des ganzheitlichen Wohls des Patienten bzw. der Patientin eingesetzt wird, dass der freie und informierte Entscheid des bzw. der direkt Betroffenen respektiert wird und dass sie schließlich in ihrem Sterben nicht von der Gemeinschaft an den Rand gedrängt oder im Stich gelassen werden.

Michael M. Mendiola   Theol., Berkeley

Menschliches Leiden und das ärztlich assistierte Sterben[1]

Einleitung

In bewegender Weise erzählt der amerikanische Arzt Richard Selzer von einer Situation, in welcher er vom aidskranken R. und seinem Liebhaber L. um Suizidbeihilfe gebeten worden ist.[2] Als Freund von R. beschreibt er dessen Lage in deutlichen Worten: «Sein Leiden gleicht dem Hiobs. Er möchte sich das Leben nehmen, solange er selbst noch die Kraft dazu hat.» Offen und unumwunden erzählt R. Selzer von seiner höchst emotionalen und ethisch verwickelten Entscheidungsfindung angesichts der Frage, ob er sich auf diese Situation einlassen solle – und wenn ja, in welchem Maße. Nachdem alle seine Pläne durchkreuzt worden waren, starb R. schließlich nach einem misslungenen Suizidversuch im Krankenhaus. Die ganze Geschichte lässt die von allen Beteiligten empfundene Vagheit und Ambivalenz einer solchen Entscheidung deutlich spürbar werden. Sowohl R.'s verzweifelte Situation als auch die Entschlossenheit aller Umstehenden, R. in seiner Lage beizustehen, werden anschaulich erzählt. Die Schilderung menschlichen Leidens durchzieht die Erzählung wie ein roter Faden.

R. litt offensichtlich sehr schwer. Die Frage Selzers nach der Endgültigkeit seines Sterbewunsches beantwortete R. mit einer drastischen Geste: «Er nickt L. zu, der ihn stützt. Wir drei gehen ins Schlafzimmer, wo R. sich auf die Seite legt und sich, wie zum Beweis, entblößt. Sein Anus ist ein einziges großes Geschwür, offen und blutend. Sein Gesäß ist mit Eiter und flüssigem Stuhl verschmiert. Zärtlich reinigt L. die Wunden und zieht ihm eine frische Windel an.»[3]

R. litt an chronischem Durchfall, entzündeten Hämorrhoiden, allgemeiner Erschöpfung, einem Kaposi-Sarkom und an Sehschwäche. Sein physischer Zustand war allerdings bei weitem nicht der einzige Grund für seine verzweifelte Situation: Sein gesamtes Leben, seine Welt und seine Umgebung schienen vielmehr auf die wenigen Aktivitäten rund um die Therapien und die hilflosen Versuche, mit der Inkontinenz fertig zu werden, zusammenzuschrumpfen. Er litt unter den Folgen des Kaposi-Sarkoms, die seine äußere Erscheinung – eine für ihn sehr wichtige Dimension – stark beeinträchtigte. Resigniert stellte er fest: «Ich bin zum Unberührbaren geworden.» Zudem belastete der zu erwartende Verlust der seit sechs Jahren

---

[1] Originalbeitrag: «Through a Glass Darkly»: Suffering and Physician-Assisted Death, übersetzt von Markus Zimmermann-Acklin.
[2] Vgl. *R. Selzer*, A Question of Mercy, in: *J. D. Moreno* (Ed.), Arguing Euthanasia: The Controversy Over Mercy Killing, Assisted Suicide, and the «Right to Die», New York 1995, 63–76.
[3] Ebd. 66.

andauernden Liebesbeziehung zu L. wie auch die suizidalen Absichten R.'s die Beziehung spürbar (mit der Zeit entwickelte L. auch Schuld-, Angst- und Ambivalenzgefühle aufgrund der Selbsttötungsabsichten von R.). Selzers anschauliche und einfühlsame Schilderung der Sterbephase R.'s zwingt den Leser zur unmittelbaren Konfrontation mit dem menschlichen Leiden, hält ihn dazu an, dem nackten und bloßen Leiden ohne Ausweg ins Angesicht zu blicken.

Wenig überraschend ist die Tatsache, dass der Versuch, die Bitte um ärztliche Unterstützung beim Sterben oder um den sogenannten medizinisch assistierten Tod («physician-assisted death») zu verstehen, wesentlich von der Anschaulichkeit und Dramatik solcher Leidensgeschichten geprägt ist.[4] Unerträgliche und nicht zu lindernde Schmerzzustände werden häufig als deutlicher Hinweis auf die Notwendigkeit und auch als eine erste ethische Rechtfertigung für die Praxis des ärztlich assistierten Sterbens beurteilt. So hält beispielsweise Robert F. Weir die Schmerzlinderung bei leidenden Patienten für einen der wichtigsten Gründe zur moralischen Rechtfertigung der ärztlichen Unterstützung im Sterben:

> «Sollte ich als Arzt nicht zur Suizidbeihilfe die Hand bieten, wenigstens in der Absicht, lediglich die lebenszerstörenden Leiden und Schmerzen meiner Patienten lindern zu wollen? Zumindest in einigen Fällen ist diese Frage zu bejahen.»[5]

Allen Buchanan argumentiert auf ähnliche Weise, insofern er die fundamentalen Werte der Selbstbestimmung und des menschlichen Wohlergehens als Rechtfertigung für die ärztliche Unterstützung im Sterben anführt. Wenn sich die Bestimmung eines guten Lebens «zumindest teilweise aus der individuellen Vorstellung ergibt»,[6] muss schließlich auch das menschliche Leiden aus dieser Perspektive beurteilt werden:

> «Menschen, die sich einer unheilbaren und sich stets verschlimmernden Krankheit ausgesetzt sehen, wissen selbst am besten, was sie als unerträgliches Leiden oder schwerste seelische Not erleben; dies ist auch dann ernst zu nehmen, wenn sie keine extremen Schmerzzustände durchmachen müssen oder wenn auch die beste psychiatrische Versorgung – wenigstens aus der Sicht der Betroffenen selbst – keine spürbare Linderung bringt.»[7]

---

[4] Unter der ärztlichen Unterstützung beim Sterben verstehe ich sowohl die Suizidbeihilfe als auch die aktive Euthanasie, ohne eigens auf die gegenwärtige Debatte um moralisch relevante Unterschiede zwischen diesen beiden Handlungen einzugehen. Mit dem umfassenden Begriff «assistiertes Sterben» («assisted death») umschreibe ich direkte und absichtliche Maßnahmen zur Lebensbeendigung. Hinsichtlich der ethischen Beurteilung der ärztlichen Unterstützung beim Sterben habe ich stets die gesellschaftliche Praxis und nicht Einzelentscheidungen im Blick. Schließlich beschränke ich die Gruppe der Handelnden – in Anlehnung an die gegenwärtigen amerikanischen Vorschläge zur Neugestaltung der Gesetzgebung – ausschließlich auf die Ärzte.
[5] R. F. Weir, The Morality of Physician-Assisted Suicide, in: Law, Medicine and Health Care 20 (1992) 1–2, 123.
[6] A. Buchanan, Intending Death: The Structure of the Problem and Proposed Solutions, in: T. L. Beauchamp (Ed.), Intending Death. The Ethics of Assisted Suicide and Euthanasia, Upper Saddle River NJ 1996, 35.
[7] Ebd.

Darum besteht die beste Lösung darin, den informierten und urteilsfähigen Patienten selbst bestimmen zu lassen, ob er weiterleben will oder nicht.

Diese beiden philosophischen Stimmen sollen zeigen, welche Bedeutung dem menschlichen Leiden in der gegenwärtigen ethischen Diskussion des ärztlich unterstützten Sterbens zugemessen wird. Nicholas Christakis bringt dies im Rahmen seiner Überlegungen zum soziokulturellen Umfeld dieser Auseinandersetzung auf den entscheidenden Punkt:

> «Euthanasie in ihren vielfältigen Formen wird heute nicht bloß als eine Erlösung von den Schmerzen und dem Leiden einer konkreten Krankheit verstanden, sondern auch als Rettung aus der Leidens- und Entfremdungssituation, welche durch die moderne Medizin und die hochtechnisierten Spitäler und Heime insgesamt erzeugt wird. Sie verspricht die Befreiung sowohl von der Krankheit als auch von der Therapie. (...) Euthanasie ermöglicht damit etwas, was keine Therapie vermag: eine wirkliche Schmerzlinderung. Damit steht *die grundsätzliche Bedeutung des Leidens in der gegenwärtigen amerikanischen Gesellschaft zur Diskussion*.»[8]

Ich hebe diese letzte Aussage von N. A. Christakis deshalb besonders hervor, weil ich sie für genau richtig halte. Durch die Praxis des ärztlich assistierten Sterbens wird nämlich vor allem die Frage nach der Bedeutung und der Rolle menschlichen Leidens in aller Deutlichkeit gestellt.

Der größte Teil der ethischen Abhandlungen zum ärztlich assistierten Tod lässt jedoch eine substantielle und tiefgehende Untersuchung des menschlichen Leidens vermissen. Obwohl auf das menschliche Leiden in diesem Zusammenhang häufig hingewiesen wird, bleibt eine kritische Auseinandersetzung mit diesem Phänomen weiterhin ein Desiderat. Sowohl die Befürworter als auch die Gegner des ärztlich unterstützten Sterbens setzen offensichtlich voraus, dass mit dem menschlichen Leiden eine eindeutige, unmissverständliche und unmittelbar einleuchtende Realität angesprochen wird, die keiner weiteren Klärung bedarf. Meines Erachtens ist diese Einschätzung falsch; es bleiben zumindest die rudimentären Grundlagen der Verständigung über das menschliche Leiden zu erforschen, um eine ethische Einschätzung des ärztlich assistierten Sterbens zu ermöglichen.[9] Wie lässt sich das menschliche Phänomen bzw. die menschliche Erfahrung erfassen, die wir mit dem Leidensbegriff umschreiben? Worin besteht es? Welche charakteristischen Veränderungen und Bewegungen zeichnen es aus? R. F. Weir bezieht sich in seiner oben zitierten Aussage beispielsweise auf das «lebenszerstörende Leiden» – was meint er damit genau? Gibt es auch Leidenssituationen, die nicht als «lebenszerstörend» zu bezeichnen sind? A. Buchanan unterscheidet im oben angeführten Beitrag zwischen

---

[8] *N. A. Christakis*, Managing Death: The Growing Acceptance of Euthanasia in Contemporary American Society, in: *R. P. Hamell/E. R. DuBose* (Eds.), Must We Suffer Our Way To Death? Cultural and Theological Perspectives on Death by Choice, Dallas TX 1996, 38 (Hervorhebung eingefügt, der Verf.).

[9] Da ich in meinen Ausführungen den *ärztlich* assistierten Tod im Auge habe, begrenze ich meine Überlegungen auf das durch Krankheit und Sterben verursachte Leiden. Allerdings bin ich davon überzeugt, dass meinem theoretischen Ansatz auch über diesen begrenzten Bereich hinaus noch Bedeutung zukommt.

Schmerzen («pain») und Leiden («suffering»). Worauf soll sich diese Unterscheidung genau beziehen? Sollte das Leiden, wie er vorschlägt, in erster Linie als «schwerste seelische Not» beschrieben werden? Eine behutsame und geduldige Auseinandersetzung mit dem Phänomen des menschlichen Leidens ist offensichtlich unabdingbare Voraussetzung, um sich in der Diskussion um die ärztliche Sterbehilfe, begründet auf dessen moralische Relevanz, beziehen zu können. Ohne eine solche Klärung kann die Problematik überdies nicht in ihrer ganzen Tiefe und Komplexität erfasst werden.

Der Vielschichtigkeit der Problematik des ärztlich assistierten Sterbens angemessene ethische Untersuchung sollte wenigstens die Grundelemente der Natur menschlichen Leidens erarbeiten. Ich behaupte sogar, dass eine gründliche Untersuchung des Leidens die tiefgehende moralische Komplexität und Zwiespältigkeit offenbart, welche die ganze Auseinandersetzung um die Sterbehilfe prägen und viele dazu anhält, eine ambivalente Meinung zum ganzen Thema zu vertreten.[10] Bildlich gesprochen kann man ergänzen, dass die ernsthafte Beschäftigung mit dem Leidensphänomen das klare Wasser der Sterbehilfediskussion trübt und ein eindeutiges Urteil in dieser Sache sehr schwierig und vielleicht sogar suspekt macht.

Ich beabsichtige im Folgenden weder eine Stellungnahme für oder gegen den ärztlich unterstützten Tod abzugeben noch einen Überblick über die in diesem Kontext häufig vorgebrachten ethischen Argumente zusammenzustellen. Vielmehr möchte ich wichtige Beiträge zur Deutung des Leidensphänomens untersuchen, indem ich zuerst eine begriffliche Basis schaffe, um auf dieser Grundlage anschließend die für die ärztliche Sterbehilfe entscheidenden ethischen Implikationen zu untersuchen.

1. Begriffliche Annäherungen an das Phänomen menschlichen Leidens

Wie ist das menschliche Leiden zu verstehen? Sicher ist es unmöglich, eine umfassende, quasi hieb- und stichfeste *Definition* des menschlichen Leidens zu formulieren – angesichts der unüberschaubaren Realität menschlicher Leidenserfahrungen scheint dies der falsche Weg zu sein. Die Gefahr einer zu einfachen oder gar simplifizierenden Darstellung des natürlichen Leidensphänomens zugunsten einer eleganten Definition ist äußerst problematisch. Trotzdem ist es möglich und hilfreich, wenigstens eine allgemeine Charakterisierung des menschlichen Leidens zu versuchen, indem die groben Orientierungspunkte innerhalb dieses riesigen und unüberschaubaren Bereichs georted werden.

---

[10] Für Christine K. Cassel ist diese ambivalente Haltung ein allgemein zu beobachtendes Phänomen. Nur wenige setzen sich eindeutig für oder gegen die ärztliche Unterstützung beim Sterben ein, die meisten Ärzte, Pflegerinnen, Bioethiker etc. hingegen in dieser Kontroverse «(...) tendieren zu einer tiefen Ambivalenz oder Unsicherheit». Diese Zwiespältigkeit und Unsicherheit fordert eine Klärung der Problematik geradezu heraus. Vgl. *C. K. Cassel*, Physician Assistance at the End of Life: Rethinking the Bright Line, in: *R. P. Hamel/ E. R. DuBose* (Eds.), s. Anm. 8, 121.

Menschliches Leiden hat seinen Ursprung in der Wahrnehmung eines Mangels, eines Verlustes, eines Bedürfnisses nach Integrität, d. h. nach personaler Ganzheit oder einem intakten Leben.[11] Die menschliche Leidensfähigkeit berührt die verschiedensten Schichten und Dimensionen des Lebens, welche die personale Integrität ausmachen. Eric J. Cassell bietet in einer vereinfachten Beschreibung dessen, was eine Person bestimmt, eine hilfreiche Auflistung dieser verschiedenen Tiefenschichten. Er nennt folgende Elemente: Eine Person verfügt über eine bestimmte Persönlichkeit oder einen Charakter, sie hat eine Geschichte, verkörpert ihre Vergangenheit und erwartet eine Zukunft, sie ist verbunden mit einer Familie und anderen für sie bedeutenden Menschen, sie partizipiert an einer Kultur, sie übernimmt bestimmte Rollen, lebt in Beziehungen, hat Gefühle und das Bedürfnis, diese auch auszudrücken, ist politisch tätig, ist ein handelndes Subjekt, kennt in ihrem Leben jedoch auch eine innere Dimension, ist an regelmäßigen Verhaltensweisen erkennbar, *ist* körperlich und *verfügt* gleichzeitig über einen Körper, kennt eine Privatsphäre und orientiert sich schließlich an einer transzendenten Dimension.[12] Aus einer Leidenssituation entstehende Bedrohungen und Verluste können einen dieser Aspekte oder auch eine Verknüpfung unterschiedlicher Dimensionen einer Person betreffen.

Auch Juliana Casey weist auf diese multidimensionale Wirklichkeit des Leidens hin, indem sie das Leiden als «eine physische, psychische und soziale Realität» charakterisiert, als eine «Einschränkung oder Qual, welche *Leib, Seele und Beziehungen* betrifft».[13] In diesem Verständnis wird eine Leidenssituation als eine Bedrohung der Person bzw. der Persönlichkeit selbst erlebt.[14] Ähnlich beschreibt David Smith das Leiden als «einen Angriff auf unsere Welt oder eine Bedrohung derselben», «eine Unterbrechung der Kohärenz und eine Störung der Ordnung, die ich in der Welt wahrnehme», «eine Art Identitätskrise», die eine fundamentale Bedrohung des personalen Selbst mit sich bringt.[15] Das menschliche Leiden ist also im Kern

---

[11] Im Verlauf meiner Darstellung wird noch deutlich werden, dass ich mich hinsichtlich der Darstellung des Leidensphänomens stark an der Arbeit von Eric J. Cassell orientiert habe. Vgl. *E. J. Cassell*, The Nature of Suffering and the Goals of Medicine, New York 1991, 30–47.

[12] Vgl. ebd. 37–43.

[13] *J. Casey*, Suffering and Dying with Dignity, in: *F. A. Eigo* (Ed.), Suffering and Healing in Our Day, Villanova PA 1990, 141 (Hervorhebung eingefügt, der Verf.).

[14] Vgl. ebd. 142.

[15] Vgl. *D. H. Smith*, Suffering, Medicine, and Christian Theology, in: *S. E. Lammers/ A. Verhey* (Eds.), On Moral Medicine: Theological Perspectives in Medical Ethics, Grand Rapids MI 1987, 256. Obgleich ich im Allgemeinen mit Smith einverstanden bin, vertrete ich in einem Punkt eine andere Ansicht. Er fährt nämlich folgendermaßen fort: «Diese Bedrohung des Selbst bzw. der Identität ist eine notwendige und hinreichende Bedingung, um von einer Leidenssituation zu sprechen.» (Ebd.) Dass die Infragestellung der Identität eine hinreichende Bedingung darstellt, mag sein, ob sie hingegen eine notwendige Bedingung darstellt, frage ich mich. Es gibt Leidenssituationen, in denen die betroffene Person über keine erkennbare Identität oder Integrität verfügt. Gerade der Verlust oder die Suche nach

eine Bedrohung, ein Verlust, ein Verlangen, wobei stets die Integrität und Ganzheit der Person betroffen ist. Eine Definition des Leidens könnte etwa so lauten:

> Das Leiden ist als ein Mangel an Behaglichkeit oder Wohlbefinden («disease»)[16] zu beschreiben, welcher durch eine Bedrohung, einen Verlust, ein Verlangen nach Integrität und Ganzheit der Person hervorgerufen wird und der sich auf die verschiedenen, untereinander in Beziehung stehenden Dimensionen des Personseins bezieht.

Aufgrund dieser Definition wird auch eine sinnvolle Unterscheidung zwischen Schmerzen («pain») und Leiden («suffering») möglich, auch wenn die beiden Phänomene häufig als eng miteinander verbunden gesehen werden. Lediglich diejenigen Schmerzen können folgerichtig als Leiden bezeichnet werden, die im Sinne der oben formulierten Definition als lebensbedrohlich erlebt werden, beispielsweise chronische oder überwältigende Schmerzen, darüber hinaus auch Schmerzzustände, über welche die betroffene Person keine Kontrolle mehr auszuüben vermag.[17] Im Alltagsverständnis gehen wir normalerweise davon aus, dass starke physische Schmerzen eine Leidenssituation anzeigen; das muss allerdings nicht immer so sein. Umgekehrt kann jemand aufgrund eines drohenden oder tatsächlichen Verlustes eines Persönlichkeitsanteils massiv leiden, obgleich er keine Schmerzen hat oder mögliche Schmerzzustände durch eine wirksame Schmerztherapie kontrolliert werden. Auch wenn die Erlebnisweisen von Schmerzen und Leiden sehr eng miteinander verknüpft sind, sollten beide begrifflich voneinander unterschieden werden. Der wichtigste Unterschied liegt darin, wie eine Erfahrung oder eine bestimmte Situation von der betroffenen Person selbst erlebt wird.

Aufgrund dieser ersten Charakterisierung des Leidensphänomens können nun weitere Aspekte erfasst werden.

1.1 Leiden ist als Prozess, nicht als punktuelles Ereignis zu verstehen

Das menschliche Leiden ist ein zeitlicher Prozess, der für den Betroffenen einen Durchgang durch mindestens folgende drei Phasen bedeutet: Zuerst

---

einer personalen Identität oder Integrität können einen Leidensgrund darstellen. Darum habe ich die «Sehnsucht nach Integrität» in meine Charakterisierung des menschlichen Leidens aufgenommen. – Diese Einsicht verdanke ich Paul Herman, der als Student an einer Veranstaltung zu diesem Thema teilgenommen hat.

[16] Es ist sehr schwierig, einen Einzelbegriff zu finden, der die menschliche Leidenserfahrung angemessen und unter Berücksichtigung unterschiedlicher Intensität und Dauer wiederzugeben vermag. Ich habe mich entschieden, diese Erfahrung mit einem sehr allgemeinen Begriff zu beschreiben, nämlich als «den Mangel an Behaglichkeit oder Wohlbefinden» («disease»), um so den unbequemen, schmerzhaften oder bedrohenden Charakter des Leidens in die Definition aufzunehmen.

[17] Vgl. *E. J. Cassell*, s. Anm. 11, 36. Vgl. weiterhin *L. Hartman Landon*, Suffering Over Time: Six Varieties of Pain, in: Soundings, An Interdisciplinary Journal 72 (1989) 75–82.

die Situation oder das Ereignis des Zusammenbruchs, dann eine Phase des Übergangs und des Verhandelns, schließlich eine Phase der Transformation der Person, der Persönlichkeitsveränderung.[18] Heftigkeit und Dauer, die Intensität einer Leidenssituation ergeben sich also nicht allein aus der anfänglichen Erfahrung oder der existentiellen Bedrohung der eigenen Persönlichkeit, sondern resultieren aus einem dauerhaften Prozess.

Der erste Zusammenbruch wird möglicherweise als *persönliche Katastrophe* erlebt, ähnlich wie eine bleibende Verletzung oder Behinderung nach einem schweren Unfall. Diese Erfahrung kann ähnlich wie zunehmende, nicht zu bremsende Schmerzzustände mit der Zeit *immer stärker* werden, sie kann aber auch – in Analogie zu chronischen Schmerzen oder einer beständigen Erkrankung – zu einer *steten* bzw. *kontinuierlichen* Bedingtheit im Leben eines Menschen werden. Unabhängig von der konkreten auslösenden Erfahrung wird dadurch jedenfalls die erste Schwelle in einen Leidensprozess hinein überschritten, ein Schritt, der in der Regel als fundamentale Bedrohung der eigenen Integrität erlebt wird.

Führt dieser auslösende Moment nicht zum unmittelbaren Tod des oder der Betroffenen, gerät die leidende Person allmählich in eine Phase des Übergangs, die als eine Zeit größter Herausforderung erlebt wird. In dieser zweiten Phase wird die persönliche Identität der betroffenen Person massiv herausgefordert oder gar zerstört. Der bekannte und aus bioethischer Sicht interessante Gerichtsfall von Donald Cowart ist ein deutliches Beispiel für eine derartige Dekonstruktion der Identität. Der junge und gesunde Cowart erlitt bei einer Explosion massive Brandverletzungen. Er überlebte schwerverletzt und wurde einer intensivmedizinischen Behandlung unterzogen, obwohl er immer wieder darum bat, endlich sterben zu dürfen. Seine ursprüngliche Identität wurde bei diesem Unfall förmlich im Feuer verbrannt, eine Erfahrung, die der Betroffene später auch durch seinen Namenswechsel deutlich zum Ausdruck bringen wollte: aus «Donald» wurde «DAX».[19] Das menschliche Leiden verlangt nach einer völligen Neuorientierung, sei es im Hinblick auf das Körpererleben, das Selbsterleben, die Beziehungen zu anderen oder zur Außenwelt insgesamt. S. Kay Toombs schreibt dazu:

> «Das Leiden wird nicht nur in Bezug auf den Verlust der Intaktheit des Körpers erlebt, sondern bezieht sich auf den Integritätsverlust des gesamten Beziehungsnetzes von Körper, Selbst und Welt. Der Leidensprozess steht daher in sehr engem Zusammenhang mit dem Einschnitt in das persönliche Körpererleben, der Art und Weise, wie jemand körperlich existiert bzw. in Beziehung zu anderen und anderem lebt.»[20]

---

[18] Diese Einteilung in eine dreifache Struktur verdanke ich W. F. May, der die drei Phasen mit den Begriffen «Tod, gefahrvoller Übergang und Wiedergeburt» charakterisiert hat. Vgl. *W. F. May*, The Patient's Ordeal, Bloomington IN 1991, 22–28.

[19] Vgl. den Überblick über den sogenannten «DAX-Case» bei *W. F. May*, s. Anm. 18, 15–20.

[20] *S. Kay Toombs*, The Meaning of Illness: A Phenomenological Account of the Different Perspectives of Physician and Patient, Dordrecht 1993, 86.

Da das Leiden die unterschiedlichen Dimensionen der menschlichen Person betrifft, können dementsprechend auch sehr unterschiedliche Veränderungen oder Neuorientierungen im Leben des oder der Betroffenen notwendig werden.

Diese Übergangsphase wird einen leidenden Menschen auf jeden Fall verändern und prägen, unabhängig davon, ob der Leidenszustand anhält oder aufhört. Einerseits kann dieser Prozess zur lehrreichen Erfahrung werden, zur intensiven Wahrnehmung dessen, worauf es im Leben wirklich ankommt, zu einer Prüfung, Prägung und Erneuerung unserer Persönlichkeit. Insofern ist es möglich, dass ein solcher Leidensprozess auch zu einer religiösen und moralischen (Gnaden-)Erfahrung wird.[21] Andererseits kann der Leidensprozess aber auch das auslösen, was Andrew Sung Park als «collapsed feeling of pain»[22] umschrieben hat – eine enttäuschte Hoffnung also, eine tiefsitzende Resignation und Verzweiflung. Niemand kann dafür garantieren, dass die durch einen Leidensprozess erzeugte Veränderung einer menschlichen Existenz schließlich zur erlösenden, heilenden oder ganzheitlichen Erfahrung wird.

Zusammenfassend kann man sagen: Das Leiden ist ein Prozess und kein isoliertes Ereignis. Dieser verläuft weder linear noch in bestimmten Stufen und ist vielmehr von einer gewissen Instabilität geprägt. Unter Umständen wird das Leiden nur bewältigt, um für eine weitere Leidensphase vorbereitet zu sein. Gerade Situationen chronisch Leidender zeigen, dass durchaus ein ganzer Lebenslauf vom Leiden geprägt sein kann, die Leidensphasen immer und immer wieder angenommen und durchgestanden werden müssen.

1.2 Wird ein Zustand oder eine vorgegebene Erfahrung als bedeutend oder unbedeutend eingeordnet?

Allein der Grad dessen, wie ernsthaft und bedeutend ein Ereignis, eine Erfahrung oder eine Situation im Hinblick auf die Bedrohung der Integrität der Persönlichkeit eingestuft wird, bestimmt darüber, was tatsächlich als Leiden wahrgenommen wird. Eine Erfahrung oder Situation, welche von Beginn an als unbedeutend taxiert wird, kann allerdings auf die Dauer anders interpretiert und als Leiden verstanden werden und umgekehrt. Normalerweise werden solche Erfahrungen mit den Worten «Es ist nur ein ...» eingeleitet, beispielsweise: «Es ist nur ein bisschen Kopfweh.» oder «Es ist nur ein wenig Liebeskummer.» Nehmen wir an, ich leide regelmäßig unter Magenschmerzen. Zunächst mag ich diese Erfahrung mit den Worten «nur ein bisschen Magenweh» abtun. Wenn dies hingegen anhält und womög-

---

[21] Vgl. *P. Beattie Jung*, Dying Well Isn't Easy: Thoughts of a Roman Catholic Theologian on Assisted Death, in: *R. P. Hamel/ E. R. DuBose* (Eds.), s. Anm. 8, 182f.
[22] Vgl. *A. Sung Park*, The Wounded Heart of God: The Asian Concept of Han and the Christian Doctrine of Sin, Nashville TN 1993, 16–20.

lich stärker wird, kann es meine ganze Aufmerksamkeit auf sich ziehen und möglicherweise «bedeutsam» werden. Diese Bedeutung und die damit verbundene Leidensintensität wird massiv verstärkt, wenn sich das ursprünglich als Blähungen eingeschätzte Phänomen in Wirklichkeit als Symptom eines Magenkarzinoms herausstellt. Die jeweilige Interpretation eines Ereignisses ist sehr persönlich, aber auch sozial und kulturell geprägt, wie David Morris betont:

> «Einzelne Leidende suchen und finden dann häufig eine persönlich befriedigende Erklärung für das, was ihnen widerfährt, auch wenn die Deutung von Schmerzen auf bestimmten kulturellen bzw. subkulturellen Bedingungen beruht. Geraten wir in einen Schmerzzustand, so geraten wir gleichzeitig in ein Netz von bereits vorhandenen Bedeutungen.»[23]

Deutlich wird diese Behauptung, wenn man beispielsweise bereits vorgegebene Sinndeutungen einer AIDS- und einer Grippediagnose miteinander vergleicht.

Eine Konsequenz aus diesem Leidensverständnis ist mir besonders wichtig: Wird der Interpretation des Schmerzerlebens ein derart großes Gewicht beigemessen, kann immer nur der oder die Betroffene selbst wirklich etwas über sein oder ihr Leiden aussagen. Das Leidensphänomen ist – zumindest von außen betrachtet – sehr nebulös und kann ausschließlich durch die Innenansicht deutlicher erfasst werden. Elaine Scarry bringt das in ihren Überlegungen zur «Unteilbarkeit» von Schmerzen auf den Punkt:

> «Spricht man über die ‹eigenen körperlichen Schmerzen› oder von ‹Schmerzen einer anderen Person›, so handelt es sich dabei in der Regel um zwei völlig verschiedene Erlebnisketten. Für die unmittelbar betroffene Person ist diese Erfahrung ‹mühelos› nachzuvollziehen (selbst unter größten Anstrengungen könnte sie dies nicht verhindern), während für Umstehende das Gegenteil der Fall ist, insofern diese ein Nachvollziehen der Schmerzen ‹mühelos› umgehen können (es ist einfach, völlig teilnahmslos zu bleiben). Der Schmerz rückt also als unmittelbare Erfahrung in den Mittelpunkt unserer Wahrnehmung, die weder verleugnet noch wirklich bestätigt werden kann.»[24]

E. Scarrys Beobachtungen zum Schmerzerleben sind auch auf das Leidensphänomen übertragbar. Nur ich selbst kann wirklich etwas über mein Leiden aussagen, da nur ich über Bedeutung und Herkunft Bescheid weiß, auch wenn meine Deutung für Außenstehende nicht nachzuvollziehen ist. Diese Einsicht stimmt intuitiv und stellt gleichzeitig ein philosophisches Problem dar. Folgendes Beispiel dient hier der näheren Erläuterung:

Während der letzten Weihnachtsferien machte ich bei einem Geschäft halt, das für seinen Festtagsschinken bekannt ist. Die Schlange der Wartenden war endlos lang, zumal die Leute, die bereits einen Schinken vorbestellt hatten, gemeinsam mit den anderen Leuten in einer Schlange warten mussten. Ein Mann neben mir wurde sichtlich böse darüber, dass er wie alle

---

[23] D. B. Morris, The Culture of Pain, Berkeley 1991, 18f.
[24] E. Scarry, The Body in Pain: The Making and Unmaking of the World, New York 1985, 4.

anderen warten musste, obwohl er seinen Schinken bereits reserviert hatte. Nach langem Murren und Schimpfen stürzte er aus dem Laden heraus und rief: «Das ist der schlimmste Tag meines Lebens!» Worauf jemand aus der Reihe der Wartenden schlagfertig entgegnete: «Wenn dies der schlimmste Tag ihres Lebens ist, dann waren sie ja bis anhin mit Glück gesegnet!»

Hat der Mann in diesem Moment tatsächlich gelitten? Eine realistische Beurteilung der Situation kommt zum Schluss, dass er trotz seines Lamentos nicht wirklich gelitten hat, jedenfalls nicht in dem von mir bislang beschriebenen Sinn. Andererseits gibt es Beispiele, in denen wir eine Leidenssituation annehmen, ohne sehr viel über den Vorgang zu wissen. Bei einem schweren Autounfall, bei welchem ein Mitfahrer eingeklemmt worden ist, kann man mit größter Sicherheit davon ausgehen, dass der Betroffene – soweit er bei Bewusstsein ist – wirklich leidet. Offensichtlich gibt es an beiden Enden der Skala Extrembeispiele, bei denen wir mit einiger Sicherheit davon ausgehen können, dass die betroffene Person tatsächlich oder eben nicht leidet. Im Übergangsbereich besteht hingegen einige Unklarheit hinsichtlich der Frage, ob ein anderer oder eine Gruppe von Menschen wirklich leidet oder nicht. Meines Erachtens ist es in den allermeisten Fällen so, dass hier lediglich die betroffene Person klar Auskunft geben kann. Diese Einsicht ist offensichtlich auch ethisch von Bedeutung, da nur die oder der Leidende wirklich eine Aussage über das Ausmaß ihrer bzw. seiner Leidenssituation zu treffen vermag. Daraus folgt im Minimum, dass wir der leidenden Person die Möglichkeit geben, sich zu artikulieren und dass wir willens und in der Lage sind, ihm oder ihr auch zuzuhören.

1.3 Einen wichtigen Zugang zur Bedeutung des Leidens bietet die Erzählung oder der narrative Kontext einer Leidenssituation

Das Werk von Arthur Kleinman mit seinen Erläuterungen zur Narrativität der Krankheit ist in diesem Kontext sehr wichtig. A. Kleinman hat festgestellt, dass Kranke und Leidende häufig in der Lage sind, ihrem Leiden einen Sinn zu geben, indem sie es in einem größeren Erzählkontext einzuordnen versuchen:

> «Patienten nehmen ihre Erfahrungen mit der Krankheit – in der Bedeutung für sie selbst und nahestehende andere – als ihre persönliche Geschichte wahr. Die Krankengeschichte ist eine vom Betroffenen selbst erzählte, von Umstehenden nacherzählte Geschichte, welche die verschiedenen Ereignisse und die gesamte Leidensperiode in eine Übersicht bringt und kohärent erscheinen lassen. Diese Geschichten reflektieren nicht bloß die Krankheitserfahrung, sondern tragen auch zum bewussten Erleben der Symptome und der Leidensphasen bei.»[25]

---

[25] *A. Kleinman*, The Illness Narratives: Suffering, Healing and the Human Condition, New York 1988, 49.

Hier wird die Krankheit zum Teil der Biographie. – A. Kleinman geht davon aus, dass die Bemühungen um das Verstehen und um die Sinngebung des Leidens stets mit der Aufgabe zu tun haben, die Leidensphase mit dem Ichgefühl, mit dem eigenen Leben und der eigenen Geschichte in Verbindung zu bringen. Nur verwoben mit der Lebensgeschichte kann dem Leiden eine Bedeutung zukommen, nur im Kontext des gesamten Lebens kann es bedeutsam oder bedeutungslos werden. Das Erzählen gewinnt so eine zentrale Bedeutung im Verstehen einer Leidenssituation: «Meine oder unsere Geschichte zu erzählen» wird zur notwendigen Bedingung, um dem Leiden im Kontext meiner oder unserer Geschichte den rechten Platz zuzuweisen. Umgekehrt ist der einfühlsame Zugang zum narrativen Kontext einer Situation notwendige Bedingung, um sensibel und verständnisvoll auf das Leiden anderer eingehen und diese Situation auch im Leben des Betroffenen einordnen zu können. Die Erzählung eröffnet auch den Weg, um am Leiden anderer teilzunehmen oder es stellvertretend nachvollziehen zu können. Schließlich kann die in persönlichen und kollektiven Leidensgeschichten angereicherte Erinnerung sowohl als Leidensquelle erlebt als auch zur Leidensbewältigung eingesetzt werden.[26]

1.4 Die Abwechslung von «Schweigen und Reden» ist ein wesentliches Merkmal des Leidensphänomens

Leiden hat die Macht, Menschen zum Schweigen zu bringen, sie mundtot und stumm zu machen, sowohl im wörtlichen (im überwältigenden körperlichen Schmerz[27]) als auch im übertragenen Sinne (dann, wenn man dem Wehklagen des Leidenden einfach nicht mehr zuhören kann[28]). Vielleicht hat niemand dieses Phänomen des Schweigens und Redens so sensibel aufgenommen wie Dorothee Sölle. Die Theologin macht eine dreifache Bewegung, sie nennt es «Phasen», im Leidensprozess aus, die zuletzt in der Überwindung und Veränderung gipfeln kann:

---

[26] Eine kraftvolle Illustration dieser narrativ vermittelten Erinnerung, die sowohl zur Quelle von Leiden werden als auch zum Widerstand gegen und zur Überwindung von Leiden anregen kann, findet sich bei *M. Shawn Copeland,* «Wading Through Many Sorrows»: Toward a Theology of Suffering in Womanist Perspective, in: *E. M. Townes* (Ed.), A Troubling in My Soul: Womanist Perspectives on Evil and Suffering, Maryknoll NY 1993, 109–129.

[27] Wie es E. Scarry beschrieben hat: «Intensive Schmerzen zerstören auch die Sprache: Wie der Inhalt der Welt eines Menschen sich auflöst, so löst sich auch die eigene Sprache auf; wie das Selbst eines Menschen verschwindet, wird ihm auch die Möglichkeit oder Fähigkeit zur Selbstäußerung genommen.» Vgl. *E. Scarry,* s. Anm. 24, 35.

[28] «Menschen haben dieselbe fleischliche Natur wie die Tiere. Wird eine Henne verletzt, stürzen sich die anderen auf sie und attackieren sie mit ihren Schnäbeln. Dieses Verhalten funktioniert genauso automatisch wie die Schwerkraft. (...) Mit Ausnahme der Menschen, deren ganze Seele durch Christus bewohnt wird, verachtet jeder die Behinderten und Kranken ein wenig, auch wenn sich dessen die wenigsten bewusst sind.» *S. Weil,* The Love of God and Affliction, in: Waiting For God, in engl. Übersetzung von *E. Crauford,* New York 1951, 122.

a) Schweigen und Sprachlosigkeit sind charakteristisch für die erste Phase:[29] «Das extreme Leiden privatisiert den Menschen total, es zerstört seine Fähigkeit zur Kommunikation. Über diese Nacht des Schmerzes – im Wahnsinn, in der unheilbaren Krankheit – lässt sich nichts sagen.»[30]

b) Die zweite Phase ist von zaghaften Schritten und Bewegungen der Betroffenen geprägt, die mitten im Leidensprozess stattfinden. Diese Menschen suchen eine Sprache, um ihr Leid auszudrücken und anderen mitzuteilen, wenn auch am Anfang bloß in Form von Schreien oder Wehklagen. In dieser Phase findet der Betroffene einen Weg, sein ihm durch das Leiden auferlegtes Schweigen zu durchbrechen und damit die Möglichkeit, seine Situation, seine Bedürfnisse und mögliche Bitten zum Ausdruck zu bringen.[31]

c) Nur unter der Bedingung, dass diese Phase durchlaufen bzw. -litten wird, kann die dritte Phase erreicht werden, die Überwindung der Ohnmacht durch das Aufbrechen der Isolation und dem Erleben von Solidarität mit anderen. Auch wenn in dieser Phase das Leiden nicht ganz zu überwinden sein sollte, besteht für D. Sölle bereits in der Expressivität eine große Hilfe:

> «Die Ausweglosigkeit bestimmter Formen des Leidens – sei sie in den jetzt versteinerten Verhältnissen begründet, sei sie unabänderlich – wird ausgehalten, wo der Schmerz sich noch artikuliert. (...) auch für die Toten muss geschrien und gebetet werden.»[32]

Eine Sprache zu finden und dem Leiden Ausdruck zu geben, sind eminent wichtige Momente im Leidensprozess, auch wenn das Leiden letztlich nicht aufgehoben werden kann.

Zusammenfassend kann man sagen: Das Leiden wurzelt in *einer Bedrohung, einem Verlust, einem Verlangen nach Integrität der Person* und nimmt den Betroffenen in einen *Prozess* hinein, in welchem *die Wahrnehmung der Bedeutsamkeit des Leidens, die Einbettung desselben in einen narrativen Lebenszusammenhang* und schließlich *das Auffinden der angemessenen Sprache* zentrale Elemente im fortschreitenden Leidensprozess darstellen. – Natürlich könnten darüber hinaus weitere Aspekte des menschlichen Leidens ausgemacht werden. Ich hoffe allerdings, dass bereits dieser kurze Abriss die Fülle der Anregungen – natürlich auch die Herausforderungen vor allem in Phasen der Entmutigung – anzuzeigen vermag, die aus einer Betrachtung

---

[29] Diese Stille kann auch Ausdruck einer sozialen Form der Unterdrückung sein, z. B. in Situationen, in denen Menschen verboten wird, ihre Muttersprache zu sprechen oder ihre Symbole zu gebrauchen. So haben die spanischen «Conquistadores» zur optimalen Kontrolle über Land und Leute in der «Neuen Welt» zunächst einmal den Gebrauch der einheimischen Sprache und den Nachvollzug religiöser Praktiken verboten. Durch das Verbot ihrer «eigenen Stimme» waren die indigenen Völker mundtot gemacht, ihrer eigenen Stimme beraubt.
[30] *D. Sölle*, Leiden, Freiburg i. Br./Basel/Wien 1993, 89.
[31] Vgl. ebd. 91–95.
[32] Ebd. 95.

des Leidensphänomens resultieren. Zugänglich sind sie jedenfalls für alle, die sich diesen Fragen ernsthaft stellen.

2. Ethische Implikationen zur Beurteilung des ärztlich assistierten Sterbens

Was lässt sich nun aus diesen Beobachtungen im Hinblick auf die ethische Diskussion des ärztlich unterstützten Sterbens gewinnen? Wie bereits erwähnt geht es mir nicht um eine umfassende ethische Reflexion, sondern darum, den Wert und Nutzen einer feinfühligen Analyse des menschlichen Leidens für die ethische Diskussion fruchtbar zu machen. Aufgrund der bislang angestellten Überlegungen liegt eine ambivalente Beurteilung des ärztlich assistierten Todes nahe: Einerseits bestärkt die Tatsache menschlichen Leidens die Stimmen, die sich zugunsten einer liberalen Handhabung aussprechen, andererseits aber legen die gleichen Beobachtungen nahe, dabei sehr vorsichtig vorzugehen und eine Reihe ernsthafter Einschränkungen vorzusehen.

Wie zu Beginn ausgeführt ist die Bezugnahme auf das persönliche Leiden eines Schwerkranken oder Sterbenden eines der wichtigsten Argumente der Befürworter der ärztlichen Sterbehilfe. Die Ergebnisse meiner Darstellung bestärken diese Stimmen. Als fundamentale Bedrohung verschiedenster Dimensionen der eigenen Persönlichkeit kann das Leiden derart intensiv und durchdringend werden, dass in einer solchen Situation selbst der Tod vorzuziehen ist. Betrachten wir noch einmal das Schicksal von R., von dem zu Beginn die Rede war. Sein Leiden hatte die verschiedensten Ausdrucksformen, die besonders dadurch so bedrohlich waren, dass sie einander überlagerten. Die verschiedensten Aspekte des Leidens können sich bei einer Person dermaßen akkumulieren, dass nur noch der Tod Ausweg und Linderung verspricht. Auf andere Weise formuliert lautet dieselbe Diagnose: Das Gut des Weiterlebens kann in einer Güterabwägung durch andere Güter übertroffen werden, z. B. fehlende Handlungsmöglichkeiten, die Unfähigkeit, Hoffnung und Glauben zu bewahren oder Beziehungen zu anderen aufrecht zu erhalten, kurz: alle oben erwähnten Dimensionen einer Person, in welchen sich das Leiden manifestieren kann. Das Gut einer weiteren Lebenszeit kann zugunsten anderer und aus der Sicht des Betroffenen höherer Güter aufgegeben werden.[33]

Diese Überlegung wird durch eine oben erwähnte Beobachtung zum Leidensphänomen zusätzlich gestützt. Ich habe angenommen, dass eine Leidenssituation wesentlich durch ihre Unverstehbarkeit von außen gekennzeichnet ist, dass einzig der oder die Betroffene selbst etwas zum Ausmaß des erlebten Leidens sagen kann. Ein außenstehender Beobachter wird den

---

[33] Vgl. *L. S. Cahill*, A «Natural Law» Reconsideration of Euthanasia, in: *S. E. Lammers/A. Verhey* (Eds.), s. Anm. 15, 447.

Grad, die Quellen oder die Bedeutung des Leidens anderer niemals wirklich erfassen können. Der Gipfel des Paternalismus oder wenigstens eine besserwisserische Arroganz scheint nun darin zu bestehen, entweder erstens das Leiden eines Menschen zu bestreiten, der um Hilfe im Sterben bittet, oder zweitens zu unterstellen, das Ausmaß des Leidens sei entgegen der Einschätzung des Betroffenen doch erträglich oder auf alle Fälle nicht sinnlos. Besonders in der christlichen Ethik bestand einmal die klare Tendenz, vorschnell und zu leichtfertig zu behaupten, das Leiden habe intrinsischen, weil erlösenden Sinn und Zweck.[34] Mit meiner Interpretation des Leidens stelle ich alle zu leichtfertig formulierten Sinndeutungen in Frage und bezweifle deren Richtigkeit. Die Feststellung, dass jemand leidet, genauso wie Aussagen über den möglichen Sinn einer derartigen Herausforderung für den Betroffenen, können letztlich nur aus der Innenansicht beurteilt werden. Die Praxis des ärztlich assistierten Sterbens kann sowohl eine moralisch legitime Antwort auf das Ausmaß des Leidens als auch auf die empfundene Sinnlosigkeit des Leidens darstellen. Darum sind die bisherigen Ergebnisse als starke Argumente zugunsten der moralischen Erlaubtheit des ärztlich unterstützten Sterbens zu verstehen – zumindest in den Fällen, in welchen aus der Sicht des Betroffenen das Leiden als unerträglich empfunden, das längere Erdulden der Situation als unverhältnismäßig beurteilt oder im Leiden kein Sinn mehr gesehen wird.

Aus meiner Darstellung erschließt sich eine nicht unwesentliche Nebenbetrachtung, die ich kurz andeuten will: Wer kommt eigentlich für das ärztlich assistierte Sterben in Frage? In den gängigen amerikanischen Richtlinien und politischen Vorlagen wird der Kreis der potentiell Betroffenen auf Patienten im Terminalstadium begrenzt, falls die ärztliche Beihilfe im Sterben erlaubt würde. Dies ist z. B. in den Richtlinien der BANEC (Bay Area Network of Ethics Committees) der Fall, wobei das Terminalstadium als ein Krankheitszustand definiert wird, in welchem «der Tod mit gewisser Sicherheit in den nächsten sechs Monaten eintreten wird, falls die zum Tode führende Krankheit ihren normalen Lauf nimmt (...)».[35] Dieses Auswahlkriterium ist allerdings nicht unumstritten. Ronald Cranford z. B. bestreitet im Rahmen seiner Beurteilung der aktiven Euthanasie den Sinn dieses Kriteriums mit dem Hinweis, dass die Tötung auf Verlangen bei schwer Leidenden mit einer relativ großen Lebenserwartung manchmal viel angemessener wäre als bei Menschen im Terminalstadium.[36] Zu einem ähnlichen Ergebnis ist eine Konferenz gekommen, die kürzlich in Nordkalifornien stattgefunden hat, wo als Alternativkriterium vorgeschlagen worden ist, den Kreis der in Frage kommenden Personen aufgrund des *unheilbaren*

---

[34] Vgl. beispielsweise *P. J. Bernardi*, The Hidden Engines of the Suicide Rights Movement, in: America (May 6, 1995) 17.
[35] Bay Area Network of Ethics Committees, Guidelines for Comprehensive Care of the Terminally Ill, in: The Western Journal of Medicine 166 (1997) 372.
[36] Vgl. *R. E. Cranford*, Reflection, in: *R. Hamel* (Ed.), Choosing Death: Active Euthanasia, Religion, and the Public Debate, Philadelphia 1991, 105f.

Zustands festzulegen, insofern dieser aus der Sicht des Patienten unerträgliches und unabänderliches Leiden verursacht.[37]

Meine Argumente unterstützen die letztgenannte Position, welche das Auswahlkriterium über den Kreis der terminal Erkrankten ausdehnt; dies leuchtet allein darum schon ein, weil nicht vorausgesetzt werden kann, dass das terminale Leiden *per se* größer und schlimmer sei als das Leiden außerhalb des Terminalstadiums. Ich sehe allerdings gleichzeitig die Notwendigkeit und Vorteile einer klaren Begrenzung der Gruppe, die für ein ärztlich assistiertes Sterben in Frage kommt, da nicht jede und jeder mit Berufung auf ihr oder sein unerträgliches Leiden eine derartige Unterstützung in Anspruch nehmen kann. Schließlich steht mit dieser Entscheidung die mögliche Ausweitung einer ärztlichen Praxis der Unterstützung beim Sterben auf dem Spiel. Deshalb könnte eine sinnvolle und kluge staatliche Maßnahme darin bestehen, diese Praxis einzudämmen. Ich selbst favorisiere die Formulierung «unheilbarer Zustand/unerträgliches, unabänderliches Leiden» als Zulassungskriterium, insofern hierin die Tatsache anerkannt wird, dass schweres Leiden nicht auf das Sterbestadium beschränkt ist und trotzdem klare Einschränkungen gemacht werden. Meine oben dargelegten Beobachtungen zum menschlichen Leiden begründen jedoch im Minimum die Forderung, dass in politischen Richtlinien zum ärztlich assistierten Tod das Auswahlkriterium eindeutig begründet und offengelegt wird.

Während diese ersten Überlegungen, die im Lichte der Leidensthematik angestellt worden sind, klar zugunsten der moralischen Erlaubtheit der ärztlichen Unterstützung im Sterben sprechen, sind andere wichtige Aspekte zu nennen, welche diese Argumente relativieren. Eine erste Einschränkung betrifft den Zeitpunkt, zu welchem ein Patient z. B. um eine ärztliche Suizidbeihilfe bittet, da ich das menschliche Leiden als einen lebendigen und keineswegs gleichmäßig verlaufenden Prozess geschildert habe. Formuliert ein Patient sein Anliegen zu Beginn eines Leidensprozesses, so hat diese Bitte nicht dieselbe Bedeutung wie eine ähnliche Äußerung, die erst in einem späteren Stadium ausgesprochen wird. In der Anfangsphase überwiegen noch der Schock aufgrund des vorausgegangenen Ereignisses bzw. die Bemühungen, sich angesichts des destabilisierten Selbstbilds neu zu orientieren. Erfolgreiche Anstrengungen können in dieser Phase durchaus noch dazu führen, dass ein Leidender eine Möglichkeit findet, mit seiner neuen Situation weiter zu leben oder das Leiden zu überwinden. Daher ist eine Bitte um ärztlich unterstütztes Sterben in dieser ersten Phase einfach noch zu wenig gereift.

Bedenken dieser Art liegen der Argumentation zugrunde, die den ärztlich assistierten Tod lediglich als letzten Ausweg gelten lassen will.[38] Franklin Miller und Howard Brody z. B. schreiben:

---

[37] Vgl. *E. W. D. Young et al.*, Report of the Northern California Conference for Guidelines on Aid-in-Dying: Definitions, Differences, Convergences, Conclusions, in: The Western Journal of Medicine 166 (1997) 383.

«Solange dem Patienten aufgrund einer guten und angemessenen Pflege ein gutes Stück Lebensqualität bleibt, ist der assistierte Tod unabhängig vom Wunsch oder der Bitte des Patienten unangemessen.»[39]

In dieser Stellungnahme wird einzig die qualifizierte Beurteilung und die Integrität des Arztes gewichtet, insofern diese durch den ärztlich assistierten Tod tangiert werden.[40] Während ich damit einverstanden bin, dass der ärztlich assistierte Tod nicht zur erstbesten Maßnahme werden sollte, bin ich nicht der gleichen Meinung, was den Stellenwert der ärztlichen Integrität und der Anwendung von pflegerischen Maßnahmen betrifft. Mindestens genauso wichtig ist es meines Erachtens, den Leidenden selbst in den Mittelpunkt zu rücken bzw. den Fortgang seines Leidensprozesses zu verstehen. Allein auf dieser Grundlage werden im Übrigen eine angemessene Pflege und auch ein professionelles Urteil ermöglicht.

Diese ersten Überlegungen führen zu einer weiteren Gruppe von Argumenten. Manchmal wird der Vorwurf gegenüber der ärztlichen Unterstützung im Sterben erhoben, dass sie das Leiden abschaffe, indem sie einfach den Leidenden beseitige. Obgleich diese Beobachtung stimmt, sind damit noch lange nicht alle ärztlichen Handlungen in diesem Bereich als moralisch verwerflich einzustufen. Meines Erachtens können die Umstände tatsächlich so aussehen, dass als einziger Ausweg aus dem Leiden der Tod übrig bleibt. Richtig an dieser Kritik bleibt hingegen, dass der ärztlich assistierte Tod nicht als eine technische Lösung missverstanden werden darf, die die Sicht auf andere Möglichkeiten der Leidensminderung versperrt. Mit meinem Ansatz beim menschlichen Leiden nehme ich diese Bedenken auf und führe sie in gewisser Hinsicht noch weiter. Wenn das Leiden nämlich die verschiedensten Dimensionen der Persönlichkeit erfassen kann, so sollten auch die Versuche zur Leidensminderung alle diese verschiedenen Aspekte im Blick behalten. Aus dieser Forderung resultieren eine ganze Reihe von Konsequenzen.

Eine dieser Konsequenzen besteht darin, dass die Schmerztherapie als isolierte Maßnahme unzureichend bleibt. Kathleen Foley hat einen Ansatz zum Verständnis des Leidens im Zusammenhang mit terminaler Erkrankung entworfen, der hier eine allgemeine Bemerkung zulässt. Sie entdeckt drei miteinander verwobene Komponenten im terminalen Leiden: Schmerzen und andere physische Symptome, psychische und existentielle (in Hinblick auf die Sinnfrage verstandene) Momente der Verzweiflung.[41] Während eine ganze Reihe von Autoren den unterentwickelten Standard der Schmerztherapie und der entsprechenden Ausbildung in den USA bekla-

---

[38] Vgl. *F. G. Miller et al.*, Regulating Physician-Assisted Death, in: New England Journal of Medicine 331 (1994) 119.
[39] *Ders./H. Brody*, Professional Integrity and Physician-Assisted Death, in: Hastings Center Report 25 (1995) 3, 14.
[40] Vgl. ebd.
[41] Vgl. *K. M. Foley*, Competent Care for the Dying Instead of Physician-Assisted Suicide, in: New England Journal of Medicine 336 (1997) 56.

gen, unterstreicht K. Foley die Tatsache, dass mit der Schmerzbekämpfung noch lange nicht alle relevanten Aspekte in den Blick geraten sind. Eine angemessene Palliativbehandlung berücksichtigt die existentiellen Leiden im gleichen Maß wie physische Schmerzen.[42] Dagegen sieht Richard McCormick die Angelegenheit zu einfach, wenn er behauptet: «Hätten wir eine bessere Ausbildung und eine effizientere Schmerztherapie, würde ein großer Teil der Bitten um Euthanasie verschwinden.»[43]

Die Berücksichtigung allein der physischen Schmerzen trifft nicht das Problem des grundlegenderen Leidens, das mit dem ärztlich assistierten Sterben beseitigt werden soll. Ein angemessener Umgang mit dem menschlichen Leiden erfordert also mehr – und nicht etwa weniger – als eine effiziente Schmerztherapie. Genauso erforderlich ist aber die Aufmerksamkeit für andere Aspekte des Leidens, beispielsweise den Verlust der Fähigkeit, für sich selbst sorgen zu können, die Entwicklung zur Abhängigkeit von anderen Menschen bzw. von deren ständiger Unterstützung.[44]

Die Berücksichtigung dieser anderen Dimensionen des Leidens steht in direktem Zusammenhang mit den Elementen, die ich oben als «Auffinden der angemessenen Sprache» und «Einbettung in einen narrativen Lebenszusammenhang» bezeichnet habe. Das Auffinden der Sprache bedingt eine spürbare Unterstützung der Leidenden in ihrem Bemühen, ihre Situation zu benennen und ihr Leiden sprachlich zu erfassen, nicht zuletzt auch im Hinblick auf mögliche Wege der Linderung. Eine weitere Notwendigkeit auf Seiten der Ärzte, Pflegenden, Angehörigen und weiteren Beteiligten besteht im Zuhören, auch wenn der Betroffene lediglich jammert und klagt.[45] Das ist nicht immer so einfach.[46] In ihren Überlegungen zum Tod hat Christine Cassel eine Bemerkung formuliert, die in dieser Hinsicht auch für das Verständnis des Leidens äußerst relevant ist: Ärzte, die «die Würde und die Macht des menschlichen Todes» respektierten, nähmen «als Verbündete ihrer Patienten *an der Erkundung der möglichen Bedeutungen des Todes* teil, welche letztlich alle Menschen, nicht nur die Ärzte, herausfor-

---

[42] Vgl. *E. W. D. Young et al.*, s. Anm. 37, 384.
[43] *R. A. McCormick*, Physician-Assisted Suicide: Flight from Compassion, in: *J. D. Moreno* (Ed.), s. Anm. 2, 137.
[44] Vgl. Supportive Care of the Dying: A Coalition for Compassionate Care, Executive Summary of Living and Healing During Life-Threatening Illness, Portland OR June 1997, 5.
[45] Einen Ansatz des Mitleids, der auf der Phasentheorie von D. Sölle beruht, hat W. Reich entworfen. Vgl. *W. Reich*, Speaking of Suffering: A Moral Account of Compassion, in: Soundings, An Interdisciplinary Journal 72 (1989) 83–108; vgl. weiterhin *E. V. Spelman*, Fruits of Sorrow: Framing Our Attention to Suffering, Boston 1997, bes. 59–89. Die Autorin nähert sich hier der Mitleidsthematik auf ähnliche Weise wie ich: «(...) Mitleid muss in einem gegenseitigen Prozess zwischen dem Nicht-Leidenden und dem Leidenden langsam abgestimmt werden, einem Geschehen, in welchem das Mitleid des Nicht-Leidenden durch zunehmende Sensibilität für die Situation des Leidenden in allen Details langsam zurechtgefeilt wird.» (Ebd. 87).
[46] Vgl. *A. Kleinman*, s. Anm. 25, 131–136.

dert».⁴⁷ Meine Annäherungen an das menschliche Leiden deuten auf eine ähnliche Forderung hin, insofern gemeinsam mit den Leidenden und aus deren Perspektive die verschiedenen Bedeutungen – der Sinn – des Leidens erkundet wird.

Das Bedürfnis, dem Leiden eine Stimme zu geben, legt noch eine weitere Überlegung nahe, insofern der Betroffene ja darauf angewiesen ist, das Leiden in seinem persönlichen Lebenskontext, seiner Lebensgeschichte zu deuten und damit viel von sich preiszugeben bzw. seine Persönlichkeit in die Waagschale zu werfen. Hinsichtlich der Praxis der ärztlichen Unterstützung beim Sterben ist dies sehr wesentlich. Die Bitte um ärztliche Hilfe wird dadurch nämlich nicht nur verständlicher, sondern bekommt zusätzlich noch moralisches Gewicht, da sie sich offensichtlich aus dem persönlichen Kontext des oder der Betroffenen heraus ergeben hat. – Zwei Beispiele aus der bemerkenswerten Publikation von Lonny Shavelson sollen dies erläutern:⁴⁸

a) In einer Geschichte wird das Schicksal von Renée Sahm erzählt, einer Frau, die an einem Hirnkarzinom litt. Renée kämpfte mit aller Kraft gegen ihre Krankheit und nahm dabei u. a. an einem schwedischen Versuchsprogramm teil. Sie sah zwei mögliche Alternativen: Entweder «mit aller erdenklicher Kraft um ihr Überleben zu kämpfen» (Plan A) oder – im Falle eines Scheiterns dieser Perspektive und unerträglichem Leiden – sich das Leben zu nehmen (Plan B).⁴⁹ Nach langen Kämpfen und einer Zeit großen Leidens (z. B. mit Wahnvorstellungen von Skorpionen) wählte Renée Plan B.

b) Als Gegenstück wird die Geschichte vom zweiunddreißigjährigen Trapezartisten Pierre Nadeau erzählt, der an der Immunschwächekrankheit AIDS litt. Schon bald nach den ersten Auswirkungen seiner Krankheit wurde Pierre depressiv und plante, sich das Leben zu nehmen. L. Shavelson beurteilt eine Entscheidung zum Suizid in dieser ersten Krankheitsphase als voreilig und unreif: «Es waren noch zu wenig Anzeichen sichtbar, diese Depression zu durchbrechen, durch den Besuch von Freunden, Zeit mit der Familie, sportliche Aktivitäten, eine Therapie oder auch die Einnahme von Antidepressiva.»⁵⁰ Diese Einschätzung erwies sich im Nachhinein als richtig, insofern Pierre mit der Zeit nicht mehr vom Suizid sprach, obwohl sein Gesundheitszustand sich stets verschlechterte.

Anhand dieser beiden Schicksale wird deutlich, inwiefern sich eine Bitte um Suizidbegleitung aus einem ganzen Lebenszusammenhang heraus ergeben kann oder auch nicht. Im Unterschied zur Bitte von Pierre ist diejenige von Renée tatsächlich in ihrer Biographie verankert. Der von Pierre festge-

---

⁴⁷ *C. K. Cassel*, Physician-assisted Suicide: Are We Asking the Right Questions?, in: Second Opinion 18 (1992) 2, 98 (Hervorhebung eingefügt, d. Verf.).
⁴⁸ Vgl. *L. Shavelson*, A Chosen Death: The Dying Confront Assisted Suicide, New York 1995.
⁴⁹ Vgl. ebd. 17.
⁵⁰ Ebd. 42.

legte Grad dessen, was er im Laufe seiner Krankheit hinzunehmen bereit war, änderte sich mit der Zeit; wollte er zunächst aufgrund von Haarausfall sterben, so genoss er später die Möglichkeit, mit Freunden zu plaudern, obgleich er nur noch mit Hilfe von Sauerstoffzufuhr atmen konnte, seine Beine geschwollen waren und sein ganzer Körper von den Symptomen des Kaposi-Sarkoms gezeichnet war.[51] L. Shavelson beschreibt Pierres Veränderung als «moving line in the sand», als wandernder Horizont oder sich bewegende Spur in den unendlichen Weiten der Wüste.[52] Meines Erachtens ist im Vergleich dazu Renées Entscheidung zum Suizid plausibler und hat durch die Verankerung im Lebenskontext auch größeres moralisches Gewicht. Politische Vorschläge zur Einführung des ärztlich assistierten Suizids versuchen, dieses Kriterium zu gewichten, indem sie z. B. fordern, dass eine Bitte um Suizidbeihilfe wiederholt ausgesprochen werden muss.[53]

Meine Überlegungen bieten eine bessere und angemessenere Beschreibung dessen, was eine «verankerte» oder «dauerhafte» Bitte meint: Eine Bitte um ärztliche Unterstützung beim Sterben ist nicht deshalb echt, weil sie über einen bestimmten Zeitraum hinweg zweimal ausgesprochen worden ist, sondern weil sie mit der Lebensgeschichte der oder des Nachfragenden übereinstimmt. Diese Bemerkungen in Bezug auf den Leidensprozess und den narrativen Kontext einer Bitte um den ärztlich assistierten Tod offenbaren zwei weitere Stärken:

a) Erstens sind die von Daniel Callahan vorgebrachten Bedenken aufzunehmen. Aufgrund der Erfahrung, dass die subjektive Einschätzung von Schmerzen und Leiden Veränderungen unterliegt, schreibt er: «Die Legalisierung der Euthanasie bedeutet, eine Person damit zu beauftragen und zu autorisieren, eine andere aufgrund von unbestimmbaren, unbeständigen und subjektiven Leidensäußerungen zu töten.»[54]

Das heißt, dass die Leidensminderung zu subjektiv ist, um als ethische Basis für die ärztliche Unterstützung beim Sterben gelten zu können, weil das Leiden selbst zu subjektiv ist. Meine Analyse des Leidensphänomens hat jedoch mit Hinweis auf den Leidensprozess und den narrativen Kontext gezeigt, dass das Leiden keine völlig subjektive Realität ist. Wenn das Leiden auch keine absolut objektive Basis zur Beurteilung einer Bitte um Suizidassistenz liefern kann (welche menschliche Erfahrung könnte das?), bietet es doch die Möglichkeit einer intersubjektiven Prüfung der ethischen Angemessenheit einer solchen Bitte im Kontext eines ganz spezifischen Lebens.

b) Zweitens möchte ich betonen, dass meine Argumente zugunsten des ärztlich unterstützten Sterbens tiefer gehen als die bloßen Hinweise auf die

---

[51] Vgl. ebd. 55f.
[52] Vgl. ebd. 55.
[53] Der Vorschlag aus Kalifornien («Proposition 161»), der vom Plebiszit abgelehnt worden ist, fordert beispielsweise, dass die Bitte mindestens zweimal ausgesprochen wird.
[54] *D. Callahan*, Aid-In-Dying: The Social Dimensions, in: America, Special Supplement (August 9, 1991) 478.

Autonomie des Betroffenen, die z. B. in der einfachen Behauptung zum Ausdruck kommen, «etwas ist richtig, weil ich es so will und entschieden habe». Auch wenn ich die moralische Bedeutung der Selbstbestimmung keinesfalls relativieren will, steht in der hier betrachteten Problematik doch mehr als die Selbstbestimmung des Patienten auf dem Spiel.[55] Die ärztliche Assistenz beim Sterben ist nicht bloß deshalb moralisch richtig, weil sie autonom gewählt worden ist, sondern weil sie im Rahmen einer individuellen Lebens- und Leidensgeschichte sinnvoll sein kann. Zusammenfassend kann ich festhalten, dass meine Interpretation sowohl für eine gründliche und professionelle Beurteilung einer Bitte als auch für die Integrität des Arztes Raum schafft, von denen F. Miller und H. Brody zurecht behaupten, sie seien ethisch von großer Bedeutung.

Daraus folgt eine letzte Konsequenz meines Ansatzes. Da wir Krankheit und Tod dermaßen medikalisiert und medizinisch institutionalisiert haben, sind wir geneigt, auch die Linderungsmöglichkeiten der so produzierten Leidenssituationen in diesen Kategorien zu denken, insofern wir unmittelbar medizinische Therapien und die verschiedenen Berufsgruppen des Gesundheitswesens assoziieren. Das menschliche Leiden berührt hingegen die verschiedensten Dimensionen im Leben eines Menschen. Eine katholische Gesundheitsvereinigung bemerkt:

> «Eine lebensbedrohende Krankheit ist nicht ausschließlich ein medizinisches Problem. Eine gute medizinische Versorgung ist sicherlich wünschenswert, bewältigen oder annehmen müssen die Krankheit aber immer noch die Betroffenen und ihre Familien.»[56]

Angesichts dessen ist klar, dass die Linderung von Leiden auch nicht-medizinische Methoden umfassen muss, wobei unter anderem an die seelsorgerliche Begleitung, an gemeinsame Zeiten mit Freunden, an angemessene soziale Unterstützung und an die Berücksichtigung der Umgebung des Leidenden zu denken ist. Einige dieser nicht-medizinischen Hilfestellungen können im konkreten Fall zu den wichtigsten Bedingungen zur Leidensminderung werden. Auch E. Cassell betont, dass einer der bedeutendsten Wege zur Verbesserung einer Leidenssituation darin besteht, dem Betroffenen die «Transzendenz» seines Schicksals zu ermöglichen, d. h. dass eine Verbindung mit jemandem oder etwas geschaffen wird, das den leidenden Menschen in eine andere Realität («on a far larger landscape») versetzt.[57] Eine Pflegerin, ein vertrauter geistlicher Berater oder ein geliebter Freund können dabei wichtiger werden als der behandelnde Arzt. In diesem Sinne ist schließlich auch die Bedeutung der Teamarbeit hervorzuheben, die am ehesten gewährleistet, dass zur Bewältigung des Leidens alle diese unterschiedlichen Fähigkeiten auch beruflich zur Verfügung stehen.

---

[55] Vgl. *Ders.*, When Self-Determination Runs Amok, in: Hastings Center Report 22 (1992) 2, 52–55.
[56] Supportive Care of the Dying, Living and Healing During Life-Threatening Illness, 13.
[57] Vgl. *E. J. Cassell*, s. Anm. 11, 45.

Einige Forscher – wie beispielsweise David Schanker – befürchten, dass die Praxis des ärztlich unterstützten Sterbens die Aufmerksamkeit von der ohnehin unterentwickelten Möglichkeit palliativer Maßnahmen ablenkt oder diese gar verhindert:

> «Die heutige Realität der Behandlung Sterbender in unseren Spitälern und Heimen ist das stärkste Gegenargument gegen die Legalisierung der Euthanasie. Ein Gesundheitssystem, das nicht in der Lage ist, ordentlich für die Lebenden zu sorgen, sollte keine Erlaubnis zum Töten erhalten.»[58]

Zusätzlich befürchtet der Autor angesichts der Sparpolitik im Gesundheitswesen, dass die Praxis des ärztlich assistierten Sterbens zu einer willkommenen Kostenersparnis beitragen könnte.[59]

William F. May argumentiert ähnlich, wenn er die Rede von der Mitleidstötung als ironisch oder gar heuchlerisch bezeichnet – hätten sich doch so viele alte und sterbende Menschen genau nach diesem Mitleid während ihres Lebens vergebens gesehnt: «[Ein] Land hat die Möglichkeit, aus Mitleid zu töten, einfach nicht verdient, solange die Lebenden nicht mit Mitleid und Fürsorge unterstützt und begleitet werden.»[60]

Andere haben darauf geantwortet, dass wir nicht die Leidenden und Sterbenden für die Fehler und das Versagen des amerikanischen Gesundheitssystems büßen lassen sollten.[61] Meines Erachtens handelt es sich hier nicht um eine entweder/oder-Entscheidung, sondern an beiden Fronten sind Bemühungen nötig: Der ärztlich assistierte Tod ist *ein* notwendiger – wenn auch weder *der* einzige noch unbedingt *der* wichtigste – Teil einer umfassenden Sorge und Pflege der Leidenden.

Was lässt sich nun am Schluss zur ethischen Beurteilung des ärztlich unterstützten Sterbens sagen? Im Licht der Überlegungen zum menschlichen Leiden ist es nicht möglich, ein eindeutiges «Ja» oder «Nein» zu begründen. Genauso wie das Leiden selbst eine komplexe menschliche Realität ist, gilt ähnliches für die Bemühungen, es zu lindern. Der ärztlich assistierte Tod kann zur angemessensten Antwort auf schweres und unabänderliches Leiden werden, jedenfalls dann, wenn wirksame Sicherheitsmaßnahmen wie z. B. die Feststellung der Freiwilligkeit eingehalten werden. Die Überlegungen zum menschlichen Leiden zeigen aber gleichzeitig, dass die isolierte Praxis des ärztlich assistierten Todes eine inadäquate Antwort auf den vieldimensionalen Charakter menschlichen Leidens ist. Menschliche Gegenwart, eine menschliche Stimme, Verständnis und mitmenschliche Sorge sind ebenfalls moralisch gefordert.

---

[58] D. R. *Schanker*, Of Suicide Machines, Euthanasia Legislation, and the Health Care Crisis, in: *M. I. Urofsky/Ph. E. Urofsky* (Eds.), The Right To Die: A Two-Volume Anthology of Scholarly Articles, Vol. 1, New York 1996, 89.

[59] Vgl. ebd. 92f.

[60] W. F. *May*, Moral and Religious Reservations about Euthanasia, in: *R. P. Hamel/ E. R. DuBose* (Eds.), s. Anm. 8, 109.

[61] Vgl. *M. Angell*, The Supreme Court and Physician-Assisted Suicide – The Ultimate Right, in: New England Journal of Medicine 336 (1997) 51.

3. Schlussbemerkung

Im dreizehnten Kapitel seines Briefes an die Korinther schreibt Paulus darüber, dass wir jetzt nur Umrisse erkennen, dass wir lediglich wie durch abgedunkeltes Glas sehen.[62] Später dann, wenn alles vollkommen sein wird, werden wir wahrhaft sehen. – Ich habe die Notwendigkeit einer ernsthaften Annäherung an das Phänomen menschlichen Leidens in all seinen Dimensionen als Bedingung hervorgehoben, um zu einer ethisch vertretbaren Haltung hinsichtlich des ärztlich assistierten Todes kommen zu können. In gewisser Weise ist die dem menschlichen Leiden verpflichtete Perspektive auf die Realität aber ständig auf den Blick durch dieses «verdunkelte Glas» angewiesen – und kann darum kaum zu einer klaren Vision kommen. Wir können nicht anders, weil wir nun einmal dieser «condition humaine» unterworfen sind. Sollten meine Überlegungen trotzdem zutreffen, könnte sich ironischerweise herausstellen, dass wir die komplexe Problematik des ärztlich assistierten Todes hier erst darum wirklich adäquat erfassen, weil – und nicht trotzdem – wir alles durch das dicke und schattige Glas des menschlichen Leidens zu verstehen suchen.

---

[62] In älteren englischen Bibelübersetzungen wie der «King-James-Bibel» heißt es hier: «through a glass darkly». Neuere Ausgaben schreiben statt dessen «in a mirror dimly». Aufgrund der größeren Ausdrucksfähigkeit ziehe ich die ältere Übersetzung vor. [Anmerkung des Übersetzers: In der deutschsprachigen Einheitsübersetzung heißt der betreffende Vers 12a, dessen ersten Teil der Autor auch in seinem Originaltitel dieses Beitrags zitiert hat: «Jetzt schauen wir in einen Spiegel, und sehen nur rätselhafte Umrisse.»].

TEIL 3

Klinische Aspekte

Urban Wiesing

Ist aktive Sterbehilfe «unärztlich»?

Einleitung

Während die moralphilosophische Diskussion zur aktiven Sterbehilfe von einem tiefen Dissens geprägt ist, sind sich die offiziellen ärztlichen Verlautbarungen in der Bundesrepublik Deutschland ausnahmslos einig: Die aktive Sterbehilfe dürfe niemals von Ärzten durchgeführt werden; es widerspreche dem Berufsethos, solches zu tun, und daran ändere sich nichts. «Aktive Sterbehilfe bleibt tabu»,[1] so bekräftigen abermals die einleitenden Worte zum neuesten «Entwurf der Richtlinie der Bundesärztekammer zur ärztlichen Sterbebegleitung und den Grenzen zumutbarer Behandlung». Gleiches gelte für die Mitwirkung von Ärzten bei der Selbsttötung.

Wie nicht anders zu erwarten, sind Begründungen für dieses «Tabu» in weit geringerer Zahl zu finden, und sie sind – zumindest in den offiziellen Verlautbarungen – recht knapp. Allein deshalb erscheint es sinnvoll, sich der Frage zu widmen, ob aktive Sterbehilfe – unbesehen aller strafrechtlichen Aspekte – tatsächlich so unzweifelhaft «unärztlich» ist. Dieses Unterfangen lohnt nur, wenn sich überhaupt von «unärztlich» in einem vernünftigen Sinne reden lässt, d. h. wenn das Berufsethos des Arztes andere Verhaltensweisen einfordert als die allgemeine Moral von einem jeden Bürger. Dies ist freilich der Fall. Auch wenn die allgemeine Moral und ein Berufsethos auf den gleichen moralischen Prinzipien beruhen, können sie den jeweils Betroffenen durchaus ein unterschiedliches Verhalten vorschreiben. Die Sachgegebenheiten und spezifischen Bedingungen ärztlichen Handelns sprechen dafür, das Verhalten eines Arztes mit Normen zu regulieren, die an einen in anderen Situationen Handelnden heranzutragen unangemessen wäre. Dies lässt sich mit der weithin akzeptierten Formel erklären «Ärztliche Ethik ist keine besondere Ethik, sondern die Ethik für ein Handeln in besonderen Situationen»,[2] ohne dass ganz außergewöhnliche moralische Prinzipien für ärztliches Handeln beansprucht werden müssten. Demnach ist die Frage, ob die Mitgliedschaft in einem bestimmten Berufsstand besondere Normen zur aktiven Sterbehilfe rechtfertigt, nicht von vornherein sinnlos.

---

[1] *E. Beleites,* Vorwort zum «Entwurf der Richtlinie der Bundesärztekammer zur ärztlichen Sterbebegleitung und den Grenzen zumutbarer Behandlung», in: Deutsches Ärzteblatt 94 (1997) C-988.
[2] U. a. bei *W. Wieland,* Strukturwandel der Medizin und ärztliche Ethik. Philosophische Überlegungen zu Grundfragen einer praktischen Wissenschaft, Heidelberg 1986; *D. Birnbacher,* Welche Ethik ist als Bioethik tauglich?, in: *J. S. Ach/A. Gaidt* (Hrsg.), Herausforderung der Bioethik, Stuttgart-Bad Cannstatt 1993, 45–67.

Eingrenzend sei vermerkt, dass hier ausschließlich die Frage geklärt werden soll, ob die sogenannte «aktive» Sterbehilfe auf wohlüberlegten, ausdrücklichen Wunsch des Patienten in ausweglosen, leidvollen Situationen und die Mitwirkung von Ärzten bei der Selbsttötung unärztlich ist. Die Verkürzung menschlichen Lebens durch Unterlassung von Maßnahmen, die sog. «passive» Sterbehilfe, ist unter bestimmten Bedingungen von den Standesrichtlinien zugelassen worden; die Inkaufnahme des Todes z. B. wird durch hochdosierte Schmerztherapie, die sogenannte «indirekte» Sterbehilfe, gleichermaßen unter bestimmten Bedingungen berufsethisch akzeptiert.

1. Standesethische Richtlinien

Bislang haben alle offiziellen Verlautbarungen der bundesrepublikanischen Ärzteschaft die aktive Sterbehilfe durch Ärzte unmissverständlich verworfen. Die Richtlinien der Bundesärztekammer[3] von 1979 sprechen sich in dieser Hinsicht aus (sie hatten sich weitestgehend an den Richtlinien der Schweizerischen Akademie der medizinischen Wissenschaften von 1977 orientiert), die Neufassung[4] von 1993 bleibt dieser Linie ebenso treu wie der nun zur Diskussion vorgelegte, überarbeitete Entwurf. Dort heißt es:

> «Eine gezielte Lebensverkürzung durch Eingriffe, die den Tod herbeiführen oder beschleunigen sollen, ist unzulässig und mit Strafe bedroht. Auch die Mitwirkung des Arztes bei der Selbsttötung widerspricht dem ärztlichen Berufsethos und kann strafbar sein.»[5]

Diese Sätze sprechen zwei verschiedene Ebenen der Normierung an: die strafrechtliche und die berufsethische. Bei der Mithilfe zur Selbsttötung klaffen beide auseinander: Die Beihilfe zur Selbsttötung ist *immer* unärztlich, aber sie *kann* strafbar sein. In diesem Fall hat die Bundesärztekammer eine berufsethische Vorschrift erlassen, die das Strafrecht überschreitet.

Beide Ebenen der Normierung sind getrennt zu betrachten, denn allein der Verweis auf das Strafrecht kann nicht hinreichend begründen, dass eine Maßnahme «unärztlich» ist. Diese Schlussfolgerung steht im Einklang mit anderen Verlautbarungen der Ärzteschaft, die betonen, dass eine Handlung

---

[3] Vgl. Bundesärztekammer: Richtlinien für die Sterbehilfe, in: Deutsches Ärzteblatt 76 (1979) 957–960.

[4] Vgl. Bundesärztekammer: Richtlinien der Bundesärztekammer für die ärztliche Sterbebegleitung, in: Deutsches Ärzteblatt 90 (1993) C-1791f. Die «(Muster-)Berufsordnung für die deutschen Ärztinnen und Ärzte» in ihrer neuesten Fassung stellt kommentarlos fest: «Der Arzt darf das Leben des Sterbenden nicht aktiv verkürzen.», abgedruckt in: Deutsches Ärzteblatt 94 (1997) C-1772–1780, hier 1775.

[5] Bundesärztekammer: «Entwurf der Richtlinie der Bundesärztekammer zur ärztlichen Sterbebegleitung und den Grenzen zumutbarer Behandlung», in: Deutsches Ärzteblatt 94 (1997) C-988f. Einen Kommentar liefert *H.-B. Wuermeling,* Der Richtlinienentwurf der Bundesärztekammer zu ärztlicher Sterbebegleitung und den Grenzen zumutbarer Behandlung, in: Zeitschrift für Ethik in der Medizin 9 (1997) 91–99.

ganz unabhängig vom Strafrecht als «unärztlich» gelten könne. So mahnt eine Entschließung des 99. Ärztetages zum *Wertbild der Ärzteschaft 50 Jahre nach dem Nürnberger Ärzteprozess*, «die Unabhängigkeit der ethischen Grundnormen unseres Berufes [...] gegen Zeitgeist und staatliche Eingriffe zu bewahren».⁶ Auch im Falle der aktiven Sterbehilfe haben Teile der organisierten Ärzteschaft in diesem Sinne unterschieden: Die *Resolution der Deutschen Gesellschaft für Chirurgie zur Behandlung Todkranker und Sterbender* von 1979 setzt Normen, die «sowohl mit dem ärztlichen Ethos als auch mit den rechtlichen Erfordernissen in Einklang stehen». Entsprechend heißt es:

> «Direkte Eingriffe zur Lebensbeendigung sind ärztlich und rechtlich unzulässig, auch wenn sie vom Kranken verlangt werden. Dem ärztlichen Auftrag widerspricht auch die aktive Mitwirkung bei der Selbsttötung, zum Beispiel durch Überlassen von Tötungsmitteln.»

Bezeichnenderweise betont die Resolution nochmals den Unterschied zur allgemeinen moralischen Einschätzung: «Eine grundsätzliche sittliche Wertung der Selbsttötung soll damit nicht verbunden sein.»⁷ Diesem Tenor folgt die Entschließung des 84. Deutschen Ärztetages von 1981, die «mit aller Entschiedenheit» eine von der Deutschen Gesellschaft für Humanes Sterben geforderte rechtliche Zulassung «eines sog. Gnadentodes» verwirft: Die «aktive Teilnahme bei der Hilfe zum Sterben» verbiete sich für Ärzte. «Dies kann und darf nicht zu einer ärztlichen Aufgabe erklärt werden.»⁸

So lässt sich festhalten: Die offiziellen Verlautbarungen der deutschen Ärzteschaft betrachten die aktive Sterbehilfe und die Beihilfe zum Suizid ausnahmslos als «unärztlich», ganz unbesehen aller strafrechtlicher Normierung. Folglich würde auch die gesetzliche Freigabe daran nichts ändern.

Nicht nur die Organisationen der deutschen Ärzteschaft sprechen sich gegen aktive Sterbehilfe aus. Auch der Weltärztebund verwies angesichts der legislativen Entscheidungen in den Niederlanden im Jahre 1993 auf die 1987 gefasste Deklaration der 39. Generalversammlung des Weltärztebundes (World Medical Organisation) zur Sterbehilfe.⁹ Dort heißt es unmissverständlich:

> «Euthanasie, d. h. die absichtliche Herbeiführung des Todes eines Patienten, selbst auf dessen Wunsch oder auf Wunsch naher Angehöriger, ist unethisch.»¹⁰

---

⁶ Entschließung des 99. Ärztetages 1996 «Das Wertbild der Ärzteschaft 50 Jahre nach dem Nürnberger Ärzteprozeß», abgedr. in: Deutsches Ärzteblatt 93 (1996) C-1191.

⁷ Abgedruckt in: Vorstand der Bundesärztekammer, Wissenschaftlicher Beirat der Bundesärztekammer, Zentrale Kommission der Bundesärztekammer zur Wahrung ethischer Grundsätze in der Reproduktionsmedizin, Forschung an menschlichen Embryonen und Gentherapie (Hrsg.), Weissbuch. Anfang und Ende menschlichen Lebens – Medizinischer Fortschritt und ärztliche Ethik, Köln 1988, 161–163, hier 162.

⁸ Entschließung des 84. Deutschen Ärztetages 1981, abgedruckt in: Vorstand der Bundesärztekammer et al., s. Anm. 7, 164.

⁹ Vgl. *P. Spielberg*, Ein äußerst umstrittenes Thema. Euthanasie in den Niederlanden, in: Deutsches Ärzteblatt 90 (1993) C-317 f.

¹⁰ Abgedruckt in: Vorstand der Bundesärztekammer et al., s. Anm. 7, 171.

Begründungen für die strikte Ablehnung der aktiven Sterbehilfe sind in den offiziellen Verlautbarungen selten zu finden.[11] Jedoch benennt die Einleitung der Richtlinien die «Pflichten des Arztes» und im letzten Entwurf die «Aufgaben des Arztes»:

> «Aufgabe des Arztes ist es, unter Beachtung des Selbstbestimmungsrechtes des Patienten Leben zu erhalten, Gesundheit zu schützen und wiederherzustellen sowie Leiden zu lindern und Sterbenden bis zum Tod beizustehen.»[12]

Zwei Bemerkungen dazu: Das Selbstbestimmungsrecht des Patienten zu beachten hat erst der neueste Entwurf in die Einleitung aufgenommen. In den Richtlinien von 1979 und 1993 wurde dies weiter unten im Text erwähnt, nicht aber zu den einleitend aufgelisteten «Pflichten des Arztes» gezählt. Außerdem verschweigen die Texte, dass die genannten moralischen Prinzipien auch untereinander in Konflikt geraten können, und sie geben für diesen Fall keine Präferenzen an.

Die kurzen Begründungen in den offiziellen Verlautbarungen brechen nach Aufzählung der ärztlichen Pflichten/Aufgaben ab und präsentieren als nächstes das Ergebnis. Die aktive Sterbehilfe verstoße gegen genannte Aufgaben des Arztes und das würde bedeuten: Aktive Sterbehilfe oder auch nur Teilnahme an der Selbsttötung «würde das Vertrauensverhältnis zwischen Arzt und Patient zerstören».[13]

Um weitere Begründungen für die These zu finden, aktive Sterbehilfe sei unärztlich, muss man auf Abhandlungen zur ärztlichen Berufsmoral zurückgreifen. So führt Wolfgang Wieland in seinem grundlegenden Werk zur ärztlichen Ethik aus:

> «Es kann dahingestellt bleiben, ob es Situationen gibt, in denen die Gewährung aktiver Sterbehilfe ethisch vertretbar ist. Doch selbst wenn dies der Fall sein sollte, wäre der Arzt deswegen immer noch nicht zu den entsprechenden Handlungen berechtigt. Auch dann bliebe er verpflichtet, seine Identität als Arzt zu wahren, die ihn zu einer Haltung verpflichtet, mit der sich bestimmte Handlungen nun einmal nicht vereinbaren lassen.»[14]

---

[11] Dies gilt auch für Erläuterungen durch Standesvertreter: Ein prägnantes Beispiel ist die Rede des Präsidenten der Bundesärztekammer auf dem 100. Ärztetag 1997. Der Abdruck im Deutschen Ärzteblatt enthält eine Zwischenüberschrift «Aktive Sterbehilfe – unärztlich und unzulässig»; das Urteil wird im Text lediglich wiederholt. *K. Vilmar*, Medizinischer Fortschritt nutzt Patient und Arzt, in: Deutsches Ärzteblatt 94 (1997) C-1221–1226.

[12] Bundesärztekammer, Entwurf der Richtlinie, s. Anm. 5, C-988.

[13] Entschließung des 84. Deutschen Ärztetages 1981, abgedruckt in: Vorstand der Bundesärztekammer et al., s. Anm. 7, 164. Auf dem 87. Deutschen Ärztetag 1984 wurde explizit die «berufsethische» Unzulässigkeit der aktiven Sterbehilfe und der Beihilfe zur Selbsttötung bestätigt; zudem wurde auf «unabsehbare Konsequenzen» verwiesen und befürchtet, dass die Verfügbarkeit des Todes «in eine moralisch-gesellschaftliche Verpflichtung zum Sterben – und damit auch zur aktiven Tötung – umschlagen» könne, in: Vorstand der Bundesärztekammer et al., s. Anm. 7, 166. Damit ist allerdings nicht die berufsethische Unzulässigkeit angesprochen, sondern die weitere gesellschaftliche Entwicklung bei Freigabe der aktiven Sterbehilfe.

[14] *W. Wieland*, s. Anm. 2, 125.

Wieland unternimmt hier eine ganz wichtige Unterscheidung: Es sei durchaus denkbar, dass aktive Sterbehilfe an sich moralisch vertretbar wäre, ein Arzt dürfe trotzdem niemals so handeln. Was für einen Bürger in einer extremen Situation moralisch gerechtfertigt sei, bleibe einem Arzt auch dann verwehrt. Als Begründung verweist Wieland auf die «Identität als Arzt», welche – das lässt sich ergänzen – ganz offensichtlich vom Berufsethos geprägt ist. Die gleiche Intention verfolgt Markus v. Lutterotti, wenn er zwischen der aktiven Sterbehilfe an sich und einer aktiven Sterbehilfe durch den Arzt unterscheidet: Auch er konzediert, dass es aporetische Fälle gebe, in denen das Gewissen entscheiden müsse. Grundsätzlich sei aktive Sterbehilfe aber von Ärzten nicht durchzuführen, und eine Änderung der entsprechenden Gesetze sei nicht zu befürworten: «Es kommt hinzu, daß eine Beseitigung dieser Schranke das Vertrauensverhältnis zum Arzt prinzipiell in Frage stellen müßte.»[15] Ganz ähnlich verweist Wolfgang Gerok auf einen drohenden Verlust für die ärztliche Tätigkeit, falls aktive Sterbehilfe erlaubt würde:

> «Eine erste Grenze sei sofort gezogen: Ausschluß der Tötung durch den Arzt oder seiner Helfer auch bei unheilbaren, schwerkranken Patienten. Diese Grenze muß absolut gelten. Die Rolle des Tötens darf dem Arzt nie zufallen, sie würde seine eigentliche Funktion gefährden, vielleicht vernichten.»[16]

Allen hier vorgestellten Argumentationen – und es ließen sich zahlreiche hinzufügen[17] – liegt der Gedanke zugrunde, dass die Möglichkeit bestimmter Handlungen in der Hand des Arztes dessen Identität und demzufolge die Voraussetzungen für das Vertrauen der Patienten grundlegend beschädigen würde. Ein Verstoß gegen dieses Verbot wäre der Funktion des ärztlichen Berufes in einer Weise abträglich, dass man ihn ganz in Frage stellen müsste. Deshalb verbiete die «Identität als Arzt» bestimmte Maßnahmen jenseits der Frage, ob sie im Einzelfall und außerhalb der Arzt-Patient-Beziehung moralisch zulässig seien. Kurzum: Die offiziellen Verlautbarungen der Bundesärztekammer wie auch zahlreiche medizinethische Abhandlungen zur Frage, ob aktive Sterbehilfe von Ärzten durchgeführt werden soll, lehnen dies ab, weil sie nachteilige Konsequenzen für das Vertrauen in den Arzt, ja in die gesamte Profession befürchten.

---

[15] *M. v. Lutterotti,* Ärztlicher Heilauftrag und Euthanasie. Gedanken zu ärztlichen, ethischen und juristischen Aspekten, in: *A. Eser* (Hrsg.), Suizid und Euthanasie, Medizin und Recht, Bd. 1, Stuttgart 1976, 291–298, hier 296.

[16] *W. Gerok,* Grundlagen und Grenzen der wissenschaftlichen Medizin, in: *J. Köbberling* (Hrsg.), Die Wissenschaft in der Medizin. Selbstverständnis und Stellenwert in der Gesellschaft, Stuttgart/New York 1992, 27–42, hier 38. Auch Laufs schließt sich der Argumentation an und sieht die gängige juristische Regelung bestätigt: «Erlaubte das Recht dem Arzt auch nur für den äußersten Fall, seinen Patienten zu töten, so wäre das Vertrauen in die klinische Medizin zerstört.» *A. Laufs,* Arztrecht, München ^{5}1993, 158.

[17] Auch im angelsächsischen Sprachraum wird genau diese Argumentation vertreten; vgl. *R. Momeyer,* Does Physician Assisted Suicide Violate the Integrity of Medicine?, in: The Journal of Medicine and Philosophy 20 (1995) 13–24.

Gleiches wird nicht für die sogenannte «passive» und die sogenannte «indirekte» Sterbehilfe prognostiziert, zumal die faktischen Erfahrungen dies sofort widerlegen würden. Der Unterschied zwischen einem Handeln, das intentional den Tod herbeiführen soll, und einem Unterlassen, das den Tod herbeiführt, wird als so gewichtig eingeschätzt, dass das Vertrauen in die Ärzteschaft in einem Fall gefährdet, im anderen nicht gefährdet ist. Und das, obwohl der moralische Unterschied zwischen aktivem Handeln und passivem Unterlassen in der Philosophie umstritten ist[18] und obwohl auch Ärzte eine Grauzone anerkennen.[19] Ebenso soll der Unterschied zwischen einem Handeln, das intentional den Tod herbeiführt, und einem Handeln, das den Tod als «Nebenwirkung», z. B. durch eine hochdosierte Schmerztherapie herbeiführt, moralisch so gewichtig sein, dass das Vertrauen in die ärztliche Profession im ersten Fall gefährdet ist und im zweiten nicht.

2. Die Funktion des Vertrauens

Bevor geklärt werden soll, ob die Annahme berechtigt ist, aktive Sterbehilfe zerstöre das Vertrauen in die Ärzte, sei die Funktion des Vertrauens näher beleuchtet. Denn in der Tat ist hier ein gewichtiges Argument angesprochen. Die ärztliche Tätigkeit und die Funktionalität des gesamten Berufsstandes wären erheblich gefährdet, gäbe es auf Seiten der Patienten kein Vertrauen in die Ärzte. Dass es sich hierbei um eine funktional unabwendbare Bedingung und keine verklärende Beschwörung ärztlicherseits handelt, wird deutlich, sofern man sich einmal vor Augen führt, unter welchen Bedingungen ärztliche Dienste in Anspruch genommen werden.

Ein Mensch wird vernünftigerweise einen Arzt nur unter ganz bestimmten Voraussetzungen konsultieren, auf die er vorab rechnen können muss. Diese Kalkulierbarkeit ärztlichen Verhaltens macht das Vertrauen aus. Streng genommen ist es nicht das Vertrauen in den Erfolg der ärztlichen Maßnahme, denn der kann redlicherweise im Einzelfall niemals garantiert werden, sondern ein Vertrauen in die moralische Integrität und fachliche Kompetenz eines Arztes. Ein Patient muss antizipatorisch mit bestimmten Verhaltensweisen eines Arztes rechnen können, ohne persönlich kontrolliert zu haben, ob der Arzt das Vertrauen rechtfertigt.[20] Nur weil

---

[18] Vgl. beispielsweise *J.-C. Wolf,* Aktive und passive Euthanasie, in: Archiv für Rechts- und Sozialphilosophie 79 (1993) 393–415; ausführlich zur Problematik: vgl. *D. Birnbacher,* Tun und Unterlassen, Stuttgart 1995; vgl. die Übersicht von *B. Schöne-Seifert,* Medizinethik, in: *J. Nida-Rümelin* (Hrsg.), Angewandte Ethik. Die Bereichsethiken und ihre Fundierung. Ein Handbuch, Stuttgart 1995, Kap. 10.
[19] Vgl. *K.-H. Wehkamp/H. Keitel/H. Hildebrandt,* Ärztliche Entscheidungen am Lebensende, in: Zeitschrift für Ethik in der Medizin 9 (1997) 160–163.
[20] Vgl. *R. Toellner,* «Der Geist der Medizin ist leicht zu fassen (J. W. v. Goethe) – Über den einheitsstiftenden Vorrang des Handelns in der Medizin, in: *H. Mainusch/ R. Toellner* (Hrsg.), Einheit der Wissenschaft, Opladen 1993, 21–36.

der Patient es mit einem Arzt zu tun hat, muss er sich darauf verlassen können, dass dieser über die notwendigen Fähigkeiten verfügt und bestrebt ist, ihm zu nutzen und nicht zu schaden, dass er ihn aufklären, seinen Willen respektieren[21] und dass er die Verschwiegenheit beachten wird, um nur die wichtigsten Merkmale des ärztlichen Ethos aufzuzählen.

Weil die ärztliche Ethik für jedes Mitglied des Berufsstandes verbindlich ist, kann das personale Vertrauen, das der Patient strukturbedingt nicht immer erwerben kann, durch ein antizipatorisches Systemvertrauen ersetzt werden.[22] Ein Arzt wird in seiner Rolle gewisse moralische Verhaltensweisen einhalten – darauf kann der Patient vertrauen, ohne den Arzt zu kennen und dessen Glaubwürdigkeit zu prüfen. Etwas anderes bleibt ihm auch gar nicht übrig: Wenn durch Krankheit das Leben zumindest verändert, wenn nicht gar bedroht wird, und wenn gleichzeitig von den Fähigkeiten eines Arztes statistisch gesehen zwar eine Besserung erwartet werden darf, im Einzelfall aber nichts garantiert werden kann, was verbleibt dem Patienten? Er kann vorab einzig auf die moralische Integrität und die fachliche Kompetenz des Arztes vertrauen, die durch die Zugehörigkeit zur Profession erwartet werden dürfen.

Aus diesem Grunde ist das Vertrauen auch keineswegs eine nostalgisch-verklärende Beigabe an ein Dienstleistungsverhältnis, sondern es nimmt eine zentrale Stellung in der Arzt-Patient-Beziehung ein. Als eine *conditio sine qua non* ermöglicht es erst den üblichen Ablauf: «Dieses Vertrauen ist durch nichts zu ersetzen. Es gibt zu ihm schlechterdings keine Alternative.»[23] Zudem hat die skizzierte Ausrichtung der Berufsmoral gleichermaßen eine hohe Bedeutung für den Ärztestand. Nur bei einem ganz bestimmten Berufsethos darf eine Profession auf Akzeptanz hoffen. Diese Berufsmoral muss die Freiwilligkeit der Inanspruchnahme und die Integrität des Experten betonen; und sie muss vor allem das Wohl und die Selbstbestimmung des Patienten zu ihren obersten Maximen erklären. Nur durch diese Ausrichtung kann mit dem Vertrauen der potentiellen Patienten, also der Bevölkerung, in den Berufsstand gerechnet werden. Kurzum: Die moralische Konstruktion der Arztrolle ermöglicht letztlich auch die funktionale Stellung des ärztlichen Berufsstandes in unserer Gesellschaft.[24]

---

[21] Wichtigste, auch rechtlich sanktionierte Ausnahme ist die psychiatrische Zwangseinweisung.

[22] Vgl. *W. Schluchter*, Rationalismus der Weltbeherrschung. Studien zu Max Weber, Frankfurt a. M. 1980, 185–205, hier 191.

[23] *D. Rössler*, Ärztliche Ethik aus anthropologischer Sicht, in: *R. Gross/H. H. Hilger/ W. Kaufmann/P. G. Scheurlen* (Hrsg.), Ärztliche Ethik, Stuttgart/New York 1978, 17–24, hier 22; vgl. auch *D. Rössler*, Art.: Vertrauen, in: *A. Eser/M. v. Lutterotti/P. Sporken* (Hrsg.), Lexikon Medizin Ethik Recht, Freiburg i. Br./Basel/Wien 1989, 1228–1234.

[24] Vgl. *U. Wiesing*, Zur Integrität der Arztrolle in Zeiten des Wandels, in: *B. Byrd/ J. Hruschka/J. C. Joerden* (Hrsg.), Jahrbuch für Recht und Ethik, Bd. 4, Berlin 1996, 315–325.

3. Gefährdet aktive Sterbehilfe das Vertrauen in die Ärzteschaft?

Doch nun zurück zur aktiven Sterbehilfe. Auch wenn der ärztliche Beruf unabdingbar auf einer für den Patienten berechenbaren Einstellung des Arztes beruht, mit anderen Worten auf Vertrauen; so stellt sich jedoch die Frage, ob – wie stets behauptet – das Vertrauen in den Berufsstand durch aktive Sterbehilfe tatsächlich gefährdet ist. Von den in den Richtlinien genannten moralischen Prinzipien ärztlichen Handelns müsste zumindest eines missachtet werden und demgemäß das Vertrauen gefährden. Welches käme in Frage?

- Die Respektierung des Patientenwillens wird bei einer aktiven Sterbehilfe nicht verletzt, solange sie auf wohlüberlegten Wunsch des Patienten geschieht (die weitaus schwieriger zu bewertenden Fälle der aktiven Sterbehilfe bei mutmaßlichem Willen des Patienten oder gar ohne Willensäußerung des Patienten seien hier außer acht gelassen).
- Die quantitative Verkürzung des Lebens kann die Unzulässigkeit der aktiven Sterbehilfe nicht begründen, da die Richtlinien – wie auch andere offizielle Verlautbarungen – keineswegs eine maximale Verlängerung des Lebens fordern. «Die ärztliche Verpflichtung zur Lebenserhaltung besteht jedoch nicht unter allen Umständen.»[25]
- Das Leiden zu lindern kann auch nicht als *differentia specifica* dienen, da eine aktive Sterbehilfe im Vergleich zur erlaubten passiven Sterbehilfe durchaus Leiden lindern kann.
- Der Schutz oder die Wiederherstellung von Gesundheit kommen auch nicht als moralisch relevanter Unterschied in Betracht, da hier Fälle besprochen werden sollen, bei denen mit einer Besserung nicht zu rechnen ist.
- Das Begleiten des Patienten kann auch bei aktiver Sterbehilfe gewährleistet bleiben.

Insofern ist zunächst einmal mit Erstaunen festzustellen, dass die aktive Sterbehilfe gegen die «Aufgaben des Arztes» – wie sie der neueste Entwurf auflistet – gar nicht verstößt, sondern dass ein anderes, nicht explizit genanntes Moment die entscheidende moralische Differenz zwischen der aktiven Sterbehilfe und den zugelassenen Formen der Sterbehilfe begründen muss. Dies kann nur die Intentionalität der Handlung sein, die «gezielte Lebensverkürzung durch Eingriffe, die den Tod herbeiführen oder beschleunigen sollen».[26] Das intentionale Töten, das sich durchaus – bei zugestandener Grauzone – von den zugelassenen Formen der Sterbehilfe deskriptiv unterscheiden lässt, soll auch in normativer Hinsicht als ausschlaggebende Differenz gelten. Folglich sind die in den Richtlinien aufgeführten moralischen Prinzipien schon gar nicht mehr relevant für ein Urteil über die aktive Sterbehilfe.

---

[25] Bundesärztekammer, Entwurf der Richtlinie, s. Anm. 5, C-988.
[26] Ebd. C-989.

Damit kämen wir zur entscheidenden Frage: Ist diese Grenzlinie, auch wenn sie sich deskriptiv aufweisen lässt, in normativer Hinsicht so bedeutsam, dass das Vertrauen in den Arzt und damit in die gesamte Ärzteschaft gefährdet wäre, sobald sie übertreten wird? Die Frage lässt sich faktisch und theoretisch beantworten; einmal faktisch-empirisch, also anhand von Daten aus dem Land, wo aktive Sterbehilfe unter bestimmten Bedingungen straffrei geduldet und damit quasi legalisiert ist, andererseits theoretisch: Was bedingt das Vertrauen in die Ärzte und den Ärztestand? Wird es durch aktive Sterbehilfe zerstört?

Zunächst zu den Fakten: In den Niederlanden kann von einer Erosion des Vertrauens in den Ärztestand keine Rede sein. Die dort praktizierte Regelung der Sterbehilfe hat nicht zu einer Krise in der Medizin geführt. Und es wäre geradezu anmaßend zu behaupten, alle Fälle von aktiver Sterbehilfe in den Niederlanden hätten in einer Arzt-Patient-Beziehung stattgefunden, die nicht von Vertrauen geprägt gewesen sei. Selbst die hohe Zahl aktiver Sterbehilfen ohne die ausdrückliche oder auch nur mutmaßliche Zustimmung des Patienten (geschätzt 1 000 pro Jahr[27]) scheint das Vertrauen nicht negativ zu beeinflussen.[28] Auch die unbestrittenen, freilich seltenen Fälle von heimlicher aktiver Sterbehilfe in der BRD[29] haben das Vertrauen in die Ärzte nicht zerstört.

Wenn man nun fragt, warum die von den Gegnern der aktiven Sterbehilfe immer wieder prognostizierte Vertrauenskrise ausgeblieben ist, so lassen sich dafür plausible theoretische Argumente anführen. Denn die Kalkulierbarkeit ärztlichen Verhaltens für den Patienten – und demnach das Vertrauen – wird vorwiegend durch formale Normen gewährleistet, die sich inhaltlich durchaus unterschiedlich gestalten können. Die formale Festlegung auf «Wohl und Willen des Patienten» kann zu sehr unterschiedlichen Verhaltensweisen führen. Vorstellbar ist ein Patient, der seinen Arzt in einer aussichtslosen und schmerzhaften Situation um aktive Sterbehilfe bittet. Für diesen Fall kann das Argument des Vertrauens zu ganz anderen Ergebnissen führen als bislang stets prognostiziert worden ist: Wenn der Patient vorweg weiß, dass der Arzt seinem wohlüberlegten Wunsch niemals Folge leisten würde, so könnte genau aus diesem Grund sein Vertrauen in den Arzt gestört sein. Wenn er weiß, dass der Arzt nach kritischer Prüfung seinem Wunsch folgen würde, so könnte dies zur Vertrauensbildung beitragen.

Insofern ist die Aussage von H. W. Heiss u. a. nicht überzeugend, wenn sie behaupten: «Das Tötungsverbot sichert dem Patienten die letzte Ge-

---

[27] Vgl. *B. Gordijn,* Euthanasie in den Niederlanden – eine kritische Betrachtung, in: Berliner Medizinethische Schriften 19, Dortmund 1997.
[28] Vgl. *Th. Fuchs/H. Lauter,* Euthanasie: Kein Recht auf Tötung, in: Deutsches Ärzteblatt 94 (1997) C-180ff.; die Autoren gehören zu den wenigen, die die empirischen Ergebnisse in den Niederlanden zur Kenntnis nehmen. Bezeichnenderweise begründen sie ihre strikte Ablehnung der aktiven Sterbehilfe nicht mit dem Vertrauensargument.
[29] Vgl. *K.-H. Wehkamp/H. Keitel/H. Hildebrandt,* s. Anm. 19.

wißheit im fürsorglichen Umgang mit seinem durch Krankheit bedrohten Leben.»³⁰ Es ist durchaus möglich, dass Patienten unter einem «fürsorglichen Umgang» auch die Möglichkeit verstehen, ihr Sterben mit Hilfe des Arztes selbst zu gestalten oder von unnötiger Qual auf eigenen, wohlüberlegten Wunsch durch den Arzt befreit zu werden. Der Sprung von der formalen Verpflichtung auf das Wohl des Patienten zu der inhaltlichen Festlegung, niemals zu töten, mag in vielen Fällen zutreffen – sicher nicht in allen. Deshalb ist die generelle Aussage nicht haltbar, ohne Tötungsverbot sei kein Vertrauen in den Arzt möglich. Gleiches gilt für das Argument: «Gegen die Tötung auf Verlangen spricht [...] die Grundpflicht des Arztes zu helfen, mindestens aber nicht zu schaden.»³¹ Es sind durchaus Fälle vorstellbar, in denen die Hilfe in einer aktiven Tötung besteht und der Schaden darin, diese zu unterlassen; überdies kann die – weithin akzeptierte – passive Sterbehilfe belastender sein.

Die Frage des Vertrauens lässt sich auch aus anderer Perspektive beleuchten. Mit Vertrauen sollen Befürchtungen entkräftet werden. Und im Falle der Sterbehilfe gibt es sowohl Menschen, die befürchten, dass Ärzte den Tod gegen ihren Willen frühzeitig herbeiführen, als auch Menschen, die befürchten, dass Ärzte ihren Willen in dieser sehr persönlichen Frage nicht akzeptieren und statt dessen das qualvolle Leben gegen ihren Willen verlängern. Die unterschiedlichen Befürchtungen bestätigen, dass sich über das Vertrauensargument keine eindeutigen Konsequenzen für das Berufsethos ziehen lassen. Insofern ist festzuhalten: Das Vertrauen in den Arzt basiert auf formalen Vorgaben, die sich inhaltlich sehr verschieden gestalten können.³² An der formalen Festlegung des Arztes auf «Wohl und Wille des Patienten» sollte nicht gerüttelt werden, nur was darunter im Einzelfall zu verstehen ist, kann und darf ganz unterschiedlich vom Patienten eingeschätzt werden.³³

---

³⁰ *H. W. Heiss/F. J. Illhardt/M. Dornberg*, Das ärztliche Wertbild – Unzeitgemäß oder Orientierung für heute?, in: Deutsches Ärzteblatt 91 (1994) A-264ff., hier 265.
³¹ *O. Höffe*, Sittlich-politische Diskurse. Philosophische Grundlagen. Politische Ethik. Biomedizinische Ethik, Frankfurt a. M. 1981, 229.
³² Gleiches gilt für den Schwangerschaftsabbruch: Auch hier wurde vielfach argumentiert, dass ein Arzt, der Leben töte, das Vertrauen verspiele. Doch das Gegenteil trat ein. Das Vertrauen einer Frau in ihren Gynäkologen könnte aus dem Grunde gestört sein, weil sie weiß, dass er auch in extremer Not niemals einen Schwangerschaftsabbruch vornehmen oder weitere Schritte einleiten würde. Die Tatsache, dass Frauen in der BRD bei der Wahl ihres Gynäkologen auch sein mögliches Verhalten in einem Schwangerschaftskonflikt mit einbeziehen, unterstützt diese Aussage. Oder anders gesprochen: Es ist völlig absurd anzunehmen, dass zwischen den Ärzten, die Schwangerschaftsabbrüche vornehmen, und ihren Patientinnen «kein» Vertrauensverhältnis bestünde und deren Verhältnis ein ganz anderes sei als das übliche Arzt-Patient-Verhältnis. Auch hat das Bild des Arztes in der Öffentlichkeit durch die Praxis des Schwangerschaftsabbruchs in der BRD keinen Schaden erlitten, obwohl die gegenwärtige Praxis mit dem Prinzip «Leben zu schützen» kaum zu vereinbaren ist; siehe auch *U. Wiesing*, Zur Verantwortung des Arztes, Stuttgart-Bad Cannstatt 1995.
³³ Vgl. auch *E. H. Loewy*, Lange leben oder lange leiden: Darf man und dürfen Ärzte das Leben verkürzen?, in: Gesundheits-Oeconomica. Vorträge des Internationalen Kongresses «Das Gewissen der Medizin» 19.–22. April 1995, Wien 1995, 101–112.

Wo liegt der tiefere Grund, dass die Argumentation über das Vertrauen in den Arzt und den Berufsstand für die aktive Sterbehilfe zu zweideutigen Ergebnissen führt? Es ist wohl die inhaltliche Unbestimmtheit dessen, was unter Hilfe zu verstehen ist, und der heute bevorzugte Ausweg, den Patienten dieses selbst entscheiden zu lassen.[34] Unter dieser Voraussetzung verliert die Argumentation von Fuchs und Lauter ihre Überzeugungskraft, dass sich aktive Tötung eines Patienten immer «gegen ihn selbst als Person» in seiner «leibseelischen Einheit» richte und dies mit der ärztlich verbindlichen «Achtung von seiner [des Patienten] Würde nicht vereinbar»[35] sei. Es sind wohl zunehmend die Patienten selbst, die festlegen, was sie unter der Achtung ihrer Würde und einem würdevollen Sterben verstehen. Auch stimmt es nicht, wie Fuchs und Lauter behaupten, dass sich der Arzt bei aktiver Sterbehilfe immer zum Richter über den Patienten macht. Das Gegenteil ist richtig: Wenn er den wohlüberlegten Wunsch eines Patienten grundsätzlich nicht akzeptiert – vom individuellen Verweigerungsrecht einmal abgesehen –,[36] dann macht er sich zum Richter über bestimmte Formen der Gestaltung des Sterbens. In einer liberalen und säkularen Gesellschaft ist es letztlich der Einzelne selbst, der diese für sein Leben so wichtigen Entscheidungen zu treffen hat.[37] Insofern berührt das Problem der aktiven Sterbehilfe auch die Frage, wie ernsthaft man die Selbstgestaltung des Sterbens als persönliche Entscheidung des Einzelnen zu akzeptieren bereit ist.

Aus diesem Grunde ließe sich über das Vertrauensargument sogar eine ungewohnte Forderung begründen: Das derzeit von allen Berufsorganisationen strikt eingeforderte Verbot aktiver Sterbehilfe für ihre Mitglieder könnte zu einem Vertrauensverlust beitragen, wenn die Patienten diese Haltung als mangelnde Akzeptanz ihrer überlegten Wünsche zur Gestaltung ihres Lebensendes interpretieren.[38] Anders gesprochen: Es könnte

---

[34] Vgl. auch *R. Momeyer,* s. Anm. 17.

[35] Vgl. *Th. Fuchs/H. Lauter,* s. Anm. 28, 182. Wörtlich auch bei *Th. Fuchs,* Was heißt «töten»? Die Sinnstruktur ärztlichen Handelns bei passiver und aktiver Euthanasie, in: Zeitschrift für Ethik in der Medizin 9 (1997) 78–90, hier 88.

[36] Die Argumente für eine Freigabe der aktiven Sterbehilfe und der Hilfe zur Selbsttötung gründen letztlich auf dem Recht, wichtige Entscheidungen des eigenen Lebens selbst treffen zu dürfen. Dieses Recht muss man auch Ärzten zubilligen, und von daher wäre es gut zu vertreten, den Ärzten ein Verweigerungsrecht einzuräumen. Da diese Frage an ganz zentrale Überzeugungen rührt, sollte kein Arzt zu einer aktiven Sterbehilfe gezwungen werden können.

[37] Dies ist das zentrale Argument von sechs amerikanischen Philosophen in ihrer Stellungnahme zum «assisted suicide»: «[...] every competent person has the right to make momentous personal decisions which invoke fundamental religious or philosophical convictions about life's value for himself.» Vgl. *R. Dworkin,* Introduction, in: The New York Rewiew, March 27, 41f., hier 41 (Einführung zu *R. Dworkin/Th. Nagel/R. Nozick/J. Rawls/ Th. Scanlon/J. Jarvis Thomson,* «The Assisted Suicide: The Philosophers' Brief, in: The New York Rewiew, March 27, 43–47).

[38] *R. Momeyer* (s. Anm. 17, 20) kommt zu gleichem Ergebnis: «[...] a physician who listens carefully to the expressed desires of a patient and then honestly responds in confor-

auch das Vertrauen in die Ärzteschaft stärken, wenn sie bereit wäre, die fundamentalen Rechte ihrer Patienten zu akzeptieren und unter bestimmten Bedingungen bei der Umsetzung Hilfe anzubieten. Anderenfalls könnten sich Spannungen ergeben. Während die Ärzteschaft weit mehrheitlich die aktive Sterbehilfe ablehnt,[39] sind die Bürger weniger abweisend: «Eine zunehmende Diskrepanz entsteht [...] zur öffentlichen Meinung, die offenbar eine ‹aktive› Euthanasie befürwortet, vor allem in Zusammenhang mit den positiven Erfahrungen aus Holland.»[40] Ob die Erfahrungen in den Niederlanden ausschließlich positiv interpretiert werden, mag dahingestellt sein. Die Gegner einer aktiven Sterbehilfe werten sie wohl eher negativ;[41] dessenungeachtet drohen jedoch das Selbstverständnis der Ärzte und die Bedürfnisse der Patienten in dieser Frage auseinanderzugehen. Damit ist zunächst einmal kein moralisches Argument gewonnen. Es stellt sich allerdings die Frage, wie ernst die Ärzteschaft die Entscheidungsbefugnis nimmt, die die Gesellschaft den Bürgern, also den potentiellen Patienten, zugesteht.

4. Das Arztethos – ewig oder wandelbar?

Die Frage leitet über zu einem weitreichenden Thema: Wie hat das Arztethos zu reagieren, wenn eine säkulare Gesellschaft unter Berufung auf liberale Grundsätze die Art des Sterbens in den Entscheidungsbereich des Einzelnen legt, weil u. a. religiös begründete Vorgaben ihre Allgemeinverbindlichkeit verloren haben? Ist das Arztethos autark und bleibt es von diesen Entwicklungen unberührt? Wie soll es auf moralische Veränderungen in der Gesellschaft reagieren?

Im Verhältnis von allgemeiner Moral und ärztlichem Ethos sind zwei Extremvarianten bekannt, die beide mit guten Gründen als unangemessen bezeichnet werden können. Zum einen wäre der auch heute noch zu hörende Verweis auf die Unwandelbarkeit des Arztethos zu benennen. In diesem Zusammenhang wird meist auf die Ärzte und die Ärzteschaft im Nationalsozialismus verwiesen, die sicher gut daran getan hätten, das traditionelle Arztethos nicht der politischen Opportunität zu opfern. Doch der Verweis auf die Unwandelbarkeit des Arztethos – meist in Verbindung mit

---

mity to thoses desires would seem most likely to be a physician that gains, rather than looses, patient trust.»

[39] Vgl. *K.-H. Wehkamp/H. Keitel/H. Hildebrandt*, s. Anm. 19.

[40] *M. Oehmichen*, Sterbebeistand – Tod auf Verlangen: Grenzen zwischen Medizin und Recht, in: Zeitschrift für Gerontologie und Geriatrie 28 (1995) 273–278, hier 277.

[41] Vgl. *P. Spielberg*, s. Anm. 9; vgl. auch *Th. Fuchs/H. Lauter*, s. Anm. 28; eine detaillierte Einschätzung zu den rechtlichen und moralischen Problemen der niederländischen Regelung liefern H. A. M. *ten Have/J. V. M. Velie*, Euthanasie – eine gängige medizinische Praxis? Zur Situation in den Niederlanden, in: Zeitschrift für medizinische Ethik 39 (1993) 63–72; und mit neuerem empirischen Material *B. Gordijn*, s. Anm. 27.

dem sog. «Hippokratischen Eid»⁴² – ist faktisch nicht haltbar. Man denke allein an die Aufnahme des Selbstbestimmungsrechtes des Patienten in die offiziellen Verlautbarungen, die sich in der Nachkriegszeit vollzogen hat. Das Arztethos hat sich faktisch gewandelt, auch wenn bestimmte ärztliche Normen eine außergewöhnlich lange Präsenz zumindest im europäischen Kulturraum aufweisen. Wenn die Unwandelbarkeit des Arztethos also nicht haltbar ist und ebenso dessen vorschnelle Wandlung bei jeder Zeitströmung nicht wünschenswert, dann kommt man nicht umhin, in jedem Einzelfall zu fragen, ob eine Änderung des Arztethos moralisch vertretbar ist oder nicht. Man wird sich weder auf das Argument «überzeitlich-unwandelbar» noch auf das Argument «zeitgemäß» berufen können, sondern muss im Wandel der Zeit jede Norm ärztlichen Handelns einzeln prüfen. Die «Identität des Arztes» wird stets in einem Spannungsfeld zwischen Traditionellem und Wandelbarem zu bestimmen sein, wobei aus funktionalen Gründen die formale Festlegung auf «Wohl und Wille des Patienten» wohl weniger zur Disposition steht als die inhaltliche Festlegung dessen, was darunter zu verstehen ist. Von daher liefert auch die Berufung auf die lange Tradition des ärztlichen Berufsethos, die aktive Sterbehilfe untersagt,⁴³ kein zwingendes Argument dafür, dass diese Norm auch heute gültig ist. Die Kontinuität einer Norm kann ihre Geltung in der Gegenwart nicht hinreichend begründen.

5. Zusammenfassung

Das Argument, nur ein Verbot der aktiven Sterbehilfe sichere das Vertrauen in die Ärzte und demnach in die Ärzteschaft, widerspricht den Tatsachen und ist zudem aus theoretischen Gründen in seiner Ausschließlichkeit nicht haltbar. Hingegen könnte ein Verstoß gegen die formale Festlegung des ärztlichen Ethos auf «Wohl und Wille des einzelnen Patienten» das Vertrauen tatsächlich gefährden. Eine aktive Sterbehilfe auf ausdrücklichen und wohlüberlegten Wunsch des Patienten in qualvollen und hoffnungslosen Situationen kann nicht zwingend über den Verweis auf das ärztliche Ethos abgelehnt werden. Wenn die Verlautbarungen der ärztlichen Standesorganisationen immer wieder beteuern, aktive Sterbehilfe sei «unärztlich», dann benutzen sie ein Argument, das einer kritischen Prüfung wohl nicht standhält.

---

⁴² Vgl. *H. Siefert*, Der hippokratische Eid – und wir? Plädoyer für eine zeitgemäße ärztliche Ethik: ein Auftrag an den Medizinhistoriker, Frankfurt a. M. 1973; vgl. *K.-H. Leven*, Der Hippokratische Eid im 20. Jahrhundert, in: *R. Toellner/U. Wiesing* (Hrsg.), Geschichte und Ethik in der Medizin. Von den Schwierigkeiten einer Kooperation, Stuttgart 1997, 111–130.

⁴³ So z. B. im Kommentar von *H.-B. Wuermeling* (s. Anm. 5, 94): «Schon immer hatte die ärztlich-ethische Tradition eine Tötung auch dann verboten, wenn sie von dem zu Tötenden selbst verlangt wurde.»

Damit sei keineswegs für eine Freigabe der aktiven Sterbehilfe plädiert. Im Gegenteil: Es gibt genügend, vor allem pragmatische Argumente, die zu einer äußerst vorsichtigen Haltung ermahnen. Hier sei einzig darauf verwiesen, dass man sich über die Standesethik in dieser Frage keinen problemlösenden Beitrag erhoffen darf. Dies ist auch gar nicht zu bedauern. Denn eine so bedeutende Frage wie die der aktiven Sterbehilfe sollte ihre Entscheidung nicht im Regelwerk einer Profession finden.

Charles Chappuis

Geriatrie und Sterbehilfe – Assistenz zum Tod?

Geriatrie kann als ein Zweig der Medizin, der sich mit der Betreuung des Menschen in einem bestimmten Lebensabschnitt befasst, definiert werden, ähnlich der Pädiatrie. Die klinischen, psychologischen, sozio-ökonomischen und präventiven Aspekte haben sowohl in der Geriatrie als auch in der Pädiatrie je ihre charakteristische Prägung; beide befassen sich mit Gesundheit. A. Jores[1] versteht darunter «die altersgemäße Entfaltungsmöglichkeit». Während diese beim Kind durch das charakterisiert ist, was noch nicht ist, was sich möglicherweise aus der Potentialität entfalten kann, besteht die Entfaltungsmöglichkeit beim Betagten aus dem, was war. Auch ihr wohnt eine Potentialität inne, nämlich die Gestaltung und Prägung des Lebens zum Ende, zum Tod hin. So gesehen ist es selbstverständlich, dass sich die Geriatrie, der Geriater, mit Fragen über Sterben und Tod zu befassen hat und dass diese Inhalt ihrer Aufgabe sein müssen.

1. Die Situation

1.1 Einige Zahlenangaben

- In den westlichen Ländern hat die durchschnittliche Lebenserwartung zugenommen. In der Schweiz erreicht die Frau zur Zeit ein durchschnittliches Lebensalter von 81,7, der Mann von 75,3 Jahren.[2]
- Eine 65jährige Frau kann mit einer vor ihr liegenden Lebenserwartung von 20, ein 65jähriger Mann von 16,1 Jahren rechnen.
- 1995 betrug der Anteil der über 65jährigen an der Bevölkerung in der Schweiz 15 %, bei den Frauen 17,4 %, bei den Männern 12,3 %.
- 8,4 % der über 65jährigen leben in Institutionen, 3,7 % der 65- bis 79jährigen und 21 % der über 80jährigen.[3]

Die Sterblichkeit wird per 100 000 Personen 1995 wie folgt dokumentiert:[4]

---

[1] *A. Jores*, Menschsein als Auftrag, Bern 1978, 137ff.
[2] Bundesamt für Statistik, Bern 1995.
[3] Altern in der Schweiz, EDMZ, Bern 1995.
[4] Bundesamt für Statistik, Bern 1995.

Altersklasse	♂	♀
15–44	149	70
45–64	667	346
65–84	4 401	2 584
84 +	19 365	15 227

- Über zwei Drittel der Frauen sterben jenseits der 75-Jahr-Grenze, 4 von 10 sind bei ihrem Tod älter als 85jährig. Jeder zweite Mann, der stirbt, ist älter als 75jährig, knapp 2 von 10 sind älter als 85jährig.[5]
- Die Gesamtkosten im Gesundheitswesen betrugen 1985 18,4 Mia. Fr., 1995 waren sie auf 35,1 Mia. Fr. gestiegen (Zunahme 91 %), während das Bruttoinlandprodukt (BIP) von 228 Mia. auf 362 Mia. Fr. stieg (Zunahme 59 %).[6]
- In der Zeitspanne von 1970 bis 1994 änderte sich der Anteil der Gesundheitskosten gemessen am BIP von 5,2 auf 9,6 %.
- Während die Schweiz 1970 mit ihrem Anteil der Gesundheitskosten am BIP hinter den USA, Deutschland und Frankreich rangierte, liegt sie jetzt hinter den USA (14,3 %) und Frankreich (9,7 %), aber vor Deutschland, Italien und Großbritannien.[7]
- 1985 teilten sich 9 299 praktizierende Ärzte in die Betreuung der Bevölkerung; auf 10 000 Einwohner kamen 14,1 Ärzte.
- 1995 waren 12 327 Ärzte tätig oder 17,5 auf 10 000 Einwohner. Die Zahl der Beschäftigten im Gesundheitswesen stieg von 195 000, d. h. 300 pro 10 000 Einwohner im Jahre 1985 auf 280 000, d. h. 396 auf 10 000 Einwohner im Jahre 1995. Im Gesundheitswesen entstanden in 10 Jahren 85 000 neue Arbeitsplätze.[8]

Die Verteilung der Kosten auf die Benützer und die Lebensabschnitte im Gesundheitswesen lässt sich je nach Gesichtspunkt etwas anders darstellen. Dem Jahresbericht einer internistischen Klinik eines Kantonsspitals[9] entnehmen wir:

Altersgruppe	Zahl	Pflegetage	≈ Aufenthaltsdauer
65–69 J.	250	3 320	13,28 Tage
70–74 J.	216	3 305	15,30 Tage
75–89 J.	986	14 522	59 % der Gesamtpflegetage

---

[5] Altern in der Schweiz, s. Anm. 3.
[6] Das Gesundheitswesen in der Schweiz, Pharmainformation, Basel 1997.
[7] OECD, Health Data File, Paris, s. Anm. 4.
[8] Das Gesundheitswesen in der Schweiz, s. Anm. 6.
[9] Kantonsspital Frauenfeld, 1992.

Das letzte Lebensjahr ist bezüglich der Gesundheitskosten das teuerste. In den USA ist es jedoch bei über 80jährigen billiger als bei unter 70jährigen. Die Kosten in den letzten 180 Tagen betragen 77 % der lebenslangen Gesundheitskosten bzw. entfallen 30 % davon auf die letzten 30 Lebenstage.[10]

Nicht die einzelne Akutleistung, sondern das Gesamtvolumen der Leistungen ist für die Kosten ausschlaggebend. Nicht das Alter, sondern organische Beeinträchtigungen und Bedürfnisse aufgrund chronischer Krankheiten mit häufigen Hospitalisationen und Arztbesuchen bestimmen Faktoren, die Gesundheitsdienstleistungen verlangen.

1.2 Sich ergebende Probleme

Bei steigenden, zunehmend nicht mehr selbstverständlich finanzierbaren Kosten im Gesundheitswesen wird nach Spar- und Rationierungsmaßnahmen verlangt.[11]

Resultate moderner Maßnahmen, u. a. der high-tech-Spitzenmedizin, die nicht der Erwartung uneingeschränkter Reparation defekter Organsysteme entsprechen, werden in der Öffentlichkeit als vermeidbar dargestellt. Daraus muss abgeleitet werden, dass der Zustand eines Chronischkranken unmenschlich und unzumutbar sei, und wenn der Betroffene zu sterben verlange, müsse dies ermöglicht werden. In der Altersbetreuung soll angesichts der demographischen wie auch der sozio-ökonomischen Situation die Sterbehilfe großzügig gehandhabt werden, und dies bedeutet, dass die Legalisierung der aktiven Sterbehilfe eingeführt wird.

2. Die Analyse

Versucht man, den Kontext zu verstehen, indem die Forderung nach Legalisierung expliziter, großzügiger Handhabung der Sterbehilfe in der Betreuung alter Menschen entstehen kann, so soll dies unter folgenden Aspekten geschehen:
- Wertewandel
- Betagter
- Betreuer des Betagten
- Allgemeinheit

---

[10] Vgl. *J. R. Webster* et al., Ethics and Economic Realities, in: Archives Intern Med. 150 (1990) 1795–1797.
[11] Vgl. *W. H. Hitzig* et al., Ethische Überlegungen zur Verteilung knapper Mittel in der Gesundheitspflege, in: Schweiz. Ärztezeitung 78 (1997) 1709–1715.

Folgende Begriffe dienen dem Ausführen als Grundlage:[12]
- Krankheit: Prozess der innerorganischen Auseinandersetzung integrativer und desintegrativer Tendenzen
- Sterben: Irreversible Desintegration des Organismus
- Sterbehilfe/Euthanasie: Gutes Sterben, der Defizienz des Organismus Raum geben
- Passive Euthanasie: Verzicht auf lebenserhaltende Maßnahmen oder deren Abbruch in bestimmten Situationen[13]
  · Erfüllung der Aufgabe: Das Leiden zu lindern; die bestmögliche Kommunikation mit der Umwelt aufrecht zu erhalten
  · Charakteristik: Ertragen von Leiden und eigener Ohnmacht
- Aktive Euthanasie: Intention: Unmittelbares Beenden des Lebens des Patienten, Tötung – dies entspricht einer Fortsetzung rein technischen Handelns
  · Charakteristik: Verabsolutierung ärztlicher Macht

3. Der Wertewandel

Während Jahrhunderten galt es als ethische Haltung, das «Naturrechtsmodell» zu praktizieren; die biologische und geistige Natur des Menschen ist maßgebend; jeder Eingriff, jede Manipulation ist ein Sakrileg.[14]
Die Fortschritte und Errungenschaften der modernen Medizin in den letzten 100 Jahren wurden dankbar und im Allgemeinen immer mit großem Beifall aufgenommen. Dank der Spitzenmedizin konnte der Tod aus dem aktiven mittleren Lebensabschnitt auf später, in die Zeit nach dem Alter von 75 Jahren, verschoben werden, nach der Devise «vita suprema lex esto». Was nützte – was einem Leben ohne Einschränkung diente – wurde eingesetzt. Man kann diesbezüglich von einer Motivation mit hedonistischer Grundhaltung sprechen.[15] Durch die Verschiebung des Todesalters in spätere Lebensabschnitte – man stirbt nicht mehr an einer akuten, gewöhnlichen Erkrankung wie einer Pneumonie oder Appendicitis – kommt der Mensch in ein Alter, in dem der Körper, die Befindlichkeit zunehmend durch chronische, d. h. lang andauernde Erkrankungen beeinträchtigt wird. Degenerative und derzeit nicht heilbare Langzeitleiden treten in den Vordergrund: Gefäßleiden (Schlaganfall, periphere arterielle Verschlusskrankheit), Erkrankungen des rheumatischen Formenkreises, degenerative Hirnerkrankungen, Krebserkrankungen.

---

[12] Vgl. *Th. Fuchs*, Was heißt «töten»? Die Sinnstruktur ärztlichen Handelns bei passiver und aktiver Euthanasie, in: Ethik in der Medizin 9 (1997) 78–90.
[13] Medizinisch-ethische Richtlinien für die ärztliche Betreuung Sterbender und cerebral schwerst geschädigter Patienten, SAMW, in: Schweiz. Ärztezeitung 76 (1995) 1223–1225.
[14] Vgl. *T. L. Beauchamp*, Principles of Biomedical Ethics, Oxford 1994, 269f.
[15] Vgl. *W. Brugger*, Philosophisches Wörterbuch, Freiburg i. Br. 1978, 44.

Im jetzt fortgeschrittenen Alter ist man aber nicht mehr gewöhnt und gewillt, Mühsames im Leben als Tatsache anzunehmen und zu ertragen. Die Angst und das Misstrauen gegenüber der für diesen Zustand verantwortlich gemachten Medizin haben – ob objektiv oder nur von Einzelnen subjektiv empfunden – einen hohen Stellenwert; und dass dies dafür Auslöser sind, über das eigene Sterben, über den eigenen Tod nachzudenken, ist von großer Wichtigkeit. In der Beziehung des Patienten zu seinem Arzt sind aus diesen Gründen zwei Modelle in den Vordergrund getreten: das Vertrags- und das Prinzipienmodell.

a) Beim Vertragsmodell ist wegweisend:

«Non salus sed voluntas aegroti suprema lex esto.» Die Beziehung zwischen Patient und Arzt beruht auf Vertrauen, der aufgeklärte Patient kann seine Zustimmung zum ärztlichen Vorgehen geben (informed consent).

b) Beim Prinzipienmodell gelten:
- Die Autonomie des Patienten: Dieser kann nach eigenen Grundsätzen und als zurechnungsfähiger Mensch in Bezug auf die aktuell zur Diskussion stehende Krankheit seine Entscheidungen treffen.[16]
- Der maßgebliche Wille als Leitlinie: Sollte der Patient nicht mehr urteils- und entscheidungsfähig sein.
- Das Wohlwollen, die Benefizienz: Sie umfasst Eigenschaften wie Altruismus, Liebe, Menschlichkeit, und bedeutet:
  · Die Rechte des andern sind zu schützen und zu verteidigen.
  · Schadensvorbeugende Maßnahmen sind zu treffen.
  · Behinderten muss geholfen werden.
  · Gefährdete sind zu retten.[17]
- Gerechtigkeit: Sie prägt auf der Ebene der Wechselbeziehung das soziale Zusammenspiel in der Gesellschaft.
- Verhältnismäßigkeit: Maßnahmen, die sinnvoll sind, dürfen nicht außer acht gelassen werden. Das Verhalten muss kostenbewusst sein, die Orientierung darf nicht in Bezug auf Gewinn erfolgen, es wird aber versucht, die Kosten möglichst zu decken.

Sterben und Tod sind Wirklichkeit. Die Wissenschaften haben es ermöglicht, dass die Gesellschaft diese Tatsache verdrängen konnte – was aber, wenn sie sich nicht mehr verdrängen lässt? «Ich bin Macht.»[18] Das veränderte moralische Bewusstsein, die Gewichtung von Selbstbestimmung und Autonomie des Menschen führte zum Postulat, der Mensch habe das Recht, seinen eigenen Todeszeitpunkt zu bestimmen, und er könne von einem anderen verlangen, diesen Wunsch zu ermöglichen.

Die Enttabuisierung der Sterbens- und Todesproblematik, die in unserer Gesellschaft in den 70er Jahren aufkam, war zu begrüßen. Auf diesem

---

[16] Vgl. *T. L. Beauchamp*, s. Anm. 14, 58.
[17] Ebd. 259ff.
[18] *F. Nietzsche*, in: *W. Brugger*, s. Anm. 15.

Gebiet sind die Verdienste von E. Kübler-Ross groß.[19] Auffällig dabei ist, wie sich die Problematik entwickelt hat. Durch die Technik der Medizin wird eine Lebensverlängerung ermöglicht. Dabei wird davon ausgegangen, dass die Verantwortung dafür, ob ein Sterben lang und qualvoll oder kurz und friedlich verlaufe, eindeutig und vollumfänglich bei den Ärzten liegt.[20] Vom Arzt wird daher erwartet – verpflichtet auf das Prinzipienmodell «Autonomie» und «maßgeblicher Wille des Patienten» –, dass er, werden die biologischen Lebenskräfte seines betagten Patienten eingeschränkt, diesem ermöglicht, ohne sich selbst und anderen zur Last zu fallen, von der Bühne des Lebens abzutreten, rasch und schmerzlos zu verschwinden.

Als Beweis dafür, dass dies so erwartet wird, werden Resultate von Bevölkerungsumfragen herangezogen, die ein generelles Einstellungsbild vermitteln sollen. In der Regel werden in solchen Publikationen Antworten von jüngeren, gesunden, nicht unmittelbar vom Tod bedrohten Menschen verwendet. Und so ist auch erklärbar, warum 80 % der Befragten in der «Deutschen Gesellschaft für humanes Sterben» der Möglichkeit aktiver Sterbehilfe auf Verlangen zugestimmt haben.[21] Hinzu kommt, dass Patientenverfügungen propagiert werden, in denen diese ebenfalls in relativ unbelasteten Zeiten über ihr Lebensende bestimmen sollen. Dabei ist aus der Suizidforschung bekannt, dass in unbedrohten Zeiten die Möglichkeit eines Freitodes eher offengehalten wird.[22] Suizidal Gewordene schlagen bei einer suizidalen Bedrohung häufig adaptive Lösungen vor und versuchen, aus der Bedrängnis so lange und so gut wie möglich herauszukommen. Die meisten Personen, die einen Suizid überstanden haben, suizidieren sich später nicht.[23]

Mit derartigen Behauptungen werden also gesellschaftliche Haltungsbilder als Normen vermittelt: Krankheit und Behinderung als Vorboten des Todes sind schlecht und negativ, sie müssen verhindert werden, da sie inhalts- und sinnlos sind. Sie entsprechen nicht dem erstrebens- und lebenswerten Bild des Lebens auch im Alter: Aktivität, Attraktivität, Genussfähigkeit.

Die Ebene der ethischen Legitimation – nämlich eine Solidarität, die in Freiheit die moralischen Werte Respekt und Achtung schützt – ist nicht mehr gefragt. Keine Solidarität gegenüber dem Alten, Behinderten! Solidarität wird hier verstanden als: «Wir sitzen alle im gleichen Boot, in dem einer für alle und alle für einen einer Gemeinhaftung unterliegen.» Die Regeln des sozialen Zusammenspiels in der Gesellschaft sollen und müssen für Respekt und Achtung in Sicherheit sorgen. Aus diesem Grunde ist die Moral in der Gesellschaft dem Verbot des Mordes verpflichtet.

---

[19] Vgl. *E. Kübler-Ross*, Interviews mit Sterbenden, Stuttgart/Zürich 1996.
[20] Vgl. *G. Looser*, Im Sterben die Fülle des Lebens erfahren, Solothurn 1994, 50ff.
[21] Vgl. *A. Holderegger*, Grundlagen der Moral und der Anspruch des Lebens (SThE 55), Freiburg i. Ue./Freiburg i. Br. 1995, 257.
[22] Vgl. ebd. 270.
[23] Vgl. *C. Ernst*, Ärztliche Beihilfe zum Suizid, in: Schweiz. Ärztezeitung 77 (1996) 574.

Aber: die Gesellschaft diktiert, was menschenwürdig bzw. menschenunwürdig ist. Sie stellt dafür eine Katalogisierung auf; und sind auf dieser Katalogskala genügend negative Punkte erreicht, so wird es zur gesellschaftlichen Verpflichtung, daraus die Konsequenzen zu ziehen und sich von diesem Elend «human», durch verlangte Euthanasie, zu befreien.

4. Der Betagte

Ein Patientenbeispiel: Eine 86jährige Frau ist dem Arzt von einer vor zwei Jahren erfolgten, längeren Hospitalisation wegen eines schmerzhaften Rückenleidens bekannt. Sie hatte die damals verlorene Beweglichkeit durch intensives, konsequentes Training wieder erreicht und daher beschlossen, in das ihr gehörende, von ihren Eltern geerbte Mehrfamilienhaus zurückzukehren. Ihre Wohnung im zweiten Stock (ohne Lift) war ihr lieb. Angesichts der annähernd gleich alten Mieter hatte sie sich entschlossen, eine der Wohnungen an Studenten zu vermieten. Sie wollte die neue Situation in ihrem Haus selbst erfahren und prägen, so wie sie das schon immer getan hatte, und kehrte damals mit diesen Plänen nach Hause zurück.

In den vergangenen drei Monaten fühlte sie sich nicht mehr wohl, sie litt an Appetit- und Gewichtsverlust. Zum vereinbarten Termin erschien sie bei mir und begrüßte mich: «So, nun bin ich halt wieder da. Ich habe meinem Hausarzt gesagt, so gehe das nicht weiter. Schließlich muss ich wissen, ob man etwas dagegen machen kann.» Die klinische Untersuchung ergab als Einziges eine diffuse Druck-Schmerzhaftigkeit im Oberbauch. Die weiteren, nicht invasiven Untersuchungen, für die sie sich im Anschluss entschied, zeigten einen Tumor im Bereich der Bauchspeicheldrüse. Bei der Erörterung des Befundes sagte sie: «Das könnte Krebs sein, nicht wahr? Kann man da überhaupt noch etwas machen? Lohnt sich das?» Und nach längerer Pause fügte sie hinzu: «Wir wollen jetzt doch einmal abwarten; wir wollen ja nicht unnütze Kosten verursachen. Nicht wahr, wenn ich Schmerzen haben sollte, dagegen kann man doch etwas machen? Sie sind damit einverstanden? Oder sonst geben Sie mir halt später eine Spritze.»

Es ist oft beeindruckend, wie gut alte Menschen mit wenigen Sätzen Wesentliches zu sagen vermögen. Die Frau stellte eine Diagnose, sie erwägte, ob es kurative Maßnahmen gebe, verwarf diese Möglichkeit im Augenblick – ließ sich also eine Hoffnung noch offen – und benötigte Zeit, um sich mit der vermuteten, allmählich zur Gewissheit gewordenen Tatsache des konkreter werdenden Lebensendes auseinandersetzen zu können. Zuletzt äußerte sie wiederum Hoffnung: Dank des Einsatzes von Mitteln keine Schmerzen haben zu müssen.

«Lohnt sich das?» Eine Frage, die dazwischen auftauchte. Was konnte damit gemeint sein? Vermutlich Aufwand und Nutzen für die Patientin. Was verstand sie unter Nutzen? Aus dem Gespräch ließ sich erraten, dass Schmerzfreiheit einen wesentlichen Nutzen für sie darstellte, und Schmerzfreiheit konnte heißen: Sich selbst zu bleiben, über sich nachzudenken, eigene Entscheidungen zu treffen.

Was bedeutete für die Patientin «unnütze Kosten»? Bei einer späteren Rückfrage bemerkte sie: «Operieren ist wohl zu riskant und teuer; von Chemotherapie hört man, dass sie auch Nebenwirkungen erzeugt, und überhaupt – man soll für die Alten nicht so viel Kosten machen. Nicht wahr, unsere Abmachung gilt?» «Unnütz» konnte für die Patientin zu hohes Risiko, aber auch Kosten bedeuten, Kosten, die man mit den Alten hat. «Die Alten» waren hier Objekt. Dagegen wollte sie sich wehren, sie wollte ihre eigene Herrin und Meisterin sein, also autonom bleiben. Es gilt zu überlegen, ob diese Autonomie eine echte ist, oder ob sie einer Konformität entspricht, indem ein Urteil oder eine Meinung der Gesellschaft akzeptiert wird. Vermutlich ist es für die Alten besser, sich dieser Meinung unterzuordnen, bevor die Gesellschaft tatsächlich über sie entscheidet. Vielleicht kam sie deshalb zu dem Schlusssatz: «Oder sonst geben Sie mir halt eine Spritze.» Hier ist ein Hilferuf zu hören, der auf Angst gründen kann, Angst vor einem möglicherweise wegfallenden Schutzrecht, das die Patientin vom Arzt selbstverständlich für sich erwartet.

Die Frau wurde in der Folge wegen Verschlusses der Gallenwege durch den Tumor gelb, gelegentlich schläfrig, und sie klagte über Schreckträume, die sie jedoch nicht genauer schildern konnte. Eines Tages fragte sie: «Doktor, wann habe ich eigentlich begonnen zu sterben? Geht das noch lange?» Die Frau wurde im Spital mit einem bestmöglichen palliativen Konzept begleitet. Sie starb sechs Wochen nach Spitaleintritt.

Die Patient-Betreuer-Beziehung muss auf Vertrauen aufgebaut sein, um tragend werden zu können. Dem Sterben wird Raum gegeben, die Hilfe, d. h. das Dabeisein bis zum Tod, wird auf diese Weise möglich sein.

5. Der Betreuer

Situation: Ein 83jähriger Mann erlitt zu Hause einen Schlaganfall mit initialem Bewusstseinsverlust. Eine Halbseitenlähmung rechts erholte sich etwas, Schluckprobleme und fehlende Kommunikation blieben auch nach 48 Stunden bestehen. Da der Mann sich vor diesem Schlaganfall geäußert hatte, möglichst nicht in ein Spital eingewiesen werden zu wollen, hatte seine 84jährige Frau anfänglich auch keine Spitaleinweisung veranlasst, da sie selbst behindert war, überstieg die Pflege des großgewachsenen Mannes ihre Kräfte. Nach zwei Tagen musste sie den Hausarzt bitten, die Spitaleinweisung zu veranlassen.

In den ersten Wochen erholte sich die Lähmung so weit, dass der Patient in Begleitung wieder gehen konnte. Er selbst schien das Bedürfnis dazu zu haben; denn immer wieder versuchte er, spontan aufzustehen, und riskierte, wegen Unsicherheit zu stürzen. Die Betreuer mussten durch gute Beobachtung erspüren, wann solche Momente des Bewegungsbedürfnisses kamen. Die Kommunikationsstörung, die Aphasie, blieb bestehen; der Patient konnte sich durch Gesten nur teilweise verständlich machen; auch die Schlucklähmung blieb bestehen. Wollte man mit ihm ein entsprechendes Therapietraining machen, wehrte der Patient vehement ab. Cremen, Joghurt nahm er spontan und verschluckte sich dabei relativ selten. Hatte er Durst, nahm er spontan Flüssiges, was immer er fand, und verschluckte sich extrem. Wollte man ihm aber beim Essen behilflich sein oder ihn dazu animieren, wehrte er ab. Die ungenügende Ernährung und Trinkmenge blieben ein permanentes Problem. Das Körpergewicht nahm ab, der Allgemeinzustand stabilisierte sich jedoch.

Die Ehefrau stellte sich und uns die Frage, was zu tun sei, sollte dieser Zustand lange anhalten. Sie wollte einerseits nicht, dass ihr Mann leide, dass er Durst oder Schmerzen habe, wollte aber auch nicht, dass durch sedierende Medikamente die Restkommunikation beeinträchtigt werde. Es ließ sich beobachten, dass er Freude äußerte, wenn sie zu Besuch kam, deshalb besuchte sie ihn regelmäßig. Die Betreuer jedoch kamen in Nöte: Die schlechte Ernährung hatte in den fünf Wochen zur Gefährdung der Haut für Druckstellen geführt. Durch regelmäßiges, engmaschiges Pflegen und Umlagern ließ sich die Komplikation des Decubitalulcus vermeiden, aber die Maßnahmen wurden vom Patienten wahrscheinlich als unangenehm empfunden, wie seine abwehrenden Reaktionen bei der Pflege zeigten. Eines Tages verschlechterte sich der Zustand plötzlich, der Patient war nicht mehr mobilisier- und nicht mehr weckbar. Seine Frau, die das miterlebte, bat darum, bei zusätzlicher Verschlechterung jederzeit informiert zu werden. Am folgenden Morgen wurde sie gebeten, raschmöglichst ins Spital zu kommen. Als der Arzt mit ihr gemeinsam zum Patienten kam, verflachte sich seine Atmung und innerhalb der nächsten halben Stunde starb der Patient in ihrer Anwesenheit.

Betreuer und auch Angehörige alter Menschen kommen oft in Situationen, in denen sich hinsichtlich der Dauer, während der ein Zustand ausgehalten werden muss, keine Perspektive abzeichnet. Der Konflikt zwischen der Autonomie des Patienten, seinem maßgeblichen Willen, seiner derzeitigen, verbal oder nonverbal ausgedrückten Befindlichkeit, geprägt von seiner Biographie, seiner Art, Probleme anzugehen und zu lösen, seinen Ängsten und Nöten und den Aufgaben der Betreuer, wird evident. Wie kann man Leiden am besten lindern und der Sorge um ein Höchstmaß an Kommunikationsfähigkeit und Bewusstsein gerecht werden?[24] Man muss lernen, dass es nicht der Betreuer ist, der einen Menschen sterben lässt oder ihn am Sterben hindert. Ein Mensch, der zum Sterben bereit ist, stirbt, auch wenn man ihm eine Infusion gibt, oder umgekehrt: Auch ohne Infusion stirbt ein Mensch nicht, wenn er seine biographische Bereitschaft noch nicht hat. Die Schulung unseres Verständnisses für diese Tatsache erhalten wir in der engagierten Begegnung mit unseren sterbenden alten Menschen und von ihnen.

---

[24] Vgl. *A. Holderegger*, s. Anm. 21, 289.

Werden Kataloge erstellt, in denen aufgezählt ist, was für den alten Menschen als nicht menschenwürdig zu gelten hat, so handelt es sich um Fremdbestimmung durch die Gesellschaft. – Im Folgenden soll gezeigt werden, welche Tendenzen sich entwickeln.

6. Die Allgemeinheit, die Öffentlichkeit

Was geschieht im Bereich der Öffentlichkeit zum Thema Geriatrie und Sterbehilfe? Es ist vorauszuschicken, dass Haltungen und Wertungen sich häufig nicht in dem manifestieren, was man sagt – oder aus Gründen von Rücksicht, Hemmungen oder Pietät *nicht* sagt – sondern in dem, was man tut oder ohne Proteste akzeptiert.
- «Alt werden will jeder.» Die durchschnittliche, praktische Lebensbewertung impliziert, dass ein längeres Leben unter sich nicht extrem verschlechternder Lebensqualität besser ist als ein kürzeres. Der Mensch nimmt selbst schwere, aber vorübergehende Leiden für eine Lebensverlängerung in Kauf.
  Beispiel: Bei einer Herztransplantation nimmt der Transplantatempfänger in Kauf, dass in der Folge der Operation unter Umständen ein längerer Aufenthalt auf einer Intensivpflegestation nötig wird und dass Komplikationen auftreten können, die wiederum mit modernen medizinischen Maßnahmen bekämpft werden müssen. Zu solchen gehören Infektionen, Abstoßungsreaktionen des Organs und allfällige Komplikationen beim transplantierten Organ selbst. Die Lebensqualität des Transplantatempfängers kann längere Zeit schwer beeinträchtigt sein.
- «Alt sein will niemand.» In der Annahme, dass Alter generell mit geringerer Lebensqualität verbunden ist, kann damit als Indiz angeführt werden, dass Lebensqualität ein unabhängiger Parameter der Lebensbewertung ist. Eine Lebensbewertung als solche ist nicht gefährlich, sehr wohl aber eine solche nach externen, stellvertretenden Gesichtspunkten. Stellvertretende Gesichtspunkte sollen anhand von zwei Beispielen dargelegt werden:

7. Die Krankenkassen

Angesichts der finanziellen Situation im Gesundheitswesen ist es richtig, dass die Indikation für Leistungen, die die Krankenkassen ihren Versicherten zu bezahlen haben, begründet und auch hinterfragt werden. Die Tatsache, dass ein in einem Akutspital hospitalisierter Patient 85jährig ist, kann für die Krankenkasse bereits ein Indiz dazu sein, dass sie für die Akutpflegeleistung nicht aufkommen will, bzw. dass sie diese als solche oder in ihrer Dauer a priori in Frage stellt. Nach externen Gesichtspunkten, die sich an statistischen Berechnungen orientieren, wird festgelegt, wie lange eine bestimmte Erkrankung für die der Kasse nicht bekannte individuelle Patientensituation zu dauern hat. Es wird bewertet, ob die Berechtigung einer Akuthospitalisation gegeben ist. Aber auch terminale Krankheitszustände beim Betagten werden von der Krankenkasse, um angeblich Kosten einzusparen, als nicht spitalwürdig bewertet. Lakonisch wird unter Umständen mitgeteilt, der Krankheitsfall könne im Spitex-Bereich oder in einem Pflegeheim betreut werden. Die Ironie will es gelegentlich, dass dann im Spitex-Bereich von einem anderen Funktionär der gleichen Kasse beurteilt, die Kostenübernahme ebenfalls als nicht gerechtfertigt bewertet wird.

8. Die Politik

Es ist verständlich und zu begrüßen, dass eine die Gesellschaft beschäftigende Frage auch von unseren Politikern aufgenommen wird. Am 28. September 1994 wurde im Eidgenössischen Parlament in Bern eine Motion eingereicht mit dem Titel: «Sterbehilfe», Ergänzung des Strafgesetzbuches. Wortlaut der Motion:[25]

«Trotz allen Mitteln, die für Lebensverlängerung heute zur Verfügung stehen, gibt es weiterhin unheilbare Krankheiten, welche mit fortschreitender Entwicklung die Würde des Menschen in schwerer Weise beeinträchtigen. Angesichts dieser Tatsache haben in unserer Gesellschaft immer mehr Menschen den Wunsch, selber über ihr Ende mitbestimmen und in Würde sterben zu können. Daher ersuche ich den Bundesrat, einen Entwurf für einen neuen Artikel 115bis des Schweiz. Strafgesetzbuches vorzulegen.»

Laut Begründung der Motion

«... könnte der Entwurf für einen neuen Artikel 115bis des Schweiz. Strafgesetzbuches wie folgt lauten:
Straflose Unterbrechung des Lebens
Weder Tötung auf Verlangen im Sinne von Art. 114 noch Beihilfe zum Selbstmord im Sinne von Art. 115 liegt vor, wenn folgende Voraussetzungen *kumulativ* erfüllt sind:
1. Der Tod der betreffenden Person ist auf deren ernsthaftes und eindringliches Verlangen herbeigeführt worden.
2. Die verstorbene Person hat an einer unheilbaren, irreversibel verlaufenden Krankheit gelitten, für die ein tödlicher Ausgang prognostiziert worden ist und die mit unerträglichen, körperlichen und seelischen Leiden verbunden ist.
3. Zwei diplomierte und sowohl voneinander wie gegenüber dem Patienten unabhängige Ärzte haben zuvor beide bescheinigt, dass die Voraussetzungen nach Ziff. 2 erfüllt seien.
4. Die zuständige ärztliche Behörde hat sich vergewissert, dass der Patient angemessen informiert worden ist, urteilsfähig ist und das Gesuch um Sterbehilfe wiederholt gestellt hat.
5. Die Sterbehilfe muss von einem eidg. diplomierten Arzt geleistet werden, den der Gesuchsteller selber unter seinen Ärzten ausgewählt hat.»[26]

---

[25] Motion Ruffy, Sterbehilfe, Ergänzung des Strafgesetzbuches, 28.09.1994, 3370.
[26] Anhang zu Motion Ruffy, s. Anm. 25.

Auffällig an dieser Formulierung ist die sprachliche Unsorgfältigkeit und Sorglosigkeit, mit der mit Begriffen umgegangen wird:
- So wird mit einer Selbstverständlichkeit mit dem Begriff «Würde» argumentiert, ohne zu definieren, was darunter verstanden wird. «Würde» kann nur in relationalen Verhältnissen zu den einzelnen Situationen des jeweiligen betroffenen Menschen gesehen werden. Es müsste umschrieben sein, dass «Würde» Folgendes beinhaltet: Lebensphasen erleben zu können; Sinn in diesen Phasen finden zu können, denn auch Krankheit ist an sich sinnhaftig; über sich selbst reflektieren zu können.
- Sodann wird behauptet, dass «immer mehr Menschen den Wunsch haben, selber über ihr Ende mitbestimmen und in Würde sterben zu können».
- Es ist nicht klar, was «immer mehr» heißt. Beruft man sich dabei auf Umfragen, wie sie früher zitiert wurden, die bei einer selektionierten Bevölkerungspopulation erhoben wurden, so ist die Gültigkeit der Aussage bereits fraglich.[27] Mit dem gleichen Satz kann suggeriert sein, dass bis anhin wenige Menschen den Wunsch gehabt hätten, in Würde sterben zu können.
- Wenn im Weiteren von «strafloser Unterbrechung des Lebens» gesprochen wird, so handelt es sich um einen üblen Euphemismus. Es gibt keine Unterbrechung des Lebens, sondern nur einen Abbruch, d. h. die Tötung.

Die Formulierung von kumulativen Voraussetzungen in den Punkten 1–5 entspricht der Haltung, dass man mit einem ethischen Problem statistisch umgehen kann. Aktive Sterbehilfe heißt Tötung, ob sie auf Verlangen oder nicht auf Verlangen erfolgt, ist irrelevant. Es lassen sich hier nivellierende Argumentation und Extension des Begriffes «Töten» beobachten.

Wenn das Prinzip der Behebung von Leiden, das Erhalten von Würde durch die Tötung des leidenden Betagten anerkannt wird, gibt es gegen die Ausweitung der Euthanasie auf nicht terminale, nicht behebbare Leidensumstände und auf nicht einwilligungsfähige betagte Patienten kein sinnvolles Argument mehr. Vor 50 Jahren hat sich dies im Norden der Schweiz ein Staat zu seiner Doktrin gemacht.

Oft wird die Regelung in den Niederlanden als maßgebliche Vorbildsituation dargestellt. Betrachten wir aber, wie in einer solchen Publikation wiederum mit statistischen resp. prozentualen Angaben umgegangen wird, ist dies ebenso bedenklich.[28] 2 700 Fälle von Sterbehilfen werden im Verhältnis zu 135 000 Gesamttodesfällen 1990 als kleine Zahl von 2 % angegeben. Im Text werden 2 700 oder wiederum 2 % als sogenannte «Grauzonenfälle» beschrieben, bei denen nicht mit Sicherheit festgestellt werden konnte, ob Sterbehilfe auf ausdrückliches Verlangen des Patienten erfolgte oder ob einer Schmerz- und anderen Symptombehandlung nicht eine ver-

---

27 Vgl. *A. Holderegger*, s. Anm. 21.
28 Vgl. *G. Van der Wal et al.*, in: Schweiz. Ärztezeitung 77 (1996) 1998–2001.

steckte Absicht bewusster, also vom Patienten nicht explizit verlangter Lebensverkürzung zugrunde gelegen hat. Schließlich werden 1 000 Fälle als «nur 0,8 %» erwähnt, bei denen der Arzt das Leben des Patienten beendet hat, *ohne* dass dieser ausdrücklich darum gebeten habe. Wie steht es hier um Autonomie und Würde, um Schutzwürde jedes einzelnen dieser getöteten betagten Menschen als Person?

9. Die Assistenz zum Tod – Bedürfnisse des alten Menschen

Geht man davon aus, dass auch der alte sterbende Mensch das Bedürfnis hat, den letzten Teil seiner Existenz, das Leben zum Tode hin zu sehen, zu gehen und zu gestalten, so wird er darin zum Menschsein befähigt. Er ist Mensch, nicht Stein; Mensch, nicht Pflanze; Mensch, nicht Tier. Im Stein schuf die Natur Struktur, in der Pflanze Leben, im Tier Bewegung, und im Menschen Vernunft. Vernunft, ratio, sei hier als spezifisch menschlicher Akt der begrifflich diskursiven Erkenntnis verstanden, als Erkenntnis- oder Seinsgrund. Die Fähigkeit zum Menschsein wird vom Theologen K. Barth als Gesundheit bezeichnet.[29] Sie ist eine Fähigkeit, mit der Wirklichkeit zu leben, also mit der Wirklichkeit des Lebensendes. Diese Wirklichkeit hat, wie auch die übrigen bisher gelebten Lebensabschnitte, den Charakter eines auszugestaltenden Raumes und einer zu erfüllenden Zeit. Was benötigt der Mensch zu einer gelingenden Gestaltung dieser Raum-Zeit-Einheit? Es ist zu bedenken, dass wir nicht von erfolgreicher Gestaltung des Sterbens sprechen; denn was heißt hier erfolgreich? Gelingende Gestaltung der letzten Wegstrecke bedeutet: Sterben als Mensch. Vier Existenzgrundbedürfnisse des alten Menschen haben auch am Lebensende – im Sterben – ihre Gültigkeit:

9.1 Erstes Existenzgrundbedürfnis: Angenommensein

Der alte Mensch möchte angenommen sein. Dass ein Mensch von Mitmenschen in einer Gesellschaft angenommen ist und wird, erfährt er an Grundbedingungen, die erfüllt sind und nach denen sich eine Gesellschaft richtet. Der betagte Mensch muss erfahren haben und erfahren können, dass es Regeln der Moral gibt, an die sich eine Gesellschaft hält und an die auch er sich halten kann.

Erste Regel: Die Moral einer Gesellschaft sorgt für das Verbot des Mordes. Die Gesellschaft bringt jedem Menschen Respekt entgegen und ermöglicht so Sicherheit. Jeder alte Mensch hat ein Bedürfnis des Angenommenseins von anderen Menschen, das Bedürfnis nach Begegnung in Sicherheit und Respekt.

---

[29] *K. Barth,* Ansprache zum Tag der Kranken, DRS, 1965.

Zweite Regel: Eine Gesellschaft sichert mit dem Verbot des Diebstahls die Wechselbeziehung untereinander. Sie ermöglicht für jeden Gerechtigkeit. Jeder alte Mensch hat ein Bedürfnis des Angenommenseins von Mitmenschen, das Bedürfnis nach Austausch in Gerechtigkeit.

Dritte Regel: Das Verbot der Umkehr aller Regeln sichert die Identität jedes Einzelnen. Sie ermöglicht für jeden Anerkennung. Anerkennung wird dem Bedürfnis des Angenommenseins gerecht.

9.2 Zweites Existenzgrundbedürfnis: Aktivität

Der alte Mensch möchte aktiv sein. Der Mensch hat ein Grundbedürfnis nach Aktivität. Man kann dies ein «biopsychosoziales» Bedürfnis nennen. Am Lebensende findet etwas seinen Ab-Schluss – aber auch seinen Ausdruck. Ein Patient muss durch Bewegung etwas nachholen/abschließen; ein anderer muss durch Sprechen etwas ausdrücken; ein dritter tut dies durch Schweigen.

Eine betagte Demente, die wegen ihrer Unruhe eine ganze Abteilung im Spital und eine Familie zu Hause zur Verzweiflung gebracht hat, stirbt still, ohne Aufhebens, nachdem sich alle – endlich? – zurückgezogen haben.

9.3 Drittes Existenzgrundbedürfnis: Fortschritt und Entwicklung

Der alte Mensch braucht Fortschritt und Entwicklung. Fortschreitend entwickelt der Mensch sein Leben. Auch der alte Mensch entwirft und entfaltet. Er kann im Alter altersgemäße Entfaltungsmöglichkeiten haben und so nach A. Jores gesund sein. Diese Entfaltung wird von seiner Geschichte, seiner «story» geprägt. Die *Retentio*, das Eingedenk-Sein, was war, führt zu *Intentio*, der von der Biographie geprägten Aussicht auf das, was werden kann. Das «story-Konzept» nach Ritschl[30] geht davon aus, dass der alte Mensch die Geschichte des Gewordenseins erzählen kann, aber dass er auch erzählen kann, wie es werden könnte oder sollte, weil er darüber Vorstellungen hat. Meine «story» ist all das, was ich als Ganzheit bewusst und unbewusst aufgenommen und in mich integriert habe. Durch meine «story» bin ich der geworden, der ich bin oder der zu werden ich noch hoffen kann. Die Erwachsenen stehen in der Mitte ihrer «story». Sie sind geprägt durch den bisherigen Lebenslauf, sie haben ihre Weltsicht und ihre Deutung. Sie haben ihre subjektiv gedeutete, symbolisch verschlüsselte und sprachlich mitteilbare Sicht des Lebens inmitten anderer Leben.

Wenn man von einer solchen Wahrnehmung des Menschen und seiner selbst ausgeht, dann ist jedem einzelnen Menschen in Erfahrung und in Erwartung seiner Geschichte als einmaliger Person zu begegnen und diese als

---

[30] Vgl. *D. Ritschl*, Das «story»-Konzept in der med. Ethik, in: Ökumene, Medizinethik, gesammelte Aufsätze, München 1986, 201–212.

solche anzuerkennen[31] Für den Geriater geht es darum, die Bewältigungsstrategien – die Coping-Strategien –, die der Betagte aus seiner «story» mitbringt, kennen zu lernen. Darauf aufbauend, kann er ihn in der Formulierung von Zielen unterstützen. Auch in der Zielverwirklichung übernimmt der Geriater die Aufgabe der Assistenz. Es kann hilfreich sein, bei dieser Aufgabe einer Leitlinie zu folgen und sechs Punkte zu bedenken:[32]
- Problemstellung
- Situationsanalyse: Vorgehen nach dem biopsychosozialen Modell.[33]
- Formulierung von Verhaltensalternativen: Mehr als 2 sind für eine Entscheidungsfindung wesentlich.
- Prüfung der Normen: Welche Regeln des sozialen Zusammenspiels in der Gesellschaft sind gültig? Wie ist die Legitimation?
- Urteilsentscheid.
- Kontrolle: War es richtig so?

9.4 Viertes Existenzgrundbedürfnis: Sinnfindung

Der alte Mensch sucht einen Sinn. Wiewohl bei Sterbenden die Frage des «Warum» immer wieder auftaucht, ist sie als solche eine unbeantwortete Frage. In der Geschichte von Hiob sagt Elihu (Hiob 36.15): «Leiden und Träume als Anstoß zum Nachdenken, Öffnen der Ohren zum Lauschen auf neue Töne.» Sterben bedeute oft Leiden. Elihu fragt nicht, wie fast alle Menschen, zum Leiden im Sterben «warum». Er schaut vorwärts und fragt «wozu». Es geht ihm nicht um die Ursache, sondern um das Ziel. Ob Leiden erklärbar ist oder nicht, Elihu ist überzeugt, dass Leiden Folgen haben muss. Leiden als Mahnwort, Mahnung, in sich zu gehen, nachzudenken, anders zu werden. R. Leuenberger formuliert in diesem Sinne:

> «Zum Leben kann nur ja sagen, wer auch zu seinem Tod ja sagen kann, nicht zum Tod am Ende seines biographischen Daseins, sondern von vielen Toden, die ihm dieses zumutet.»[34]

Zur Frage der Sinnfindung äußert sich, aus anderem Blickwinkel, doch auch für unsere Situation bedenkenswert, V. E. Frankl:

> «Wenn Leben überhaupt einen Sinn hat, dann muss auch Leiden einen Sinn haben. Gehört doch das Leiden zum Leben irgendwie dazu – genau so wie das Schicksal und das Sterben.»[35]

---

[31] Vgl. *W. Lienemann,* Rehabilitation im Lichte des «story»-Konzeptes in der Medizinethik. Kurzreferat Berner Geriatrietag vom 1.11.1996, Zieglerspital Bern, Verhandlungsbericht, 1–7.
[32] Vgl. *H. E. Todt,* Versuch zu einer Theorie ethischer Urteilsfindung, zit. in: *J. Ziemer,* Ethische Orientierung als seelsorgerliche Aufgabe, in: Wege zum Menschen 45 (1993) 388–398.
[33] Vgl. *W. Morgan/G. L. Engel,* Der klinische Zugang zum Patienten, Bern 1977.
[34] *R. Leuenberger,* Bewältigung des Sterbens, Ärztegesellschaft des Kantons Bern, Bern 1985, 22ff.
[35] *V. E. Frankl,* ... trotzdem «Ja» zum Leben sagen, München 1997, 110.

Wenn ein betagter Patient sich überlegt, von seinem Arzt zu verlangen, aktiv sein Leben zu beenden, tritt die Sinnfrage, die ungeklärt sein könnte, stark in den Vordergrund. Welches Ziel verfolgt denn dieser betagte Patient? Noch einmal beziehen wir uns auf Frankl:

> «Das lateinische Wort finis hat bekanntlich zwei Bedeutungen: Ende – und Ziel. Ein Mensch nun, der nicht das Ende einer ‹provisorischen› Daseinsform abzusehen imstande ist, vermag auch nicht, auf ein Ziel hin zu leben.»[36]

Man könnte postulieren: Da kein Betagter das Ende seines Lebens sieht, d. h. es für ihn unabsehbar ist, kann er auch seiner Situation keinen Sinn mehr zugestehen. Hilft er sich damit, dass er durch den vermeintlich freien Entscheid der Bestimmung seines Todes das Ende definiert und damit auf ein «neues Ziel» hin leben kann? Bleibt er auf diesem Weg aber nicht trotzdem allein? Flüchtet er sich nicht in eine Scheinsicherheit? R. Leuenberger meint dazu:

> «Darum ist jede Mühe, Sterben durch die eine oder andere Maßnahme schmerzlos zu machen, oder gar das Sterben, soweit es gesetzlich zulässig ist, abzukürzen, so lange illusorisch, als man dem Kranken die innere, menschliche Gegenwart nicht zu gewähren fähig und willens ist, sondern ihn in seiner inneren Einsamkeit belässt.»[37]

Besonders im Alter, zum Lebensende hin, erlebt der alternde Mensch das Abnehmen seiner Kräfte. Karl Barth spricht von «Kraft und Unkraft, Aufbau und Abbau, Einsamkeit und Verbundenheit, Harmonie und Konflikt, Glück und Schmerz, Leben und Leiden, die es auszuhalten und zu gestalten gilt».[38] Im Sterben kann sich Übereinstimmung mit dem Lebensgeschehen entfalten, d. h. auch im Sterben zu sein oder zu werden, wie es im Leben erwartet worden ist.

Dem Geriater obliegt die vornehme Aufgabe, bei der Suche nach einem Sinn als Sozius, als Sozia, als Gefährte dabei zu sein und auszuharren. Sinnfindung bedeutet Finden einer Perspektive. Jeder Mensch, auch der Sterbende, bedarf der Perspektive. Diese Perspektive, die Sinnfindung auf ein «Wozu» hin kann nicht «gemacht», kann nicht einfach «hergestellt» werden. Es gilt zu bedenken, dass wir uns dazu in Geduld und Intuition üben können, ja *müssen,* dass Perspektive werden kann. Diese Perspektive kann verschiedene Raum-Zeit-Einheiten umfassen: Stunden, Minuten oder nur Sekunden.

Zum Schluss sei der Hinweis auf Leo Tolstois Erzählung «Der Tod des Iwan Iljitsch» gestattet: Durch einen raschen, schmerzlosen Tod ließe sich das letzte Kapitel erübrigen. L. Tolstoi jedoch würde sich vermutlich ganz entschieden verbitten, Iwan Iljitsch dadurch die Möglichkeit der Entfaltung zum Menschsein an seinem Lebensende zu berauben.

---

[36] Ebd. 115.
[37] *R. Leuenberger,* s. Anm. 34.
[38] *M. Klessmann,* Die prophetische Dimension der Seelsorge im Krankenhaus, in: Wege zum Menschen 49 (1997) 413–428.

Daniel Scheidegger

Intensivmedizin und Sterbehilfe
Ist die Unterscheidung aktiv/passiv sinnvoll?

Durch das Entstehen der neuen Disziplin «Intensivmedizin» wurde die Möglichkeit, über Leben und Tod von Patienten zu entscheiden, plötzlich drastisch erhöht. Verbesserte Wiederbelebungsmöglichkeiten, neue Überwachungsgeräte, kreislauf- und atmungsunterstützende Systeme und vor allem das dauernde Vorhandensein von geschultem Personal, hat diese größere Kontrolle über Leben und Tod ermöglicht. Die früheren Grenzen unserer therapeutischen Möglichkeiten bei Schwerstkranken wurden durch das Einführen von Intensivstationen verschoben. Wir haben darauf in den frühen 70er Jahren durch diese intensivmedizinischen Erfolge geglaubt, dass in Zukunft die Grenzen in der Medizin durch uns bestimmbar seien.

Dadurch kamen dann aber völlig neue, grundsätzliche Fragen der Ethik auf.[1] Insbesondere nachdem wir realisieren mussten, dass wir nicht genügend Ressourcen für alle schwerstkranken Patienten haben. Müssen wir lebenserhaltende Maßnahmen bei allen Patienten anwenden? Auch bei denjenigen, bei denen die Überlebenschance sehr gering erscheint oder die Restlebenszeit sehr kurz? Wann darf die Behandlung abgebrochen werden? Oder darf sie auch in einer begrenzten Art und Weise weitergeführt werden? Wer darf diese Entscheidungen treffen, unter welchen Umständen und nach welchen Standards? Seit immer mehr schwerkranke Patienten Langzeitbehandlungen bekommen und die Zeit, in der die Medizin wirklich heilen konnte – wie zum Beispiel bei den Infektionskrankheiten – vorbei ist, sind diese Fragen noch wichtiger geworden. Heute ist ja der größte Teil unserer Therapien dazu da, Leben qualitativ vernünftig zu verlängern.[2] Da aber unsere finanziellen und infrastrukturellen Ressourcen beschränkt sind, haben wir nicht mehr die Möglichkeit, alle Patienten, die eine intensivmedizinische Behandlung benötigen, auch auf einer solchen Station zu hospitalisieren. Diese Probleme sind uns schon lange bekannt. Leider sind wir in den reichen, westlichen Ländern erst durch die finanziellen Engpässe gezwungen worden, uns mit diesen Fragen auseinanderzusetzen.[3]

Intensivmedizin ist definiert als ein Ort, wo Patienten gepflegt werden, die eine unmittelbare, akute, aber eigentlich reversible, lebensbedrohliche

---

[1] Vgl. *G. P. Fletcher*, ed. *S. Gorovitz/A. Jameton/R. Macklin et al.*, Legal aspects of the decision not to prolong life. Moral Problems in Medicine, Englewood Cliffs NJ 1976, 261–266; *J. Fletcher*, ed. *A. B. Downing*, The patient's right to die. Euthanasia and the Right to Death, London 1969, 61–70.

[2] Vgl. *H. Pontoppidan/W. M. Abbott/D. C. Brewster et al.*, Optimum care for hopelessly ill patients, in: New England Journal of Medicine 295 (1976) 362–364.

[3] Vgl. *M. Solomen*, Decisions near the end of life: professional views on life-sustaining treatments, in: American Journal of Public Health 83 (1993) 14–20.

Erkrankung haben. Einige Patienten profitieren auch von einer prophylaktischen Behandlung auf einer Intensivstation, vor allem in der unmittelbar postoperativen Periode, damit Katastrophen wie Herzstillstand, Atemstillstand, Schock, Nierenversagen und anderes bereits frühzeitig erfasst und entsprechend vermieden werden kann. Auf Grund dieser Definition wird klar, dass nicht alle schwerkranken Patienten automatisch auf einer Intensivstation aufgenommen werden. Für die Unterscheidung aktive und passive Sterbehilfe ist dies ein sehr wichtiger Punkt. Es werden nur Patienten aufgenommen, deren Erkrankung potentiell heilbar ist. Patienten mit einer unheilbaren Erkrankung oder Patienten, die bereits im Sterben liegen, brauchen zwar Pflege im Spital oder einem entsprechend ausgerüsteten Pflegeheim, können aber von einer Intensivtherapie nicht profitieren. Dies hat nichts mit Rationierung zu tun, da diese Patienten nicht sterben, weil sie keinen Platz auf einer Intensivstation bekommen, sondern weil bei ihren zugrunde liegenden Erkrankungen der Tod auch durch eine Therapie nicht aufgeschoben werden kann. Intensivstationen sind voll mit Geräten und lassen dem Patienten fast keine Privatsphäre, da sonst eine kontinuierliche Überwachung nicht gewährleistet werden kann. In dieser technischen Umgebung ist es nicht einfach, von einem sterbenden Patienten Abschied zu nehmen. Schon allein aus diesem Grund dürfen sterbende oder unheilbar kranke Patienten nicht dorthin gebracht werden.

Am Anfang der Intensivtherapie, wo sowohl wir Ärzte wie auch die Bevölkerung geglaubt hat, dass der Tod in jedem Fall aufgeschoben werden könnte, ist das, was Shoemaker 1975 beschrieben hat, leider allzu häufig der Fall gewesen:

> «All too frequently, the conduct of a relatively dignified demise gives way to a horror show, which may culminate in rapid administration of many drugs, some of which may counteract each other. Heroic efforts with simultaneously administered massive doses of multiple agents in the terminal state may suggest the appearance of pharmacologic last rites, rather than that of a well-thought out plan.»[4]

Medizintechnische Möglichkeiten dürfen nicht einfach gebraucht werden, weil sie vorhanden sind. Ihr Einsatz muss auf die Bedürfnisse und Rechte des Patienten zugeschnitten werden, muss auf die knappen Ressourcen der ganzen Bevölkerung abgestimmt sein und darf nicht ausschließlich dazu benützt werden, die an den Überwachungsgeräten gemessenen vitalen Parameter der einzelnen Patienten zu normalisieren.

1. Aktive vs. passive Sterbehilfe

Aktive Sterbehilfe darf es auf einer Intensivstation nicht geben. Unabhängig davon, wie man zu diesem Thema selbst eingestellt ist und unabhängig

---

[4] W. C. L. *Shoemaker*, Interdisciplinary medicine. Accomodation or integration?, in: Critical Care Medicine 3 (1975) 1–4.

von der jetzigen Rechtslage ist es aus den oben genannten Gründen falsch, aktive Sterbehilfe auf einer Intensivstation durchzuführen.[5] Eine voll technisierte Überwachungseinheit, in der zwischen drei und sechs Patienten in demselben Raum gepflegt werden, ist nicht der Ort, an dem eine aktive Sterbehilfe durchgeführt werden sollte. Außer den Lokalitäten gibt es noch andere wichtige Gründe, warum eine aktive Sterbehilfe – wie sie heute in verschiedenen Ländern diskutiert wird – nicht auf einer Intensivstation durchgeführt werden kann. Eine der Bedingungen für eine aktive Sterbehilfe ist in allen Ländern der ausdrückliche Wunsch des voll zurechnungsfähigen Patienten, ein Medikament verabreicht oder bereitgestellt zu bekommen, welches zum Tode führt. Auch die Befürworter diskutieren die aktive Sterbehilfe immer nur im Zusammenhang mit einer unheilbaren Erkrankung und langem schmerzhaftem Leidensweg.[6] Solche Patienten sollten aber, wie wir weiter oben ausgeführt haben, nie auf eine Intensivstation gebracht werden. Über 60 % unserer Patienten kommen notfallmäßig auf die Intensivstation. In den allermeisten Fällen gibt es keine Möglichkeit, vorher mit dem Patienten über seine Wünsche beim Auftreten von Komplikationen zu sprechen. Ein wirklich intensivtherapie-bedürftiger Patient wird aber auch durch das Aufhören der therapeutischen Bemühungen sterben, also durch passive Sterbehilfe. Somit werden wir als Intensivmediziner mit der aktiven Sterbehilfe nicht direkt konfrontiert werden. Darüber bin ich froh, denn es ist für mich als Arzt ein großer Unterschied, ob ich dem Wunsch eines Patienten entspreche und meine therapeutischen Bemühungen einstelle oder ob er von mir verlangt, dass ich ihn töte![7]

In Diskussionen mit den Befürwortern wird hier immer wieder der schriftliche Wille des Patienten, das sogenannte Patiententestament, erwähnt.[8] Dies würde zulassen, dass auch bei Notfallsituationen genau bekannt ist, was der Patient in dieser Situation von uns verlangt.

Das Patiententestament ist eine gute Einrichtung bei der Frage der passiven Sterbehilfe, für mich aber unbrauchbar bei der aktiven Sterbehilfe! Wir erleben es täglich auf den Intensivstationen, wie schwierig es für uns Menschen ist zu wissen, was wir wirklich an medizinischer Hilfe möchten, wenn wir wirklich einmal schwerkrank sind. In meinem Kollegenkreis habe ich dies mehrmals erfahren. Ärzte, die die Grenzen der Medizin sehr gut kannten, wenn es um die Beratung ihrer Patienten ging, wollten Stunden

---

[5] Vgl. *P. J. van der Maas/G. van der Wal/I. Haverkate et al.*, Euthanasia, physician assisted suicide, and other medical practices involving the end of life in the Netherlands, in: New England Journal of Medicine 335 (1996) 1699–1705; vgl. *C. M. Wilfert*, Euthanasia in the Netherlands: good news or bad?, in: ebd. 1676–1680.

[6] Vgl. *R. J. Blendon/U. S. Szalay/R. A. Knox*, Should physicians aid their patients in dying? The public perspective, in: JAMA 267 (1992) 2658–2662; vgl. *M. A. Lee/H. D. Nelson/V. P. Tilden et al.*, Legalising assisted suicide: views of physicians in Oregon, in: New England Journal of Medicine 334 (1996) 310–315.

[7] Vgl. *N. Dubler*, Balancing life and death: proceed with caution, in: American Journal of Public Health 83 (1993) 23–25.

[8] Vgl. *A. Meisel*, The Right to Die, New York NY ²1995.

vor ihrem Tod, bei einem lange bekannten Krebsleiden mit Ablegern in verschiedenen Organen noch auf die Intensivstation verlegt werden mit der Hoffnung, dadurch ihr Leben noch etwas zu verlängern. Vor kurzem hatten wir eine Patientin mit schwerer Atemnot bei einem bekannten Asthmaleiden. Sie war bereits älter und völlig alleinstehend; sie bat uns in einem langen Gespräch, dass sie bei einer weiteren Verschlechterung nicht intubiert und nicht an ein Beatmungsgerät angeschlossen werden möchte. Dies wurde so zwischen ihr und unserem Team vereinbart. Wenige Stunden später verschlechterte sich der Zustand und die Patientin verlangte, dass wir sie trotz den erst vor kurzem getroffenen Abmachungen jetzt intubieren sollten! – Diese Beispiele sollen nicht dazu dienen, Patiententestamente als unbrauchbar zu erklären. Es bleibt aber die große Schwierigkeit für uns alle, die zur Zeit noch gesund sind, zu wissen, was wir in einer medizinischen Notfallsituation wirklich möchten. Es wird deshalb auch schwierig werden, wenn wir die großen Probleme unseres Gesundheitswesens durch demokratische Entscheidungsprozesse zu lösen versuchen. Ich habe als gesunder Steuerzahler eine andere Einstellung zu unserem Gesundheitswesen als ein chronisch Kranker!

Wir müssen wieder lernen, auch in der Gesellschaft über den Tod zu sprechen! Die vollständige Tabuisierung unserer Vergänglichkeit hat sicher mit dazu beigetragen, dass fast alle Sterbenden, die ich begleitet habe, gekämpft haben und bis ganz zum Schluss nicht loslassen konnten.

Die Frage nach der aktiven und passiven Sterbehilfe darf nicht abgeschlossen werden ohne die Arbeit von Fletcher zu zitieren.[9] Er glaubt, dass diese beiden Möglichkeiten ethisch akzeptabel sind und dass es sogar unter gewissen Umständen moralisch verpflichtend sei, einen Patienten zu töten und nicht nur zu erlauben, dass dieser Patient stirbt. Er glaubt, es sei menschlicher, direkt einzugreifen und einen Patienten zu töten, als ihn die lange Agonie eines Todeskampfes mitmachen zu lassen. Er glaubt, dass es keinen moralischen Unterschied gibt zwischen jemanden zu töten und jemanden sterben zu lassen. Er begründet seine Ansicht durch die Absicht derjenigen, die diese Entscheidung fällen. Die Absicht sowohl bei dem, der jemanden tötet wie bei dem, der jemanden sterben lässt, ist die gleiche – nämlich, nach Fletcher, das Leben eines Patienten zu beenden. Er glaubt, dass wenn es erlaubt sei, jemanden sterben zu lassen, es ebenfalls erlaubt sei, jemanden zu töten.

Obwohl es für mich einen klaren Unterschied zwischen dem Sterbenlassen und dem Töten gibt, ist es wichtig, dass diese extreme Haltung von J. Fletcher hier diskutiert wird. Für uns Intensivmediziner, die lebenserhaltende Therapien aktiv abbrechen, wenn der Patient keine Überlebenschance mehr hat, stellt sich dabei immer wieder die Frage, wie groß tatsächlich der Unterschied zwischen dem Töten und Sterbenlassen ist. Wenn wir aktiv Herz-Kreislauf-unterstützende Medikamente absetzen und Selbstbestimmung der Patient in den darauf folgenden Minuten oder Stunden

---

[9] Vgl. *J. Fletcher*, s. Anm. 1.

stirbt, hat man, auch wenn der Unterschied uns allen sehr gut bekannt ist, unter den emotionalen Umständen manchmal seine Bedenken.

1977 hat Cynthia Cohen[10] zwei sehr gute Beispiele publiziert, die zeigen, dass Fletchers Ansicht nicht mit unserer Ethik in Einklang zu bringen ist und ein klarer Unterschied zwischen Töten und Sterbenlassen besteht:

- Vier Patienten können durch eine kleine Dosis eines neuen Medikamentes am Leben erhalten werden. Ein Patient braucht eine große Dosis, um zu überleben. Da wir nur sehr wenig von diesem Medikament zur Verfügung haben, können wir entweder vier Patienten behandeln oder einen, aber nicht alle. Wir geben das Medikament den vier Patienten und retten ihr Leben. Den fünften Patienten lassen wir sterben, da wir ihm das Medikament nicht auch noch geben können.
- Vier Patienten könnten durch eine Organtransplantation gerettet werden. Wir brauchen eine Leber, zwei Nieren und ein Herz, um sie alle zu retten. Wir nehmen diese Organe von einem Gesunden, d. h. wir töten ihn und retten das Leben der vier Patienten.

Für alle ist es klar, dass das Vorgehen im ersten Beispiel ethisch akzeptabel ist. Es würde aber niemand zulassen, jemanden zu opfern, um die vier Patienten zu retten, die zum Überleben ein neues Organ benötigen – wie dies im zweiten Beispiel beschrieben wird.

Töten und Sterbenlassen haben also nicht die gleiche moralische Bedeutung, obwohl wir in beiden Beispielen dieselbe Absicht haben, nämlich vier Leben zu retten!

Selten erlebt man es auch, dass bei einem Patienten, bei dem auf eine aktive Therapie verzichtet wird, der Zustand sich plötzlich verbessert und er das Spital verlassen kann. Auf eine aktive Therapie zu verzichten, hat nicht immer das gleiche Resultat zur Folge, wie jemanden zu töten.

2. Passive Sterbehilfe auf der Intensivstation

Obwohl die passive Sterbehilfe auf den Intensivstationen häufig praktiziert wird, gibt es auch in dieser Frage zwei Lager. Beide Gesichtspunkte sind extrem und beide haben trotzdem im Kern ihre Berechtigung. 1966 hat ein Urologe in Schweden folgenden Satz geschrieben: Er glaube, dass die Angst vor dem Tod für viele Patienten deshalb so unerträglich geworden ist, weil sie befürchten, dass das Leben künstlich verlängert wird, auch wenn keine Hoffnung auf ein würdiges Leben mehr bestehe. Diese Meinung wird heute von vielen geteilt, vor allem was unsere medizinische Versorgung bei den Patienten in den Pflegeheimen anbelangt. Die gegenteilige Ansicht wird von Ärzten vertreten, die auch absolut zurecht sagen, dass wir in unserem Medizinstudium und in unserer späteren Ausbildung nur lernen, wie wir Leben erhalten, wo immer es möglich ist. Wir sind nicht ausgebildet wor-

---

[10] Vgl. *C. Cohen*, Ethical Problems of Intensive Care, in: Anesthesiology 47 (1977) 217–227.

den zu entscheiden – und sollten es vielleicht auch nicht sein – wem es besser geht, wenn er tot ist. Für die Anhänger dieser Grundsätze gibt es keine sterbenden Patienten, sondern nur Tote. Derjenige Patient, der noch am Leben ist, hat ein Recht, dass alles, was heute medizinisch bekannt ist, dafür eingesetzt wird, dass er auch am Leben bleibt. Nur ein toter Patient kann von der Medizin nicht mehr profitieren. Auch wenn diese Einstellung sehr extrem erscheint, sind die Befürchtungen dieser Gruppe gut nachvollziehbar. Wer garantiert, dass die Therapie nicht nur bei hoffnungslos kranken Patienten beendet wird, sondern auch bei körperlich und geistig Behinderten? Wer garantiert, dass bei weiterem Rückgang unserer Ressourcen plötzlich nicht auch finanzielle Gesichtspunkte über Leben und Tod entscheiden? Ist plötzlich der Familienvater mehr wert als der alleinstehende Arbeitslose? Hat ein langjähriger Raucher nicht mehr die gleichen Ansprüche an unser Gesundheitswesen wie ein Nichtraucher? Wie steht es mit den HIV-positiven Mitbürgern? Dabei kommen Gedanken an den Nationalsozialismus auf, bei dem auch führende Leute des damaligen Staates entschieden haben, wer am Leben bleiben darf und wer nicht!

Immer wieder zur Diskussion Anlass geben jene Patienten, die zwar dank der modernen Notfall- und Intensivmedizin überlebt haben – dies allerdings nur mit sehr schweren Schäden. Dort wird zu Recht immer wieder die Frage aufgeworfen, ob die intensivmedizinischen Bemühungen gerechtfertigt waren. Es ist in diesen Fällen nicht möglich, den Ausgang unmittelbar nach dem Unfall zu kennen. Gerade bei Patienten mit schweren Kopfverletzungen ist es unmöglich, am Unfallort zu entscheiden, ob dieser Patient nur mit schweren neurologischen Schäden davonkommt oder ob er wieder völlig in die Gesellschaft re-integriert werden kann. Sind aber einmal die initialen, lebenserhaltenden Maßnahmen eingeleitet worden, ist bei einem weiteren komplikationslosen Verlauf keine Möglichkeit einer passiven Sterbehilfe mehr gegeben. Ganz wichtig ist es aber gerade bei diesen neurologischen Erkrankungen sich zu fragen, wer darüber entscheiden soll und darf, was ein lebenswertes Leben ist! Auch wenn der Kontakt mit der Umwelt bei manchen schwer Hirnverletzten nur schwierig feststellbar ist, sind Emotionen wie Freude und Trauer klar vorhanden. Vielleicht ist der Wunsch eines frühen Todes bei einem solchen Patienten auch darin zu suchen, dass wir, in seiner unmittelbaren Umgebung, nicht mit der Situation zurecht kommen.

3. Therapie vorenthalten vs. Therapie abbrechen

In den USA wird die Entscheidung über Leben und Tod von schwerkranken Patienten zurzeit v. a. vor dem Gericht gefällt.[11] Auch in Europa wird

---

[11] Vgl. *L. H. Glantz*, Withholding and withdrawing treatment: the role of the criminal law, in: Law Medicine Health care 15 (1987/88) 231–241; vgl. *M. Angell*, The Supreme Court and physician assisted suicide: the ultimate right, in: New England Journal of Medi-

häufig in diesem schwierigen Entscheidungsprozess von ärztlicher Seite behauptet, dass aus Angst vor gerichtlicher Verfolgung auf einen Therapiestop verzichtet worden ist. Es lohnt sich deshalb, die Gerichtsentscheide in den USA über die letzten Jahre zu betrachten. Erst seit kurzem werden Patientenverfügungen, in denen klar gesagt wird, dass auf lebensverlängernde Maßnahmen bei einer schweren Erkrankung verzichtet werden muss, von den amerikanischen Gerichten anerkannt. Noch vor 10 Jahren sind im gleichen Land Entscheide, lebensunterstützende Maßnahmen zu unterbrechen, als unethisch und ungesetzlich eingestuft worden. Zwei Ärzte in Barber sind als Mörder verurteilt worden, weil sie eine lebenserhaltende Therapie auf Wunsch des Patienten abgebrochen haben.[12] Daraufhin haben es viele abgelehnt, den Willen des Patienten in irgendeiner Weise anzuerkennen. In der Zwischenzeit wird von den meisten Gerichten anerkannt, dass das Recht, eine Behandlung abzulehnen, zu den Grundrechten eines jeden Menschen gehört.[13]

Wie wir weiter oben ausgeführt haben, erscheint es aber wichtig, den Patienten, falls möglich, in der akuten Situation noch einmal nach seinem Therapiewunsch zu fragen, um einer eventuell geänderten Meinung Rechnung tragen zu können. Neben den weiter oben beschriebenen Gründen habe ich auch Patienten erlebt, bei denen beim notfallmäßigen Spitaleintritt ihr Patiententestament nicht bekannt gewesen ist. Dank notfall- und intensivmedizinischer Behandlung haben sie überlebt; sie sind später sehr froh darüber gewesen, dass wir in Unkenntnis ihren Vorschlägen im Patiententestament nicht gefolgt sind.

Das Abbrechen einer bereits eingesetzten Therapie ist viel schwieriger als das Nichteinsetzen! Ein Therapieabbruch verlangt eine aktive Handlung. Der behandelnde Arzt muss z. B. eine Pumpe, die ein Medikament verabreicht, stoppen oder die Zufuhr von Sauerstoff unterbrechen. Auch im Gespräch mit den Angehörigen ist es sehr viel einfacher zu erklären, warum auf eine Möglichkeit der modernen Medizin beim Patienten verzichtet wird, als zu begründen, warum eine laufende Therapie unterbrochen werden soll.[14]

Erst das Gerichtsurteil von Conroy hat klar gemacht, dass es rechtlich keinen Unterschied macht, ob eine notwendige Therapie nicht begonnen oder später abgebrochen wird.[15] In der Begründung hieß es, dass es keinen Unterschied geben könne, weil die Konsequenz – nämlich der Tod des Patienten – dieselbe sei. Die Richter haben auch berücksichtigt, dass es für

---

cine 336 (1997) 50–53; vgl. *G. J. Annas*, The promised end: constitutional aspects of physician-assisted suicide, in: ebd. 335 (1996) 683–687.

[12] Barber v Superior Court, 195 Cal Rptr 484 (Ct App 1983).
[13] Choice in Dying. The Right to Die, Law Digest, New York NY 1997.
[14] President's Commission for the Study of Ethical Problems in Medicine and Biomedical and Behavioral Research. Deciding to Forego Life-Sustaining Treatment: A Report on the Ethical, Medical, and Legal Issues in Treatment Decisions, US Government Printing Office, Washington DC 1983.
[15] In re Conroy, 486 A2d 1209, Conroy NJ 1985.

schwerkranke Patienten gefährlich sein könnte, wenn Ärzte verurteilt würden, wenn sie eine laufende Therapie unterbrächen, aber straffrei bleiben, wenn sie eine Therapie nicht einsetzen. Im Kommentar zum Gerichtsurteil wird darauf hingewiesen, dass sonst die Gefahr bestünde, dass Ärzte mit dem Einsetzen einer Therapie lange warten könnten.[16]

Das Absetzen einer Therapie ist dann einfacher, wenn diese Möglichkeit vor Therapiebeginn sowohl mit dem Patienten selbst als auch mit seinen Angehörigen besprochen wird. Mit älteren Patienten, die sich wegen starker Schmerzen für eine größere Operation entscheiden, werden bei uns solche Gespräche immer präoperativ geführt. Keiner dieser Patienten möchte durch die intensivmedizinischen Geräte länger am Leben erhalten werden. Da das derzeitige Leben aber für sie nicht mehr erträglich ist, möchten sie Linderung durch eine Operation erhalten. 24 Stunden nach der Operation wird entschieden, ob die Therapie weitergeführt werden soll oder nicht. Einige Patienten gehen auch durch große Operationen völlig komplikationslos und können schon nach kurzer Zeit wieder auf der Normalstation behandelt werden. Falls sich aber postoperativ Komplikationen einstellen, wird der Wunsch des Patienten berücksichtigt und die eingesetzte Therapie gestoppt.

4. «Gewöhnliche vs. außergewöhnliche» Therapien

In der Anfangszeit der Intensivmedizin haben wir uns ausschließlich auf die Lebensverlängerung jedes einzelnen Patienten konzentriert und dabei nicht mehr akzeptieren können, dass Patienten auf diesen Stationen auch sterben können. Kam es aber dazu, frisch begonnene Intensivtherapien zu stoppen, wurden Unterschiede zwischen «gewöhnlichen» und «außergewöhnlichen» Therapien gemacht. Als «gewöhnliche» Therapieformen wurden von Kelly[17] z. B. alle Medikamentenbehandlungen und Operationen, die eine vernünftige Hoffnung auf Verbesserung des Patientenzustandes zulassen und die ohne exzessive Kosten, Schmerzen oder andere Nebenwirkungen durchgeführt werden können, bezeichnet. «Außergewöhnlich» war alles Übrige. Über die Jahre wurde diese Unterscheidung durch die enorme Zunahme der Therapiemöglichkeiten zwischen «gewöhnlichen» und «außergewöhnlichen» Behandlungsformen immer schwieriger.

Die neueren Gerichtsurteile in den USA machen jetzt keinen Unterschied mehr zwischen diesen beiden Behandlungsformen. Sogar Behandlungen wie Flüssigkeitszufuhr oder künstliche Ernährung, die bei uns noch sehr stark mit dem Leben selbst in Verbindung gebracht werden, können heute in den USA ohne gerichtliche Folgen auf Wunsch des Patienten entzogen werden.

---

[16] Vgl. *L. H. Glantz*, s. Anm. 11; President's Commission, s. Anm. 14.
[17] Vgl. *G. Kelly*, Medico-Moral Problems, Catholic Hospital Association of the United States and Canada, St. Louis 1958, 128–141.

Zusammenfassend kann gesagt werden, dass eine aktive Sterbehilfe auf der Intensivstation nie erwünscht oder sinnvoll sein wird, auch nicht aus der Sicht des Patienten.[18] Die passive Sterbehilfe jedoch wird häufig angewendet. Bisher erfolgt sie ausschließlich aus medizinischen Gründen und wenn immer möglich im Einverständnis des Patienten. Hoffen wir, dass die finanziellen Engpässe nie dazu führen werden, dass die passive Sterbehilfe dazu eingesetzt wird, die limitierten Ressourcen besser auszunützen. Sobald die passive Sterbehilfe vom äußeren Druck, der auf die Station ausgeübt wird, abhängig wird, sind ähnliche ethische Bedenken anzumelden wie bei der aktiven Sterbehilfe.

---

[18] Vgl. *J. G. Bachmann/K. H. Alser/D. J. Doukas et al.*, Attitudes of Michigan physicians and the public toward legalizing physician-assisted suicide and voluntary euthanasia, in: New England Journal of Medicine 335 (1996) 303–309; vgl. *A. L. Back/J. I. Wallace/ H. E. Starks et al.*, Physician-assisted suicide and euthanasia in Washington State, in: JAMA 275 (1996) 919–925.

Gabriele Wöbker/Wolfgang J. Bock

Apallisches Syndrom – Vegetativer Zustand

Einleitung

Eines der häufigsten und schwierigsten Probleme in der Therapie auf der Intensivstation stellt das apallische Syndrom (vegetativer Zustand) dar, das eine exakte Definition benötigt.[1] Der Begriff «persistierender vegetativer Zustand» (PVS) wurde 1972 von Jennett und Plum[2] eingeführt und hat seither die älteren Bezeichnungen «apallisches Syndrom», «Coma vigile», «Alpha-Coma» überwiegend verdrängt. «Persistierend» bedeutet nach der Originaldefinition von Jennett und Plum in Bezug auf den vegetativen Status erhalten über Zeit, «permanent» bedeutet irreversibel. Man kann also definieren: «Persistierender vegetativer Status ist eine Diagnose, permanenter vegetativer Status ist eine Prognose.»

Der permanente vegetative Status bedeutet einen irreversiblen Zustand, der wie alle klinischen Diagnosen in der Medizin auf Wahrscheinlichkeiten beruht. Ein Patient im persistierenden vegetativen Status wird permanent vegetativ, wenn die Irreversibilität mit größter klinischer Sicherheit festgestellt werden kann, d. h. die Chance, dass der Patient das Bewusstsein wiedererlangt, ist in der Regel nicht mehr gegeben.

1. Diagnostische Faktoren und Grenzen der Sicherheit

Eine falsch positive Diagnose des PVS kann auftreten, wenn entschieden wird, dass die betroffene Person eine fehlende Wachheit aufweist, obwohl sie in der Realität wach ist. Solch ein Irrtum mag auftreten bei einem locked-in-Status. Diese Diagnose ist vom PVS abzugrenzen.

Irrtümer in der Diagnose sind aufgetreten aufgrund von Unsicherheiten in der Terminologie der Beschreibung des Patientenzustands, der Unsicherheit oder Unerfahrenheit der Untersucher oder in der zu kurzen Periode der Beobachtung. Ärzte, die diese Patienten behandeln, müssen sich dieser Probleme bewusst sein und so genau und sorgfältig wie möglich sein, wenn die beschriebenen klinischen Kriterien angewandt werden.

---

[1] The Multi Task Force on PVS. Medical aspects of persistent vegetative state, First of two parts, in: New England Journal of Medicine 330 (1994) 1499–1508.
[2] Vgl. *B. Jennett/F. Plum,* Persistent vegetative state after brain damage: A syndrome in search of a name, in: The Lancet 1 (1972) 734–737.

2. Epidemiologie

Über die Häufigkeit des PVS bei Kindern und Erwachsenen gibt es nur Schätzungen. In Japan wurde 1977 eine Prävalenz von 2 bis 3 Fällen pro 100 000 Einwohner angegeben. In den USA wird mit dem Auftreten eines PVS bei 10 000–25 000 Erwachsenen und 400–1 000 Kindern pro Jahr gerechnet.[3] In Großbritannien wird die Häufigkeit mit 1 000 Patienten pro Jahr angegeben.[4]

Der häufigste Grund für ein PVS bei Erwachsenen oder Kindern ist das Schädel-Hirn-Trauma (SHT) oder der hypoxisch-ischämische Hirnschaden. Der klinische Verlauf nach akutem Insult beginnt normalerweise mit einem Koma für einige Tage oder Wochen, in dem die akute Erkrankung sich stabilisiert und Hirnstamm oder niedere diencephale Strukturen ihre Funktion wiedererlangen. Zu dieser Zeit sind die meisten Patienten in der Lage, selbst zu atmen und benötigen keine Gerät mehr.

Ein persistierender vegetativer Status tritt bei ca. 1–14 % der Patienten nach länger dauerndem traumatisch bedingtem Koma auf und in ca. 12 % bei nichttraumatischem Koma. Es gibt bisher keine gesicherten Kriterien für die Voraussage eines PVS nach Koma.[5]

Unterschieden wird zwischen akut traumatischem und nichttraumatischem PVZ. Der nichttraumatische PVZ kann eine Folge von degenerativen, metabolischen Erkrankungen wie Morbus Alzheimer, Kreutzfeld-Jacob und schweren kongenitalen Störungen des Nervensystems sowie der schweren Hypoxie sein.

Die «Multi-Task-Force on PVS» wurde 1991 etabliert. Sie sichtete und analysierte die ganze verfügbare Literatur über den persistierenden vegetativen Status bei Erwachsenen und Kindern und verfasste einen zusammenfassenden Bericht über diesen Zustand.[6] Die Mitglieder der Multi-Task-Force setzten sich aus Vertretern der Amerikanischen Akademie für Neurologie, der Gesellschaft für Kinderneurologie, der Amerikanischen Akademie für Neurochirurgie, der Amerikanischen neurologischen Vereinigung und der Amerikanischen Akademie der Pädiater zusammen. Unterstützt wurde die Multi-Task-Force durch Berater verwandter Fachgebiete mit spezieller Erfahrung in der Behandlung des PVS, in Ethik und Gesetzeskunde, die den

---

[3] The Multi Task Force on PVS, s. Anm. 1.
[4] Vgl. *K. Andrews*, Recovery of patients after four months or more in the persistent vegetative state, in: British Medicine Journal 306 (1993) 1597–1600.
[5] Vgl. *S. Berrol*, Persistent vegetative state, in: Physical and Medical Rehabilitation 4 (1990) 559–567; vgl. *H. S. Levin/C. Saydjari/H. M. Eisenberg et al.*, Vegetative state after closed-head injury: a Traumatic Coma Data Bank Report, in: Archive of Neurology 48 (1991) 580–585; vgl. *L. Sazbon/Z. Groswasser*, Outcome in 134 patients with prolonged posttraumatic unawareness: part 1: parameters determining late recovery of consciousness, in: Journal of Neurosurgery 72 (1990) 75–80; vgl. *R. Braakman/W. B. Jennett/J. M. Minderhould*, Prognosis of the posttraumatic vegetative state, in: Acta Neurochirurgica, Wien 95 (1988) 49–52.
[6] The Multi Task Force on PVS, s. Anm. 1; ebd., Second of two parts, 1572–1579.

Report begutachteten und kritisierten. Alle von 1972 bis 1993 in der Medline (Medizinische Datenbank) registrierten Artikel mit den Stichworten «vegetative state» und «persistent vegetative state» wurden referiert. Zusätzliche Literatur wurde von den neurologischen, neurochirurgischen und pädiatrischen Journalen angefordert. Ebenfalls wurden Daten des Nationalen Instituts für neurologische Erkrankungen und der «Stroke Traumatic Coma Data Bank» verarbeitet.

3. Vegetativer Status

3.1 Kriterien des vegetativen Status

- Kein Anhalt für Bewusstsein für sich selbst oder die Umgebung und die Unfähigkeit, mit anderen zu interagieren
- Kein Anhalt für gezielte, reproduzierbare und willentliche Reaktionen auf visuelle, akustische, taktile oder schädigende Stimuli
- Kein Anhalt für sprachliches Verständnis oder sprachliche Äußerungen
- Erhaltener Schlaf-Wach-Rhythmus
- Stuhl- und Urininkontinenz
- Zumindest teilweise erhaltene Funktion der Hirnnerven
- Ausreichende Funktion des Hypothalamus und der Hirnstammfunktionen, um ein Überleben mit medikamentöser und pflegerischer Hilfe zu ermöglichen

Das entscheidende Kennzeichen des vegetativen Status ist der irreguläre, aber zyklische Status des täglichen Schlaf-Wach-Rhythmus, nicht vergesellschaftet mit irgendwelchen expressiven Reaktionen oder Aufmerksamkeiten gegenüber externen Stimuli. Patienten im PVS müssen nicht bewegungslos sein. Sie können den Körper oder die Extremitäten ungezielt bewegen. Sie können gelegentlich lächeln oder sogar weinen; einige andere können grunzen oder, in seltenen Fällen, stöhnen oder schreien. Manche Patienten bieten ungewöhnliche, erschreckende Myoklonien. Solche Aktivitäten sind inkonstant, nicht provozierbar und nur koordiniert, wenn sie als subkortikale Reflexantworten auf externe Reize auftreten. Diese motorischen Aktivitäten können zu Fehlinterpretationen einer gerichteten Bewegung führen, obwohl diese Antworten schon bei Patienten beobachtet wurden, bei denen in sorgfältigen Studien keine gerichtete Aufmerksamkeit nachgewiesen wurde.

Als Ergebnis der relativen Erhaltung der Hirnstammfunktion zeigen die meisten Patienten im vegetativen Status ein normales Reflexverhalten und normale Augenbewegungen. Manche Patienten bieten irreguläre oder ungleiche Pupillen oder auch limitierte Antworten auf vestibulo-okuläre Reize. Einige zeigen Zeichen der internukleären Ophthalmoplegie oder andere oculäre Unregelmäßigkeiten, bedingt durch die Hirnstammaffektion. Gelegentlich zeigt sich eine Lähmung einer oder beider Nervi oculomotorii.

Erhaltene visuelle Folgebewegungen fehlen bei den meisten Patienten im PVS. Sie fixieren visuelle Reize nicht, führen auch keine gerichteten Folgebewegungen aus. Bei Patienten, die nur vorübergehend im vegetativen Status sind, ist eines der ersten Zeichen der Erholung das Auftreten gerichteter Folgebewegungen der Augen. Jedoch haben Patienten im PVS häufig inkonstante, primitive, orientierende Reflexe auf visuelle oder akustische Reize in Form von Bewegung des Kopfes oder der Augen in Richtung des peripheren Reizes.

3.2 Prognose des PVS

Es sollte zwischen Erlangen des Bewusstseins und Erlangen der Funktionen unterschieden werden. Erlangen des Bewusstseins bedeutet gerichtete Reaktionen auf die Umgebung, wie z. B. auf visuelle und akustische Reize. Erlangen von Funktionen bedeutet, der Patient wird mobil; er ist in der Lage zu kommunizieren und zu lernen. Definiert wird dies durch die «Glasgow Outcome Skala» (GOS).[7] Es wurden Wahrscheinlichkeiten berechnet für eine Erholung der Patienten nach zwölf Monaten. Bei einem posttraumatischen PVS ist die Erholung nach 12 Monaten, bei einem metabolisch bedingten PVS schon nach 3 Monaten unwahrscheinlich.

Das Alter ist ein wichtiger Faktor, der das Outcome beeinflusst. Patienten über 40 Jahre hatten eine geringere Chance der Verbesserung als jüngere Patienten.[8]

Erwachsene mit einem Koma sofort nach nichttraumatischen Verletzungen haben eine schlechtere Prognose. Mehr als 85 % sterben innerhalb des ersten Monats nach dem Infarkt oder verbleiben im vegetativen Status.[9] Die Durchsicht von 169 Patienten im vegetativen Status ergab, dass nur 11 % das Bewusstsein bis zu drei Monaten nach Krankheitsbeginn wiedererlangten, 89 % verblieben im vegetativen Status oder verstarben. Sechs Monate nach Beginn hatten nur 2 weitere Patienten das Bewusstsein wiedererlangt. Ein Jahr nach Krankheitsbeginn waren 15 % der 169 Patienten wieder bei Bewusstsein, 32 % im vegetativen Status und 53 % verstorben.[10] Die Erholung der motorischen Funktionen bei den 15 % der Pati-

---

[7] Vgl. *W. B. Jennett/M. Bond,* Assessment of outcome after severe brain damage: a practical scale, in: The Lancet 1 (1975) 480–484.
[8] Vgl. *R. Braakman/W. B. Jennett/J. M. Minderhould,* s. Anm. 5.
[9] Vgl. *D. Bates,* Defining prognosis in medical coma, in: Journal of Neurology Neurosurgery and Psychiatry 54 (1991) 569–571.
[10] Vgl. *L. Sazbon/Z. Groswasser,* s. Anm. 5; vgl. *K. Higashi/Y. Sakata/M. Hatano et al.,* Epidemiological studies on patients with a persistent vegetative state, in: Journal of Neurology Neurosurgery and Psychiatry 40 (1977) 876–885; vgl. *K. Higashi/M. Hatano/S. Abiko et al.,* Five-year follow-up study of patients with a persistent vegetative state, in: ebd. 44 (1981) 552–554; vgl. *D. E. Levy/R. P. Knill-Jones/F. Plum,* The vegetative state and its prognosis following nontraumatic coma, in: Annuals of NY Academy of Science 315 (1978) 293–306.

enten, die das Bewusstsein wiedererlangten, war extrem schlecht. Nur ein Patient hatte ein gutes Outcome.

Für Patienten im PVS als Folge eines Traumas bleibt die Prognose ungünstig. Die Durchsicht verfügbarer Daten von 434 Patienten ergab, dass drei Monate nach dem Unfall 33 % der Patienten das Bewusstsein wiedererlangt hatten, nach sechs Monaten 46 % und nach zwölf Monaten 52 %. Nur für 7 von 434 Patienten wurde eine Erholung später als zwölf Monate nach dem Unfall beschrieben.[11] In der «Stroke Traumatic Coma Data Bank»[12] wird über 6 von 93 erwachsenen Patienten berichtet, die ein bis drei Jahre nach dem Unfall das Bewusstsein wiedererlangten. 4 dieser 6 Patienten blieben schwer behindert, einer moderat behindert. Der Zustand des sechsten Patienten konnte nicht ermittelt werden.

Auch die Erholung der Funktionen nach PVS ist unsicher. Unter den 434 Patienten mit vegetativem Status war das Outcome, klassifiziert nach dem GOS wie folgt: 33 % verstarben, 15 % verblieben im vegetativen Status, 28 % hatten schwere neurologische Ausfälle, 17 % waren moderat behindert und 7 % hatten ein gutes Outcome. Von diesen 7 % zeigten über die Hälfte eine Verbesserung innerhalb der ersten drei Monate, alle anderen innerhalb der ersten sechs Monate. Für die gesamte Gruppe mit guter Erholung betrug der Anteil der Patienten, die sich nach sechs bis zwölf Monaten erholten, nur 0,5 %. Kein Patient hatte ein gutes Outcome später als zwölf Monate nach Trauma.

Bei nichttraumatischen Verletzungen ist die Erholung bei Kindern derjenigen der Erwachsenen vergleichbar. Einige Berichte in den allgemeinen, nichtwissenschaftlichen Zeitschriften beschreiben dramatische Erholungen vom vegetativen Status. In den meisten Berichten treten diese innerhalb des oben genannten Zeitfensters auf.[13] Auch die klinischen Daten lassen sich meist nicht kontrollieren, so dass ernsthaft Zweifel an der Richtigkeit der Berichterstattung anzumelden sind. Ungewöhnliche Fälle sind in der medizinischen Literatur nur spärlich dokumentiert, die Ursache der neurologischen Störung wird nicht genau angegeben oder der Zeitpunkt des Eintritts des vegetativen Status ist extrem atypisch.[14]

Die Prognose für die Erholung ist bei Kindern mit traumatischen Verletzungen besser als bei Erwachsenen. Von 106 in der Literatur beschriebenen Fällen[15] mit vegetativem Status einen Monat nach dem Unfall erreich-

---

[11] Vgl. *R. Braakman/W. B. Jennett/J. M. Minderhould*, s. Anm. 5; vgl. *H. S. Levin/ C. Saydjari/H. M. Eisenberg et al.*, s. Anm. 5.
[12] Vgl. *H. S. Levin/C. Saydjari/H. M. Eisenberg et al.*, s. Anm. 5.
[13] Vgl. *H. A. Cole/M. M. Jablow*, One in a million, Boston 1990.
[14] Vgl. *B. Steinbock*, Recovery from the persistent vegetative state? The case of Carrie Coons, in: Hastings Center Report 19 (1989) 14f.
[15] Vgl. *H. Lange-Cosack/U. Riebel/T. Grumme/H. J. Schlesener*, Possibilities and limitations of rehabilitation after traumatic apallic syndrome in children and adolescents, in: Neuropediatrics 12 (1981) 337–365; vgl. *R. L. Kriel/L. E. Krach/C. Jones-Saete*, Outcome of children with prolonged unconsciousness and vegetative states, in: Pediatric Neurology 9 (1993) 362–368.

ten 24 % das Bewusstsein innerhalb von drei Monaten. Nach einem Jahr verblieben nur 29% im vegetativen Status, 9 % waren verstorben und 62 % hatten das Bewusstsein wiedererlangt. Keines der Kinder erlangte später als zwölf Monate nach dem Unfall das Bewusstsein wieder. Die Erholung der motorischen Funktionen war denen der Erwachsenen vergleichbar. 35 % waren schwer behindert, 16 % moderat, 11 % hatten ein gutes Outcome.

3.3 Überleben des PVS

Die Lebenserwartung beträgt 2–5 Jahre, mehr als 10 Jahre Überleben ist ungewöhnlich. Die Chance, 15 Jahre zu überleben, liegt bei ca. 1 : 15 000 bis 1 : 75 000 (Berechnungen der Task Force on PVS). Die Mortalität für Erwachsene im PVS liegt bei 82 % nach 3 Jahren und bei 95 % nach 5 Jahren.[16]

3.4 Klinisches Bild

Der vegetative Status ist ein neurologisches Krankheitsbild, das sich durch ausgedehnte bilaterale Schädigungen im Marklager der Großhirnrinde, des Corpus callosum, der Corona radiata, des Thalamus oder durch Läsionen im dorsolateralen Hirnstamm auszeichnen kann. Der klinische Verlauf und das Outcome des persistierenden vegetativen Zustands hängen von Ursache und Zeitverlauf ab.

3.5 Empfehlungen

Diagnostische Standards zur Diagnose des PVS
- 12 Monate posttraumatisch
- 3 Monate nichttraumatisch
- Chance für eine Erholung nach diesem Zeitraum sehr gering, dann maximal als «schwere Behinderung» («severe disability»)

Die Diagnose kann mit sehr hoher Wahrscheinlichkeit bei Erwachsenen und Kindern durch sorgfältige, wiederholte neurologische Untersuchungen gestellt werden. Sie sollte durch einen in dieser Diagnostik erfahrenen Arzt bestätigt werden. Sichere Kriterien für diese Diagnose bei Kindern unter 3 Monaten existieren nicht, außer bei anencephalen Kindern.

Zur Sicherung der Diagnose eines permanenten vegetativen Zustandes ist eine Überprüfung nach einem Jahr nach einem traumatischen, bzw. nach 3–6 Monaten nach einem nichttraumatischen persistierenden vegetativen Zustand nötig, um es als permanent einstufen zu können. Eine letztendliche Gewissheit besteht jedoch nie.

---

[16] Vgl. *K. Higashi/M. Hatano/S. Abiko et al.*, s. Anm. 10; *L. Sazbon/F. Zagreba/ J. Ronen/P. Solzi/H. Costeff,* Course and outcome of patients in vegetative state of nontraumatic aetiology, in: Journal of Neurology Neurosurgery and Psychiatry 56 (1993) 407–409.

3.6 Apparative Diagnostik

- Das *Elektro-Enzephalogramm* (EEG) zeigt, je nach Ausdehnung und Ort der Läsion und auch abhängig vom Verlaufsstadium, Gruppen synchronisierter rhythmischer langsamer Wellen bei Läsionen im oralen Hirnstamm oder eine desynchronisierte Aktivität bei pontinen Läsionen.
- *Evozierte Potentiale* erlauben keine sichere Voraussage eines PVS. Bei den akustisch evozierten Potentialen (AEP's) sagt auch die P 300 nichts über die Prognose oder Entwicklung eines PVS aus.
- In einer *Magnet-Resonanz-Tomographischen-Untersuchung* (MRT) an 80 erwachsenen Patienten mit posttraumatischem PVS konnte gezeigt werden, dass Patienten, die im PVS verblieben, signifikant häufiger Läsionen im Corpus callosum, der Corona radiata und des dorsolateralen Hirnstammes hatten als Patienten, die sich erholten.[17]
- Studien des cerebralen Metabolismus: 50–60 % Reduktion im globalen cerebralen Sauerstoffmetabolismus wurden bei 6 Patienten im PVS nach Trauma oder diffuser Hypoxie dokumentiert.[18] *Positronen-Emissions-Tomographische-Studien* (PET) zeigten einen 50–60prozentigen Abfall in der Glucose-Verwertung im cerebralen Kortex, in den Basalganglien und im Kleinhirn bei 7 Erwachsenen. Der parieto-occipitale und mesiofrontale Kortex zeigte die stabilste Reduktion der metabolischen Aktivität. D. E. Levy u. a.[19] zeigte in seinen Untersuchungen eine gleichmäßig erniedrigte Aktivität in allen kortikalen Abschnitten. Obwohl diese PET-Studien eine substantielle Reduktion des Glucose-Metabolismus zeigen, gibt es noch nicht genügend Information, um die PET-Untersuchung zur Prognosestellung zu benutzen.
- Die *cerebralen Blutfluss-Messungen* (CBF) mit Hilfe der Xenon-133-Inhalationsmessmethode oder der Single-Photonen-Emissions-Computer-Tomographie (SPECT) erlauben auch keine Voraussage. Wenn ein persistierender vegetativer Status existiert, findet sich in den meisten Fällen eine Reduktion des CBF um ca. 10–50 %.[20]

---

[17] Vgl. *A. Kampfl/E. Schmutzhard/G. Franz et al.*, Prediction of recovery from posttraumatic vegetative state with cerebral magnetic-resonance imaging, in: The Lancet 351 (1998) 9118ff.

[18] Vgl. *M. N. Shalit/A. J. Beller/M. Feinsod*, Clinical equivalents of cerebral oxygen consumption in coma, in: Neurology 22 (1972) 155–160.

[19] Vgl. *D. E. Levy/J. J. Sidtis/D. A. Rottenberg*, Differences in cerebral blood flow and glucose utilisation in vegetative versus locked-in-patients, in: Annuals of Neurology 22 (1987) 673–682.

[20] Vgl. *Dies.*, s. Anm. 19; *W. Oder/G. Goldenberg/I. Podreka/L. Deecke*, HM-PAO-SPECT in persistent vegetative state after head injury: prognostic indicator of the likelihood of recovery?, in: Intensive Care Medicine 17 (1991) 149–153.

4. Ethische Überlegungen

Ethik und Recht hängen eng miteinander zusammen. Ethische Wertungen und Normen bilden die Basis für die Gestaltung und Auslegung des Rechts. Das Verbot, menschliches Leben zu vernichten bzw. die menschliche Würde anzutasten ist ethischer, religiöser und zugleich auch rechtlicher Natur. Es gibt aber gerade im medizinischen Bereich Problemstellungen, zu deren Lösung weder allgemein verbindliche ethische und allgemein anerkannte religiöse Richtlinien noch spezifische rechtliche Normen zur Verfügung stehen. Ein solcher Normennotstand besteht teilweise in Bezug auf die Frage der Behandlung Sterbender und Schwerstkranker. Weil auch für derartige Fälle trotz fehlender spezieller Normen Entscheidungen getroffen werden müssen, sind die zu beachtenden Verhaltensgrundsätze aus den bestehenden, allgemeinen Gesetzesbestimmungen abzuleiten. Die Normen, die dem Schutz des Lebens, der körperlichen Integrität sowie der Persönlichkeit dienen, stehen dabei im Vordergrund.

In der Folge werden zuerst die anwendbaren gesetzlichen sowie die sonstigen rechtlich relevanten Regelungen erläutert. Im Anschluss wird der Versuch unternommen, die aufgezeigten Grundsätze auf das Problem der Ernährung Schwerstkranker im vegetativen Status zu übertragen.

4.1 Rechtliche Situation

In der juristischen Erörterung über die Unzulässigkeit lebensbeendender Maßnahmen bestehen die Hauptgrundlagen in der Darlegung des Rechts auf Leben. An dieser Tatsache formuliert Art. 2 des Grundgesetzes (GG) eine allgemeine Schutzpflicht zum Recht auf Leben und körperliche Unversehrtheit. Weiterhin ist das Recht auf Leben geschützt durch die Europäische Menschenrechtskonvention sowie durch das Strafrecht. Das Recht auf Leben gehört zum Recht auf persönliche Freiheit, aus welchem u. a. auch das Recht auf Schutz der Persönlichkeit und das in Art. 1 GG gesicherte absolute, unaufgebbare und unverwirkbare Recht des Menschen auf seine Würde abgeleitet werden. Das Lebensrecht gilt nach allgemeiner Auffassung unabhängig davon, ob es Dritten als sinnhaft oder sinnlos, wertvoll oder wertlos erscheint. Das Recht auf Leben ist in dieser Hinsicht lebenswert- und lebenssinn-indifferent. Richtigerweise gilt deswegen, dass das Leben ab der Geburt bis zum Tod, mithin also insbesondere auch das Leben eines Schwerstkranken im apallischen Syndrom, gegen Beeinträchtigungen Dritter konstant rechtlich geschützt ist.

4.2 Rückblick auf die biomedizinische Ethik

Hippokrates wird als Vater der medizinischen Ethik betrachtet. Seine Schriften beeinflussen heute noch die moderne Medizin. Die fundamentalen Thesen von Hippokrates besagten: Leiden zu verhindern, die Gewalt der Krankheiten zu vermindern und die Verweigerung, die zu behandeln, deren Krankheit sie überholt. Die Verabreichung von Nahrung und Wasser wurde nicht als notwendig erachtet bei «überwältigenden» Krankheiten. Die Konzepte Hippokrates' blieben bis zu den heutigen biomedizinischen Erkenntnissen gültig. Im 15. und 16. Jh. wurde nur wenig über Ethik geschrieben, bis zeitgenössische Theologen die Hippokratischen Ideen wieder aufgriffen und neu diskutierten. D. Bañez[21] z. B. war der erste, der einen Unterschied zwischen einer normalen und einer exzessiven Therapie zur Lebensverlängerung aufzeigte. Es ist wichtig festzustellen, dass exzessiv nicht mit technischen Dingen in Verbindung zu setzen ist, sondern nur mit dem Zustand des Patienten. Auch die einfachsten Mittel wurden für exzessiv gehalten, wenn es keine Hoffnung für den Patienten gab. Sogar Essen und Trinken wurde in diesen Fällen für exzessiv gehalten und konnte somit, im Hippokratischen Sinne, moralisch als optional betrachtet werden.

Dr. Thomas Percival schrieb 1803 eine Abhandlung über medizinische Ethik mit dem Titel: «Code of institutes and precepts adapted to the professionell conduct of physicians and surgeons.»[22] Diese Abhandlung war das die Ethik am meisten beeinflussende Dokument auf beiden Seiten des Atlantiks für über hundert Jahre. Percival glaubte, dass das Wohl des Patienten vom Können des Arztes bestimmt wird. Er glaubte an die festen Beziehungen zwischen den Fachabteilungen, die durch das Verhalten der Ärzte erzielt werden. Dies war die Philosophie der Arzt-Arzt-Beziehung, die Ärzte «wussten es am besten». Eine der fundamentalsten Inhalte dieser Philosophie war die Tatsache, dass der Arzt in der Position war, Entscheidungen im Sinne des Patienten zu treffen. Es war allgemein akzeptiert, dass die Ärzte selber über die geeignetste Therapie für den Patienten entschieden. Im Hinblick auf die Ernährung gab es somit nur wenig ethische Probleme. Erst Ende der 70er Jahre wurde dieses Konzept zugunsten anderer ethischer Prinzipien verlassen.

Das wichtigste in diesen neuen Überlegungen war die Selbstbestimmung des Patienten: das Recht zu wissen, das Recht zu wählen und das Recht, informiert zu werden. Der Auslöser für diese Änderung der Sichtweise war die Veröffentlichung des Nürnberger Kodex, der nach den Entdeckungen menschlicher Experimente im Zweiten Weltkrieg verfasst wurde. Hier wurde zum ersten Mal die Arzt-Patient-Beziehung in den Vordergrund gestellt, u. a. mit dem Inhalt, dass der Patient das Recht hat, über sich selbst zu bestimmen.

In keinem anderen Gebiet der medizinischen Wissenschaften wurde dieser Wandel zur Autonomie des Patienten mehr bemerkt und diskutiert als in den bio-ethischen Auseinandersetzungen der 80er Jahre in der Behand-

---

[21] Vgl. *J. J. McCartney*, The development of the doctrine of ordinary and extraordinary means of preserving life, in: Theological studies 12 (1980) 550–556.

[22] *T. Percival*, Code of institutes and precepts adapted to the professionell conduct of physicians and surgeons, in: *J. Johnson*, Manchester 1803.

lung und im Management von Patienten im vegetativen Status. Unsere Fähigkeit, diese Patienten «am Leben» zu erhalten, war der Auslöser zu langen Debatten über den Sinn einer adjuvanten Ernährung bei diesen Patienten. Der Mittelpunkt dieser Debatten war die moralische Haltung zum Absetzen oder Ansetzen von Nahrung und Flüssigkeit bei diesen Patienten. Weitere wichtige Punkte beinhalteten die Frage, ob Zufuhr von Nahrung eine medikamentöse Behandlung darstellt oder nicht.

In dieser Frage hat es in den 80er Jahren dramatische Veränderungen gegeben. Zuerst ist allein dem Gedanken an das Absetzen von Wasser und Nahrung heftigst widersprochen worden. Heute am Ende des 20. Jh.s hat sich die Meinung dramatisch geändert. Der Wendepunkt sind die juristischen Auseinandersetzungen über den Fall Cruzan gewesen.[23]

Dies war der erste Fall der sog. «Recht-auf-Tod»-Fälle. Es betraf einen Patienten in den USA in einem gesicherten vegetativen Zustand, der enteral ernährt wurde. Dieser Fall wurde vor dem Obersten Gericht der USA verhandelt. Das Gericht beachtete den Grundsatz, dass eine geschäftsfähige Person ein verfassungsmäßig gesichertes Recht auf Verweigerung einer medizinischen Therapie hat. Es nahm ebenfalls die Ansicht des Ethischen und Juristischen Rates der Amerikanischen Medizinischen Vereinigung an, dass die medizinische Therapie die Gabe von Medikamenten beinhaltet, ebenso wie technische Beatmung, Ernährung und Flüssigkeitstherapie. Es erkannte an, dass es nicht unethisch oder gesetzwidrig ist, alle lebensverlängernden Therapien zu beenden, wenn der mutmaßliche Wille des Patienten eruiert ist. Schließlich riet das Gericht, diese Therapien so zu behandeln wie alle anderen auf der Basis der subjektiven Beurteilung des Patienten zu Nutzen oder Lasten.

In Großbritannien wurde dem Fall Tony Bland viel Aufmerksamkeit gewidmet.[24] Es handelt sich um einen 17 Jahre jungen Mann, der bei der Football-Katastrophe in Hillsborough am 15. April 1989 mit vielen anderen Personen schwer verletzt wurde. Seine Lungen wurden gequetscht, und die Zufuhr von Sauerstoff zum Gehirn war unterbrochen. Als Folge erlitt er einen katastrophalen und irreversiblen anoxischen Hirnschaden, der einen persistierenden vegetativen Zustand zur Folge hatte. Für die folgenden drei Jahre wurde er im Airedale General Hospital am Leben erhalten. Die Ernährung und die Flüssigkeitstherapie wurden durch eine nasogastrale Sonde durchgeführt. Nach dreieinhalb Jahren in diesem Zustand wandten sich die behandelnden Ärzte nach ausführlichen Gesprächen mit den Angehörigen und deren Einverständnis an das lokale Gericht, um sich über die Legalität der Einstellung der Ernährung zu erkundigen, da Anthony Bland lebte und nicht die Kriterien des Hirntodes erfüllte. Sie wurden anfangs informiert, dass dies juristisch einen Mord darstellen würde. Der Fall wurde

---

[23] *V. Cruzan,* Director. Missouri Department of Health, 110S Ct , 2841, 1990.
[24] Vgl. *C. Dyer,* Law lords rule that Tony Bland does not create precedent, in: British Medicine Journal (1993) 306–413.

letztendlich vor dem «House of Lords» verhandelt, dem höchsten Gericht von Großbritannien; am 4. Februar 1993 wurde der Entfernung der Nährsonde zugestimmt. Tony Bland starb 11 Tage später.

Die Situation in den USA und Großbritannien ist ähnlich derjenigen in Dänemark, Kanada und Neuseeland, wo es keine legalen oder ethischen Zwänge oder Hemmnisse für das Absetzen der Ernährung bei einem Patienten in einem gesicherten vegetativen Status gibt, wenn es der mutmaßliche Wille des Patienten ist und über die Diagnose kein Zweifel besteht. Natürlich sind diese Patienten nicht in der Lage, ihren Willen selbst zu äußern. Aus diesem Grund wird die Entscheidung in ausführlicher Diskussion mit Angehörigen, kirchlichen und juristischen Vertretern getroffen und in jedem Fall muss ganz klar feststehen, dass es der erklärte Wille des Patienten wäre, die Therapie zu beenden, wenn er sich äußern könnte.

Die Fälle Cruzan und Bland werden als Auslöser für die Kehrtwende in den ethischen Überlegungen gesehen, da sie eindeutig besagen, dass die Ernährung als ein Teil der medikamentösen Therapie anzusehen ist, ähnlich wie die antibiotische Therapie oder die Beatmung. Beide Gerichte, sowohl in den USA als auch in Großbritannien, stellen jedoch klar heraus, dass dieser Therapieentzug mit dem mutmaßlichen Willen des Patienten übereinstimmen muss. Heute besteht kein Zweifel daran, dass sich Ethik und Gesetz primär an das Selbstbestimmungsrecht des Patienten halten, definiert als das Recht auf volle Information in allen Aspekten der medizinischen Entscheidungsfindung und das Recht darauf, ungewollte Therapien zu verweigern.

Die Gerichte haben ihre Entscheidungen auf der Grundlage gefällt, dass der vegetative Status nicht rückbildungsfähig ist. Reichlich Aufmerksamkeit wurde in der letzten Zeit in der Presse Berichten zuteil, in denen ab und zu Ärzte Fehldiagnosen, den vegetativen Status betreffend, gestellt haben. Sicherlich hat eine sehr kleine Anzahl von Patienten minimale Zeichen der Verbesserung nach Monaten der Therapie gezeigt. Manche behaupten, dass diese Veränderungen die ethischen Diskussionen auf Recht oder Unrecht beim Absetzen der Therapie verändern werden, da keine genaue Prognose bei dieser Patientengruppe erstellt werden kann. Aber ist es nicht vermessen anzunehmen, dass eine nur minimale Veränderung des neurologischen Status eine Änderung der Meinung des Patienten in Bezug auf die Ernährung bedingen würde? Gibt es einen großen Unterschied zwischen einem persistierenden vegetativen Status oder einer schweren neurologischen Beeinträchtigung, in der vielleicht eine minimale Verbesserung auftreten kann, bei der die Lebensqualität aber weiterhin sehr eingeschränkt ist?

Dies wirft die Frage der Nutzlosigkeit der medizinischen Behandlung in dieser Situation auf. Wie stellen Ärzte dies fest? Die Meinungen zur Nutzlosigkeit einer Therapie, wie von Hippokrates überliefert, wurden als quantitativ und wahrscheinlich erachtet. Die Lehre von Hippokrates drängte die Mediziner dahin, das Fehlschlagen von Therapien zu bemerken. So kann der Arzt zeitlimitierte Therapien ansetzen und nach einer bestimmten Zeit den Zustand neu beurteilen. Endpunkte sind z. B. objektive Zeichen der neurologischen Erholung, beurteilt in wöchentlichem Abstand. Idealerweise sollten Ärzte Behandlungsziele nach ausführlichen Gesprächen mit den Angehörigen und anderen Fachkollegen festlegen. Wenn feststeht, dass eine Erholung nicht mehr möglich ist, muss mit allen Mitteln versucht werden, den mutmaßlichen Willen des Patienten zu eruieren und alle Anstrengungen müssen unternommen werden, um die Selbstbestimmung des Patienten aufrecht zu erhalten. In manchen Fällen werden die Patienten ein Patiententestament verfasst haben, in dem sie zu Lebzeiten ihren Willen für theoretische Situationen kundgetan haben. In den anderen Fällen wird ein naher Angehöriger oder der behandelnde Arzt zum Vertreter der Interessen des Patienten.

Manche werden sagen, dass die Verfügbarkeit von Ressourcen nicht als Teil in die ethischen Debatten über die Veranlassung oder Einstellung einer medikamentösen Therapie einfließen darf. Das ist nicht ganz korrekt. Gerechtigkeit, die die faire und vernünftige Beschaffung der Ressourcen für alle ist, ist unabdingbar für alle ethischen Debatten. Die Ansicht, dass der Mediziner nicht durch Ressourcen beengt sein darf, führt zur traditionellen Lehre über, dass die Medizin verpflichtet ist, alles Mögliche zum Nutzen des Patienten zu tun, ohne Rücksicht auf Kosten oder andere Ressourceneinschränkungen. In der Sorge für einen Patienten muss der Arzt als Anwalt des Patienten handeln, ohne Rücksichtnahme auf die Kosten. Für das Einstellen der Therapie ist nur der mutmaßliche Wille des Patienten ausschlaggebend, die Kosten dürfen bei dieser Entscheidung keine Rolle spielen. Es ist unangemessen für einen praktizierenden Arzt, eine Entscheidung aus ökonomischen Gründen zu fällen und sie hinterher als im Interesse des Patienten zu interpretieren. Im Hinblick auf Ernährung kann bemerkt werden, dass Richtlinien der Amerikanischen Gesellschaft für parenterale und enterale Ernährung veröffentlicht worden sind, die bestätigen, dass die Einstellung der Nahrungszufuhr aus Kostengründen nicht erfolgen darf und kann und zu diesem Zeitpunkt kein Gesetz zu diesem Problem existiert.[25]

4.3 Möglichkeiten der Therapie von Patienten im PVS

Am 6. und 7. März 1995 fand im «Centre of Medical Law and Ethics» des King's College in London eine Tagung unter dem Titel «PVS 95» statt. Diagnose, Differentialdiagnose, Prognose und Behandlungsmöglichkeiten des sog. «persistent vegetative state» (PVS) wurden besprochen. Der Begriff des «apallischen Syndroms» bleibt jedoch im deutschsprachigen Raum weiterhin gültig. In diesem Zusammenhang wird auf die ausführliche Arbeit von

---

[25] Vgl. Position of the American Dietetic Association: legal and ethical issues in feeding permanently unconscious patients, in: Journal of American Dietetic Association 2 (1995) 231–234.

Kallert[26] verwiesen, in der in Gegenüberstellung zu dem im anglo-amerikanischen Raum eingeführten Terminus PVS eine Übersicht der definitorischen Probleme des apallischen Syndroms gegeben wird. Übereinstimmung besteht, dass bei traumatischer Genese bei jüngeren Menschen die Prognose in der Regel besser ist als beim Eintritt des Bewusstseinsverlustes im höheren Lebensalter. Es sind aber immer alle Möglichkeiten der Behandlung und Diagnostik auszuschöpfen. Über die ethischen Implikationen wurde in Fortsetzung der Londoner Tagung am 8./9. Dezember 1995 am Institut für Wissenschaft und Ethik in Bonn gesprochen. Im Fall eines endgültigen Bewusstseinsverlustes bei erhaltenen Stammhirnreflexen sind 4 Möglichkeiten ärztlicher Entscheidung zu überlegen:[27]

a) Man sorgt für künstliche Zufuhr von Nahrung und Flüssigkeit und führt auch die medikamentöse Prophylaxe und Behandlung von Komplikationen uneingeschränkt weiter.
b) Man sorgt weiterhin für Grundpflege sowie Zufuhr von Nahrung und Flüssigkeit, entschließt sich aber, Komplikationen nicht mehr zu behandeln.
c) Man gibt nur noch Flüssigkeit, jedoch keine kalorische Nahrung mehr und behandelt auch keine Komplikationen.
d) Da jede Form von weiterer Behandlung sinnlos erscheint, entschließt man sich, auch die Zufuhr von Nahrung und Flüssigkeit zu beenden.

Zu a)
Undifferenziertes Weiterbehandeln geschieht entweder, weil man sich zu keinem anderen Entschluss in der Lage sieht, oder, weil man von einem absoluten Wert des Lebens («sanctity of life») ausgeht, wie eingeschränkt das Leben auch sein mag. Beim Begriff «sanctity of life» handelt es sich im Übrigen um eine unscharfe und missverständliche Beschreibung. Es geht nicht um eine absolute Heiligkeit des Lebens, die auch religiös schwer zu begründen wäre, sondern vielmehr um die prinzipielle Unverfügbarkeit fremden und unschuldigen Lebens. «Prinzipiell unverfügbar» bedeutet, dass es gelegentlich auch höherrangige Prinzipien geben kann. So kann es vorkommen, wenn auch selten, dass ein Leidenszustand durch unerträgliche Schmerzen, Mangel an Hilfsmöglichkeiten und somit Beeinträchtigung der Menschenwürde so sehr dominiert, dass die einzig mögliche Hilfe nur noch in der Herbeiführung des Todes bestehen kann. Das Prinzip der Hilfspflicht hätte in diesen sehr seltenen Fällen einen höheren Rang als das Prinzip der Unverfügbarkeit fremden Lebens. Der Moraltheologe Alfons Auer sagte schon 1977:

---

[26] Vgl. *T. W. Kallert*, Das apallische Syndrom – zu Notwendigkeit und Konsequenzen einer Begriffsklärung, in: Fortschritte Neurologie und Psychiatrie 62 (1994) 241–255.
[27] Vgl. *M. von Lutterotti*, Irreversibler Bewußtseinsverlust und ärztliche Behandlungspflicht, in: Wiener Medizinische Wochenschrift 146 (1996) 59–62.

«Das biologische Leben ist nicht ein Letztwert, sondern ein Dienstwert: es ist das Medium, in dem der Mensch sich selbst verwirklichen kann und muß. Das biologische Leben darf nicht auf Kosten der Freiheit und Würde der menschlichen Person unter allen Umständen und mit allen Mitteln durchgesetzt werden.»[28]

Nicht mehr zu realisieren ist dieser Dienstwert bei einem endgültig nur noch vegetativen Leben. So lässt sich also eine ärztliche Pflicht zur undifferenzierten Weiterbehandlung auch aller Komplikationen theoretisch und ethisch nicht ohne weiteres begründen.

Zu b)
Die Zufuhr von Nahrung und Flüssigkeit wird weitergeführt, aber man beschließt, auftretende Komplikationen, wie z. B. Infektionen, nicht mehr zu behandeln. Damit erlaubt man dem Kranken, unter Aufrechterhaltung der Grundvoraussetzungen für das Leben, eines natürlichen Todes zu sterben. Diese Entscheidung ist ethisch sicher vertretbar, denn es kann nicht zu den Behandlungspflichten des Arztes gehören, sinnlose medikamentöse Behandlungen durchzuführen. Ein Sinn der Behandlung könnte nur erblickt werden, falls man von einer absoluten Heiligkeit des Lebens ausgeht.

Zu c)
Auf die Zufuhr von Nahrung und die Behandlung von Komplikationen wird verzichtet, Flüssigkeit jedoch wird unbeschränkt weiter gegeben. Bekannt geworden ist dieses Vorgehen auch durch U. Haemmerli in Zürich; ebenso hat ein Arzt in Kempten das gleiche bei einer alten Patientin geplant. Diese beiden analogen Fälle sind vom Recht aber sehr unterschiedlich behandelt worden und lassen zudem unterschiedliche Auffassungen erkennen. Der erwähnte Chefarzt sowie seine Assistenten in Zürich hatten bei einer schwerkranken Patientin mit Gehirnschäden und verlorener Kontaktfähigkeit zur Umwelt auf die Zufuhr kalorischer Nahrung verzichtet und nur noch Flüssigkeit gegeben. Diese Maßnahme war immer mit dem Pflegepersonal besprochen worden. Der vom Gericht bestellte Gutachter konnte in den 27 angeführten Fällen nicht mit genügender Sicherheit beweisen, dass der Tod tatsächlich durch den Nahrungsentzug herbeigeführt oder sein Eintritt beschleunigt worden wäre. Die Kranken seien möglicherweise aus anderen Gründen verstorben. Das Gericht zitierte außerdem Ansichten, die vom Gesamtkonzept des Gesamthirntodes abwichen und die Meinung vertraten, der Mensch ende mit dem Verlust der Persönlichkeit, selbst wenn er noch in seiner körperlichen Existenz weiterbestehe. Diese Auffassung begreife das menschliche Leben als geistige Existenz und setze den Verlust der menschlichen Persönlichkeit dem Tode gleich. Damit stün-

---

[28] A. Auer, Die Unverfügbarkeit des Lebens und das Recht auf einen natürlichen Tod, in: A. Auer/H. Menzel/A. Eser (Hrsg.), Zwischen Heilauftrag und Sterbehilfe. Zum Behandlungsabbruch aus ethischer, medizinischer und rechtlicher Sicht, Köln/Berlin/Bonn/München 1977, 1–51.

den sich zwei Lehrmeinungen gegenüber, die beide Anspruch auf Wahrheit erhöben. Die angeschuldigten Ärzte hätten durch ihre Stellungnahme zum Problem des Sterbens klar zu erkennen gegeben, dass sie der letztgenannten Auffassung (vom persönlichen Tod) zuneigten und damit scheide auch ein auf Tötung gerichteter Vorsatz aus. Somit waren die Ärzte freizusprechen. Die Frage des mutmaßlichen Willens der Patienten war gar nicht erörtert worden.

Eine Umfrage bei 134 Chefärzten der ganzen Schweiz über die Ernährung von Patienten, welche die gleichen Charakteristiken aufwiesen, ergab, dass 21 dieser Chefärzte genauso verfuhren wie Haemmerli; 22 gaben an, gelegentlich bei hoffnungslosen Fällen auf weitere Nahrungsgabe zu verzichten und nur noch Flüssigkeit und Mineralien zu geben. 87 Chefärzte jedoch distanzierten sich prinzipiell von der «Null-Kalorien-Diät».

Ganz anders wurde der im Prinzip analoge Fall vom Gericht in Kempten behandelt. Hier hatte der Arzt im Einvernehmen mit dem Betreuer einer alten Patientin, die sich in einem permanenten PVS befand, angeordnet, von einem bestimmten Zeitpunkt an auf die Zufuhr kalorischer Nahrung zu verzichten und nur noch Tee zu geben. Die Zufuhr von Nahrung und Flüssigkeit war bisher durch eine äußere Magenfistel erfolgt, die bei der bewusstlosen Patientin angelegt worden war, weil Nasensonden nicht mehr möglich waren. Darüber, ob die Anlegung einer Magenfistel wirklich sinnvoll und verhältnismäßig war, hatte man offenbar nicht nachgedacht. Die Beschränkung der Weiterbehandlung auf ausschließlicher Flüssigkeitszufuhr war mit dem Pflegepersonal aber nicht abgestimmt worden; dieses hielt sich nicht an die Anweisungen und erstattete Anzeige beim Vormundschaftsgericht. Der Arzt wie auch der Betreuer der Patientin wurden in erster Instanz wegen versuchten Totschlags verurteilt. Der Bundesgerichtshof (BGH) hob das Urteil auf, da nachgewiesen werden konnte, dass das Vorgehen dem mutmaßlichen Willen der Kranken entsprach. Sie hatte früher mehrfach geäußert, sie wolle auf keinen Fall in einem solchen Zustand bleiben. Der Fall wurde an ein anderes Gericht zurückverwiesen, das den angeklagten Arzt aus den vom BGH angeführten Gründen freisprach. Der BGH hat es sich in seinem Urteil zum Kemptener Fall nicht leicht gemacht und die Gefahren gesehen. Ausschlaggebend sei der mutmaßliche Wille des Patienten. Bei dessen Ermittlung müssten frühere mündliche oder schriftliche Äußerungen (womit der BGH explizit auf die Patientenverfügung hinweist) ebenso wie etwa die religiöse Überzeugung, sonstige persönliche Wertvorstellungen des Kranken, seine altersbedingte Lebenserwartung beachtet werden. Weiter heißt es in dem Urteil:

> «Objektive Kriterien, insbesondere die Beurteilung einer Maßnahme als gemeinhin ‹vernünftig› oder ‹normal› sowie den Interessen eines verständigen Patienten üblicherweise entsprechend, haben keine eigenständige Bedeutung; sie können lediglich Anhaltspunkte für die Ermittlung des individuellen, hypothetischen Willens sein.»

Doch sogleich kommt der BGH zum wohl häufigsten Fall, dass sich bei aller Befragung der Angehörigen und in Ermangelung jeglicher früherer Äußerungen zu diesem Problem – sei es mündlich, sei es in Form einer Patientenverfügung – kein individueller, mutmaßlicher, aktueller Wille des Patienten feststellen lässt. Dann «kann und muss auf Kriterien zurückgegriffen werden, die allgemeinen Wertvorstellungen entsprechen. Dabei ist jedoch Zurückhaltung geboten; im Zweifel hat der Schutz des menschlichen Lebens Vorrang ...», urteilt der BGH. Auf keinen Fall komme es aber auf die Wertvorstellung des Arztes oder der Angehörigen an. Da ein Kranker im PVS jedoch keinen Willen mehr äußern kann, wird nach seinem mutmaßlichen Willen zu fragen sein. Freilich haftet dem mutmaßlichen Willen immer eine gewisse Unsicherheit an, dennoch wird man sich bemühen müssen, ihn tunlichst zu ergründen.

Solange man sich auf den Willen des Kranken berufen kann, sind weitere Überlegungen unnötig. Die ethischen Probleme treten aber gerade dann auf, wenn ein mutmaßlicher Wille nicht bekannt ist. Ist es ethisch vertretbar, sich auf alleinige Flüssigkeitszufuhr zu beschränken? Man könnte sich ja auch fragen, warum man bei Kranken, die nie mehr das Bewusstsein erlangen werden, überhaupt noch etwas unternehmen soll. Es gibt jedenfalls Überlegungen, die zumindest die Flüssigkeitszufuhr als sinnvoll oder sogar erforderlich ansehen. So wird darauf hingewiesen, dass es mehrere niedere Tiere ohne ausgebildetes Großhirn gibt, die natürlich auch auf die Flüssigkeitszufuhr angewiesen sind und ihre Flüssigkeitsbilanz über ein irgendwie wahrgenommenes Durstgefühl regeln müssen. Könnte es nicht sein, so wird überlegt, ob nicht auch ein Kranker im PVS ein Durstgefühl über das limbische System empfindet? Es stellt sich damit die Frage: Leidet er, wenn er nicht weiß, dass er leidet? Wir können es nicht wissen und sollten im Zweifelsfall lieber zuviel als zu wenig tun. Eine Unterlassung zu begehen, belastet den Arzt in gleichem Umfang, wie am Tod des Kranken schuld zu sein. Denkbar ist auch, dass man wenigstens Flüssigkeit aus einer gewissen Pietät gegenüber diesem biologischen Leben gibt, das immer noch das biologische Leben eines Menschen ist.

Zu d)
Wenn ein bewusstes menschliches Leben nicht mehr möglich ist (personales Leben), hat es keinen Sinn, ein rein biologisches, nur noch vegetatives Leben, auf unbestimmte Zeit zu verlängern. Da auch dem Kranken damit nicht sicher geholfen ist, scheint es nur konsequent, jegliche Behandlung – auch die Zufuhr von Nahrung und Flüssigkeit – einzustellen. Man setzt also Nahrung und Flüssigkeit ab, wonach der Kranke in wenigen Tagen sterben wird.

Dabei geht es zunächst um die Frage, ob die Zufuhr von Nahrung und Flüssigkeit in gleicher Weise zur ärztlich-medizinischen Behandlung gehört wie die Gabe von Medikamenten. Bisher wird wohl überwiegend die Auffassung vertreten, dass die Bereitstellung von Nahrung und Flüssigkeit zu den Grundvoraussetzungen des Lebens gehört, die jedem Menschen zustehen. Es handelt sich also um eine allgemein menschliche Verpflichtung und nicht um eine spezifische ärztliche Maßnahme und somit sei es dem Arzt nicht erlaubt, dem Kranken die Grundvoraussetzung des Lebens zu verweigern.

Das Problem kann aber nicht nur auf diese Fragestellung reduziert werden. Mit gleicher Berechtigung kann man fragen, ob überhaupt eine ärztliche Pflicht zur Lebenserhaltung besteht. Besteht diese nicht, dann muss es erlaubt sein, auf alle Maßnahmen zur Lebensverlängerung zu verzichten. So führten die BMA «Guidelines on Treatment Decisions for Patients in Persistent Vegetative State» schon 1993 aus:

> «Medical treatments, including artificial nutrition and hydration, may be withdrawn at a later stage if it is clear that they offer no hope of recovery but merely suspend the dieing process.»[29]

In der «Schweizerischen Ärztezeitung» wurden neu gefasste Richtlinien des Senats der Schweizerischen Akademie der Medizinischen Wissenschaften (SAMW) zur Sterbehilfe veröffentlicht.[30] Während sich die alten deutschen ärztlichen Richtlinien nur auf die unmittelbare Sterbehilfe beziehen, sagen die neuen Schweizer Richtlinien, dass auch bei «zerebral Schwerstgeschädigten mit irreversiblen, fokalen oder diffusen Hirnschädigungen, welche einen chronisch-vegetativen Zustand zur Folge haben» eine Ausnahme von der ärztlichen Verpflichtung zur Lebenserhaltung bestehe. Zu den lebenserhaltenden Maßnahmen werden gezählt: künstliche Wasser- und Nahrungszufuhr, Sauerstoffzufuhr, künstliche Beatmung, Medikation, Bluttransfusion und Dialyse. Neu an den Schweizer Richtlinien ist, dass eine Verhältnismäßigkeit der Mittel gefordert wird. Intensität und Schwere der den Patienten zugemuteten Eingriffe und Anstrengungen sollen zum mutmaßlichen Behandlungserfolg und zur Lebenserwartung des Patienten in einem medizinisch vertretbaren Verhältnis stehen. Eindeutig halten die Richtlinien in Übereinstimmung mit dem Recht aber daran fest, dass jedes aktive Töten verboten ist. Wenn auch nicht ausgesprochen, so wird der Teilhirntod in den angeführten Verlautbarungen doch implizit als Berechtigung angesehen, auf weitere Maßnahmen zu verzichten.

In Deutschland wird bisher nur der Tod des Gesamthirns als Tod des Menschen anerkannt. So hat der Beirat der Bundesärztekammer 1993 erstmals formuliert:

> «Hirntod wird definiert als Zustand des irreversiblen Erloschenseins der Gesamtfunktion des Großhirns, des Kleinhirns und des Hirnstammes, bei einer durch kontrollierte Beatmung noch aufrecht erhaltenen Herz-Kreislauffunktion.»

---

[29] BMA Guidelines on Treatment Decisions for Patients in Persistent Vegetative State: British Medical Association, BMA House, Tavistock Square, London WC1H 9JP, in: Bulletin Medical Ethics 89 (1993) 8–10.
[30] Schweiz. Akademie der medizin. Wissenschaften: Medizinisch-ethische Richtlinien für die ärztliche Betreuung sterbender und zerebral schwerst geschädigter Patienten, in: Schweiz. Ärztezeitung 76 (1995) 1223–1225.

Es wird also der Ausdruck «Gesamtfunktion» gegenüber einer rein pathologisch-anatomischen Definition bevorzugt. Da diese Definition bei Patienten im irreversiblen vegetativen Zustand nicht vollständig gegeben ist, werden davon Betroffene im deutschen Rechtsraum unverändert als lebende Personen in medizinischer, moralischer und gesetzlicher Hinsicht angesehen. Folgt man dieser Definition, der auch das Gericht in Kempten zunächst gefolgt ist, so müssten Nahrung und Flüssigkeit, vielleicht auch Antibiotika, unbeschränkt weiter gegeben werden; denn ob man durch Tun oder Unterlassen tötet, ist danach kein Unterschied.

Dagegen erlauben die Verlautbarungen der BMA sowie der SAMW den Verzicht bzw. Abbruch aller lebensverlängernden Maßnahmen auch bei Kranken im irreversiblen Zustand. Setzt dies eine Anerkennung des Teilhirntodes als Tod des Menschen voraus? Der Patient im PVS unterscheidet sich ja von jenem, der den Tod des ganzen Hirns erlitten hat, dadurch, dass er noch spontan atmet und die Stammhirnreflexe erhalten sind.

Dies ist in den angeführten Verlautbarungen allerdings nicht explizit angesprochen. Die BMA Richtlinien sagen, der Arzt müsse überlegen, ob es «in the patient's best interest» ist, lebensverlängernde Maßnahmen fortzusetzen. Die Verlautbarungen des SAMW stellen fest, dass alle ärztlichen Maßnahmen in einem medizinisch vertretbarem Verhältnis zum mutmaßlichen Behandlungserfolg und zur Lebenserwartung des Patienten stehen müssen. Die Behandlungspflicht wird also nur dann als gegeben angesehen, wenn die ärztlichen Maßnahmen sinnvoll und angemessen sind und verhältnismäßig zum erwarteten Erfolg. Nach dem endgültigen Bewusstseinsverlust bringt eine Verlängerung des Lebens dem Kranken jedoch keinerlei Vorteil. Da eine Besserung des Zustandes nicht zu erwarten ist, haben dahin gerichtete ärztliche Maßnahmen auch keinen medizinischen Sinn. Somit lässt sich eine Behandlungspflicht des Arztes nicht zwingend begründen. Die ethische Entscheidung hätte also die Frage zu klären: Besteht Behandlungspflicht – ja oder nein? Der Kranke stirbt dann zwar als Folge des Behandlungsverzichts, jedoch bedeutet das Fehlen einer Behandlungspflicht in sich weder eine direkte noch eine indirekte Tötungsabsicht. Man weiß zwar um die unvermeidlichen Folgen, man beabsichtigt sie aber nicht direkt, vielmehr ist man nicht zu ihrer Verhinderung verpflichtet. Dabei handelt es sich außerdem um das Ende eines «nur noch vegetativen Lebens», das nicht mehr das Medium sein kann, «in dem der Mensch sich selbst verwirklichen kann und muß».[31]

Alle wie auch immer gestalteten ärztlichen Entscheidungen verlangen jederzeit eine gute Kommunikation mit den Angehörigen, wobei häufig ein pragmatisches Vorgehen zu empfehlen sein wird. So kann es geraten sein, auch bei definitiver Sinnlosigkeit aller weiteren Behandlungen doch noch so lange weiter zu therapieren, bis die Situation von den Angehörigen akzeptiert werden kann. Auch wird man Ärzten nicht verwehren können, aus den weiter oben angeführten Überlegungen heraus wenigstens Flüssigkeit

---

[31] *A. Auer*, s. Anm. 28.

weiter zu geben. Ein allgemeiner Konsens zu den Verlautbarungen der BMA und SAMW steht im Übrigen noch aus, wäre aber wünschenswert.

1989 publizierte die «American Academy of Neurology» ein Positionspapier,[32] das künstliche Ernährung und Flüssigkeitstherapie als Teil der medizinischen Therapie bezeichnet. Sie konstatierten, dass der Patient selber oder Angehörige sich dazu entscheiden können, die Therapie zu beenden und dass es keine ethischen oder medizinischen Unterschiede zwischen Fortführung oder Beendigung der Therapie gibt.

Im Jahr 1990 erklärten sich 88 % der Mitglieder der «American Neurological Society» mit diesem Dokument einverstanden. 1991 sprachen sich 92 % der «Child Neurology Society» für dieses Vorgehen bei Erwachsenen aus, aber nur 72 % der Mitglieder dachten, dass dies auch bei Kleinkindern und Jugendlichen möglich sei. Weiter gaben 75 % der Befragten an, dass sie die Ernährungs- und Flüssigkeitszufuhr bei Kindern im persistierenden vegetativen Status nicht absetzen würden.[33]

Im Jahr 1990 veröffentlichten der «Council on Scientific Affairs» und der «Council on Ethical and Judicial Affairs» der «American Medical Association» einen Bericht, in dem die klinischen Kriterien für die Diagnose des persistierenden vegetativen Status definiert und ethische sowie juristische Entscheidungsprozesse über die Fortführung oder das Absetzen der Therapie diskutiert wurden.[34]

Im Jahr 1991 wurde die Multi Task Force (MTF) on PVS ins Leben gerufen, die daraufhin begann, eine Stellungnahme zu entwerfen. Es wurden alle bis dahin erschienenen Literaturangaben über «Vegetative state, persistent vegetative state» einem Reviewverfahren unterzogen, des weiteren die publizistischen Artikel, die Daten des Nationalen Instituts für Neurologische Erkrankungen sowie die Daten der «Stroke Traumatic Coma Data Bank». Das Statement ist in zwei Abschnitte gegliedert:
- Der erste Teil definiert den Begriff «persistent vegetative state» und verwandte Begriffe und Bedingungen und diskutiert die Epidemiologie und Pathologie sowie einige diagnostische Studien.
- Der zweite Teil befasst sich mit der Prognose und dem Langzeit-Überleben von Patienten im vegetativen Status und erörtert die Möglichkeiten bezüglich Schmerz, Leiden und Behandlung.[35]

---

[32] Position of the American Academy of Neurology on certain aspects of the care and management of the persistent vegetative state patient: adopted by the Executive Board, American Academy of Neurology, April 21, 1988, Cincinnati OH, in: Neurology 39 (1989) 125f.

[33] Vgl. *S. Ashwall/J. F. Bale/D. L. Coulter/R. Eiben et al.*, The persistent vegetative state in children: report of the Child Neurology Society Ethics Committee, in: Annuals of Neurology 32 (1992) 570–576; vgl. *S. Ashwal*, The persistent vegetative state in children, in: Advances in Pediatrics 41 (1994) 195–222.

[34] Vgl. *J. L. Bernat*, Ethical issues in neurology, in: *R. J. Joynt* (Hrsg.), Clinical neurology, Vol. 1, Philadelphia 1991, 2–57.

[35] The Multi Task Force on PVS, s. Anm. 1; ebd., Second of two parts, 1572–1579.

Marcia Angell hat in einem Editorial[36] drei Strategien zum persistierenden vegetativen Zustand formuliert:
- Neue Definition des Hirntodes mit Einschluss des permanenten vegetativen Status
- Aufstellung neuer Kriterien für die Behandlung oder das Ende der Behandlung, basierend auf dem Ausmaß sowie der Dauer der neurologischen Schädigung.
- Verlagerung der Verantwortung zum Patienten (Testament) oder dessen Familie, zur Entscheidung, ob sie Therapie oder Abbruch (auch der Ernährung, Hydratation) durchführen wollen.

Dem Konsensus der «Task Force on Ethics», der «Society of Critical Care Medicine»[37] entsprechend können der Patient (evtl. mit Testament) oder seine Angehörigen die Entscheidung zur Weiterbehandlung oder Beendigung der Behandlung von terminalen und nicht terminalen Erkrankungen treffen:
- Der Patient entscheidet über die Durchführung jeglicher Therapie. Es ist ethisch angemessen, eine Therapie nicht anzuwenden oder zu unterbrechen.
- Eine schon angewendete Therapie zu unterbrechen ist nicht notwendigerweise problematischer als deren Nichtanwendung. Lebenserhaltende Maßnahmen sind notwendig, um eine vollständige Beurteilung des Zustandes eines Patienten zu ermöglichen. Während der Phase der Beurteilung sollten diese lebenserhaltenden Maßnahmen nicht zurückgehalten werden.
- Die Behandlung hat ihre medizinische Berechtigung, wenn sie dem Patienten zum Vorteil gereicht, ohne Vorteil verliert sie ihre Berechtigung.
- Ein Abbruch der Therapie sollte diskutiert werden a) bei ungünstiger Prognose mit geringen Überlebenschancen, b) wenn die Last der Therapie die Vorteile überwiegt, c) wenn die Qualität des Lebens nicht mehr akzeptabel ist.

Eine Behandlungsunterbrechung schließt Antibiotika, Herzmedikamente, Hämofiltration, Dialyse, Flüssigkeitstherapie, Ernährung sowie Beatmung ein.

Zusammenfassend ist die Nichteinleitung einer Therapie, etwa bei Vorhandensein eines Patiententestamentes, z. B. mit einem Beatmungsgerät, eine leichter zu rechtfertigende Handlung als das Abbrechen dieser Therapie bei einem ventilatorabhängigen Patienten. Diese Unterbrechung könnte als eine Form der aktiven Euthanasie oder des arztassistierten Todes verstanden werden. Jedenfalls ist bis zur endgültigen Diagnosestellung eine volle Therapie mit allen medizinischen Möglichkeiten durchzuführen.

---

[36] Vgl. *M. Angell,* After Quinlain: the dilemma of the persistent vegetative state, in: The Multi Task Force on PVS, s. Anm. 1, 1524f.
[37] SCCM. Consensus report on the ethics of foregoing life-sustaining treatments in the critically ill, in: Critical Care Medicine 18 (1990) 1435–1439.

Die Entscheidung, nicht zu reanimieren, mit Abbruch der Medikation wie Vasopressoren, Antibiotika, Insulin sowie Hämofiltration wird im Allgemeinen akzeptiert. Die Entscheidung, lebenserhaltende Maßnahmen wie Beatmung, Ernährung, Flüssigkeitstherapie abzusetzen, kann nicht mit derselben Argumentation getroffen werden. Zwischen Nichtanwendung und Unterbrechung lebensnotwendiger Maßnahmen gibt es möglicherweise keine philosophischen oder legalen Unterschiede, aber zweifellos sind schwerwiegende psychologische und religiöse Einwände festzustellen. In keinem Fall darf der Therapieabbruch ein Mittel zur Kosteneinsparung sein.

Es gibt für Ärzte einige spezifische Empfehlungen zur Therapiereduzierung bei Patienten im PVS.[38] Es gibt aber bisher keine allgemein akzeptierten Richtlinien für das Absetzen der Ernährung und der Flüssigkeitstherapie bei Kindern und Erwachsenen. Wenn die Nahrungs- und Flüssigkeitszufuhr beendet wird, stirbt der Patient im PVS ca. 10–14 Tage später. Der Grund für den Tod ist die Exsikkose sowie das Elektrolytungleichgewicht, nicht primär die Mangelernährung. Patienten im vegetativen Status erleben kein Hunger- oder Durstgefühl.

Der BGH hat in einem Urteil vom 13.09.1994 über einen Fall entschieden, in dem einer Apallikerin die Nahrung entzogen werden sollte, wobei dies den Tod in wenigen Wochen herbeigeführt hätte.[39] Er stellte fest, dass in Einzelfällen ein zulässiges Sterbenlassen durch Einstellung der Zufuhr lebenserhaltender Stoffe nicht ausgeschlossen ist, sofern der Patient mutmaßlich damit einverstanden ist. «Denn auch in dieser Situation ist das Selbstbestimmungsrecht des Patienten zu achten», heißt es wörtlich im Urteil des höchsten deutschen Strafgerichts. Da auch Art. 2 des Grundgesetzes nicht nur die Selbstbestimmung des Patienten, sondern auch den Schutz des Lebens beinhalte, fordert der BGH, in tatsächlicher Hinsicht strenge Anforderungen zu stellen. Es ist aktuell, dass in den Niederlanden die Forderung nach der aktiven, tötenden Sterbehilfe in der Diskussion ist. Bei uns ist dies absolut verboten, und selbst auf Wunsch des Patienten wäre dies eine strafbare Handlung auf Verlangen nach § 216 Strafgesetzbuch.

Die Bundesärztekammer (BÄK) verabschiedete im April 1979 erstmals Richtlinien für die Sterbehilfe mit einem dazugehörigen Kommentar. Im Juni 1993, 14 Jahre später, wurde vom Vorstand der BÄK eine neue Richtlinie zur Sterbebegleitung verabschiedet. Vier Jahre nach dieser Verabschiedung hat es wieder einen neuen Entwurf gegeben,[40] der erstmals auch eine Stellungnahme zur passiven Sterbehilfe bei Patienten im chronisch-vege-

---

[38] Position of the American Academy of Neurology, s. Anm. 32; vgl. *J. L. Bernat*, s. Anm. 34; ANA Committee on Ethical Affairs. Persistent vegetative state: report of the American Neurological Association Committee on Ethical Affairs, in: Annuals of Neurology 33 (1993) 386–390; vgl. *R. E. Cranford*, Termination of treatment in the persistent vegetative state, in: Seminars in Neurology 4 (1984) 36–44.
[39] BGH Urteil vom 13.09.1994, in: Medizin Recht (1995) 3–72.
[40] *E. Beleites*, Entwurf der Richtlinie der Bundesärztekammer zur ärztlichen Sterbebegleitung und den Grenzen zumutbarer Behandlung, Stand 25.04.1997, in: Deutsches Ärzteblatt 94 (1997) 20, 1342.

tativen Zustand beinhaltet. Auch hier wird vorgeschlagen, dass ein Behandlungsabbruch nur dann zulässig ist, wenn dies dem erklärten oder mutmaßlichen Willen des Patienten entspricht.

> «Der mutmaßliche Wille des Patienten ist aus den Gesamtumständen zu ermitteln. Eine besondere Bedeutung kommt hierbei früheren Erklärungen des Patienten zu. Sie sind zu berücksichtigen, sofern ihre Aktualität für die konkrete Situation anzunehmen ist. Bei der Ermittlung des mutmaßlichen Willens sind sowohl religiöse Überzeugungen und allgemeine Lebenseinstellungen als auch Gründe, die die Lebenserwartung und die Risiken bleibender Behinderungen sowie Schmerzen betreffen, zu berücksichtigen. Hat der Patient eine Person seines Vertrauens speziell benannt, ist diese zur Ermittlung des mutmaßlichen Willens heranzuziehen. Ist der mutmaßliche Wille nicht erkennbar, so sollte der Arzt die Bestellung eines Betreuers beim Vormundschaftsgericht anregen.»

Der aktiven Euthanasie wird weiterhin eine klare Absage erteilt.

5. Aktive Euthanasie

Der Tod auf Patientenwunsch schließt die Verabreichung tödlich wirkender Medikamente ein. Synonyme sind arztassistierter Tod oder arztassisierter Selbstmord. Die aktive Euthanasie wird in den Niederlanden nicht gesetzlich verfolgt, in Australien (Northern Territories) war sie sogar gesetzlich erlaubt; dieses Gesetz wurde jedoch 1997 mit 38 : 33 Stimmen vom australischen Senat wieder aufgehoben. 1,8 % aller Todesfälle in den Niederlanden werden durch aktive Euthanasie eingeleitet, wobei 0,8 % keine explizite Zustimmung oder wiederholtes Verlangen – wie im Gesetz gefordert – geäußert hatten. Die große Mehrheit der holländischen Ärzte befürwortet die aktive Euthanasie.[41] In den USA wird sie in Form eines arztassistierten Todes seit Jahren diskutiert. Im Bundesstaat Oregon wurde sie im Jahre 1994, nach einer Volksabstimmung, mit 60 : 40 % angenommen, wobei festgelegt wurde, dass eine terminale Erkrankung vorliegen muss. In den zwei US-Staaten (Washington State und Texas) wurde sie nach Plebiszit mit 55 : 45 % abgelehnt. Auch in Deutschland, der Schweiz und in den nordischen Ländern wird die aktive Sterbehilfe weiterhin abgelehnt.

6. Zusammenfassung

Für das Management bei Patienten im PVS werden von uns folgende Empfehlungen ausgesprochen:
- Mitteilung der Diagnose an die Angehörigen sowie Diskussion mit der Familie über die Meinung des Patienten, verschiedene Stadien der Erholung zu erreichen oder im PVS zu verbleiben

---

[41] Vgl. *P. J. Van der Maas/J. J. M. van Delden/P. Pijünborgh Looman*, Euthanasia and other medical decision concerning the end of life, in: The Lancet 338 (1991) 669–674.

- Patienten im PVS sollten adäquate medizinische, pflegerische oder häusliche Hilfe erhalten, um die Würde und die Hygiene aufrechtzuerhalten.
- Ärzte und Familie müssen gemeinsam über die unterschiedlichen Therapieregime entscheiden, bezogen auf die Verabreichung oder das Weglassen von
    - Medikamenten oder anderen häufig verordneten Therapien
    - O_2-Gabe und die Gabe von Antibiotika
    - Komplexe organerhaltende Therapien wie z. B. Dialyse
    - Verabreichung von Blutprodukten
    - Flüssigkeitstherapie und Ernährung

Die Diskussion um das apallische Syndrom (persistierender vegetativer Zustand) wird auch in Zukunft weitergeführt werden müssen. Wichtig hierbei ist die Unterscheidung zwischen persistierendem vegetativen Zustand sowie permanentem vegetativem Zustand. Einzig an der Schnittstelle beider Syndrome lässt sich die weitere Therapienotwendigkeit entscheiden. Im jetzigen Zeitpunkt ist dieser Wendepunkt jedoch nicht mit Sicherheit zu bestimmen oder zu messen. Im Zweifelsfall ist deshalb eher eine Fortsetzung der Therapie zu empfehlen, bis eindeutig ein permanenter vegetativer Zustand eingetreten ist. Von großer Wichtigkeit sollte während der kompletten Therapie stets der Dialog mit den Angehörigen und dem Pflegepersonal sein.

TEIL 4

Juristische Aspekte

Hans Georg Koch

«Der medizinisch assistierte Tod»
Aktuelle Rechtsfragen der Sterbehilfe im deutschen Recht

Einleitung

Die deutsche Rechtslage in Bezug auf die Sterbehilfe ist in mancherlei Hinsicht mit der schweizerischen vergleichbar: eine spezialgesetzliche Regelung fehlt bislang; die Anwendungsvoraussetzungen und -grenzen der einschlägigen Strafvorschriften, insbesondere der Tötungsdelikte, sind durch Auslegung zu ermitteln. Unterschiede in der Konstruktion der allgemeinen Tötungsdelikte (§§ 211–213 StGB) können hier dahingestellt bleiben. Auch in der Strafmilderung der Tötung auf Verlangen entsprechen sich beide Rechtsordnungen weitgehend. Allerdings setzt § 216 StGB im Gegensatz zu Art. 114 des schweizerischen StGB nicht voraus, dass der Täter «aus achtenswerten Beweggründen, namentlich aus Mitleid» gehandelt hat. Indes sollte dieser Unterschied im hier gegebenen Zusammenhang nicht überbewertet werden; wichtiger erscheint die Gemeinsamkeit, dass einverständliche aktive Sterbehilfe in beiden Rechtsordnungen unter Strafe gestellt ist.

Gravierendere Diskrepanzen scheinen im Hinblick auf die Strafbarkeit der Suizidteilnahme zu bestehen, fehlt doch im deutschen StGB eine Art. 115 des schweizerischen StGB entsprechende Vorschrift. Damit eröffnete Möglichkeiten straffreier Mitwirkung am sog. freiverantwortlichen Suizid werden freilich durch spätestens gegenüber dem handlungsunfähig gewordenen Suizidenten von Seiten der Rechtsprechung statuierte Rettungs- bzw. Hilfeleistungspflichten deutlich relativiert. Eine weitere Gemeinsamkeit zwischen beiden Ländern besteht darin, dass sich die Ärzteschaft Regularien zu Fragen der Sterbehilfe gegeben – und damit in gewisser Weise die Untätigkeit des Gesetzgebers zu kompensieren verstanden hat. Die Erstfassung der Richtlinien der SAMW (Schweizerische Akademie der Medizinischen Wissenschaften) von 1976 wurde von der deutschen Bundesärztekammer in den Richtlinien von 1979[1] sogar weitgehend wörtlich übernommen. Nach der Revision von 1993[2] kam im September 1998 eine erneute grundlegende Überarbeitung[3] zum Abschluss. Darüber hinaus sahen sich verschiedene medizinische Fachgesellschaften sowie einzelne regionale Ärztekammern zu

---

[1] Deutsches Ärzteblatt (1979) 957ff.
[2] Mit Umbenennung in «Richtlinien der Bundesärztekammer für die ärztliche Sterbebegleitung», in: Deutsches Ärzteblatt (1993) C-1628f.
[3] Entwurf der Richtlinie der Bundesärztekammer zur ärztlichen Sterbebegleitung und den Grenzen zumutbarer Behandlung, in: Deutsches Ärzteblatt (1997) C-988f.; Grundsätze der Bundesärztekammer zur ärztlichen Sterbebegleitung, in: Deutsches Ärzteblatt (1998) C-1690f. Vgl. dazu auch die Erläuterungen von *E. Beleites*, Sterbebegleitung: Wegweiser für ärztliches Handeln, in: Deutsches Ärzteblatt (1998) C-1689f.

Positionsbestimmungen empfehlenden Charakters veranlasst, so die Deutsche Gesellschaft für Chirurgie,[4] die Deutsche Gesellschaft für Gerontologie,[5] die Deutsche Gesellschaft für Medizinrecht[6] und eine ad-hoc-Kommission der Berliner Ärztekammer.[7]

Im folgenden Beitrag soll – mit rechtsvergleichenden Seitenblicken – auf einige derzeit in Deutschland besonders nachhaltig diskutierte Fragen im Zusammenhang mit ärztlicher Sterbehilfe eingegangen werden, namentlich auf die Auseinandersetzung um die Strafwürdigkeit «aktiver» Sterbehilfe (Kap. 1), auf die Zulässigkeit des Sterbenlassens dauerkomatöser Patienten mit infauster Prognose (Kap. 2) sowie auf Probleme im Zusammenhang mit dem Gebrauch von Patientenverfügungen oder anderer Formen der Vorsorge für den Fall eigener Entscheidungsunfähigkeit (Kap. 3). Dabei wird deutlich werden, dass in Deutschland sich nicht nur die Rechtswissenschaft eingehend um eine Klärung der Rechtslage bemüht, sondern – in deutlich größerem Umfang als in der Schweiz – auch die Rechtsprechung der Zivil- und Strafgerichte sich mit einschlägigen Fallkonstellationen zu befassen hatte.[8]

1. Zur Strafbarkeit und Strafwürdigkeit der aktiven Sterbehilfe

1.1 Zum Stand der aktuellen Diskussion

Folgt man den Ergebnissen verschiedener Meinungsumfragen,[9] so wird – jedenfalls auf hypothetischer Ebene – aktive Sterbehilfe von vielen Mitbürgern durchaus als Handlungsoption am Lebensende in Betracht gezogen. Dem steht eine wiederholt in aller Deutlichkeit zum Ausdruck gebrachte

---

[4] Resolution zur Behandlung Todkranker und Sterbender. Ärztliche und rechtliche Hinweise vom 10.04.1979, in: Mitteilungen der Deutschen Gesellschaft für Chirurgie, Beilage (1979) 3, abgedruckt auch bei *A. Eser/H.-G. Koch* (Hrsg.), Materialien zur Sterbehilfe, Eine internationale Dokumentation, Freiburg i. Br. 1991, 145f.; Leitlinie zum Umfang und zur Begrenzung der ärztlichen Behandlungspflicht in der Chirurgie von 1996, in: Deutsche Gesellschaft für Chirurgie, Mitteilungen 1996, 364ff.
[5] Resolution «Sterben und Sterbebegleitung», in: Die Berliner Ärztekammer 1983, 670ff., abgedruckt auch bei *A. Eser/H.-G. Koch*, s. Anm. 4, 147ff.
[6] Grenzen ärztlicher Behandlungspflicht bei schwerstgeschädigten Neugeborenen, «Einbecker Empfehlung» vom 29.06.1986, in: Medizinrecht 1986, 281f., abgedruckt auch bei *A. Eser/H.-G. Koch*, s. Anm. 4, 150ff.; revidierte Fassung (unter Beteiligung auch der Akademie für Ethik in der Medizin und der Deutschen Gesellschaft für Kinderheilkunde) von 1992, in: Medizinrecht 1992, 206f.
[7] Grenzen der Behandlungspflicht – Zum Abbruch lebenserhaltender Maßnahmen, in: Berliner Ärzte (1996) 9, 15f.
[8] Für einen zusammenfassenden Überblick über die Rechtsprechung bis zum Beginn der neunziger Jahre sei verwiesen auf *H.-G. Koch*, Landesbericht Bundesrepublik Deutschland, in: *A. Eser/H.-G. Koch*, s. Anm. 4, 31–193, hier 43ff.
[9] Zum Folgenden vgl. *H.-G. Koch*, s. Anm. 8, 71f. Neueste Zahlen finden sich in Humanes Leben – Humanes Sterben 3 (1998) 3.

Ablehnung seitens der Ärzteschaft gegenüber.[10] In Fällen aktiver Tötung lässt das geltende deutsche Recht keinen Raum für Abwägungen von Lebensquantität und -qualität, selbst wenn für letztere noch die Autonomie des Betroffenen streitet. Durch die sich aus § 216 StGB ergebende Einschränkung seiner Dispositionsbefugnis wird der Wille des Sterbewilligen gewissermaßen zur Quantité négligeable.

Erfolgt die gezielte, aktive Lebensverkürzung nicht auf entsprechenden Wunsch des Betroffenen, ist die Tat rechtlich als Mord oder Totschlag zu beurteilen (§§ 211–213 StGB). Dies gilt auch für jene Schlagzeilen trächtigen Fälle, in denen Krankenschwestern oder -pfleger sich unaufgefordert zum Herrn über Leben und Tod der ihnen anvertrauten Patienten aufgeschwungen haben.[11] An jenem Ergebnis ändert sich selbst dann nichts, wenn im Einzelfall Mitleid mit dem Patienten, strukturelle Probleme des Pflegesektors oder auch berufliche Überforderung handlungsleitend gewesen sein sollten – Aspekte, die allenfalls als Strafzumessungsfaktoren Bedeutung erlangen können.

Die harte Haltung des Gesetzgebers gegenüber aktiver Sterbehilfe – auch und gerade, wenn sie vom unheilbar Kranken gewünscht ist – wird freilich rechtspolitisch immer wieder in Frage gestellt. Sterbehilfe-Organisationen, aber auch Vertreter der Strafrechtswissenschaft und der Rechtsphilosophie, fordern eine Änderung des § 216 StGB. Hauptargument dieser Bestrebungen ist das Selbstbestimmungsrecht des Betroffenen und die Einschätzung, strafrechtliche Sanktion bedeute in derartigen Fällen eine unangemessene gesellschaftliche Reaktion auf einen tragischen Konfliktfall. Einige Beispiele:

a) Schon auf der Basis des geltenden Rechts wird von einigen Rechtsgelehrten versucht, die Strafdrohung des § 216 StGB bei einer Kumulation verschiedener Unrechts- und Schuldminderungsgründe außer Kraft zu setzen: Manche Autoren halten im Einzelfall Straffreiheit aufgrund eines rechtfertigenden[12] oder entschuldigenden[13] Notstands (§§ 34f. StGB) für

---

[10] Vgl. nur die Resolutionen der Deutschen Ärztetage von 1995 und 1995, in: Deutsches Ärzteblatt (1995) C-1098f. bzw. (1996) C-1202; sowie § 16 Satz 2 der Musterberufsordnung von 1997: «Der Arzt darf das Leben des Sterbenden nicht aktiv verkürzen.»

[11] Vgl. dazu insbesondere BGH, in: Neue Juristische Wochenschrift (1991) 2357ff. = BGH, in: Neue Zeitschrift für Strafrecht (1992) 34ff. mit Anmerkung Roxin (Fall *Michaela Roeder*).

[12] Vgl. etwa *H. J. Hirsch*, Einwilligung und Selbstbestimmung, in: *H. G. Stratenwerth, et al.* (Hrsg.), Festschrift für Hans Welzel zum 70. Geburtstag, Berlin 1974, 775–800, hier 795f.; *R. D. Herzberg*, Sterbehilfe als gerechtfertigte Tötung im Notstand?, in: Neue Juristische Wochenschrift (1996) 3043–3049, hier 3045ff.; *Ders.*, Der Fall Hackethal – Strafbare Tötung auf Verlangen?, in: Neue Juristische Wochenschrift (1986) 1635 - 1644, hier 1639.

[13] Vgl. *H. J. Hirsch*, Behandlungsabbruch und Sterbehilfe, in: *W. Küper* (Hrsg.), Festschrift für Karl Lackner zum 70. Geburtstag, Berlin 1987, 597–620, hier 610; *H. Tröndle*, Warum ist die Sterbehilfe ein rechtliches Problem?, in: Zeitschrift für die gesamte Strafrechtswissenschaft (1987) 25–48, hier 42.

möglich. Nach wohl überwiegender Meinung sind solche Wege aber nicht gangbar;[14] das Tötungstabu wird durch uneingeschränkten strafrechtlichen Lebensschutz – selbst um den Preis unangemessener Ergebnisse im extremen Einzelfall – hochgehalten. In der Tat dürfte es eine Überspannung des geltenden Rechts darstellen, aktive Sterbehilfe unter gewissen Voraussetzungen straffrei stellen zu wollen. Selbst ein Absehen von Strafe (vgl. § 60 StGB) lässt sich unter den geg. Voraussetzungen juristisch nicht kunstgerecht begründen.[15]

b) Auf dem 56. Deutschen Juristentag 1986 schlug die *Deutsche Gesellschaft für Humanes Sterben (DGHS)* vor, durch einen neuen § 216a StGB die einverständliche Tötung unter bestimmten Voraussetzungen zu legalisieren:

> «Eine einverständliche Tötung ist unter den Voraussetzungen des § 216 dann nicht rechtswidrig, wenn
> - der Getötete sich in einem schwersten, von ihm nicht mehr zu ertragenden Leidenszustand befand,
> - sich der Wille des Getöteten zur Tötung als dauerhaft erwiesen hat,
> - der Getötete zu einer Selbsttötung durch eigene Hand körperlich nicht fähig war,
> - auf keinen der Beteiligten ein Zwang ausgeübt worden ist.»

Diese Voraussetzungen sind kumulativ zu verstehen; eine weitere Bestimmung, die bei der Körperverletzung angesiedelt ist (Ergänzung des damaligen § 226a StGB[16]), aber wohl auch auf die Tötung auf Verlangen gemünzt ist, soll klarstellen, dass die Einwilligung «im Hinblick auf mögliche Äußerungsunfähigkeit auch schriftlich im voraus erfolgen» kann.

c) Ein Vorschlag der *Humanistischen Union* aus dem Jahr 1985 wollte § 216 StGB durch folgenden Abs. 3 ergänzen: «Der Täter handelt dann nicht rechtswidrig, wenn er die Tat begangen hat, um einen menschenwürdigen Tod herbeizuführen.»

d) Der bekannte Rechtsphilosoph *Norbert Hoerster* schlug vor, § 216 durch folgende Bestimmung einzuschränken: «Ein Arzt, der einen an einer unheilbaren schweren Krankheit leidenden Menschen tötet, handelt nicht rechtswidrig, wenn der Kranke diese Tötung in einem urteilsfähigen und aufgeklärten Zustand wünscht oder wenn der Kranke, sofern nicht urteilsfähig, diese Tötung in einem urteilsfähigen und aufgeklärten Zustand wünschen würde.»[17]

---

[14] Vgl. etwa *A. Eser*, Lebenserhaltungspflicht und Behandlungsabbruch in rechtlicher Sicht, in: *A. Auer/H. Menzel/A. Eser,* Zwischen Heilauftrag und Sterbehilfe, Köln 1976, 75–147, hier 90ff.

[15] Anderer Ansicht insoweit *D. Dölling*, Zulässigkeit und Grenzen der Sterbehilfe, in: Medizinrecht (1987) 6–12, hier 11f.

[16] Jetzt (inhaltsgleich) § 228 StGB.

[17] *N. Hoerster*, Sterbehilfe – Tötung auf Verlangen: Ist unser Recht reformbedürftig?, in: Universitas (1991) 237–245, hier 242. – Das zitierte Beispiel steht für eine Reihe in der Grundtendenz identischer, im Detail jedoch unterschiedlicher Formulierungsvorschläge, vgl. zuletzt (Stand Mitte 1998) *Ders.*, Sterbehilfe im säkularen Staat, Frankfurt a. M. 1998, 169f.

e) Deutlich zurückhaltender sprach sich der 1986 von Juristen und Medizinern gemeinsam erarbeitete *Alternativentwurf eines Gesetzes über Sterbehilfe (AE-Sterbehilfe)* für eine Ergänzung des Tatbestandes der Tötung auf Verlangen (§ 216 StGB) aus, welche in Extremfällen – «wenn die Tötung der Beendigung eines schwersten, vom Betroffenen nicht mehr zu ertragenden Leidenszustandes dient, der nicht durch andere Maßnahmen behoben oder gelindert werden kann» – ein *Absehen von Strafe* ermöglichen soll und damit den grundsätzlichen Unrechtscharakter und Schuldvorwurf bei jeder Tötungshandlung bestehen lässt. Diese Konzeption des AE-Sterbehilfe fand der Sache nach auch die Zustimmung des 56. Deutschen Juristentags (Berlin 1986); der Gesetzgeber sah sich jedoch bislang nicht zum Handeln veranlasst.

Auf Detailunterschiede dieser Vorschläge kann hier nicht im Einzelnen eingegangen werden. Immerhin sei bemerkt, dass der Vorschlag der Humanistischen Union recht vage formuliert erscheint, dass die DGHS den Anwendungsbereich auf solche Fälle beschränkt sehen will, in denen der Patient zur Selbsttötung physisch außer Stande ist, und dass die Vorschläge von *Hoerster* auf ein «Sterbehilfe-Monopol» des Arztes hinauslaufen, während die anderen hier vorgestellten Entwürfe dem Arzt keine Sonderstellung einräumen – oder zumuten – wollen, ja der AE-Sterbehilfe in seiner Begründung sogar explizit darlegt, dass seine Regelung nicht primär Ärzte betreffen soll, zumal für das Arzt-Patient-Verhältnis mit der Möglichkeit zulässiger indirekter Sterbehilfe (§ 214a AE-Sterbehilfe) eine spezifische Regelung vorgesehen ist.[18] Der wesentliche konzeptionelle Unterschied zwischen AE-Sterbehilfe einerseits und den anderen hier vorgestellten Regelungsvorschlägen andererseits besteht letztlich im Stellenwert des Selbstbestimmungsrechts des Betroffenen: Im Gegensatz zu letzteren hebt der AE-Sterbehilfe zur Begründung möglicher Straflosigkeit letztlich nicht auf einen gewissen Bereich eingeräumter Verfügungsmacht über das eigene Leben ab, sondern auf die mögliche Unangemessenheit einer Strafe bei Handeln in ausgloser Not des Leidenden.[19] Die Begründung, man wolle den Anschein eines Rechts des Betroffenen vermeiden, von einem anderen die Beendigung seines Lebens zu verlangen (i. S. eines gegen diesen gerichteten, durchsetzbaren Anspruchs), kann freilich nicht überzeugen. Denn ein Verständnis von Rechtfertigungsgründen, das Handlungsrechte gewährt, ohne Handlungspflichten zu statuieren, ist keineswegs ungewöhnlich. Dies gilt gerade für medizinische Tätigkeiten.[20]

---

[18] Vgl. *J. Baumann et al.*, Alternativ-Entwurf eines Gesetzes über Sterbehilfe (AE-Sterbehilfe), Stuttgart 1986, 39. – Zwischen indirekter und aktiver Sterbehilfe ist die Grenzlinie jedoch nicht ohne weiteres eindeutig zu ziehen, vgl. dazu auch *N. Hoerster*, s. Anm. 17, 41ff.
[19] Vgl. AE-Sterbehilfe, s. Anm. 18, Begründung S. 36 (Anm. 4 zu § 216). – Dementsprechend wird auch nicht recht deutlich, warum es in entsprechenden Fällen überhaupt entscheidend auf die Einwilligung des Betroffenen ankommen soll.
[20] Vgl. z. B. § 12 Schwangerschaftskonfliktgesetz zum Schwangerschaftsabbruch sowie § 10 Embryonenschutzgesetz zu Maßnahmen medizinisch unterstützter Fortpflanzung.

1.2 Rechtsgeschichtlicher Rückblick

In der gegenwärtigen rechtspolitischen Diskussion, wie sie in Deutschland über die Frage einer etwaigen Entkriminalisierung aktiver Sterbehilfe geführt wird, spielt noch immer die nationalsozialistische Vergangenheit eine erhebliche Rolle. Insbesondere von Gegnern größerer rechtlicher Freiräume wird auf die Missbräuche des Euthanasiegedankens in der Hitler-Aera verwiesen. Diese Beschäftigung mit unrühmlicher deutscher Vergangenheit ist als solche prinzipiell zu begrüßen, muss aber doch mindestens unter zwei Aspekten hinterfragt werden: Zum einen gilt es, die Dinge in größeren historischen Zusammenhängen zu sehen (a), zum anderen ist auf wesentliche Unterschiede in der Rolle des Staates zu verweisen (b).

a) Vorschläge, Fragen der Sterbehilfe gesetzlich zu regeln – und damit den Zulässigkeitsbereich gegenüber dem (damals) geltenden Recht in der einen oder anderen Weise zu erweitern –, gehen bis in die Zeit der Jahrhundertwende zurück.[21] Mit dem Ziel einer kontrollierten, d. h. durch Genehmigungsverfahren denkbaren Missbräuchen vorbeugen wollenden «Freigabe» der Tötung auf Verlangen wurden von privater Seite etliche Gesetzesentwürfe veröffentlicht. Hinter diesen Vorschlägen standen neben Erwägungen zum Respekt vor dem Selbstbestimmungsrecht des Betroffenen auch dem damaligen Zeitgeist entsprechende gesellschaftspolitische Tendenzen utilitaristischer und sozialdarwinistischer Art. Letztere wurden zunächst eher akzidentiell, d. h. das Selbstbestimmungsinteresse des Sterbewilligen stützend, herangezogen und bekamen nicht zuletzt unter dem Eindruck der Kriegslasten dann aber auch eigenständige Bedeutung.

b) Die Verselbständigung des sozialdarwinistischen Gedankens – wie sie insbes. in der berühmt gewordenen Publikation von *Binding* und *Hoche*[22] ihren Ausdruck fand – sollte der späteren nationalsozialistischen Pervertierung des Euthanasiebegriffes mit seiner zynisch-menschenverachtenden Zweckentfremdung den Boden bereiten und damit auch die tatsächliche Basis für eine bis heute virulente Besorgnis gegenüber möglichen Missbräuchen einer Entkriminalisierung der Sterbehilfe schaffen. Allerdings hatte sich – etwa 1935 – die amtliche Strafrechtskommission zur Vorbereitung des «kommenden deutschen Strafrechts» aus generalpräventiven Erwägungen gegen eine «Freigabe der Vernichtung sogenannten «lebensunwerten Lebens» und auch gegen eine «besondere Vorschrift über die Tötung Todgeweihter» im Rahmen der Reform des Reichsstrafgesetzbuchs ausgesprochen und war von der rechtlichen Zulässigkeit «echter Sterbehilfe»[23] ausge-

---

[21] Vgl. *H.-G. Koch*, Inwieweit ist «aktive» Sterbehilfe strafwürdig?, in: *F. J. Illhardt/ H. W. Heiss/M. Dornberg*, Sterbehilfe – Handeln oder Unterlassen?, Stuttgart 1998, 137–151, hier 141ff. mit zahlreichen Literaturhinweisen.
[22] Vgl. *K. Binding/A. Hoche*, Die Freigabe der Vernichtung lebensunwerten Lebens, Leipzig 1920.
[23] In heutiger Terminologie waren damit (konsentierte) passive und indirekte Sterbehilfe gemeint.

gangen.[24] Die berühmt-berüchtigte «Euthanasie-Ermächtigung»[25] *Hitlers* vom Oktober 1939 war denn auch formal nicht in Gesetzesform gekleidet; Forderungen nach einer gesetzlichen Regelung führten zu einem heute nur noch bruchstückhaft bekannten Kommissionsentwurf eines «Gesetzes über Sterbehilfe bei unheilbar Kranken», der in bezeichnender Weise in *einem* Regelwerk die vom Betroffenen gewünschte aktive Sterbehilfe mit der behördlich verfügten Vernichtung lebensunwerten Lebens verband,[26] jedoch im Herbst 1940 von *Hitler* endgültig verworfen worden war. Diese Verbindung von autonomer und staatlich verordneter Tötung unter dem einheitlichen Schlagwort der «Euthanasie» ist sachlich natürlich alles andere als zwingend.

Insgesamt wird man aus der historischen Diskussion des Themas dreierlei entnehmen können: Einerseits das immer wieder thematisierte Bedürfnis, in Sonderfällen Abstriche vom Tötungsverbot zu machen, zum anderen aber auch die kaum seltener zum Ausdruck gebrachte Sorge vor dem Missbrauch. Drittens erscheint es bemerkenswert, dass es selbst der NS-Staat nicht vermochte, selbstbestimmungsfeindliche «Euthanasie»-Regelungen in einer den formalen Anforderungen an die Gesetzgebung entsprechenden Weise zu schaffen.

1.3 Rechtsvergleichende Umschau

Initiativen, die auf eine Entkriminalisierung aktiver Sterbehilfe gerichtet sind, verweisen gerne auf ausländische Entwicklungen. Bei näherem Hinsehen wird man jedoch eine eher ernüchternde Bilanz zu ziehen haben: Zwar gibt es in zahlreichen Ländern Bestrebungen, die sich mit mehr oder weniger Aussicht auf Erfolg für eine Straffreistellung der «aktiven» Sterbehilfe einsetzen, doch ist es bislang nur im australischen Northern Territory – einer Gebietskörperschaft mit kaum 200 000 Einwohnern – zu einer förmlichen Legalisierung der aktiven Sterbehilfe gekommen, und auch dort nur vorübergehend wegen einer Intervention der Zentralregierung.

---

[24] Vgl. *W. von Gleispach*, Tötung, in: *F. Gürtner* (Hrsg.), Das kommende deutsche Strafrecht, Besonderer Teil, Berlin ²1936, 371–388, hier 375.
[25] Vgl. dazu *K. H. Roth/G. Aly*, Das «Gesetz über die Sterbehilfe bei unheilbar Kranken», Protokolle der Diskussion über die Legalisierung der nationalsozialistischen Anstaltsmorde in den Jahren 1938–1941, in: *K. Roth* (Hrsg.), Erfassung zur Vernichtung, Berlin 1984, 101–179, hier 111 mit Abdruck im Faksimile (129).
[26] Nach *K. H. Roth/G. Aly*, s. Anm. 25, 176 soll dieser Gesetzentwurf im Wesentlichen folgenden Wortlaut gehabt haben: «Präambel: Die Erhaltung des Lebens von Menschen, die wegen einer unheilbaren Krankheit oder infolge unheilbaren chronischen Leidens zum schaffenden Leben unfähig sind, ... § 1: Wer an einer unheilbaren, sich oder andere stark belästigenden oder sicher zum Tode führenden Krankheit leidet, kann auf sein ausdrückliches Verlangen mit Genehmigung eines besonders ermächtigten Arztes Sterbehilfe durch den Arzt erhalten. § 2: Das Leben eines Kranken, der infolge unheilbarer Geisteskrankheit sonst lebenslänglicher Verwahrung bedürfen würde, kann durch ärztliche Maßnahmen unmerklich für ihn beendet werden.»

Der Befund, es fehle weitgehend an einer ausdrücklichen Legalisierung aktiver Sterbehilfe, gilt selbst für die Niederlande,[27] deren neue Sterbehilfe-Gesetzgebung in Deutschland rege Beachtung gefunden hat, aber ebenso reichlich missinterpretiert worden ist. Zum richtigen Verständnis ist es wichtig, die kontinuierliche Entwicklung der dortigen Rechtsprechung mitzubedenken. Durch sie wurde letztlich der Gesetzgeber zum Handeln gezwungen. Nach anfänglichen Unsicherheiten über den Begründungsweg hat sich dort immer mehr die Auffassung durchgesetzt, Fälle aktiver Sterbehilfe auf Verlangen könnten unter dem Gesichtspunkt des Notstandes straflos sein. Der niederländische Gesetzgeber konnte auf Dauer nicht umhin, auf diese Rechtsprechung, die sich auch durch Absprachen zwischen Staatsanwaltschaft und Ärzteorganisationen gefestigt hatte, zu reagieren. Er tat dies in einer Weise, die letztlich Unsicherheit verrät: Nicht die sachlichen Kriterien der Zulässigkeit wurden festgeschrieben (wie etwa in einem Gesetzentwurf der holländischen «Demokraten 66» gefordert wurde), sondern Formerfordernisse, insbesondere Melde- und Offenbarungspflichten des Sterbehilfe-Arztes gegenüber dem Leichenschauarzt. Ein Arzt, der diese formalen Erfordernisse einhält – so der ungeschriebene (!) Konsens –, sollte nicht vor Gericht gestellt werden. Es bleibt abzuwarten, wie sich diese Konzeption auf längere Sicht bewähren wird. Die jetzige niederländische Regelung kann nur vor dem Hintergrund der besonderen Entwicklungen in diesem Land verstanden werden. Bedeutsam erscheint insofern insbesondere, dass dort so viele Fälle wie sonst nirgends zur Kenntnis der Strafverfolgungsorgane gelangt sind – was auf eine gesellschaftliche Bereitschaft zur offenen Auseinandersetzung mit den einschlägigen Sachfragen hinweist – und dass die rechtliche Entwicklung maßgeblich von der Ärzteschaft selbst und ihren Standesorganisationen mitgestaltet wurde.

Auch in anderen Ländern findet sich verschiedentlich eine Rechtsprechung, die gegenüber mitleidsmotivierten Tätern einer Tötung auf Verlangen Milde walten lässt. Neben unzweifelhaft strafwürdigen Fällen gibt es offenbar immer wieder auch solche, in denen allenfalls eine symbolische Sanktion für angebracht gehalten wird. Überdies muss – auch für Deutschland – im Hinblick auf Fälle aktiver Sterbehilfe mit einer gewissen Dunkelziffer gerechnet werden. Verschiedene Anzeichen deuten darauf hin, dass längst nicht alle einschlägigen Sachverhalte den Strafverfolgungsbehörden zur Kenntnis gelangen, z. B. weil bei der Leichenschau fälschlich ein natürlicher Todesfall attestiert wird.

Wo es zu einer Strafverfolgung kommt, hat der mitleidsmotivierte Täter einer Tötung auf Verlangen gute Aussichten, auf milde Richter zu treffen. Gesetzliche Möglichkeiten der Strafmilderung bzw. -aussetzung zur Bewäh-

---

[27] Zur neueren Rechtsentwicklung in diesem Land vgl. *B. Gordijn*, Euthanasie in den Niederlanden – eine kritische Betrachtung, in: Berliner medizinethische Schriften, Dortmund (1997) 19, 8ff.; *J. Wöretshofer/M. Borgers*, The Dutch Procedure for Mercy Killing and Assisted Suicide by Physicians in a National and International Perspective, in: Maastricht Journal of European and Coparative Law (1995) 4–22, hier 4ff.

rung werden genutzt;[28] wo sie fehlen, greifen namentlich Geschworenengerichte zu anderen «Vermeidungsstrategien» bis hin zum kunstfehlerhaft begründeten Freispruch, um eine als unangemessen hart empfundene Bestrafung zu umgehen. So wurde beispielsweise die Kausalität der Sterbehilfehandlung für den Todeseintritt verneint, um zur Straflosigkeit des Angeklagten gelangen zu können – oder es wurde unter Zuschreibung eingeschränkter Zurechnungsfähigkeit auf eine lediglich symbolische Strafe erkannt. Angesichts der öffentlichen Aufmerksamkeit, die solchen Prozessen regelmäßig zuteil wurde, können derartige Urteilssprüche eigentlich nur als ausdrückliche Absolution gemeint gewesen sein.

Japanische Gerichte halten gar – trotz mit Deutschland und der Schweiz vergleichbarer Gesetzeslage – eine förmliche Rechtfertigung aktiver Sterbehilfe im Einzelfall für möglich: In einem 1962 ergangenen und noch heute als bedeutsam angesehenen Urteil hat das Oberlandesgericht von Nagoya sechs Kriterien formuliert, die kumulativ erfüllt sein müssen, um die Tat als gerechtfertigt erscheinen zu lassen. Diese sind:
- Es handelt sich um einen unheilbaren Patienten, dessen Tod unmittelbar bevorsteht.
- Dieser Patient leidet an unerträglichen, schweren und nicht zu behebenden Schmerzen.
- Die Tötung erfolgt in der Absicht, dem Patienten die Schmerzen zu nehmen.
- Der Patient verlangt seine Tötung ausdrücklich.
- Die Tat wird – eilige Notfälle ausgenommen – von einem Arzt ausgeführt.
- Die Ausführung erfolgt mittels einer ethisch akzeptablen Methode.

Seit dieser Entscheidung sind in Japan einige Fälle bekannt geworden, in denen – wie schon im Nagoya-Fall selbst – jedoch jeweils mindestens ein Kriterium nicht erfüllt war; zumeist fehlte es an der Durchführung durch einen Arzt. Anfang 1996 hat das Landgericht Yokohama einen Arzt zu einer Bewährungsstrafe verurteilt, weil das Tötungsverlangen an ihn nicht vom (rechtlich nicht mehr handlungsfähigen) Patienten selbst, sondern von Angehörigen gerichtet worden war. Auch wenn es bislang noch zu keinem freisprechenden Judikat gekommen zu sein scheint, können doch diese Entscheidungen als Bestätigung der auch in anderen ostasiatischen Ländern[29] offenbar für wichtig angesehenen Nagoya-Kriterien betrachtet werden.[30]

---

[28] Vgl. dazu *H.-G. Koch*, s. Anm. 8, 18 mit weiteren Nachweisen.
[29] Zur Rechtslage in Korea vgl. *H.-M. Chong*, Sterbehilfe und Strafrecht: Ein deutschkoreanischer Vergleich, Freiburg i. Br. 1998, 128ff.
[30] Zur Rechtsentwicklung in Japan vgl. *E. Bernat/H.-G. Koch/A. Meisel*, Das «Patententestament» und der «Stellvertreter in Gesundheitsangelegenheiten». Ein Vergleich des deutschen, amerikanischen und japanischen Rechts, in: *B. S. Byrd/J. Hruschka/J. C. Joerden* (Hrsg.), Jahrbuch für Recht und Ethik 4 (1996) 445–464, hier 450ff.; *K. Ozaki*, Denkweisen über Leben und Tod und aktive Euthanasie in Japan, in: Berliner Medizinethische Schriften, Dortmund (1997) 20, 21ff.; sowie *K. Yamanaka*, Rechtfertigung und Entschul-

1.4 Unterstützung beim Suizid als Ersatz für aktive Sterbehilfe?

Wie bereits erwähnt, kennt das deutsche Strafgesetzbuch keine dem Art. 115 des schweizerischen StGB entsprechende Vorschrift, durch die bestimmte Formen der Suizidmitwirkung ausdrücklich unter Strafe gestellt würden. Selbst wenn diese Unterscheidung wegen der von der deutschen Rechtsprechung forcierten Verantwortlichkeit für ein etwaiges Unterlassen von Rettungsbemühungen nicht überbewertet werden sollte, erscheint es doch naheliegend, in praktischer Anwendung die aktive Suizidmitwirkung als Ersatz für die explizit verbotene aktive Sterbehilfe zu begreifen. In der Tat ist dieser Weg in Deutschland verschiedentlich in spektakulärer Weise beschritten worden, wobei die Handelnden es jeweils verstanden haben, durch entsprechende Gestaltung ihres Tatbeitrags der strafrechtlichen Verantwortlichkeit wegen eines Tötungsdelikts zu entgehen.[31] Dem Engagement einzelner Ärzte als Suizidhelfer treten die Bundesärztekammer-Richtlinien für die ärztliche Sterbebegleitung entgegen, indem die Mitwirkung an einem Suizid als «unärztlich» gebrandmarkt wird,[32] wohl nicht zuletzt, um so einer berufsrechtlichen Ahndung eines solchen Verhaltens den Boden zu bereiten.

1.5 Einschätzung und Resümee

Aktive Sterbehilfe mit dem Hinweis auf die Unverfügbarkeit des menschlichen Lebens abzulehnen, führt zu keinem Ergebnis. Denn gerade diese Unverfügbarkeit wird von den Entpönalisierungsbefürwortern bestritten. Als weiterer rechtspolitisch bedeutsamer Gesichtspunkt ist vor allem das gesellschaftliche Interesse an einem möglichst umfassenden Tötungstabu zu nennen. Indessen herrscht dieses schon de lege lata nicht unbegrenzt, man denke nur an entsprechende Fälle der Notwehr. Auch das vielbemühte Missbrauchs- oder Dammbruchargument[33] erscheint aus rechtlicher Sicht als keineswegs zwingend: Missbrauchsgefahren müssen gezielt mit entsprechenden rechtlichen Mitteln angegangen werden; dies kann freilich ein Re-

---

digung medizinischer Eingriffe im japanischen Strafrecht, in: *A. Eser/H. Nishihara*, Rechtfertigung und Entschuldigung IV, Freiburg i. Br. 1995, 190–212, hier 200ff.

[31] Eingehend zu den einschlägigen Fragen OLG München, in: Neue Juristische Wochenschrift (1987) 2940ff. (Fall Hackethal). – Die Praktik des ehemaligen Präsidenten der Deutschen Gesellschaft für humanes Sterben, H. H. Atrott, sterbewilligen Kranken Zyankali zu verkaufen, konnte bezeichnenderweise nur als Verstoß gegen das Chemikaliengesetz bzw. gegen steuerrechtliche Bestimmungen geahndet werden, vgl. dazu *K. Gelsner*, Geschäfte mit der Angst vor einem qualvollen Tod, in: Deutsches Ärzteblatt (1994) C-630f.

[32] Deutsches Ärzteblatt (1993) C-1629 (Ziffer II.2 am Ende). In der Sache entsprechend bezeichnen die neuen «Grundsätze der Bundesärztekammer zur ärztlichen Sterbebegleitung» (Deutsches Ärzteblatt [1998] C-1690f.) in ihrer Präambel die Mitwirkung des Arztes bei einer Selbsttötung als dem ärztlichen Ethos widersprechend.

[33] Eingehend dazu vgl. *B. Guckes*, Das Argument der schiefen Ebene, Stuttgart 1997; vgl. auch *R. D. Herzberg*, s. Anm. 12, 3044f.

gelungsprogramm für Sicherungskautelen erfordern, das selbst den als eigentlich für zulässig erachteten Handlungsrahmen nachhaltig tangiert. Dafür sind in Deutschland die bei der Verordnung von Opiaten zur Schmerztherapie (noch immer) zu überwindenden Hürden ein anschauliches Beispiel. Das oben erwähnte Gesetz von Northern Territory gibt einen Eindruck von den Aufgaben, die auf den Gesetzgeber zukämen, wollte er sich des Themas «aktive Sterbehilfe» annehmen. Frühere Vorschläge zur Reform des deutschen Strafrechts, die sich allein mit einer Änderung des § 216 StGB (Tötung auf Verlangen) befassten, werden damit ganz nebenbei als völlig unzulänglich entlarvt: Es kann, will man mit dem Thema Ernst machen, nicht nur um Entkriminalisierung gehen, sondern auch um regulative Ordnung. Allerdings: So mit dem Sterben eines Menschen legislativ umzugehen, wie es in Northern Territory geschehen ist, dürfte man in Deutschland, vorsichtig ausgedrückt, als gewöhnungsbedürftig empfinden.

Nicht von vornherein von der Hand zu weisen sind Befürchtungen, eine Legalisierung aktiver Sterbehilfe führe über kurz oder lang zu einer lebensfeindlichen Veränderung des sozialen Klimas. Durch die mehr oder weniger unverhohlen geäußerte Erwartung Dritter, insbesondere Angehöriger, es möge (als zulässig unterstellte) aktive Sterbehilfe verlangt werden, könnten sich Betroffene unter Druck gesetzt fühlen.[34] Freilich müsste dieses Bedenken konsequenterweise auch und erst recht gegen das (bereits heute zulässige) Verlangen nach einer Beendigung lebenserhaltender Behandlung, ja sogar gegen Maßnahmen zur Leidminderung mit potentiell tödlicher «Nebenwirkung»[35] ins Feld geführt werden. Mit anderen Worten: Solche Besorgnisse lassen sich nicht auf eine spezielle Form der Sterbehilfe beschränken.[36]

Entgegen der öffentlichen Aufmerksamkeit, die gerade der Problemkreis der aktiven Sterbehilfe erfährt, gilt es zu betonen, dass darin keineswegs das wichtigste rechtliche Sterbehilfe-Problem zu sehen ist. Im Hinblick auf die ärztliche Tätigkeit am nahen Lebensende kann es ohnehin gegebenenfalls um Handlungs*befugnisse*, nicht um Handlungs*pflichten* gehen.

Unter dem Gesichtspunkt der praktischen Relevanz bedürfen mindestens ebenso sehr die Kriterien für eine Behandlungsbeendigung mit tödlicher Folge der Erörterung, und unter dem Aspekt der Selbstbestimmung des Patienten verdient namentlich der Problemkreis der Entscheidung im Vorhinein – durch Patientenverfügung bzw. Bevollmächtigung eines Entscheidungs-Vertreters – nähere Beachtung, worauf sogleich näher einzugehen sein wird.

---

[34] Zu dieser Argumentation vgl. näher z. B. Birnbacher, Recht auf Sterbehilfe – Pflicht zur Sterbehilfe, in: *F. J. Illhardt/H. W. Heiss/M. Dornberg* (Hrsg.), Sterbehilfe – Handeln oder Unterlassen, Stuttgart 1998, 125–135, hier 128.
[35] Die Zulässigkeit «indirekter» Sterbehilfe wurde vom Bundesgerichtshof ausdrücklich bejaht, vgl. BGHSt 42, 301ff., hier 305.
[36] Vgl. *N. Hoerster*, s. Anm. 17, 149f.

2. Zum Problem des Behandlungsabbruchs bei dauerkomatösen Patienten

Wenn nun exemplarisch die Frage erörtert wird, unter welchen rechtlichen Voraussetzungen die Beendigung lebenserhaltender Bemühungen bei Patienten im Dauerkoma aus rechtlicher Sicht in Betracht kommen kann oder sogar geboten erscheint, so geschieht dies aus Gründen der Aktualität anhand eines Falles, der den Bundesgerichtshof im Herbst 1994 zu einer richtungsweisenden Entscheidung veranlasste. Auf das aus rechtlicher Sicht Wesentliche reduziert ging es um folgenden Sachverhalt:

2.1 Fallschilderung

Bei Frau Sch. lag bereits seit längerem ein ausgeprägtes hirnorganisches Psychosyndrom im Rahmen einer präsenilen Demenz mit Verdacht auf Morbus Alzheimer vor, als sie Anfang September 1990 einen Herzstillstand erlitt. Zwar gelang die Reanimation, jedoch Frau Sch. blieb irreversibel schwerst hirngeschädigt. Wegen Schluckunfähigkeit bedurfte sie künstlicher Ernährung über eine Nasen- bzw. Magensonde. Spätestens seit Ende 1990 war Frau Sch. nicht mehr ansprechbar und praktisch bewegungsunfähig. Ein Schmerzempfinden war offenbar nicht vorhanden. Ihr Zustand wird medizinisch als «apallisches Syndrom» bzw. «Koma vigile» beschrieben.

Der Angeklagte S., Sohn der Sch., war im Februar 1990 zu ihrem Gebrechlichkeitspfleger bestellt worden; die Pflegschaft wurde mit Einführung des neuen Betreuungsrechts 1992 in eine Betreuung umgewandelt. Der Angeklagte Dr. T. behandelte Frau Sch. seit Oktober 1990. Mitte Januar 1993 wurde in das Krankenblatt eine von beiden Angeklagten unterzeichnete Anordnung aufgenommen, im Falle eines erneuten Herzstillstands keine Wiederbelebungsmaßnahmen mehr durchzuführen. Ende des gleichen Monats schlug der Angeklagte Dr. T. dem Angeklagten S. vor, die künstliche Ernährung auf die Verabreichung von Tee zu reduzieren, um so den als nicht mehr besserungsfähig angesehenen Zustand der Patientin zu beenden. Aufgrund früherer Gespräche mit Kollegen und mit einem Theologen über Fragen ärztlicher Sterbehilfe hielt er diese Vorgehensweise für zulässig; speziell auf die Situation von Frau Sch. bezogenen Rat hatte Dr. T. jedoch nicht eingeholt. Trotz anfänglicher Bedenken stimmte der Angeklagte S. zu, nachdem er darin von Freunden und Verwandten bestärkt worden war, die ein solches Vorgehen als dem Willen von Frau Sch. entsprechend bezeichnet hatten. Mit dem Pflegepersonal des Heimes, in dem sie untergebracht war, konnte jedoch kein Einvernehmen erzielt werden.

Daraufhin verfügte der Angeklagte Dr. T. im ärztlichen Verordnungsblatt in einer ebenfalls vom Angeklagten S. unterzeichneten Erklärung, die künstliche Ernährung sei auf Tee umzustellen, sobald die vorhandene Flaschennahrung zu Ende gegangen sei, spätestens jedoch ab 15.03.1993. Das

Pflegepersonal folgte jedoch dieser Anweisung nicht, sondern veranlasste eine am 17.03.1993 ergangene vormundschaftsgerichtliche Entscheidung, mit welcher unter Verweis auf § 1904 BGB der geplanten Einstellung der künstlichen Ernährung die vormundschaftsgerichtliche Genehmigung versagt wurde. Diese zunächst vorläufige Entscheidung wurde nach Untersuchung von Frau Sch. durch die Landgerichtsärztin und rechtlichem Gehör des jetzigen Angeklagten S. in seiner Eigenschaft als Betreuer am 21. Mai 1993 bestätigt. Der Zustand von Frau Sch. blieb zunächst unverändert. Sie verstarb schließlich Ende Dezember 1993 an einem Lungenödem.

Das LG Kempten verurteilte in erster Instanz die beiden Angeklagten wegen mittäterschaftlich begangenen versuchten Totschlags durch Unterlassen in einem minder schweren Fall, begangen im vermeidbaren Verbotsirrtum (§§ 212, 213, 22, 25 Abs. 2, 13, 17, 49 StGB), zu Geldstrafen. Das Gericht hob entscheidend darauf ab, das beabsichtigte Vorgehen der Angeklagten sei nicht als «Sterbehilfe» oder «Sterbebegleitung» nach den Richtlinien der Bundesärztekammer zulässig, so dass es auch nicht auf einen nur mutmaßlichen Willen von Frau Sch. zum Behandlungsabbruch ankomme.

Der Bundesgerichtshof hob mit Urteil vom 13.09.1994 das Urteil des LG Kempten auf. Zwar habe es sich nicht um Sterbehilfe im eigentlichen Sinn gehandelt, sondern um den Abbruch einer einzelnen lebenserhaltenden Maßnahme. Doch scheide eine Rechtfertigung qua mutmaßlicher Einwilligung deswegen nicht generell aus; es seien jedoch «an die Annahme des *mutmaßlichen* Willens erhöhte Anforderungen insbesondere im Vergleich zur Sterbehilfe im eigentlichen Sinne zu stellen.»[37] Freilich könne auf der Grundlage der bisherigen Feststellungen eine mutmaßliche Einwilligung nicht bejaht werden, «weil hinreichend sichere Anhaltspunkte fehlen und die Zustimmung des Pflegers, des Angeklagten S., nicht wirksam war».[38] Es sei jedoch nicht auszuschließen, dass die Frage der mutmaßlichen Einwilligung wie die der Vermeidbarkeit eines Verbotsirrtums der Angeklagten bei weiteren (dem Instanzgericht vorbehaltenen) Tatsachenfeststellungen anders zu beurteilen sei.

Mit Urteil vom 17.05.1995 wurden in erneuter Hauptverhandlung beide Angeklagte – inzwischen rechtskräftig – freigesprochen. Das Gericht sah nach weiterer umfänglicher Beweiserhebung eine mutmaßliche Einwilligung von Frau Sch. mit dem intendierten Vorgehen der Angeklagten als gegeben an.

2.2 *Medizinrechtlicher Problemaufriss*

Dass ein Mensch für längere Zeit ins Koma verfällt, stellt heute keine Rarität mehr dar. Zumeist wird es der Medizin gelingen, einen solchen Patienten wieder ins bewusste Leben zurückzurufen. Bisweilen – und so lagen die Dinge hier – wird es sich aber auch erweisen, dass es medizinisch zwar

---

[37] BGHSt 40, 257ff., hier 260 (Hervorhebung im Original).
[38] Ebd. 261.

möglich ist, den status quo auf unbestimmte Zeit aufrecht zu erhalten, ein weitergehender Behandlungserfolg jedoch ausgeschlossen werden muss. Aus rechtlicher Sicht ist die künstliche Ernährung als eine Form ärztlicher Behandlung anzusehen, die der Legitimation bedarf. Diese Legitimation setzt sich aus einem Zweckelement (Indikation) und einem voluntativen Element (Einwilligung oder Einwilligungsersatz) zusammen. Im vorliegenden Fall war die künstliche Ernährung notwendig zur Lebenserhaltung der Patientin; sie war also indiziert, solange eine Lebenserhaltungspflicht zugunsten der Patientin bestand. Eine wirksame Einwilligung war zunächst durch den Sohn als in Gesundheitsangelegenheiten zuständigem Pfleger erteilt worden; die Frage ist nun, unter welchen Voraussetzungen diese wieder zurückgenommen werden konnte. Dazu bedarf es sowohl der Erörterung, unter welchen Voraussetzungen ein gesetzlicher Vertreter (Pfleger) überhaupt zu einer lebensbeendigend wirkenden Entscheidung legitimiert sein kann, als auch der Prüfung, inwieweit dies bejahendenfalls gerade durch das Mittel des Vorenthaltens kalorienhaltiger Ernährung geschehen darf. Auf formaler Ebene ist zu fragen, inwieweit ein Pfleger/Betreuer zur Entscheidung in eigener Verantwortung befugt ist oder er der vormundschaftsgerichtlichen Kontrolle unterliegt. Terminologisch sei klargestellt, dass mit dem Rechtsbegriff «Behandlungsabbruch» nicht gemeint ist, dass medizinisch überhaupt nichts mehr geschieht. Dass auch bei rechtlich zulässigem Sterbenlassen der Patient palliative Leidminderung erwarten kann, steht rechtlich außer jedem Streit und soll hier nicht weiter verfolgt werden.

2.3 Die Ablehnung lebensnotwendiger Behandlung durch den Patienten selbst aus rechtlicher Sicht

Betrachten wir zunächst als Ausgangspunkt die rechtliche Situation des todkranken, selbst einwilligungsfähigen Patienten. Für ihn ist anerkannt, dass er befugt ist, dem Schicksal seinen Lauf zu lassen. Die Rechtsprechung hatte in mehreren, durchaus unterschiedlichen Fallkonstellationen verschiedentlich Gelegenheit, dies zu bestätigen: Im sogenannten *Myom-Fall* gab der Bundesgerichtshof zu bedenken, auch ein lebensgefährlich Erkrankter könne triftige und sowohl menschlich wie sittlich achtenswerte Gründe haben, eine Operation abzulehnen, selbst wenn er durch sie und nur durch sie von seinem Leiden befreit werden könnte.[39] Und wenn im sogenannten *Stadtstreicher-Fall* ausgeführt wird, aus einer Wohn- und Lebensgemeinschaft ergebe sich für den daran Beteiligten keine Rechtspflicht, den anderen am selbstgewollten Ableben zu hindern, sofern sich dieser in freier Willensbestimmung dazu entschlossen hat, dem für ihn erkennbar herannahenden Tod keinen Widerstand mehr entgegenzusetzen, sondern dem dazu führenden Geschehen seinen Lauf zu lassen,[40] so wird auch hieraus deutlich, dass der Betroffene selbst nicht zur quantitativen Maximierung seiner

---

[39] BGHSt 11, 111ff., hier 114.
[40] BGH, in: Neue Zeitschrift für Strafrecht (1983) 117f., hier 118.

Lebensspanne rechtlich verpflichtet ist. Mit dem Begehen eines Suizids hat dies alles nichts zu tun: Wer dem tödlichen Schicksal seinen Lauf lässt, legt nicht Hand an sich selbst.

Ist ein «Vetorecht» gegen (auch noch so gut gemeintes) ärztliches Handeln anzuerkennen, wenn der Betroffene seine Situation kennt und verständig beurteilt, so muss wegen ihrer individuellen Ausrichtung ein solches Nein prinzipiell auch aufgrund einer mutmaßlichen Einwilligung mit dem Behandlungsstop (bzw. aufgrund mutmaßlicher Ablehnung weiterer Behandlungsmaßnahmen) des nicht mehr erklärungsfähigen Patienten in Betracht kommen. Dies führt zum Schlüsselproblem des vorliegenden Falles.

2.4 Künstliche Ernährung und mutmaßlicher Wille des Patienten

Der Bundesgerichtshof hat in seiner Entscheidung den mutmaßlichen Patientenwillen generell für maßgeblich erklärt. Er hat dem Instanzgericht aufgegeben, in einer erneuten Hauptverhandlung die Tatfrage – Welche Anzeichen für einen worauf gerichteten mutmaßlichen Willen lagen vor? – genauer zu prüfen. Wie kaum anders zu erwarten, konnte die Verteidigung der Angeklagten dem Gericht eine Reihe weiterer Indizien präsentieren, die es letztlich zu der Überzeugung kommen ließen, der Wille der Patientin sei mutmaßlich auf eine Einstellung der kalorienhaltigen Ernährung gerichtet gewesen. Dabei wurden vor allem frühere Erklärungen der Patientin ausgewertet, die diese gegenüber verschiedenen Personen abgegeben hatte und in denen der Hoffnung Ausdruck gegeben wurde, ihr möge ein leidvolles Sterben erspart bleiben. Dieses methodische Vorgehen entspricht dem Postulat der herrschenden Lehre zur mutmaßlichen Einwilligung, ihr Orientierungspunkt müsse primär der *individuelle* hypothetische Wille sein, nicht eine nach allgemeinen Auffassungen als vorzugswürdig anzusehende Entscheidung im Sinne der Wahrung einer gesellschaftlich herrschenden Güterhierarchie. «Allgemeine Wertvorstellungen» sollen demnach, so auch der Bundesgerichtshof, erst zum Tragen kommen, wenn hinreichende Anhaltspunkte für den individuellen Willen fehlen. Welches Ergebnis das Anlegen dieser allgemeinen Wertvorstellungen im vorliegenden Fall bringen würde, lässt das Gericht offen – es hätte sich wohl auch mit bloßen Spekulationen begnügen müssen, da die Problematik irreversibel komatöser Patienten, die zur Lebenserhaltung keine besonderen Apparaturen (insbes. keine künstliche Beatmung) benötigen und sich in einem stabilen (also nicht-terminalen) Zustand befinden, in Deutschland zum Zeitpunkt der Entscheidung noch verhältnismäßig wenig öffentlich erörtert wurde und insbesondere von den damals geltenden Richtlinien der Bundesärztekammer zur Sterbebegleitung aus dem Jahr 1993 nicht erfasst war.[41]

---

[41] Deutsches Ärzteblatt (1993) C-1628f. Vgl. aber jetzt Abschnitt III der neuen «Grundsätze der Bundesärztekammer zur ärztlichen Sterbebegleitung», in: Deutsches Ärzteblatt (1998) C-1690f.

2.5 Zum Anwendungsbereich der mutmaßlichen Einwilligung

Ein durchaus spektakulärer Fall scheint damit eine im Ergebnis befriedigende und rechtlich tragfähige Lösung gefunden zu haben.[42] Jedenfalls was Letzteres angeht, erweist sich der Schein als trügerisch. Die Frage ist nämlich schon, ob hier das Rechtsinstitut der mutmaßlichen Einwilligung überhaupt als selbständiger Rechtfertigungsgrund bemüht werden durfte. Um das Ergebnis vorwegzunehmen: Sie ist meines Erachtens zu verneinen.

2.5.1 Problemaufriss

Erinnern wir uns: Der Angeklagte S. war zum Betreuer der Verstorbenen bestellt worden. Als solcher hatte er gemäß den für die Betreuung geltenden Rechtsregeln «die Angelegenheiten des Betreuten so zu besorgen, wie es dessen Wohl entspricht» (§ 1901 Abs. 1 S. 1 BGB). Innerhalb seines Aufgabenkreises, zu dem auch die «Zuführung zur ärztlichen Heilbehandlung» gehörte, hatte er «dazu beizutragen, dass Möglichkeiten genutzt werden, die Krankheit ... des Betreuten zu beseitigen, zu bessern, ihre Verschlimmerung zu verhüten oder ihre Folgen zu mildern» (§ 1901 Abs. 3 BGB). Für die Einwilligung des Betreuers in eine Untersuchung des Gesundheitszustandes, eine Heilbehandlung oder einen ärztlichen Eingriff bedarf es – Eilfälle ausgenommen – der Genehmigung des Vormundschaftsgerichts, soweit die Gefahr besteht, dass der Betreute aufgrund der Maßnahme stirbt oder einen schweren und länger andauernden gesundheitlichen Schaden erleidet (§ 1904 BGB). Inwieweit, so die naheliegende Frage, konnte sich ärztliches

---

[42] Das Urteil des Bundesgerichtshofs im vorliegenden Fall ist von vielen Autoren kritisch besprochen worden. Ohne Anspruch auf Vollständigkeit seien genannt: *E. Bernat/ H.-G. Koch/A. Meisel*, s. Anm. 30, 454ff.; *K. Bernsmann*, Der Umgang mit irreversibel bewußtlosen Personen und das Strafrecht, in: Zeitschrift für Rechtspolitik (1996) 87–92,; *M. Deichmann*, Vormundschaftsgerichtlich genehmigtes Töten durch Unterlassen?, in: Monatsschrift für Deutsches Recht (1995) 983–985; *K. Dörner*, Hält der BGH die «Freigabe der Vernichtung lebensunwerten Lebens» wieder für diskutabel?, in: Zeitschrift für Rechtspolitik (1996) 93–96; *H.-G. Koch/E. Bernat/A. Meisel*, Self-Determination, Privacy and the Right to Die – A Comparative Law Analysis (Germany, United States of America, Japan), in: European Journal of Health Law (1997) 9–25, hier 13ff.; *A. Laufs*, Selbstverantwortetes Sterben?, in: Neue Juristische Wochenschrift (1996) 763f.; *R. Merkel*, Tödlicher Behandlungsabbruch und mutmaßliche Einwilligung bei Patienten im apallischen Syndrom, in: Zeitschrift für die gesamte Strafrechtswissenschaft (1995) 545–575; *F. Saliger*, Sterbehilfe nach Verfahren – Betreuungs- und strafrechtliche Überlegungen im Anschluss an BGHSt 40, 257, in: Kritische Vierteljahresschrift für Gesetzgebung und Rechtsprechung (1998) 118–151; *E. Steffen*, Noch einmal: Selbstverantwortetes Sterben?, in: Neue Juristische Wochenschrift (1996) 1581; *T. Verrel*, Selbstbestimmungsrecht contra Lebensschutz, in: Juristen-Zeitung (1996) 224–231; *J. Vogel*, Die versuchte «passive Sterbehilfe» nach BGH MDR 1995, 80, in: Monatsschrift für Deutsches Recht (1995) 337–340; *W. Weißauer/H. W. Opderbecke*, Behandlungsabbruch bei unheilbarer Krankheit aus medikolegaler Sicht, in: Medizinrecht (1995) 456–462. Die folgenden Erörterungen können und sollen das Urteil nicht unter allen bedeutsamen Aspekten würdigen und wenden sich schwerpunktmäßig Gesichtspunkten zu, die unter dem Aspekt der Entscheidungsfindung als besonders bedeutsam erscheinen.

Handeln unter diesen Voraussetzungen überhaupt noch durch den Rechtfertigungsgrund der mutmaßlichen Einwilligung der Patientin legitimieren?

«Angestiftet» durch den BGH, hat das LG Kempten in seiner verfahrensabschließenden Entscheidung[43] offenbar stillschweigend ein Nebeneinander beider Rechtfertigungsstrategien – Vertretereinwilligung durch den Pfleger/Betreuer und mutmaßliche Einwilligung des Betroffenen selber – angenommen und hinreichende Anhaltspunkte für das Vorliegen einer mutmaßlichen Einwilligung erkennen zu können geglaubt. Folgt man den Grundsätzen, wie sie die Strafrechtswissenschaft zur mutmaßlichen Einwilligung entwickelt hat, und wendet man die einschlägigen betreuungsrechtlichen Bestimmungen korrekt an, so besteht ein solches Nebeneinander jedoch nicht.

2.5.2 Zum Verhältnis zwischen mutmaßlicher Einwilligung und stellvertretender Entscheidung bei eingerichteter Betreuung

Im Strafrecht wird die mutmaßliche Einwilligung als ein nachrangiger Rechtfertigungsgrund verstanden. Er soll zum Zuge kommen, wenn «eine Einwilligung, die nach Sachlage wirksam erteilt werden könnte, nicht vorliegt und auch nicht rechtzeitig eingeholt werden kann, weil der Rechtsgutinhaber bzw. sein gesetzlicher Vertreter nicht erreichbar ist oder ein dringend behandlungsbedürftiger Kranker nicht bei Bewußtsein ist, ... ihre Erteilung aber bei *objektiver Würdigung* aller Umstände *ex ante* mit Sicherheit zu erwarten gewesen wäre».[44] Schon weil es im vorliegenden Fall an der erwähnten Dringlichkeit einer Entscheidung fehlt, scheidet demnach die mutmaßliche Einwilligung als selbständiger Rechtfertigungsgrund aus.

Das muss aber nicht zugleich bedeuten, dass der mutmaßliche Wille des Betroffenen rechtlich bedeutungslos ist. Handelt es sich (wie bei Frau Sch.) um eine(n) *chronisch* einwilligungsunfähige(n) Patientin (Patienten), wird zumeist – und nicht nur wegen der Entscheidungsfindung in medizinischen Angelegenheiten – die Bestellung eines Pflegers/Betreuers erforderlich sein, wie sie auch im vorliegenden Fall erfolgt war. Damit stellt sich das Problem, in welchem Verhältnis dessen gesetzlich vorgesehene Entscheidungskompetenz zum mutmaßlichen Willen des Betroffenen steht. Für das Zivilrecht gibt hierauf § 1901 BGB eine klare Antwort:

«(1) Der Betreuer hat die Angelegenheiten des Betreuten so zu besorgen, wie es dessen Wohl entspricht. Zum Wohl des Betreuten gehört auch die Möglichkeit, im Rahmen seiner Fähigkeiten sein Leben nach seinen eigenen Wünschen und Vorstellungen zu gestalten.

(2) Der Betreuer hat Wünschen des Betreuten zu entsprechen, soweit dies dessen Wohl nicht zuwiderläuft und dem Betreuer zuzumuten ist. Dies gilt auch für Wünsche, die der Betreute vor Bestellung des Betreuers geäußert hat, es sei denn, daß er an diesen Wünschen erkennbar nicht festhalten will.» ...

---

[43] Urteil vom 17.05.1995 (nicht veröffentlicht).
[44] *H.-H. Jescheck/Th. Weigend*, Lehrbuch des Strafrechts, Allgemeiner Teil, Berlin ⁵1996, 385 (Hervorhebungen im Original).

Es liegt hier also eine gebundene Entscheidungskompetenz des gesetzlichen Vertreters/Betreuers vor. Er allein ist nach außen hin entscheidungszuständig. Er wird sich, soweit möglich, nach den Wünschen des Betreuten zu erkundigen und sich – im Rahmen eines durchaus komplexen Abwägungsgeschehens[45] – weitgehend nach diesen zu richten haben, und dem Betreuten steht es offen, schon vor Einrichtung eines Betreuungsverhältnisses – sei es eventualiter, sei es in konkreter Voraussicht einer bevorstehenden Betreuungsnotwendigkeit – eigene Vorstellungen – auch schriftlich – zu formulieren (mehr dazu in Kap. 3).

Ein vernünftiger Grund, diese zivilrechtlichen Regelungen durch ein erweitertes Verständnis der mutmaßlichen Einwilligung mit Wirkung für das Strafrecht auszuhebeln und strafrechtlich unmittelbar auf den mutmaßlichen Willen des Betroffenen abzustellen, besteht nicht. Die weitgehende rechtliche Bindung des Betreuers an den Willen des Betreuten nimmt der Entscheidung des Betreuers nicht den Charakter einer «Stellvertretung im Willen»; formales Legitimationsinstrument ärztlichen Handelns ist (erst) die Entscheidung des Betreuers, nicht (schon) der mutmaßliche Wille des Betreuten.

Demgegenüber bringt das Nebeneinander von stellvertretender Entscheidung und mutmaßlicher Einwilligung – wie es den erwähnten Gerichtsentscheidungen zu dem hier vorgestellten Fall zugrunde liegt – weder einen Gewinn an Rechtssicherheit noch ist es zur Wahrung des Selbstbestimmungsrechts des Patienten geboten. Es stiftet statt dessen nur Verwirrung: Der Betreuer, der seine eigene, stellvertretende Entscheidung (unter gesetzlicher Bindung an den mutmaßlichen Willen des Betreuten!) realisieren möchte, soll dazu der Genehmigung durch das Vormundschaftsgericht bedürfen (§ 1904 BGB analog, siehe unten); der Arzt, der sich unmittelbar auf den mutmaßlichen Willen des betreuten Patienten beruft, soll einer solchen Kontrolle nicht unterliegen, ja er könnte sich – dies die Konsequenz des Urteils des Bundesgerichtshofs – auf den mutmaßlichen Patientenwillen sogar über den Kopf des Betreuers hinweg berufen. Der Sache nach wird vom LG Kempten im Anschluss an den BGH das von diesem so dezidiert festgestellte Erfordernis einer vormundschaftsgerichtlichen Genehmigung des Behandlungs- oder besser Ernährungsabbruchs wieder zurückgenommen, obwohl es vom Standpunkt des Bundesgerichtshofs aus doch naheliegen würde, dem Vormundschaftsgericht auch die Prüf- bzw. Kontrollaufgabe zugewiesen zu sehen, ob die behauptete Entsprechung des intendierten Vorgehens mit dem mutmaßlichen Willen des Betroffenen auch – soweit feststellbar – den Tatsachen entspricht.

---

[45] Insoweit zutreffend vgl. *R. Merkel*, s. Anm. 42, 571ff.; vgl. aber auch *N. Hoerster*, s. Anm. 17, 73.

2.5.3 Rückgriff auf den mutmaßlichen Willen bei nicht eingerichteter Betreuung

Eine ganz andere Frage ist es, inwieweit auf den mutmaßlichen Willen des Patienten zurückgegriffen werden kann, wenn eine Betreuung in gesundheitlichen Angelegenheiten erst noch eingerichtet werden müsste und dies nicht aus Gründen der Eilbedürftigkeit einer Entscheidung unmöglich wäre. Diesem Aspekt kann hier nicht im Detail nachgegangen werden. Einerseits wäre es offensichtlich verfehlt, die Einrichtung einer Betreuung quasi zum rechlichen Standardarsenal der Sterbebegleitung zu erklären. Wenn andererseits insoweit die Auffassung vertreten wird, wegen § 1896 Abs. 2 Satz 2 BGB bedürfe es einer Betreuerbestellung nicht, wenn der mutmaßliche Wille des Patienten auch ohne eine solche – etwa durch eine Patientenverfügung – klar erkennbar werde,[46] so mag dies zutreffen, solange der Arzt sich auf eine förmliche Manifestation des Patientenwillens stützen kann und er dieser Folge zu leisten gewillt ist. Eine Betreuerbestellung im Interesse des Patienten jedoch erscheint jedenfalls dann geboten, wenn der Arzt von einer ihm bekannten Verfügung des Patienten abweichen möchte oder wenn sich ihm der mutmaßliche Wille nur durch Indizien, gewissermaßen vom Hörensagen, erschließt. Wer sich auch in solchen Fällen mit dem Legitimationsinstrument der mutmaßlichen Einwilligung begnügt,[47] verkennt deren Charakter als juristisches «Notfallinstrumentarium».[48]

2.5.4 Notwendigkeit vormundschaftsgerichtlicher Genehmigung des vom Betreuer gewünschten Behandlungsabbruchs?

Bleibt noch zu fragen, ob die vom BGH statuierte analoge Anwendung des § 1904 BGB auf Fälle eines (vom Betreuer erklärten) Behandlungsabbruchs einer kritischen Überprüfung standhält. Auch insoweit sind aus strafrechtlicher Sicht nachhaltige Zweifel anzumelden, und zwar allein schon deshalb, weil das formale Versäumnis des Einholens einer gerichtlichen Genehmigung schwerlich den in einem Tötungsdelikt verkörperten Unrechtsgehalt zu begründen vermag.[49] In einem ähnlichen Fall eines vom Betreuer beabsichtigten «Ernährungsabbruchs» hat denn auch das angerufene Vormundschaftsgericht mit insoweit guten Gründen seine Zuständigkeit für nicht gegeben erachtet.[50] Wie es scheint, hat somit das LG Kempten, um zu dem von ihm für sachgerecht erachteten Freispruch zu gelangen, den

---

[46] Vgl. M. Deichmann, s. Anm. 42, 985 (dem im Übrigen nicht zu folgen ist, soweit er eine «mehrfache Bestätigung» eines solchen Patiententestaments fordert).
[47] Vgl. G. Dodegge, Lückenhaft, in: Deutsches Ärzteblatt (1998) C-1293.
[48] Ebenso G. Rieger, Die mutmaßliche Einwilligung in den Behandlungsabbruch, Frankfurt a. M. 1998, 115ff., 138f.
[49] Zu weiteren Kritikpunkten vgl. H.-G. Koch/E. Bernat/A. Meisel, s. Anm. 42, 14f.; dem BGH (der sich seinerseits auf K. Kutzer, Strafrechtliche Grenzen der Sterbehilfe, in: Neue Zeitschrift für Strafrecht [1994] 110–115 stützt) im Ergebnis zustimmend dagegen z. B. G. Rieger, s. Anm. 48, 118ff.; F. Saliger, s. Anm. 42, 132ff. Vgl. auch unten Anm. 80.
[50] Amtsgericht Hanau, Betreuungsrechtliche Praxis 1997, 82f.

einen Fehler des BGH (unmittelbare Anwendbarkeit der mutmaßlichen Einwilligung) dazu benutzt, die Auswirkungen des zweiten (analoge Anwendung von § 1904 BGB) zu vermeiden. Bedauerlicherweise hat es der Gesetzgeber versäumt, die kürzlich erfolgte Reform des Betreuungsrechts[51] zum Anlass zu nehmen, in der Frage der entsprechenden Anwendung des § 1904 BGB auf Behandlungsabbruchsentscheidungen ein klärendes Wort zu sprechen.

2.5.5 Grenzen der Entscheidungsmacht des Betreuers

Bleibt schließlich die Frage, ob der Betreuer im hier besprochenen Fall im Rahmen seiner Kompetenzen geblieben ist, als er in den «Ernährungsabbruch» eingewilligt hat oder – juristisch wohl exakter[52] – mit seinem Veto einer weiteren invasiven Ernährung die rechtliche Legitimation versagen wollte. Entgegen Stimmen in Literatur und Rechtsprechung, die eine Betreuerentscheidung mit sicher lebensbeendigender Konsequenz generell für unzulässig erachten[53] oder jedenfalls dem «Verhungernlassen»[54] als Methode des Sterbenlassens[55] eine generelle Absage erteilen,[56] will der Bundesgerichtshof ersichtlich – und meines Erachtens zu Recht – eine solche Vorgehensweise nicht generell ausschließen.[57] Mit guten Gründen verlangt allerdings beispielsweise *Bernsmann,* in einem solchen Fall müsse sich der Betreuer auf klare Vorgaben des Betreuten stützen können.[58] Dies führt zu der Frage, auf welche Weise der Betreute seine Vorstellungen rechtzeitig und vorsorglich zum Ausdruck bringen kann.

---

[51] Gesetz zur Änderung des Betreuungsrechts vom 25.06.1998, in: Bundesgesetzblatt (1998) I, 1580ff., Inkrafttreten: 01.01.1999.
[52] Vgl. *R. Merkel,* s. Anm. 42, 560f., allerdings zur mutmaßlichen Einwilligung.
[53] Vgl. etwa *M. Deichmann,* s. Anm. 42, 985; *M. Weise,* Verhungernlassen von Wachkoma-Patienten?, in: Neue Juristische Wochenschrift (1997) 30, XXII; Amtsgericht Berlin-Neukölln, in: ebd. (1987) 2933f.
[54] Zu dieser speziellen Frage vgl. etwa *R. Merkel,* s. Anm. 42, 561ff. mit weiteren Nachweisen.
[55] Gegen Versuche, solche Fälle als (stets strafbare) aktive Sterbehilfe zu verstehen – vgl. z. B. *W. Ullmer,* Erfahrungen eines Angehörigen, in: Hamburger Ärzteblatt (1997) 265–268, hier 267 – mit Nachdruck *N. Hoerster,* s. Anm. 17, 66f.; *H.-G. Koch,* s. Anm. 21, 151.
[56] Vgl. *E. Beleites,* Richtlinien der Bundesärztekammer für die Sterbebegleitung und ärztliches Verhalten bei entscheidungsunfähigen Patienten, in: Hamburger Ärzteblatt (1997) 268f., hier 269; *W. Ullmer,* s. Anm. 55, 267f. – Zumindest missverständlich ist in dieser Frage der neue Entwurf der Bundesärztekammer, der die natürliche Ernährung (worunter nach *E. Beleites,* ebd. 269, auch die Zufuhr von Nahrung mittels Magensonde zu rechnen sein soll) zur (auch für den vorausverfügenden Patienten?) «unverzichtbaren» Basisversorgung gerechnet wissen will (vgl. Deutsches Ärzteblatt [1997] C-988f.); weniger dezidiert dagegen Abschnitt III der «Grundsätze der Bundesärztekammer zur ärztlichen Sterbebegleitung, in: Deutsches Ärzteblatt (1998) C-1690f.
[57] Vertreter der Gegenmeinung wollen entweder auf Lebensbeendigung gerichtete Entscheidungen überhaupt verhindern oder sie dem Arzt überlassen. Beides erscheint nach dem im Text Ausgeführten nicht akzeptabel.
[58] Vgl. *K. Bernsmann,* s. Anm. 42, 92.

3. Entscheidungsvorsorge mittels «Patientenverfügung»

Wenn der Bundesgerichtshof im «Kemptener Fall» den mutmaßlichen Willen des Patienten in den Vordergrund rückt, stärkt er auch zumindest mittelbar die Auffassung, Patienten könnten vorsorglich ihre Vorstellungen in geeigneter Weise, insbesondere durch eine sogenannte Patientenverfügung, zum Ausdruck bringen. Ersichtlich wäre eine solche Patientenverfügung für den Bundesgerichtshof mehr als nur ein mit religiöser Einstellung, Schmerzen und Lebenserwartung gleichrangiges Indiz, zu dem sie noch die Richtlinien der Bundesärztekammer für die Sterbebegleitung von 1993 degradiert wissen wollten.[59]

3.1 Wachsende praktische Bedeutung

Auch in der öffentlichen Meinung stehen Patientenverfügungen recht hoch im Kurs: Bereits in einer 1989 durchgeführten Repräsentativbefragung hielten es 70 % für gut, wenn über den Weg der Patientenverfügung eine künstliche Lebensverlängerung in hoffnungslosen Fällen verbindlich abgelehnt werden könnte; nur 16 % sprachen sich dagegen aus (unentschieden 14 %). Selbst wenn über ihre tatsächliche Verbreitung keine verlässlichen Daten vorliegen, wird aus dem zunehmenden Angebot entsprechender Formulierungsvorschläge bzw. Vordrucke – wie sie von verschiedenen Personen und Institutionen präsentiert werden[60] – auf ein steigendes Interesse in der Bevölkerung an einer solchen Entscheidungsvorsorge zu schließen sein. Auch in vielen anderen Ländern wurde die Patientenverfügung «entdeckt» und es gibt da und dort sogar gesetzliche Regelungen bis hin zur Etablierung eines zentralen «Lebenstestamente-Registers» in Dänemark.[61]

3.2 Detailfragen zum praktischen Umgang mit Patientenverfügungen

Indes wirft das Bestreben, durch eine schriftliche Verfügung für den Fall eigener dauerhafter Entscheidungsunfähigkeit vorzusorgen, im Detail zahlreiche Rechtsfragen auf:
- Inwieweit sind derartige Verfügungen überhaupt zulässig?
- Was kann inhaltlich verfügt werden?
- Welche Formalitäten sind zu beachten?
- Welche Vorkehrungen müssen getroffen werden, um einer solchen Verfügung zu gegebener Zeit Wirkung zukommen zu lassen?

---

[59] Vgl. Deutsches Ärzteblatt (1993) C-1628f., Abschnitt II.1.
[60] Beispiele sind wiedergegeben u. a. bei *H.-G. Koch*, s. Anm. 8, 168ff.; *W. Uhlenbruck*, Selbstbestimmtes Sterben durch Patienten-Testament, Betreuungsverfügung, Vorsorgevollmacht, Berlin 1997, 350ff.; Berliner Ärzte (1997) 9, 14ff.
[61] Vgl. näher *H.-G. Koch*, Rechtsfragen des Patiententestaments, in: *M. Oehmichen* (Hrsg.), Lebensverkürzung, Tötung und Serientötung – eine interdisziplinäre Analyse der «Euthanasie», Lübeck 1996, 131–144, hier 134ff.

- Inwieweit ist der Arzt an eine solche Verfügung gebunden?
- Welche anderen Instrumente der Willensbekundung können die Patientenverfügung ersetzen bzw. ergänzen?

Es würde zu weit führen, hier auf alle einschlägigen Fragen näher einzugehen. Zur Charakterisierung des aktuellen Diskussionsstandes in Deutschland seien folgende Gesichtspunkte hervorgehoben:

a) Besondere *Formerfordernisse* sind schon mangels gesetzlicher Regelung rechtlich nicht zwingend vorgegeben. Jedoch wird in der Praxis eine Patientenverfügung im Allgemeinen schriftlich niedergelegt, was sicherlich dem Nachweis des Patientenwillens gegenüber dem Arzt förderlich ist. Einige versuchen darüber hinaus, die Verbindlichkeit ihrer Verfügung dadurch zu bekräftigen, dass sie eine notarielle Beurkundung der Erklärung oder zumindest eine notarielle Beglaubigung ihrer Unterschrift vornehmen lassen. Derartige Formalia mögen auf den einen oder anderen Arzt nicht ohne Eindruck bleiben; sie sollten jedoch in ihrer Bedeutung nicht überbewertet werden. Über etwaige inhaltliche Mängel, insbesondere hinsichtlich der Bestimmbarkeit des Willens, können sie natürlich nicht hinweghelfen.

b) Weiterhin können gewisse *Regelungen des seit 1992 geltenden Betreuungsrechts* als indirekt einschlägig angesehen werden. Nichts spricht dagegen, die Bestimmung, wonach jemand, der eine Betreuungsverfügung vorfindet, diese unverzüglich dem Vormundschaftsgericht zu übergeben habe (§ 1901a BGB), auf Patientenverfügungen entsprechend anzuwenden. Diese Rechtsnorm bringt immerhin generell zum Ausdruck, dass Vorausverfügungen des Betroffenen nicht nur dann Bedeutung zukommt, wenn sie als eigentliches Testament den Erbfall regeln sollen, sondern auch dann, wenn dadurch auf zukünftige Lebensphasen Einfluss genommen werden soll, für die der Betroffene fürchtet, zu gegebener Zeit nicht mehr hinreichend entscheidungskompetent zu sein. Allerdings können m. E. die jetzigen betreuungsrechtlichen Bestimmungen[62] schwerlich ausreichen, um den besonderen Fragestellungen des «Patiententestamentes» voll gerecht zu werden.

c) Es wird als vorteilhaft angesehen, wenn die *Fortgeltung* einer einmal formulierten Verfügung in angemessenen Zeitabständen deutlich gemacht wird. Dies sollte am besten durch einen ausdrücklichen Vermerk geschehen; jedoch ist auch das Mitsichführen einer solchen Verfügung als Manifestation fortbestehenden aktuellen Geltungswillens zu verstehen, wie es auch im Falle eines Organspenderausweises geschieht. Auf jeden Fall sollte bei einer wesentlichen Änderung der gesundheitlichen Situation die Fortgeltung der Verfügung ausdrücklich vermerkt bzw. diese inhaltlich angepasst werden. Natürlich wäre es absolut unpraktikabel, eine Patientenverfügung gemeinsam mit einem erbrechtlichen Testament aufzubewahren, dessen Inhalt als Verfügung von Todes wegen erst nach dem Ableben rechtliche Bedeutung entfalten soll.

---

[62] Vgl. auch § 1901 Abs. 2 BGB mit Einbeziehung von Wünschen, die der Betreute schon vor Bestellung des Betreuers geäußert hat.

d) Prinzipiell liegt es im Verantwortungsbereich des Patienten, dafür zu sorgen, dass eine von ihm getroffene Verfügung den behandelnden Ärzten *zur Kenntnis gelangt.* Eine Pflicht der Ärzte, Patienten auf die Möglichkeit des Verfassens einer entsprechenden Verfügung – etwa vor einer Operation – hinzuweisen oder nach etwa existenten Verfügungen zu fragen, besteht nach deutschem Recht nicht. Jedoch sollten sich Ärzte – mehr als es bisher offenbar geschieht – im Verlauf der Behandlung progredienter, zum Tode führender Krankheiten um die Ermittlung, aber auch um die rechtzeitige Bildung des Patientenwillens im Hinblick auf gravierende Behandlungsentscheidungen bemühen. Insofern wird man auf die rechtlich vergleichbare Situation im Hinblick auf die ärztliche Aufklärungspflicht bei etwaiger Operationserweiterung verweisen können.[63] Die Form der Dokumentation dieses Willens dürfte dagegen eine zweitrangige Frage sein.

e) Verpflichtender *Inhalt* einer Patientenverfügung kann nur rechtlich erlaubtes Handeln sein, das – weitergehend – schützenswerten Belangen des Adressaten nicht zuwiderläuft. Daher ist es zwar möglich, gewisse ärztliche Bemühungen um Lebensverlängerung wirksam abzulehnen, nicht aber die Durchführung ärztlicher Maßnahmen zur direkten, aktiven Lebensbeendigung zu verlangen.

f) In einer Patientenverfügung kann auch die *Fortführung einer Behandlung* bestimmt werden. Bindend ist dies für den Arzt jedoch nur im Rahmen seines generellen Heilauftrages. Zu Maßnahmen, die nicht mehr als medizinisch indiziert anzusehen sind, kann der Arzt auch auf diesem Weg nicht gezwungen werden.

g) Auch bei bindender Wirkung einer Patientenverfügung erscheint es fraglich, ob eine diese *missachtende Lebenserhaltung* strafwürdiges Unrecht darstellen würde.[64] Jedenfalls kann sie eine Verletzung des Persönlichkeitsrechts bedeuten, für die in gravierenden Fällen ein Anspruch auf Schmerzensgeld gewährt wird. Auch sind entgegen dem, wie auch immer, verbindlich geäußerten Patientenwillen vorgenommene Behandlungsmaßnahmen nicht mehr vom Behandlungsvertrag umfasst; ihre Vergütung sollte deshalb nicht – weder vom Patienten selbst noch von seiner Krankenversicherung – verlangt werden können.

3.3 Wie «verbindlich» sind Patientenverfügungen?

Die soeben angestellten Überlegungen zum effektiven Gebrauch von Patientenverfügungen legen die Frage nahe, wie «verbindlich» sie für den Arzt überhaupt sind oder sein können. Einer der am häufigsten gegen die Patientenverfügung vorgetragenen Einwände geht dahin, die Zukunft lasse sich in aller Regel auch nicht annähernd genau vorhersehen. Patientenverfü-

---

[63] Vgl. dazu BGH, in: Neue Juristische Wochenschrift (1977), 337ff.; bzw. in: Versicherungsrecht (1987) 770ff.
[64] Vgl. bejahend z. B. *D. Sternberg-Lieben*, Strafbarkeit des Arztes bei Verstoß gegen ein Patienten-Testament, in: Neue Juristische Wochenschrift (1985) 2734–2739.

gungen müssten daher entweder so abstrakt-unbestimmt formuliert sein, dass sich daraus ein konkreter Handlungsauftrag im Falle eines Falles nicht mehr ableiten lasse (z. B. verlangter Verzicht auf «menschenunwürdige Leidensverlängerung»), oder es bestehe (bei hinreichend detailliertem Inhalt) die Gefahr, dass die spätere tatsächliche Situation nicht getroffen werde. Diese Bedenken sind nicht von der Hand zu weisen. Sie betreffen jedoch den Einzelfall und vermögen nicht die Legitimität der Vorausverfügung als generelles Modell in Frage zu stellen. Vor diesem Hintergrund liegt es nahe, typisierende Fallgruppen zu bilden, wobei hier nur exemplarisch auf einige Konstellationen eingegangen werden kann (vgl. dazu die folgende Aufstellung).

Patientenverfügung – Fallgruppen

Sachverhalt	Rechtliche Beurteilung
Bei einem bewusstlosen Unfallopfer wird eine Patientenverfügung (PV) gefunden, die u. a. Reanimationsmaßnahmen untersagt.	Erstversorgung am Unfallort ist keine Anwendungssituation für PVen. Nach ihrem Sinngehalt will der Verfügende durch seine PV nicht Krisenintervention regeln, sondern Vorkehrungen für das als unvermeidlich bevorstehende Lebensende treffen.
Ein unheilbar Kranker formuliert eine PV in Kenntnis des voraussichtlichen weiteren, zum Tode führenden Krankheitsverlaufs.	Hier handelt es sich meistens um langsam fortschreitende Krankheitsverläufe. Eine ihm vorgelegte PV sollte der Arzt rechtzeitig mit dem Patienten besprechen, um Unklarheiten zu eliminieren und auf eine aus seiner Sicht sachgerechte Entscheidung hinzuwirken. Aus rechtlicher Sicht ist es im Einzelfall unter Umständen problematisch, für die Verbindlichkeitsfrage aber ohne Bedeutung, ob es sich um eine vorsorgliche Verfügung oder um eine aktuelle Entscheidung handelt. Ein «Widerruf» einer früheren PV durch aktuelle Erklärung ist möglich; solange der Patient entscheidungsfähig ist, muss auch bei Vorliegen einer PV auf eine aktuelle Entscheidung hingewirkt werden.
Ein Gesunder verfügt für den Fall irreversibler Bewusstlosigkeit den Verzicht auf bestimmte lebenserhaltende Maßnahmen. Als Folge eines Unfalls oder einer plötzlichen Erkrankung tritt dieser Fall gewissermaßen zufällig tatsächlich ein.	Die Abklärung der Irreversibilität des Bewußtseinsverlustes braucht regelmäßig einige Zeit. Schon wegen der Notwendigkeit weiterer Entscheidungen ist in der Regel die Bestellung eines Betreuers geboten. Die Bedeutung der Patientenverfügung ist mit dem Betreuer abzuklären; nach Ansicht des BGH und des OLG Frankfurt a. M. bedarf die Entscheidung des Betreuers der Genehmigung des Vormundschaftsgerichts (§ 1904 BGB analog).

3.4 Entscheidungs-Stellvertretung, insbesondere auf der Grundlage einer Vorsorgevollmacht

Auch wenn sich manches zur Optimierung von Patientenverfügungen tun lässt: Sie sollten im Hinblick auf ihre Leistungsfähigkeit als Instrument der vorsorglichen Willensbekundung mit Bezug auf ärztliches Handeln gleichwohl nicht überbewertet werden. Sowohl vom medizinischen Sachverhalt her als auch im Hinblick auf die persönliche Situation des Patienten bleiben Konstellationen mit zu bedenken, in denen der Patient nicht in der Lage oder nicht willens ist, sich eines solchen rechtsförmlichen Instruments zu bedienen, und manche Schwächen sind der statischen Natur der Patientenverfügung immanent, das heißt, sie lassen sich auch durch noch so sorgfältige Formulierungen nicht gänzlich vermeiden.

Indem jene Schwächen die Grenzen dieses Instrumentariums bewusst machen, lenken sie den Blick gleichzeitig darauf, dass die Bevollmächtigung eines Entscheidungs-Stellvertreters manche und gewichtige Vorzüge aufweist; letztere lässt sich ebenfalls mit dem Abfassen einer Patientenverfügung kombinieren. Die Benennung eines solchen Stellvertreters – die natürlich im gegenseitigen Einvernehmen zu erfolgen hat – kann geschehen, ohne die formalen Hürden einer Betreuerbestellung nehmen zu müssen. Natürlich sollte der Bevollmächtigte in einer stabilen Vertrauensbeziehung zum Verfügenden stehen. Im geeigneten Einzelfall wäre nicht zuletzt der langjährige Hausarzt des Patienten in Betracht zu ziehen, insbesondere bei Entscheidungen im Zusammenhang mit einem stationären Krankenhausaufenthalt. Die betreuungsrechtlichen Regelungen über die sog. Vorsorgevollmacht (vgl. § 1896 Abs. 2 BGB) sind mindestens entsprechend anwendbar. Spezielle juristische Sachkunde ist nicht erforderlich; daher ist die in Deutschland gebräuchliche Bezeichnung «Patientenanwalt» in tendenziöser Weise irreführend. Wie es scheint, stößt die Idee, für den Fall eigener Entscheidungsunfähigkeit, insbesondere im Hinblick auf Sterbehilfe-Entscheidungen, durch Benennung eines Bevollmächtigten vorzusorgen, in der deutschen juristischen Diskussion auf zunehmende Sympathie.[65]

Aber auch bei Nutzung dieses weiteren Instrumentariums wird es zahlreiche Fälle geben, in denen auf (hinreichend konkrete) Verfügungen des Patienten als Entscheidungsleitlinie nicht zurückgegriffen werden kann. Soweit in solchen Fällen nach juristischen Maßstäben der mutmaßliche Patientenwille entscheidend sein soll, mag eine vorherige «Wertanamnese» i. S.

---

[65] Aus der neueren Literatur vgl. etwa die Monographien von *B. Eisenbart*, Patienten-Testament und Stellvertretung in Gesundheitsangelegenheiten: Alternativen zur Verwirklichung der Selbstbestimmung im Vorfeld des Todes, Baden-Baden 1998; *A. Langenfeld*, Vorsorgevollmacht, Betreuungsverfügung und Patiententestament nach dem neuen Betreuungsrecht, Konstanz 1994; *J. Röver*, Einflußmöglichkeiten des Patienten im Vorfeld einer medizinischen Behandlung, Frankfurt a. M. 1996; *W. Uhlenbruck*, s. Anm. 60; siehe aber auch schon *H.-G. Koch*, Sterben im Krankenhaus – Grenzen der Sterbehilfe aus rechtlicher Sicht, Deutsche Gesellschaft für Chirurgie, Mitteilungen (1988) 1, 17–23, hier 21.

von *Sass/Kielstein*⁶⁶ als «Ermittlungshilfe» nützlich sein; sie kann auch für einen benannten Vertreter eine Hilfe darstellen. Erfolgt eine solche Wertanamnese jedoch nicht im Zusammenhang mit der Krankheitssituation des Patienten, die zur Entscheidung nötigt, können sich auch gegenüber diesem Instrument die bekannten Zweifel hinsichtlich der Validität einstellen.

Durch die Mitte 1998 beschlossene Änderung des Betreuungsgesetzes,[67] die am 01.01.1999 in Kraft treten wird, hat der Gesetzgeber das Erfordernis einer vormundschaftsgerichtlichen Genehmigung für die Einwilligung in riskante Heilbehandlungen auch auf Vorsorgebevollmächtigte erstreckt; zudem sollen solche Vollmachten künftig der Schriftform bedürfen und müssen inhaltlich bestimmten Mindestanforderungen genügen. Was als Aufwertung dieses Instruments vorausschauender Selbstbestimmung gemeint ist,[68] droht indes ins Gegenteil umzuschlagen: Erinnern wir uns an die vom Bundesgerichtshof im «Kemptener Fall» entwickelte Analogie[69] und vergegenwärtigen wir uns, dass mit Vorsorgevollmachten oft die Absicht verfolgt wird, dem ärztlichen Handeln wirksam Grenzen zu setzen, so scheint hier der Boden für staatliche Kontrolle in einem Bereich bereitet zu werden, in dem der Betroffene ja gerade einen Weg privatautonomer Gestaltung zu beschreiten wünscht.[70] Wie es scheint, hat der Gesetzgeber bei der Schaffung des neuen § 1904 Abs. 2 BGB die jüngere Entwicklung der Strafrechtsprechung gar nicht bedacht, jedenfalls geht die Begründung zum Gesetzesentwurf darauf mit keinem Wort ein. Inzwischen können aus dem Bundesjustizministerium vorliegende (privatschriftliche) Äußerungen nur i. S. eines Bemühens um Schadensbegrenzung verstanden werden: In freilich keineswegs zwingender Argumentation wird die Bedeutung der Rechtsprechung des Bundesgerichtshofs (in Strafsachen) heruntergespielt und dafür diejenige der unterinstanzlichen Vormundschaftsgerichte[71] in den Vordergrund gerückt. Man hätte sich gewünscht, dass die Vorstellungen des Gesetzgebers – der neue § 1904 Abs. 2 BGB solle nur auf die Fälle erteilter Einwilligung Anwendung finden – angesichts der erwähnten Rechtsprechung des Bundesgerichtshofs im Gesetzgebungsverfahren eine ausdrückliche Klarstellung erfahren hätte. Es bleibt jedoch zu hoffen, dass sich in dieser Frage die eigentlich zuständige Vormundschaftsgerichtsbarkeit gegen den Bundesgerichtshof in Strafsachen durchsetzen wird. Das jüngste ein-

---

[66] Vgl. *H.-M. Sass/R. Kielstein*, Die Wertanamnese, Methodische Überlegungen und Bewertungsbogen für die Hand des Patienten, in: Bochumer medizinethische Materialien, Bochum (1992) 76; *Dies.*, Wertanamnese und Betreuungsverfügung, Bochumer medizinethische Materialien, Bochum (³1995) 81.
[67] Bundesgesetzblatt (1998) I, 1580 ff.
[68] Vgl. dazu die Begründung zum Gesetzesentwurf der Bundesregierung, Bundestags-Drucksache 13/7158, 34.
[69] Siehe oben 2.5.4.
[70] Kritisch auch *W. Uhlenbruck,* Entmündigung des Patienten durch den Gesetzgeber?, in: Zeitschrift für Rechtspolitik (1998) 46–49, hier 47f.
[71] Amtsgericht Hanau, Betreuungsrechtliche Praxis 1997, 82f.

schlägige Judikat des OLG Frankfurt a. M. (s. u. Kap. 4) leistet – aus hier vertretener Sicht bedauerlicherweise – allerdings dem BGH Gefolgschaft.

3.5 Haltung der Ärzteschaft

Die praktische Bedeutung von Patientenverfügungen und Vorsorgevollmachten wird maßgeblich durch die Haltung der Ärzteschaft bestimmt. Diesbezüglich hat sich in den vergangenen Jahren in Deutschland ein nicht zu unterschätzender Wandel vollzogen. Dies wird auch und gerade an den einschlägigen Formulierungen in den verschiedenen berufsständischen Verlautbarungen deutlich:

a) Die *Richtlinien der Bundesärztekammer für die Sterbehilfe von 1979*[72] betonten zwar, entscheidend komme es auf den gegenwärtigen mutmaßlichen Willen an, der nur aufgrund einer sorgfältigen Abwägung aller Umstände des Falles gefunden werden könne, sahen aber ausweislich des dazugehörigen Kommentars «in einer früheren Erklärung, worin der Patient auf jede künstliche Lebensverlängerung verzichtet», immerhin ein potentiell gewichtiges Indiz für die Ermittlung dieses Willens.

b) Deutlich zurückhaltender heißt es demgegenüber in den *Richtlinien für die ärztliche Sterbebegleitung von 1993*[73]: «Bei der Ermittlung des mutmaßlichen Willens sind frühere schriftliche Äußerungen (des Patienten) oder Erklärungen gegenüber nahestehenden Personen lediglich ebenso Anhaltspunkte wie religiöse Einstellung, Schmerzen und Lebenserwartung.»

c) Der Entwurf der *Richtlinie der Bundesärztekammer zur ärztlichen Sterbebegleitung und den Grenzen zumutbarer Behandlung*[74] von 1997 widmet sich eingehender der Problematik und zeigt sich in der Tendenz gegenüber Patientenverfügungen und Bevollmächtigungen aufgeschlossener. Im Abschnitt «Das Recht des Patienten auf Selbstbestimmung» heißt es:

> «Bei bewußtlosen oder sonst einwilligungsunfähigen Patienten sind die Behandlungsmaßnahmen durchzuführen, die dem mutmaßlichen Willen des Patienten in der konkreten Situation entsprechen. Der mutmaßliche Wille des Patienten ist aus den Gesamtumständen zu ermitteln. Eine besondere Bedeutung kommt hierbei einer früheren Erklärung des Patienten zu. Sie ist zu berücksichtigen, sofern ihre Aktualität für die konkrete Situation anzunehmen ist. ... Hat der Patient eine Person seines Vertrauens speziell benannt, ist diese zur Ermittlung des mutmaßlichen Patientenwillens heranzuziehen. Ist der mutmaßliche Wille nicht erkennbar, so sollte der Arzt die Bestellung eines Betreuers beim Vormundschaftsgericht anregen.»

Damit noch nicht genug: Am Ende des Richtlinien-Entwurfs findet sich ein gesonderter Abschnitt mit der Überschrift «Patientenverfügungen mit Selbstbestimmung im Vorfeld des Todes». Im dazugehörigen Text heißt es:

---

[72] Deutsches Ärzteblatt (1979) 957ff.
[73] Deutsches Ärzteblatt (1993) C-1628f.
[74] Deutsches Ärzteblatt (1997) C-988.

«Es ist zu begrüßen, daß mit zunehmender Autonomie der Patienten immer öfter im Vorfeld verfaßte Betreuungsverfügungen, Patiententestamente, (Alters-)Vorsorge-Vollmachten o. ä. vorgelegt werden. Sie sind als eine wesentliche Hilfe für das Handeln des Arztes und als wichtiges Element des Selbstbestimmungsrechts verantwortungsvoll bei der Ermittlung des mutmaßlichen Willens zu beachten. Allerdings sollte der Arzt daran denken, daß solche Willensäußerungen in der Regel in gesunden Tagen auf Grund anderer Einsicht verfaßt wurden und daß Hoffnung oftmals in ausweglos erscheinenden Lagen wächst.»

Bei näherer Analyse erweist sich die Entwurfsfassung von 1997 freilich als ein Zeugnis der Unsicherheit der deutschen Ärzteschaft in der Frage des Umgangs mit Patientenverfügungen und Vorsorgevollmachten: Bezeichnend ist, wenn es einmal «berücksichtigen» und an anderer Stelle «beachten» heißt. Woher weiterhin das von den Richtlinienverfassern behauptete empirische Wissen rührt, «solche Verfügungen» seien in der Regel in gesunden Tagen aufgrund anderer Einsicht verfasst worden, bleibt schlicht schleierhaft. Es drängt sich die Frage auf, wie oft denn die Autoren schon mit der Situation einer Rücknahme konfrontiert waren. Dass Patienten im unmittelbaren Gespräch zunächst eine lebensverlängernde Behandlung ablehnen und es sich später – insbesondere nach ärztlichem Zureden – anders überlegen, verfängt in diesem Zusammenhang nicht: Hier liegt ja gerade nicht die Situation einer antizipierten Erklärung vor. Vollends missverständlich ist das «Hoffnungs-Argument», lässt es doch außer Acht, dass Patientenverfügungen regelmäßig nur und erst dann Bedeutung entfalten sollen, wenn ihr Verfasser nicht nur vorübergehend zur unmittelbaren Äußerung seiner Präferenzen außer Stande ist. Die Hirnforschung möge dem Juristen ein plausibles Modell präsentieren, wie man sich dieses Wachsen von Hoffnung etwa beim irreversibel Bewusstlosen vorstellen könnte. Des Weiteren ist es juristisch ganz offensichtlich fehlerhaft, wenn Patientenverfügungen und Vorsorgevollmachten hinsichtlich ihrer rechtlichen Funktion in einen Topf geworfen werden[75] und wenn die Einrichtung einer rechtlichen Betreuung erst für den Fall vorgesehen wird, dass sich der mutmaßliche Wille des Patienten nicht ermitteln lässt. Schlussendlich muss man es bedauern, dass im Richtlinienentwurf Patientenverfügungen offenbar nur als nun einmal existierendes Phänomen wahrgenommen wurden und kein Wort zu einer entsprechenden Beratungsaufgabe des Arztes bei deren Abfassen oder zu etwaigen Erkundigungsobliegenheiten verloren wurde.

d) Erfreulicherweise hat die nun vorliegende Endfassung der neuen *Grundsätze der Bundesärztekammer zur ärztlichen Sterbebegleitung*[76] einigen dieser Bedenken Rechnung getragen. Dort liest man: «Eine besondere Bedeutung kommt hierbei (bei der Ermittlung des mutmaßlichen Willens) einer früheren Erklärung des Patienten zu.» Und im letzten Abschnitt «Pati-

---

[75] Zutreffend demgegenüber Ziffer 7 der Empfehlungen der Berliner Ad-hoc-Kommission, Berliner Ärzte 9 (1996) 15.
[76] Deutsches Ärzteblatt (1998) C-1690f.

entenverfügungen, Vorsorgevollmachten und Betreuungsverfügungen» liest man unter anderem:

> «Patientenverfügungen …., Vorsorgevollmachten und Betreuungsverfügungen sind eine wesentliche Hilfe für das Handeln des Arztes. Patientenverfügungen sind verbindlich, sofern sie sich auf die konkrete Behandlungssituation beziehen und keine Umstände erkennbar sind, daß der Patient sie nicht mehr gelten lassen würde. Es muß stets geprüft werden, ob die Verfügung, die eine Behandlungsbegrenzung erwägen läßt, auch für die aktuelle Situation gelten soll. Bei der Entscheidungsfindung sollte der Arzt daran denken, daß solche Willensäußerungen meist in gesunden Tagen verfaßt wurden und daß Hoffnung oftmals in ausweglos erscheinenden Lagen wächst. Bei der Abwägung der Verbindlichkeit kommt der Ernsthaftigkeit eine wesentliche Rolle zu. Der Zeitpunkt der Aufstellung hat untergeordnete Bedeutung.»

Das ist im Vergleich zu den Fassungen von 1993 und 1997 sicher ein Fortschritt. Allerdings bleibt auch die Neufassung ersichtlich – und bedauerlicherweise – noch deutlich hinter den Richtlinien der Schweizerischen Akademie der Medizinischen Wissenschaften von 1995[77] mit ihrer «Verbindlichkeitsvermutung» zurück, behält die bereits beim Entwurf von 1997 kritisierten Ausführungen zur Abfassung «in gesunden Tagen» bei und erscheint in ihren Formulierungen zur «Abwägung der Verbindlichkeit» eher unklar. Auch konnte man sich offenbar nicht dazu durchringen, Ärzten eine Empfehlung zur Mitwirkung bei der Abfassung von Patientenverfügungen mit auf den Weg zu geben.

Manche Abwehrhaltung ärztlicherseits gegenüber Patientenverfügung (und Vorsorgevollmacht) mag von genereller Skepsis gegenüber dem Selbstbestimmungsrecht des Patienten herrühren. Demgegenüber kann aus rechtlicher Sicht kein Zweifel daran bestehen, dass es eine Aufgabe des Arztes ist, dem Patienten (auch) bei seiner Entscheidungsfindung als einfühlsamer Ratgeber zu dienen. Indem sich die Patientenverfügung als eine Art Notfallinstrumentarium für den Informationstransfer in einem Szenario eingeschränkter Verständigungsmöglichkeiten erweist, macht sie die Bedeutung des regulären Kommunikationsprozesses zwischen Arzt und Patient im Behandlungs-Normalfall umso mehr bewusst. Dieser Kommunikationsprozess ist hinsichtlich seiner Funktionsfähigkeit nicht in ein Ja-Nein-Schema zu pressen, sondern muss in den Kategorien von einem Mehr oder Weniger der jeweils gegebenen Möglichkeiten verstanden werden. Gerade dort, aber nicht nur dort, wo die medizinische Beurteilung – Stichwort Indikation – allein kein überzeugendes Entscheidungskriterium bzw. kein hinreichend klares Indiz für den mutmaßlichen Willen angibt, gewinnen Instrumentarien zur Entscheidungsfindung umso größere Bedeutung, denen eine gewisse Unvollkommenheit immanent ist. Insofern muss die eine Unvollkommenheit – qua paternalistischer Fremdbestimmung – gegen die andere – qua in gewissem Umfang defizitärer Selbstbestimmung – abgewogen werden. Wer sich als Patient einer Patientenverfügung oder/und einer Vorsor-

---

[77] Schweizerische Ärztezeitung (1995) 1223ff.

gevollmacht bedient, bringt damit auch zum Ausdruck, welche Art von Unvollkommenheit er eher hinzunehmen bereit ist.

4. Ausblick

Rückblickend lässt sich feststellen, dass aus juristischer Sicht in Fragen der Sterbehilfe in Deutschland während des letzten Jahrzehnts eine Problemverlagerung stattgefunden hat. Im Mittelpunkt stehen nicht mehr so sehr die strafrechtlichen Aspekte im Sinne einer Denkweise in den schroffen Kategorien von erlaubt und verboten, wie sie etwa noch die Bemühungen kennzeichneten, die im Jahre 1986 vorgelegten Alternativentwurf eines Gesetzes über Sterbehilfe (AE-Sterbehilfe)[78] ihren Ausdruck gefunden haben. Selbst in der hier näher besprochenen Entscheidung des Bundesgerichtshofs im sog. Kemptener Fall geht es im Gewand eines strafrechtlichen Falles eigentlich vor allem um die Art und Weise der Entscheidungsfindung. Fälle wie der vor dem Amtsgericht Hanau verhandelte dürften in Zukunft die forensische Szenerie eher bestimmen[79] als strafgerichtliche Judikate.

Diese Entwicklung ist im Interesse der Sache zu begrüßen. Strafgerichtliche Urteile kommen zwangsläufig im Sinne einer Handlungsleitung für den konkreten Fall zu spät, da sie diesen immer erst ex post beurteilen. Allerdings lassen die bisher bekannt gewordenen vormundschaftsgerichtlichen Entscheidungen[80] auch Zweifel daran aufkommen, ob die richterlichen Genehmigungen ex ante, wie in § 1904 BGB vorgesehen, das probate Mittel der Entscheidungskontrolle darstellt. Speziell in Deutschland angebrachte Vorbehalte gegen staatliche «Tötungslizenzen» machen auch vor dem Bewusstsein von Vormundschaftsrichtern nicht Halt.[81] In rechtsvergleichen-

---

[78] Vgl. *J. Baumann et al.*, s. Anm. 18, 1986.
[79] In einer bislang offenbar nicht veröffentlichten Entscheidung vom 27.05.1997 hat das Landgericht Dresden die Bestellung eines Betreuers zur Sorge für die Gesundheit der Betroffenen wegen des Vorliegens einer entsprechenden Vorsorgevollmacht nicht für erforderlich gehalten, jedoch einen Vollmachtsbetreuer (vgl. § 1896 Abs. 3 BGB) mit dem Aufgabenkreis der Überwachung des Bevollmächtigten eingesetzt. Das Gericht sah den Bevollmächtigten offenbar als befugt an, in Übereinstimmung mit dem mutmaßlichen Willen der betroffenen Patientin gegenüber den behandelnden Ärzten die Einwilligung in invasive bzw. intensivtherapeutische Maßnahmen zu verweigern.
[80] Siehe oben Anm. 53, 71 und 77. – Während der Drucklegung dieses Beitrags ist ein vormundschaftsgerichtlicher Beschluss des OLG Frankfurt a. M. (Zeitschrift für das gesamte Familienrecht [1998] 1137f. mit Anmerkung von *W. Bienwald*, 1138f. und Juristen-Zeitung [1978] 799f. mit Anmerkung von W. Müller-Freienfels, 1123ff.) bekannt geworden, der in der Frage eines Genehmigungserfordernisses in Analogie zu § 1904 BGB dem Bundesgerichtshof in Strafsachen beitrat und in Deutschland kontroverse Diskussionen auch zu der im Text angesprochenen Rolle des Richters in derartigen Fällen ausgelöst hat. Vgl. Frankfurter Allgemeine Zeitung vom 21.07.1998, 8 und vom 22.07.1998, 10; Süddeutsche Zeitung vom 21.07.1998, 1; vom 22.07.1998, 2 und vom 23.07.1998, 5.
[81] Vgl. *M. Deichmann*, s. Anm. 42, 984f.; vgl. auch *H.-G. Koch/E. Bernat/A. Meisel*, s. Anm. 42, 15f.

der Perspektive spricht manches dafür, dass eine eher konsiliarische Aufgabe oder eine das Recht des Betreuers/Bevollmächtigten – in einer bestimmten Weise zu entscheiden – explizit feststellende Funktion des Richters[82] dem Problem besser gerecht zu werden vermag als die Zumutung einer förmlichen Genehmigung. Aber auch die Option einer interdisziplinären Fallbeurteilung vor Ort nach dem Vorbild der im Forschungsbereich etablierten Ethik-Kommissionen[83] sollte der Gesetzgeber in Erwägung ziehen.

Jedenfalls dürfte zur Frage des geeigneten prozeduralen «Vorverfahrens» für Sterbehilfe-Entscheidungen das letzte Wort noch lange nicht gesprochen sein. Die weiter oben (in Kap. 2) an der Rechtsprechung des Bundesgerichtshofs geübte Kritik zielt – dies sei noch einmal klargestellt – nicht gegen rechtlich reglementierte Vorprüfungsverfahren als solche, sondern ist speziell gegen das Instrument der vormundschaftsgerichtlichen *Genehmigung*, gegen die Ableitung im Wege der Analogie zu § 1904 BGB und gegen die Art und Weise, wie das Rechtsinstitut der mutmaßlichen Einwilligung zur Anwendung gebracht wird, gerichtet. Wenn dem Bundesgerichtshof die Idee vorgeschwebt haben sollte, bei entsprechender Präventivkontrolle (hier: durch Vormundschaftsgerichte) könne die spätere strafrechtliche Kontrolle zurückhaltender ausfallen (umgekehrt müsse bei Versäumnissen im Verfahren der Entscheidungsfindung die strafrechtliche «Nachschau» eine entsprechend intensivere sein), so wird man dem in der Tendenz zustimmen können. Jedoch besteht auch insofern – v. a. hinsichtlich Erforderlichkeit und Ausgestaltung von gegen Verfahrensverstöße gerichteten Strafvorschriften[84] sowie bezüglich der Reichweite präjudizieller Wirkungen des «erfolgreich» absolvierten Vorverfahrens für das Strafrecht[85] – noch erheblicher Klärungsbedarf.[86] Auf lange Sicht wird der Gesetzgeber diesen Fragen nicht ausweichen können.

---

[82] Zur Behandlung einschlägiger Fälle durch amerikanische Gerichte vgl. näher *Th. Weigend/A. Künschner*, Landesbericht USA, in: A. *Eser/H.-G. Koch*, s. Anm. 4, 669–774, hier 712ff.; vgl. auch *H.-G. Koch/E. Bernat/A. Meisel*, s. Anm. 42, 16.

[83] Zu Ethik-Konsilen bei Entscheidungen in Fragen etwaiger Lebensbeendigung vgl. z. B. *H.-G. Koch*, Hirntod und Schwangerschaft: Überlegungen aus rechtlicher Sicht, in: J. *Bednarikova/F. C. Chapman* (Hrsg.), Festschrift für Jan Stepan zum 80. Geburtstag, Zürich 1994, 187–201, hier 196f. (für den Spezialfall einer hirntoten Schwangeren).

[84] Für die klinische Prüfung von Medizinprodukten ist das Unterlassen der vorherigen Projektvorlage an eine zuständige Ethikkommission als Vergehen sanktionsbewehrt, vgl. § 17 Abs. 6 Satz 1 in Verbindung mit § 44 Nr. 4 Medizinproduktegesetz. Weitere Beispiele aus dem medizinrechtlichen Bereich (Kastration, Schwangerschaftsabbruch, Organtransplantation) führt *F. Saliger* (s. Anm. 42, 145 ff.) an.

[85] Vgl. BGHSt 38, 144ff. (hier 154ff.) zur begrenzten Bindungswirkung ärztlicher Indikationsfeststellungen beim Schwangerschaftsabbruch (jetzt § 218b StGB).

[86] Instruktive Überlegungen zur «prozeduralen Legalisierung» der Sterbehilfe stellt *F. Saliger* (s. Anm. 42, 145ff.) an.

Franz Riklin

Die strafrechtliche Regelung der Sterbehilfe
Zum Stand der Reformdiskussion in der Schweiz

Auch in der Schweiz befasst man sich im Zusammenhang mit der Diskussion über die Sterbehilfe mit schwierigen Wertungsfragen in Bezug auf die Reichweite des Lebensschutzes, das Selbstbestimmungsrecht der Betroffenen und die Missbrauchsabwehr. Wie immer man auch die Grenzen zwischen einem erlaubtem und verbotenem Verhalten zieht, unbestritten ist, dass nicht in jedem Fall und in jeder Situation eine absolute Pflicht zur Lebenserhaltung besteht. Nach einem Überblick über die geltende Rechtslage (1) soll im Folgenden aufgezeigt werden, dass auch in unserem Land eine Reformdiskussion stattfindet, die sich – abgesehen von der Frage, ob ein Bedarf für eine gesetzliche Regelung der passiven Sterbehilfe besteht – auch mit der Legalisierung gewisser Formen der aktiven Sterbehilfe befasst (2). Im Vordergrund steht eine Einschränkung der Strafbarkeit der Tötung auf Verlangen (Art. 114 StGB). Weil bei einzelnen heute getätigten Praktiken die Grenze zwischen aktiver und passiver Sterbehilfe fließend bzw. die Begründung für ihre Zulässigkeit umstritten ist, bestünde im Fall einer Gesetzesmodifikation die Gelegenheit, auch solche Sonderfälle einer klareren Regelung zuzuführen.

1. Ausgangspunkt: Geltende Rechtslage

1.1 *Verfassungs- und menschenrechtliche Aspekte*

Die persönliche Freiheit gilt in der Schweiz als ungeschriebenes Verfassungsrecht. Unter ihrem Schutz steht auch das Recht auf Leben.[1] Daraus ist eine Verpflichtung des Staates abzuleiten, Gefahren für das menschliche Leben vorzubeugen. Auch die Europäische Menschenrechtskonvention garantiert in Art. 2 das Recht auf Leben und verpflichtet den Staat, die zum Schutz des Lebens nötigen Bestimmungen zu erlassen.[2] Andererseits ist der verfassungsrechtliche Lebensschutz nicht derart absolut, dass ein Recht auf ein menschenwürdiges Sterben keinen Platz mehr hätte.[3] Denn auch die Menschenwürde ist im Rahmen der persönlichen Freiheit geschützt.[4]

---

[1] Vgl. *M.-O. Baumgarten*, The right to Die?, Diss. Basel 1998, 86.
[2] Vgl. ebd. 90.
[3] Vgl. *J. Gross*, Die Persönliche Freiheit des Patienten, Zur öffentlichrechtlichen Normierung des medizinischen Behandlungsverhältnisses, Abhandlungen zum schweizerischen Recht, Bern 1977, 164f.
[4] Vgl. *M.-O. Baumgarten*, s. Anm. 1, 70; *M. Burkart*, Das Recht in Würde zu sterben – ein Menschenrecht, Diss. Zürich 1983, 49.

1.2 Strafrechtliche Aspekte

1.2.1 Durch Strafnormen explizit erfasste Sachverhalte

1.2.1.1 Allgemeines

Das menschliche Leben ist im Strafrecht prinzipiell umfassend geschützt, ohne Rücksicht auf seinen Zustand, auf die Lebensfähigkeit, die Lebenserwartung und auf allfällige Missbildungen; deshalb wird auch das Leben eines Sterbenden an sich vom Strafrechtsschutz erfasst.[5] Dennoch lassen einzelne Normen des schweizerischen Strafgesetzbuches bestimmte Formen der Sterbehilfe zu.

1.2.1.2 Art. 111/112/113 StGB (Vorsätzliche Tötung)

Die gezielte aktive Tötung im Sinne der klassischen Sterbehilfe ist nach den Art. 111–113 StGB als vorsätzliche Tötung (evtl. auch als Mord oder Totschlag) strafbar. Dies gilt auch dann, wenn eine Todesprognose abgegeben werden kann und der sichere Tod lediglich beschleunigt wird.[6]

1.2.1.3 Art. 114 StGB (Tötung auf Verlangen)

Die Tötung eines schwer leidenden Urteilsfähigen ist gemäß Art. 114 StGB auch dann strafbar, wenn der Betroffene dies verlangt. Die in dieser Norm enthaltene, im Vergleich zum Regelfall der vorsätzlichen Tötung beträchtliche Privilegierung setzt zunächst voraus, dass die Tötung auf das *ernsthafte und eindringliche Verlangen des Betroffenen* hin erfolgt. Eindringliches Verlangen bedeutet, dass die Initiative von diesem ausgeht. Er «bestimmt» den Täter zur Tat, er ist Anstifter und er muss den Täter motivieren. Ernsthaft bedeutet ernst gemeint; es muss sich um Gründe handeln, die auch einen Selbstmord zu motivieren vermögen.[7] Eine bloße Einwilligung genügt hier nicht.[8] Die Rechtswidrigkeit einer vorsätzlichen Tötung wird weder durch Einwilligung noch durch ernsthaftes und eindringliches Verlangen aufgehoben, denn das Leben gilt als unverzichtbares Rechtsgut. Die erwähnten Umstände finden hingegen im niedrigeren Strafrahmen des Art. 114 StGB sowie durch die individuelle Strafzumessung ihre Berücksichtigung.

Was das Motiv des Täters anbetrifft, verlangt Art. 114 StGB ferner, dass dieser aus *achtenswerten Beweggründen* handelt, worunter namentlich ein *Handeln aus Mitleid* fällt.

Vorausgesetzt ist schließlich, dass der Sterbewillige in unmittelbarer Zukunft getötet zu werden wünscht, das heißt, das Verlangen darf nicht le-

---

[5] Vgl. *J. Rehberg/N. Schmid*, Strafrecht III, Delikte gegen den Einzelnen, Zürich ⁷1997, 1; G. Stratenwerth, Schweizerisches Strafrecht, Besonderer Teil I: Straftaten gegen Individualinteressen, Bern ⁵1995, § 1 N 6f.

[6] Vgl. u. a. *J. Rehberg/N. Schmid*, s. Anm. 5, 13.

[7] Vgl. *G. Stratenwerth*, s. Anm. 5, § 1 N 38.

[8] Vgl. *Ders.*, s. Anm. 5, § 1 N 37; *J. Rehberg/N. Schmid*, s. Anm. 5, 10.

diglich für den Fall künftiger Ereignisse (z. B. einer unheilbaren Krankheit) gelten.[9]

1.2.1.4 Art. 115 StGB (Verleitung und Beihilfe zum Selbstmord)
Grundsätzlich sind Selbstmord und Selbstmordversuch nicht strafbar. Dies entspricht einer kontinental-europäischen Auffassung. In der Schweiz gilt dies grundsätzlich auch für die Beteiligung Dritter i. S. der Anstiftung oder Gehilfenschaft.

Wie in zahlreichen anderen ausländischen Rechtsordnungen[10] strafbar ist hingegen die Verleitung und Beihilfe zum Selbstmord, gemäß dem Sondertatbestand des Art. 115 StGB allerdings nur dann, wenn der Täter aus *selbstsüchtigen Beweggründen* handelt. Dies ist gegeben, wenn er von egoistischen Motiven geleitet wird. Er muss einen persönlichen Vorteil haben (namentlich einen Vorteil materieller Natur, etwa bei einer Erbschaft als Folge des Todes des Erblassers, oder i. S. der Befriedigung affektiver Bedürfnisse, wenn der Täter aus Hass, Bosheit oder Rachsucht handelt).[11] Gleichgültiges Handeln hingegen gilt nicht als Tätigkeit aus selbstsüchtigen Beweggründen.[12]

Im Unterschied zu den vorsätzlichen Tötungsdelikten muss die Tatherrschaft und damit die letzte Entscheidung beim Opfer liegen. Dies ist dann der Fall, wenn der letzte entscheidende Schritt dem Sterbewilligen überlassen wird, d. h. im Extremfall, wenn man ihm ein tödliches Gift auf die Lippen legt und es ihm überlassen bleibt, ob er es schluckt oder nicht.[13] Anders wäre es, wenn der Dritte dem Sterbewilligen eine giftige Flüssigkeit einflößt. Die Strafbarkeit besteht auch beim bloßen Selbstmordversuch.

Heikle Fragen stellen sich im Fall einer wesentlichen Einschränkung der Urteilsfähigkeit des Selbstmordwilligen. Wenn der Beteiligte dies weiß oder in Kauf nimmt, wird in der Regel mittelbare Täterschaft (zu vorsätzlicher Tötung) bejaht.[14]

Wegen des geschilderten unabdingbaren subjektiven Tatbestandsmerkmals (selbstsüchtige Beweggründe) kommt es kaum je zu einer Verurteilung nach Art. 115 StGB. Nach Schubarth könnte diese Bestimmung deswegen gestrichen werden.[15] Dies hätte jedoch nicht unbeträchtliche Auswirkun-

---

[9] Vgl. *J. Rehberg/N. Schmid*, s. Anm. 5, 11.
[10] Außer z. B. Frankreich, Deutschland und Belgien, vgl. *G. Stratenwerth*, s. Anm. 5, § 1 N 46.
[11] Vgl. *M. Schubarth*, Kommentar zum schweizerischen Strafrecht, Besonderer Teil, 1. Bd., Bern 1982, N 28 zu Art. 115 StGB.
[12] Vgl. *G. Stratenwerth*, s. Anm. 5, § 1 N 56; *M. Schubarth*, s. Anm. 11, N 29 zu Art. 115 StGB; *S. Trechsel*, Schweizerisches Strafgesetzbuch, Kurzkommentar, Zürich ²1997, N 6 zu Art. 115 StGB.
[13] Vgl. *S. Trechsel*, s. Anm. 12, N 3 zu Art. 115 StGB; *H. Walder*, Vorsätzliche Tötung, Mord und Totschlag, StrGB Art. 111–113, in: ZStR (1979) 117ff., hier 127f.
[14] Vgl. *G. Stratenwerth*, s. Anm. 5, § 1 N 49; anderer Meinung bzw. kritisch *J. Rehberg/N. Schmid*, s. Anm. 5, 12. Vgl. zur Problematik der Willensfreiheit von Personen, die sich das Leben nehmen wollten, hinten Ziff. 1.2.2.5.
[15] *M. Schubarth*, s. Anm. 11, N 50 zu Art. 115 StGB.

gen. Denn heute regelt Art. 115 StGB die strafbare Beteiligung an einem Selbstmord abschließend; aus diesem Grund können Verhaltensweisen im Sinne von Art. 115 StGB nicht als Tötung durch Unterlassen oder Aussetzung nach Art. 127 StGB sowie allenfalls als Unterlassung der Nothilfe gegenüber einem Menschen, der in unmittelbarer Lebensgefahr schwebt (Art. 128 StGB), geahndet werden.[16]

1.2.2 Meinungsstand zu nicht explizit in Strafnormen geregelten Fragen
Gewisse Konstellationen der Sterbehilfe sind *nicht explizit* durch Strafnormen erfasst. In diesen Fällen stellt sich die Frage, welche Konsequenzen sich – gestützt auf allgemeine strafrechtliche Gesetzesbestimmungen und Prinzipien – aufdrängen.

Eine wichtige Rolle spielen dabei die *Medizinisch-ethischen Richtlinien der Schweizerischen Akademie der Medizinischen Wissenschaften*[17] *für die ärztliche Betreuung sterbender und zerebral schwerst geschädigter Patienten.*[18] Diese Richtlinien versuchen, entsprechend den gesetzlichen Rahmenbedingungen Kriterien für eine berufsethisch erlaubte oder gar gebotene Sterbehilfe festzulegen, um dem Arzt in Grenzsituationen die zu treffenden Entscheidungen zu erleichtern. Sie sind strafrechtlich nicht unmittelbar verbindlich, doch kann man davon ausgehen, dass sich der Strafrichter in einem Grenzfall nicht leichtfertig über Verlautbarungen – in Bezug auf das nach der ärztlichen Standesethik Richtige – hinwegsetzen würde. Diesen Richtlinien kommt eine maßgebende Regulierungsfunktion zu und die Praxis orientiert sich an ihnen.[19] Einzelne Kantone haben sie für Ärzte und Medizinalpersonen durch Gesetz oder in Form einer Verordnung ausdrücklich für verbindlich erklärt.[20]

1.2.2.1 Passive Sterbehilfe
Unter passiver Sterbehilfe versteht man den Verzicht auf nicht mehr als sinnvoll erachtete lebenserhaltende Maßnahmen, die das Leben eines sterbenden Menschen für kurze Zeit verlängern können. Es muss sich um Personen handeln, bei welchen der Arzt aufgrund klinischer Anzeichen zur Überzeugung gelangt, dass die Krankheit oder die traumatische Schädigung irreversibel ist und trotz Behandlung in absehbarer Zeit zum Tode führen

---

[16] Vgl. *J. Rehberg/N. Schmid*, s. Anm. 5, 12f.
[17] Die Schweizerische Akademie der Medizinischen Wissenschaften ist eine privatrechtliche Stiftung, die durch die medizinischen Fakultäten der Schweizerischen Hochschulen zusammen mit der Verbindung der Schweizer Ärzte gegründet wurde. Vgl. *G. Heine*, Landesbericht Schweiz, in: *A. Eser/H.-G. Koch* (Hrsg.), Materialien zur Sterbehilfe, Freiburg i. Br. 1991, 593ff., hier 599.
[18] Diese Richtlinien vom 24.02.1995 sind abgedruckt in: Schweiz. Ärztezeitung (1995) 1223ff.
[19] Vgl. *G. Heine*, s. Anm. 17, 593, 600.
[20] Vgl. ebd. 600. Als ergänzende Regelung werden diese Richtlinien z. B. auch in § 21 der Zürcherischen Patientenrechtverordnung als anwendbar erklärt (LS 813.13); vgl. *J. Rehberg/N. Schmid*, s. Anm. 5, 13 Fn. 65.

wird.²¹ Diese Art der Sterbehilfe könnte als Tötung durch Unterlassung nach Art. 111ff. StGB strafbar sein, denn bei sog. unechten Unterlassungsdelikten kann jemand auch bestraft werden, der durch ein Unterlassen den gleichen Erfolg bewirkt wie ein aktiv Handelnder. Dies setzt jedoch eine Garantenstellung voraus, d. h. eine rechtliche Pflicht, den verpönten Erfolg zu verhindern. Ärzte dürften in der Regel eine solche Erfolgsabwendungspflicht haben, einerseits bedingt durch Hilfspflichten, die in der Medizinalgesetzgebung kodifiziert sind und andererseits als Folge vertraglicher Abmachungen, sei es mit dem Patienten oder im Rahmen der Anstellung in einem Spital.

Unter gewissen Voraussetzungen wird jedoch die passive Sterbehilfe als zulässig angesehen, da es einem Arzt nicht geboten sein kann, «verlöschendes Leben bis zu den äußersten Grenzen des technisch Möglichen zu verlängern, sofern dem überwiegende Interessen vor allem des Betroffenen selbst entgegenstehen.»²² Dabei können drei Unterkonstellationen unterschieden werden:

a) Verlangt ein *urteilsfähiger Patient* den Verzicht auf Behandlung oder den Abbruch bereits eingeleiteter lebenserhaltender Maßnahmen, so ist dieser Wille zu respektieren.²³ Dabei hat der Arzt dafür zu sorgen, dass der Patient in verständlicher Art und Weise über die damit verbundenen medizinischen Tatsachen und ihre Folgen informiert wird.²⁴ Dies folgt aus dem verfassungsmäßigen Recht auf persönliche Freiheit und dem zur Würde des Menschen gehörenden Anspruch auf Achtung; ein urteilsfähiger mündiger Bürger soll selber entscheiden können, ob und inwieweit er sich einer ärztlichen Behandlung unterziehen will oder nicht.²⁵ Deshalb bedürfen Eingriffe in die körperliche Integrität einer Person immer deren Einwilligung. Der Wille des Patienten geht der Garantenpflicht des Arztes vor. Eine Bestrafung des in einem solchen Fall untätigen Garanten nach Art. 114 StGB stände im Übrigen im Widerspruch zur grundsätzlichen Straflosigkeit der Verleitung und Beihilfe zum Selbstmord. Die Tötung auf Verlangen kann sich deswegen nur auf eine Lebensverkürzung durch aktives Handeln beziehen.²⁶ Für diese Regelung sprechen außerdem rein praktische Erwägungen, wenn man an die menschenunwürdigen Szenen denkt, die sich ergeben könnten, wenn sich Sterbende gegen unerwünschte Behandlungsmaßnahmen zur Wehr setzten.²⁷ Vorausgesetzt ist allerdings, dass der Patient

---

[21] Vgl. Medizinisch-ethische Richtlinien, s. Anm. 18, Ziff. I.
[22] *G. Stratenwerth*, s. Anm. 5, § 1 N 7.
[23] Vgl. Medizinisch-ethische Richtlinien, s. Anm. 18, Ziff. II, 2.1.; *J. Rehberg/ N. Schmid*, s. Anm. 5, 14; *H. Schultz*, Die Würde des Patienten: Ein Rechtsproblem?, in: Schweiz. Monatsschrift für Zahnheilkunde (1980) 1107ff., hier 1109; *G. Stratenwerth*, Sterbehilfe, ZStR, 60ff., hier 68f.
[24] Vgl. Medizinisch-ethische Richtlinien, s. Anm. 18, Ziff. II, 2.1.
[25] Vgl. u. a. *G. Stratenwerth*, s. Anm. 23, 68.
[26] Vgl. ebd. 69.
[27] Vgl. *F. Riklin*, Würdiges Sterben – strafrechtliche Aspekte, in: Arzt und Christ, Vierteljahresschrift für medizinisch-ethische Grundsatzfragen 30 (1984) 2, 65ff., hier 69.

geistig gesund ist. Beeinträchtigungen der Urteilsfähigkeit – z. B. als Folge psychischer Ausnahmezustände oder von Depressionen – ist Rechnung zu tragen.[28] Niemandem darf demnach eine Lebensverlängerung aufgezwungen werden, jedenfalls dort nicht, wo es um einen problematischen Lebensrest geht.[29] Verlangt ein Patient hingegen den Einsatz lebensverlängernder Vorkehren, ist dies zu berücksichtigen; Rehberg[30] plädiert allerdings dafür, dass diesfalls keine Pflicht bestehe, alles nur Erdenkliche zu tun; medizinische Vorkehren müssten insoweit getroffen oder aufrechterhalten werden, als sie eine wesentliche Verzögerung des Ablebens erwarten ließen, nicht mit einem übermäßigen Aufwand verbunden und für den Arzt sowie den Klinikbetrieb zumutbar seien.

b) Ist die betroffene Person *nicht mehr urteils- oder äußerungsfähig*, liegt jedoch eine *schriftliche oder mündliche Erklärung* (z. B. in Form einer Patientenverfügung) vor, die sie in einem früheren Zeitpunkt im Zustand der Urteilsfähigkeit abgegeben hat und in der sie bei Vorliegen bestimmter Gegebenheiten eine künstliche Lebensverlängerung ablehnt, so ist dies nach heutiger Auffassung grundsätzlich zu beachten.[31] Früher wurde die Wirksamkeit einer solchen Willenserklärung viel stärker relativiert, etwa durch die Aussage, sie binde einen Arzt nicht, sondern habe lediglich eine Indizwirkung.[32] Von der grundsätzlichen Verbindlichkeit gehen auch die Richtlinien der Schweizerischen Akademie der Medizinischen Wissenschaften aus, für die jedoch Begehren unbeachtlich sind, die dem Arzt ein rechtswidriges Verhalten zumuten oder den Abbruch lebenserhaltender Maßnahmen verlangen, obwohl der Zustand des Patienten nach allgemeiner Erfahrung die Wiederkehr der zwischenmenschlichen Kommunikation und das Wiedererstarken des Lebenswillens erwarten lässt.[33] So oder so nimmt eine entsprechende Verfügung dem Arzt jedoch nicht immer die Verantwortung ab. Verwiesen sei auf das Problem des Risikos der Prognose, ob die Voraussetzungen einer solchen Erklärung erfüllt sind, d. h. ob wirklich nur noch von einem problematischen Lebensrest gesprochen werden kann. Entscheidend ist im Übrigen nicht der früher geäußerte, sondern der gegenwärtige Wille des Betroffenen.[34] Die Patientenverfügung wird in jenem Umfang wirksam, wie der früher geäußerte Wille auf die gegenwärtigen Verhältnisse

---

[28] Kommentar zu den Medizinisch-ethische Richtlinien, s. Anm. 18, Teil II, Ziff. 2.1.
[29] Vgl. *G. Stratenwerth*, s. Anm. 23, 69.
[30] Vgl. *J. Rehberg*, Arzt und Strafrecht, in: Handbuch des Arztrechts, Zürich 1994, 303ff., hier 318 f.
[31] Ein Überblick über die in der Schweiz diesbezüglich vertretenen Auffassungen findet sich bei *M.-O. Baumgarten*, s. Anm. 1, 325 ff.
[32] Vgl. z. B. *F. Riklin*, s. Anm. 27, 70; *G. Stratenwerth*, s. Anm. 23, 71; *G. Heine*, s. Anm. 17, 596; *S. Trechsel*, s. Anm. 12, N 7 vor Art. 111 StGB (mit weiteren Hinweisen); *J. Rehberg*, s. Anm. 30, 321; *M. Burkart*, s. Anm. 4, 122; *P.-A. Gunzinger*, Sterbehilfe und Strafgesetz, Diss. Bern 1978, 172f.; *J. Hurtado Pozo*, Droit pénal, Partie spéciale I, Zürich 1997, N 58; *A. Pedrazzini*, L'euthanasie – de l'avortement eugénique à la prolongation artificielle de la vie, Diss. Lausanne 1982, 186.
[33] Vgl. Medizinisch-ethische Richtlinien, s. Anm. 18, Ziff. II, 3.4.
[34] Vgl. u. a. *G. Stratenwerth*, s. Anm. 23, 71.

Bezug nimmt, d. h. darin aktualisierbar ist.[35] Eine frühere Erklärung wirkt um so schwächer, in je größerem Abstand sie zur jetzigen Lebenssituation erfolgte.[36]

c) *Fehlt* es an einem *geäußerten Sterbeverlangen* oder einer entsprechenden Patientenverfügung und ist der Patient im entscheidenden Zeitpunkt *urteilsunfähig bzw. äußerungsunfähig oder bewusstlos*,[37] besteht an sich wegen der Garantenstellung des Arztes in der Regel eine Hilfspflicht und damit die Pflicht zu lebensverlängernden Maßnahmen. Andere Lösungen sind unter drei Gesichtspunkten denkbar: entweder gestützt auf den Rechtfertigungsgrund der Geschäftsführung ohne Auftrag (des Handelns zum Vorteil und mit mutmaßlicher Einwilligung des Betroffenen),[38] auf die Regeln des rechtfertigenden Notstandes[39] oder zuletzt gestützt auf allfällige Schranken der Garantenpflicht.[40] Alle diese Betrachtungsweisen dürften nicht zu unterschiedlichen Ergebnissen führen. Im Vordergrund steht der *mutmaßliche Wille* des Betroffenen, der eine zentrale Schranke für den Abbruch lebensverlängernder Maßnahmen bildet.[41] Zur Ergründung dieses Willens wird empfohlen, vor einer irreversiblen Entscheidung die dem Kranken nahestehenden Menschen und das Pflegepersonal zu konsultieren, ohne dass deren Meinungsäußerung bindende Wirkung hätte.[42] *Ist dieser Wille nicht ermittelbar*, müssen auch andere Gesichtspunkte entscheidend sein. Letztlich besteht eine Lebenserhaltungspflicht nur dann, wenn es sich um eine sinnvolle Lebensverlängerung handelt.[43] Es gibt allerdings keine präzisen objektiven Kriterien für den Entscheid, ob eine Lebensverlängerung sinnvoll sei oder nicht.[44] Ob dies der Fall ist, hängt von einer auf die konkrete Situation des Patienten bezogenen Interessenabwägung ab, die der Arzt zu treffen hat. Nach den Richtlinien der Akademie der medizinischen Wissenschaften handelt der Arzt dabei primär entsprechend der Diagnose und der mutmaßlichen Prognose; er beurteilt die zu erwartenden Lebensumstände des Patienten nach seinem besten Wissen und in eigener Verantwortung.[45] Voraussetzung bleibt stets, dass der Patient nach ärztlicher Auffassung in kurzer Zeit sterben wird und irreversibel bewusstlos ist. Zu beurteilen ist ferner der Sinn, welcher der Betroffene dem Leben möglicherweise noch

---

[35] Vgl. *K. Reusser*, Patientenwille und Sterbebeistand, Eine zivilrechtliche Beurteilung der Patientenverfügung, Diss. Zürich 1994, 246.
[36] Vgl. *G. Stratenwerth*, s. Anm. 23, 71.
[37] Oder handelt es sich um einen urteilsfähigen Patienten, bei dem überwiegende Gründe die Ärzte veranlassen, ihn nicht umfassend über seine Lage aufzuklären. Vgl. zu dieser Problematik u. a. *G. Stratenwerth*, s. Anm. 23, 72.
[38] Ebd. 72; *P.-A. Gunzinger*, s. Anm. 32, 171f.
[39] Vgl. *G. Stratenwerth*, s. Anm. 23, 73.
[40] Vgl. *P.-A. Gunzinger*, s. Anm. 32, 165f.
[41] Vgl. *G. Stratenwerth*, s. Anm. 23, 73.
[42] Vgl. *J. Rehberg/N. Schmid*, s. Anm. 5, 14; vgl. auch Medizinisch-ethische Richtlinien, s. Anm. 18, Ziff. II, 1.2 sowie 3.3.
[43] Vgl. u. a. *H. Walder*, s. Anm. 13, 130.
[44] Vgl. *G. Stratenwerth*, s. Anm. 23, 76.
[45] Vgl. Medizinisch-ethische Richtlinien, s. Anm. 18, Ziff. II, 3.1.

abgewinnen kann.⁴⁶ Wert und Sinn des verbleibenden Lebensrestes sind nicht mehr hoch zu bewerten, wenn man bei einer Person mit irreparablen Hirnverletzungen annehmen kann, es sei kein bewusstes und umweltbezogenes Leben mit eigener Persönlichkeit mehr möglich.⁴⁷ Dann verliert die Garantenpflicht des Arztes ihren Sinn. Anders ist die Situation zu beurteilen, wenn man erwarten kann, beim allfälligen Wiedererwachen einer Person sei noch, wenn auch bloß für beschränkte Zeit, eine Kommunikation z. B. mit den Angehörigen möglich.⁴⁸ Hat der urteilsunfähige Kranke einen gesetzlichen Vertreter, der die Zustimmung zur passiven Sterbehilfe verweigert, ist dies zu berücksichtigen, sofern dieser Vertreter damit nicht gegen die objektiven Interessen des Schutzbefohlenen handelt.⁴⁹

Liegt ein Fall erlaubter passiver Sterbehilfe vor, ist ein Arzt berechtigt, auf spezielle Maßnahmen zu verzichten. Ob und inwieweit eine Pflicht zur Aufrechterhaltung einer Grundernährung und Grundpflege besteht, ist umstritten.⁵⁰

1.2.2.2 Sonderfall der Patienten mit schwerer irreversibler Hirnschädigung und schwerst geschädigter Neugeborener

Eine ganz besondere Situation liegt bei schwer Hirngeschädigten vor. Verwiesen sei namentlich auf Apalliker, die wegen Zerstörung ihrer Großhirnrinde irreversibel bewusstlos sind, letztlich einfach nur dahinvegetieren und keine Schmerzen empfinden. Man weiß bei solchen und anderen komatösen Zuständen letztlich nicht, was in einem Kranken vor sich geht.⁵¹ Die Richtlinien der Akademie der Medizinischen Wissenschaften beziehen sich auch auf die ärztliche Betreuung (Behandlung, Pflege und Begleitung) zerebral schwerst geschädigter Patienten mit irreversiblen Hirnschädigungen, welche einen chronischen vegetativen Zustand zur Folge haben.⁵² Auch bei diesen werden Ausnahmen von der ärztlichen Verpflichtung zur Lebenserhaltung anerkannt.⁵³ Die Richtlinien gelten aber auch für Neugeborene mit schweren Missbildungen und Schäden des Zentralnervensystems, die zu

---

⁴⁶ Vgl. *G. Stratenwerth*, s. Anm. 23, 74.
⁴⁷ Vgl. *J. Detering*, Forum: § 216 StGB und die aktuelle Diskussion um die Sterbehilfe, in: JuS (1983) 6, 418ff., hier 419; *G. Stratenwerth*, s. Anm. 23, 75.
⁴⁸ Vgl. auch Medizinisch-ethische Richtlinien, s. Anm. 18, Ziff. II, 3.3.
⁴⁹ Vgl. *J. Rehberg/N. Schmid*, s. Anm. 5, 14; vgl. auch Medizinisch-ethische Richtlinien, s. Anm. 18, Ziff. II, 3.3.
⁵⁰ Vgl. *M. Schubarth*, s. Anm. 11, Systematische Einleitung, N 47; und *A. Donatsch*, Gilt die Pflicht zu ernähren bis zum Tode? Beurteilung der Fragestellung aus strafrechtlicher Sicht, in: Schweiz. Rundschau für Medizin, PRAXIS (1993) 1047ff. Gemäß Donatsch kann bei Fehlen einer entsprechenden Willensäußerung – nötigenfalls stufenweise – auf die künstliche Ernährung verzichtet werden, weil und soweit dem Sterbenden dadurch in der letzten Phase des Lebens – beim Sterben – geholfen wird und sofern der Patient einem derartigen Verzicht nicht ablehnend gegenübersteht.
⁵¹ Vgl. *G. Stratenwerth*, s. Anm. 23, 75.
⁵² Vgl. Medizinisch-ethische Richtlinien, s. Anm. 18, Ziff. I.
⁵³ Vgl. ebd. Ziff. II, 1.2.

irreparablen Entwicklungsstörungen führen würden.⁵⁴ In diesem Bereich der sog. «Früheuthanasie» gehen sowohl die Richtlinien als auch die Praxis sehr weit.⁵⁵ Die Richtlinien erfassen auch den Fall eines (schwerst geschädigten) Neugeborenen, das nur dank des fortdauernden Einsatzes außergewöhnlicher technischer Hilfsmittel leben kann und bei dem nach Rücksprache mit den Eltern von der erstmaligen oder anhaltenden Anwendung solcher Hilfsmittel abgesehen werden darf.⁵⁶ In diesen Fällen werden nach dem Wortlaut der Richtlinien nicht nur Säuglinge mit schweren zerebralen, sondern auch mit anderen schwersten körperlichen Schäden erfasst. Zu denken ist beispielsweise an ein als Folge eines ärztlichen Kunstfehlers bei der Geburt querschnittsgelähmtes Kind, das nur mit künstlicher Beatmung überleben könnte. Es geht hier somit nicht nur um passive Sterbehilfe i. S. eines Verzichts auf Maßnahmen gegenüber Sterbenden, die deren Leben für kurze Zeit verlängern können. Zur Diskussion steht auch nicht ein problematischer Lebensrest i. S. einer irreversiblen Bewusstseinsstörung oder die Schmerzmilderung. Auch das Abstellen auf den mutmaßlichen Willen des Betroffenen hilft nicht weiter. Vielmehr geht es darum, «ob die Missbildungen den Einsatz außergewöhnlicher technischer Hilfsmittel rechtfertigen, um dem Kind eine Chance zu geben, später ein einigermaßen normales Leben zu führen».⁵⁷

Diese Ausführungen machen deutlich, dass sich hier die Frage stellt, wie weit beim Entscheid über lebensverlängernde Maßnahmen auch andere Interessen als solche des Betroffenen berücksichtigt werden dürfen (was unter dem Gesichtspunkt des rechtfertigenden Notstandes grundsätzlich möglich wäre),⁵⁸ namentlich ein ganz unverhältnismäßiger personeller und materieller Aufwand für eine lang dauernde Pflege, womöglich auf einer Intensivstation.⁵⁹ Dieser könnte zum finanziellen Ruin der Angehörigen führen oder zu Lasten der Allgemeinheit bzw. anderer Patienten gehen, weil die Kapazität der Spitäler für solche extremen Pflegefälle begrenzt ist.⁶⁰ Zur Frage, auf welche Weise man solche äußerst heiklen Abwägungsfragen lösen sollte, gibt es noch keinen Konsens.⁶¹

1.2.2.3 Abbruch lebensverlängernder Maßnahmen (unter Einschluss des technischen Behandlungsabbruchs)

Soweit jemand im Rahmen der passiven Sterbehilfe von der Behandlungsaufnahme absehen darf, muss er früher eingeleitete Maßnahmen dieser Art

---

⁵⁴ Ebd. Ziff. II, 3.5.
⁵⁵ Zur Praxis vgl. *G. Heine*, s. Anm. 17, 599 Fn. 17.
⁵⁶ Vgl. Medizinisch-ethische Richtlinien, s. Anm. 18, Ziff. II, 3.5; vgl. auch A. Pedrazzini, s. Anm. 32, 94.
⁵⁷ *G. Heine*, s. Anm. 17, 599 Fn. 17.
⁵⁸ Vgl. *G. Stratenwerth*, s. Anm. 23, 76.
⁵⁹ Vgl. ebd. 77.
⁶⁰ Vgl. ebd.; *P.-A. Gunzinger*, s. Anm. 32, 183f.
⁶¹ Vgl. *G. Stratenwerth*, s. Anm. 23, 78; vgl. dazu auch *A. Donatsch*, s. Anm. 50, 1050f.

(wie Beatmung, Sauerstoffzufuhr, künstliche Ernährung) an sich ebenfalls straflos abbrechen können.[62] Umstritten ist allerdings, ob das auch für den sog. technischen Behandlungsabbruch gilt, insbesondere für das Abschalten des Respirators oder anderer intensivmedizinischer Einrichtungen.[63] Nach einem Teil der (namentlich deutschen) Lehre wird dies als bloßes Unterlassen weiterer Lebensverlängerung gewertet, während andere Autoren die Loslösung von der daseinsverlängernden Apparatur unter rechtlichen Gesichtspunkten als positives Tun einstufen (was zu einer Bestrafung wegen vorsätzlicher Tötung führen müsste).[64] Stratenwerth und Schubarth argumentieren, unter passiver Sterbehilfe sei ein Verhalten zu verstehen, das das Leben eines Patienten nicht (mehr) künstlich verlängert, ohne Rücksicht darauf, ob eine lebensverlängernde Maßnahme durch aktives Eingreifen abgebrochen oder ganz unterlassen werde.[65]

1.2.2.4 Indirekte Sterbehilfe

Bei der indirekten Sterbehilfe geht es um die Lebensverkürzung als mögliche Nebenwirkung ärztlicher Hilfsmaßnahmen, insbesondere der Schmerzlinderung. Der Arzt steht im Dilemma zwischen der Pflicht zur Lebenserhaltung und der Pflicht zur Leidmilderung.[66] In der Regel geht die Pflicht zur Lebenserhaltung vor; dies gilt jedoch nicht unbedingt bei einem problematischen Lebensrest im zuvor bei der passiven Sterbehilfe geschilderten Sinn.[67] Es ist deshalb denkbar, dass im Sterbebereich dem Schmerzlinderungsinteresse des Patienten mehr Gewicht zukommt als dem noch verbleibenden Lebensrest.[68] Die juristische Bewertung dieser Konstellation ist allerdings umstritten. Denn es geht nicht nur wie bei der passiven Sterbehilfe um ein Unterlassen, sondern um ein aktives Handeln.[69]

Als vorsätzliche Tötung i. S. von Art. 111 StGB dürfte wohl die sofortige und unmittelbare Tötung als Mittel zur Schmerzbeseitigung gelten.[70]

Ist der Tod bloß eine allfällige Spätfolge der Schmerzmilderung, differenziert Stratenwerth wie folgt: Ist die lebensverkürzende Wirkung eine sichere und nicht nur eine mögliche Nebenfolge, liegt nach seiner Meinung ebenfalls ein Fall der (strafbaren) aktiven Sterbehilfe vor, die dadurch cha-

---

[62] Vgl. Medizinisch-ethische Richtlinien, s. Anm. 18, Ziff. II, 1.2.
[63] Vgl. zu dieser Auseinandersetzung und den einzelnen Lehrmeinungen *J. Detering*, s. Anm. 47, 419, N 25; *G. Stratenwerth*, s. Anm. 23, 66f.; *P.-A. Gunzinger*, s. Anm. 32, 142ff.
[64] Vgl. Anm. 63.
[65] Vgl. *G. Stratenwerth*, s. Anm. 23, 67; *M. Schubarth*, s. Anm. 11, Systematische Einleitung, N 42.
[66] Vgl. *G. Stratenwerth*, s. Anm. 23, 79.
[67] Vgl. ebd. 74.
[68] Vgl. *J. Detering*, s. Anm. 47, 419.
[69] Vgl. *G. Stratenwerth*, s. Anm. 23, 79.
[70] Vgl. *M. Schubarth*, s. Anm. 11, Systematische Einleitung, N 40, *S. Trechsel*, s. Anm. 12, N 9 vor Art. 111 StGB (direkte aktive Sterbehilfe); vgl. auch *J. Detering*, s. Anm. 47, 418.

rakterisiert ist, daß (ärztliche) Maßnahmen das Leben des Patienten verkürzen.[71] (Straflose) indirekte und (strafbare) direkte Sterbehilfe wären andernfalls nicht mehr zu unterscheiden.[72]

Wenn die lebensverkürzende Wirkung nicht eine sichere, sondern nur eine mögliche (mit mehr oder weniger großer Wahrscheinlichkeit auftretende) Nebenfolge ist, liegt an sich eine eventualvorsätzliche Tötung vor. Überwiegend wird es dabei als zulässig angesehen, vom Sterbenden unerträgliche Qualen abzuwenden, selbst wenn die erforderlichen Mittel den Eintritt des Todes möglicherweise beschleunigen.[73] Unbestritten ist, dass es sich auch hier um eine Unterkategorie der aktiven Sterbehilfe handelt.[74] Deshalb bedarf es für die Straflosigkeit eines Rechtfertigungsgrundes. Zum Teil wird auf den rechtfertigenden Notstand[75] verwiesen bzw. auf eine mit dem rechtfertigenden Notstand vergleichbare Pflichtenkollision[76] oder auf die ärztliche Berufspflicht (Art. 32 StGB)[77], weil das Schmerzlinderungsinteresse als Ausnahme gegenüber dem Lebenserhaltungsinteresse überwiegen kann und weil neben dem Rang der kollidierenden Rechtsgüter auch die Größe der Gefahr eine Rolle spielt, der sie ausgesetzt werden.[78] Nach einem anderen Argumentationsmuster liegt allenfalls ein Fall des erlaubten Risikos vor. Der Arzt kann innerhalb der durch erlaubtes Risiko gezogenen Grenzen die lebensverkürzende Wirkung eines Medikaments in Kauf nehmen.[79] Gemäß den Richtlinien darf der Arzt palliativ-medizinische Techniken anwenden, auch wenn sie in einzelnen Fällen mit dem Risiko einer Lebensverkürzung verbunden sein sollten.[80]

Mehrheitlich wird im Übrigen die von G. Stratenwerth getroffene Differenzierung abgelehnt und auch dann eine erlaubte indirekte Sterbehilfe bejaht, wenn die lebensverkürzende Wirkung eine sichere Nebenfolge der Schmerzmilderung darstellt. Nach Schubarth gilt dies ausnahmsweise bei einer nur geringfügigen Lebensverkürzung, unerträglichen Schmerzen und infauster Prognose.[81] Nach Trechsel[82] und anderen Autoren muss hier aus-

---

71 Vgl. *G. Stratenwerth*, s. Anm. 23, 80f.; vgl. auch *G. Heine*, s. Anm. 17, 595.
72 Vgl. *G. Stratenwerth*, s. Anm. 23, 80f.
73 Vgl. *G. Stratenwerth*, s. Anm. 5, § 1 N 7; Ders., s. Anm. 23, 79; *G. Heine*, s. Anm. 17, 595; *J. Rehberg*, s. Anm. 32, 317; Bericht der Kommission des Nationalrates zur Standesinitiative des Kantons Zürich über die Sterbehilfe für unheilbar Kranke vom 3.11.1978, zit. bei *G. Heine*, s. Anm. 17, 595 (BBl 1978 II 1529ff.).
74 Vgl. *M.-O. Baumgarten*, s. Anm. 1, 149f.
75 Vgl. *M. Schubarth*, s. Anm. 11, Systematische Einleitung, N 40.
76 Vgl. *J. Detering*, s. Anm. 47, 419; vgl. auch *G. Stratenwerth*, s. Anm. 23, 79.
77 Vgl. *J. Rehberg/N. Schmid*, s. Anm. 5, 13f.; *J. Rehberg*, s. Anm. 30, 317; *P.-A. Gunzinger*, s. Anm. 32, 128.
78 Vgl. *G. Stratenwerth*, s. Anm. 23, 80.
79 Vgl. *J. Detering*, s. Anm. 47, 418 Fn. 10; *F. Riklin*, s. Anm. 27, 68.
80 Vgl. Medizinisch-ethische Richtlinien, s. Anm. 18, Teil II, Ziff. 1.3.
81 Vgl. *M. Schubarth*, s. Anm. 11, Systematische Einleitung, N 41.
82 S. Trechsel, s. Anm. 12, N 9 vor Art. 111 StGB; ebenso *P.-A. Gunzinger*, s. Anm. 32, 124, 126ff.; so im Ergebnis auch *J. Rehberg/N. Schmid*, s. Anm. 5, 13f.; *J. Hurtado Pozo*, s. Anm. 32, N 43ff.; vgl. auch *H. Walder*, s. Anm. 13, 129.

nahmsweise auf das Motiv abgestellt werden und nicht auf das Kriterium des sicheren Wissens. Nach J. Rehberg[83] würde die Abgabe von Schmerzmitteln, die mit einer Beschleunigung des Todeseintritts als Nebenwirkung verbunden sind, dann auf verbotene aktive Sterbehilfe hinauslaufen, wenn sie in einem über das medizinisch Indizierte hinausgehenden Maße erfolgt.

1.2.2.5 Nichthinderung eines Selbstmordes[84]

Hier stellt sich vor allem die Frage der Strafbarkeit von Garanten (so von Ehepartnern gestützt auf ihre Garantenpflicht aus der ehelichen Lebensgemeinschaft oder der Ärzte), die es unterlassen, einen Suizidwilligen am Selbstmord zu hindern.

Auch zu dieser Thematik werden verschiedene Rechtsauffassungen vertreten.

Kaum Anhänger hatte bisher in der Schweiz die Meinung, es liege stets eine vorsätzliche Tötung vor, wenn ein Selbstmörder das Handeln über das Geschehen (beispielsweise wegen Bewusstlosigkeit) verloren habe, weil ab diesem Zeitpunkt eine Hilfspflicht des Garanten entstehe, wie dies bisher die Rechtsprechung des Deutschen Bundesgerichtshof postulierte.[85] Nach Stratenwerth wäre – bezogen auf die schweizerische Rechtslage – diesfalls nur Art. 115 StGB anwendbar (bloße Strafbarkeit bei Vorliegen selbstsüchtiger Beweggründe), weil das Unterlassen zu keiner schärferen Haftung führen könne als aktives Tun; sonst dürfte jemand seinem Ehepartner die Mittel zum Selbstmord verschaffen und wäre bei Fehlen selbstsüchtiger Beweggründe nicht strafbar, müsste aber wegen der Garantenstellung verhindern, dass er davon Gebrauch macht.[86] Auch nach Rehberg/Schmid[87] regelt Art. 115 StGB, wie bereits erwähnt, die strafbare Beteiligung am Selbstmord eines anderen abschließend.

Vorherrschend ist der Standpunkt, ein Garant dürfe passiv bleiben und den Selbstmord «achten», wenn der Entschluss aus freien Stücken gefasst worden ist; der mutmaßliche Wille des Betroffenen kann im Sinne der Geschäftsführung ohne Auftrag berücksichtigt werden.[88] Ein Indiz für den Wunsch nach Respekt vor diesem Entscheid kann sich aus einer entsprechenden Freitod-Verfügung ergeben, wonach jemand nach Einleitung des Selbsttötungsvorgangs Rettungsmaßnahmen untersagt. Die Sterbehilfe-Vereinigung EXIT, die ein entsprechendes Formular abgibt, das am Tag des Suizides verfasst und unterzeichnet werden sollte,[89] postuliert ein Recht auf

---

[83] Vgl. *J. Rehberg*, s. Anm. 30, 321 Fn. 51.
[84] Eingehend *M. Schubarth*, s. Anm. 11, N 36 ff. zu Art. 115.
[85] BGHSt 2, 150; 13, 162; 32, 362 ff.
[86] Vgl. dazu *G. Stratenwerth*, s. Anm. 5, § 1 N 50.
[87] Vgl. *J. Rehberg/N. Schmid*, s. Anm. 5, 12f.
[88] Vgl. *M. Schubarth*, s. Anm. 11, N 37 zu Art. 115 StGB; vgl. auch *H. Walder*, s. Anm. 13, 125, 127f.
[89] Vgl. *J. Rehberg*, s. Anm. 30, 328.

Freitod, plädiert für die Achtung einer solchen Tat durch die Umwelt und bezeichnet eine derartige Erklärung als verbindlich.[90]

Fraglich ist allerdings, ob eine zur Selbsttötung entschlossene Person aus freien Stücken handelt. Dies kann man z. B. bei erkennbaren psychischen Krisen, Depressionen oder psychischen Krankheiten anderer Art nicht annehmen. Deshalb käme eine Bestrafung wegen eines Tötungsdelikts nach Art. 111ff. StGB im Fall einer Garantenstellung in Frage, soweit das Opfer (erkennbar) unfrei handelt und deshalb eine Rettungspflicht des Garanten besteht (beispielsweise beim Suizid eines Jugendlichen oder eines psychisch Kranken).[91] Fragen kann man sich ferner, ob nicht eine weitergehende Rettungspflicht des Garanten besteht, weil Katamnesen von überlebenden Suizidalen zeigen, dass die überwiegende Mehrzahl nach Jahrzehnten noch lebt und sich von der damaligen Situation distanziert.[92] Deshalb dürfte «der frei verantwortliche Suizid, der sogenannte Bilanzselbstmord, praktisch eine seltene Ausnahme bilden».[93] Nach Schubarth[94] ist jedoch eine derartige Ausweitung des Anwendungsbereichs des Strafrechts abzulehnen, weil dies gegen die klare gesetzgeberische Entscheidung verstoßen würde, die Selbstmordteilnahme nur in engen Grenzen strafrechtlich zu erfassen. Er verweist auch auf die praktischen Probleme einer solchen Strategie der Selbstmordprophylaxe mit strafrechtlichen Mitteln. Bei jedem Selbstmord und bei jedem Selbstmordversuch müsste durch die Strafverfolgungsbehörden abgeklärt werden, ob jeweils die in Frage stehenden Garanten ihrer Verhinderungspflicht nachgekommen sind. Dies würde zu Recherchen im privatesten Bereich des Opfers und der Garanten führen und der dadurch angerichtete Schaden stünde nach diesem Autor in keinem Verhältnis zum angestrebten Nutzen.[95]

Im Übrigen belegt die Tatsache, dass der Großteil der Suizidalen, die einen Selbstmordversuch überlebt haben, in der Retrospektive froh über die Rettung ihres Lebens sind, nicht zwingend eine fehlende oder (stark) verminderte Zurechnungsfähigkeit im Zeitpunkt der Tat. Die juristische Frage ist, ob jemand, der Beihilfe zum Suizid leistet oder diesen nicht verhindert, auch dann bestraft werden soll, wenn der Betroffene aus seiner (damaligen) subjektiven Sicht «Grund» für seine Tat hatte. Verwiesen sei als Beispiel auf eine bisher gesellschaftlich etablierte Person, für die als Konsequenz eines Strafverfahrens wegen schwerer Delikte oder des wirtschaftlichen Ruins eine Welt zusammenbricht, und die wegen der damit verbundenen gesell-

---

[90] Vgl. *F. Riklin*, s. Anm. 27, 71; Orientierungsschrift EXIT «Was ist und will EXIT (deutsche Schweiz)», 3.
[91] Vgl. *M. Schubarth*, s. Anm. 11, N 36f. zu Art. 115 StGB; *H. Walder*, s. Anm. 13, 125f., 127. Anderer Meinung ist *J. Rehberg*, s. Anm. 30, 325 (Bestrafung nur gemäß Art. 115 StGB).
[92] Vgl. Kommentar zu den Medizinisch-ethische Richtlinien, s. Anm. 18, zu Teil II, Ziff. 2.2.
[93] *G. Stratenwerth*, s. Anm. 23, 70.
[94] Vgl. *M. Schubarth*, s. Anm. 11, N 39 zu Art. 115 StGB.
[95] Vgl. ebd. N 40 zu Art. 115 StGB.

schaftlichen Folgen zumindest temporär mit einer sehr negativen Lebensperspektive konfrontiert ist. Ferner wäre zu prüfen, wie weit es im konkreten Fall gerade der fehlgeschlagene Selbstmordversuch war, der besondere Hilfestellungen auslöste und im gesellschaftlichen Umfeld eher Mitleid als Ächtung bewirkte. Namentlich wenn eine unheilbare, schwer erträgliche und allenfalls schmerzhafte Krankheit (wie etwa Krebs oder multiple Sklerose) Grund des Suizidversuchs ist, kann man nicht ohne Weiteres vom Fehlen einer freien Willensbildung ausgehen. Es gibt somit gute Gründe für die Straflosigkeit der Nichthinderung eines Selbstmords, sofern keine Anzeichen vorliegen, die gegen eine freie Entscheidung des Betroffenen sprechen. Eine Suizidverhinderungspflicht gilt hingegen für Fälle, in denen ein frei verantwortlicher Wille zumindest fraglich ist.[96] Allein die Suizidhandlung ist kein genügender Grund, um die Urteilsfähigkeit von vornherein zu bezweifeln; um die Vermutung der Urteilsfähigkeit zu widerlegen, braucht es weitere Anhaltspunkte.[97]

*1.3 Verwaltungsrechtliche Aspekte
(Gesundheitsgesetzgebung/Patientenrechte)*

Auch kantonale verwaltungsrechtliche Regelungen setzen bedeutsame Rahmenbedingungen für die Sterbehilfe; sie befassen sich namentlich mit der Spezifizierung ärztlicher Aufklärungspflichten und der Einwilligungserfordernisse sowie dem Recht des Patienten auf ein menschenwürdiges Sterben und enthalten teilweise spezifische Regeln zur Sterbehilfe und zum Behandlungsabbruch.[98]

2. Reformdiskussion

2.1 Allgemeine Bemerkungen

Diskutabel ist zunächst, ob ein Regelungsbedarf in Bezug auf die passive Sterbehilfe besteht (vgl. vorne 1.2.2.1 und nachstehend 2.2). Ein weiterer Diskussionspunkt ist, ob die Strafnorm des Art. 114 StGB im Sinne einer Einschränkung der Strafbarkeit der Tötung auf Verlangen geändert werden sollte (vgl. nachstehend 2.3). Schließlich stellt sich die Frage eines Bedürfnisses nach gesetzlicher Normierung der Sterbehilfe im Sinne einer Legalisierung (oder Entpönalisierung) bisher als zulässig anerkannter Praktiken ganz allgemein, neben der passiven Sterbehilfe auch des Sterbenlassens irreversibel Hirngeschädigter und schwer missgebildeter Neugeborener, des Abbruchs lebensverlängernder Maßnahmen, der indirekten Sterbehilfe und

---

[96] Vgl. *M.-O. Baumgarten*, s. Anm. 1, 124.
[97] Vgl. ebd. 129.
[98] Vgl. *G. Heine*, s. Anm. 17, 597f., 605ff.; *M. O. Baumgarten*, s. Anm. 1, 183ff.

der Nichthinderung eines Selbstmordes (vgl. nachstehend 2.4 und vorne 1.2.2.2–1.2.2.5).

2.2 Gesetzliche Regelung der passiven Sterbehilfe

In der Schweiz hat man sich zunächst in Bezug auf die passive Sterbehilfe die Frage gestellt, ob die bisher anerkannten Ausnahmen von der ärztlichen Pflicht, Leben zu erhalten, d. h. die Fälle der nach heutigem Meinungsstand strafrechtlich erlaubten passiven Sterbehilfe, in Sonderregeln kodifiziert werden sollten.

Die öffentliche Diskussion setzte anfangs 1975 mit einem Strafverfahren gegen den Zürcher Chefarzt Prof. Haemmerli wegen vorsätzlicher Tötung ein, welchen ein Nahrungsentzug in 27 Fällen bei sterbenden Patienten mit «völligem Persönlichkeitsverlust» vorgeworfen worden war.[99] Dieses Verfahren wurde 1976 mit einer hier nicht näher zu erläuternden problematischen Begründung durch die Zürcher Staatsanwaltschaft eingestellt.[100]

Politische Initiativen strebten in der Folge eine Präzisierung der gesetzlichen Regelungen und (teilweise) eine Legalisierung der Sterbehilfe an.[101] Verwiesen sei namentlich auf die 1975 eingereichte parlamentarische Einzelinitiative Allgöwer und ein Postulat Copt mit dem gleichen Ziel.[102] Allgöwer forderte ein Recht auf «passive Sterbehilfe», das in der Verfassung zu verankern oder mindestens im Strafgesetz positiv zu regeln wäre. Er wollte mit seinem Vorstoß verhindern, dass Ärzte aus Angst davor, zur Verantwortung gezogen zu werden, das Leben und das Leiden sterbender Patienten sinnlos in die Länge ziehen. Diesen Bestrebungen war jedoch kein Erfolg beschieden. Experten, Parlament und Bundesrat kamen zum Schluss, das Recht vermöge nicht – mit der Genauigkeit eines Fahrplans – zu umschreiben, wie der Arzt die Würde eines Patienten zu wahren habe;[103] die Rechtsordnung könne das nur in allgemeiner Weise tun; eine Spezialregelung für die Euthanasie könne kein zusätzliches Maß an Klarheit und Sicherheit schaffen; die Zulässigkeit passiver Sterbehilfe hänge stark von den Umständen des Einzelfalles ab; das geltende Recht gewähre dem Patienten und dem Arzt den erforderlichen Schutz, ohne in Grenzsituationen einen

---

[99] Vgl. *G. Heine*, s. Anm. 17, 593f. Ein besonderes Problem dieses Falles bestand darin, dass es keine konkreten Anzeichen für ein terminales Stadium dieser Patienten gab (ebd. 594). Es gab ferner «Rückkehrer», die zu Bewusstsein kamen und mit denen eine Kommunikation wieder möglich wurde; die betroffenen Patienten wurden ferner von der Nahrungszufuhr abgesetzt und nur noch mit Wasser versorgt. Vgl. *H. Walder*, s. Anm. 13, 121.

[100] Vgl. *G. Heine*, s. Anm. 17, 595, 612ff.; vgl. auch die Kritik bei *H. Walder*, s. Anm. 13, 121 Fn. 14; und *A. Donatsch*, s. Anm. 50, 1049.

[101] Vgl. *G. Heine*, s. Anm. 17, 593.

[102] Vgl. ebd. 601, 628; BBl 1975 II 1347; Amtliches Bulletin des Nationalrates 1975, 1297ff.

[103] Vgl. *H. Schultz*, s. Anm. 23, 1111f.

verantwortungsbewussten Entscheid entsprechend dem gegenwärtig erklärten oder dem mutmaßlichen Willen des Kranken zu hindern; starre Detailnormen könnten die Verantwortung schwächen und die richtige Entscheidung erschweren.[104] Immerhin veröffentlichte die Schweizerische Akademie der Medizinischen Wissenschaften 1976 erstmals Richtlinien für die Sterbehilfe.[105]

Auch in der Literatur kam man wegen der Unbestimmtheit der Maßstäbe und dem Fehlen hinreichend präziser objektiver Kriterien zum Schluss, die Sterbehilfe entziehe sich einer näheren gesetzlichen Regelung; schließlich komme es auf das pflichtgemäße subjektive Ermessen des Arztes an.[106]

2.3 Einschränkung der Strafbarkeit der Tötung auf Verlangen

Beim Tatbestand der Tötung auf Verlangen könnte man sich Regelungen vorstellen, die unter restriktiven Voraussetzungen zur Straflosigkeit des aktiv Tötenden führen (z. B. wenn jemand, der Selbstmord begehen möchte, wegen einer vollständigen Lähmung physisch nicht in der Lage ist, dies zu tun). So hat man in den Niederlanden für solche Fälle einen besonderen Rechtfertigungsgrund geschaffen. Der oberste Gerichtshof verneinte 1984 zum ersten Mal die Rechtswidrigkeit einer Tötung auf Verlangen, wenn der Patient ausdrücklich um die Tötung nachsucht, sich die Behandlung seines Leidens als aussichtslos erweist und dem Arzt eine notstandsähnliche Pflichtenkollision zugebilligt werden kann. Das Parlament hat in der Folge ein Gesetz gebilligt, das zwar grundsätzlich an der Strafbarkeit der aktiven Sterbehilfe und der Hilfe bei der Selbsttötung festhält; dagegen besteht seit 1990 eine gesetzliche Meldepflicht für lebensbeendendes ärztliches Handeln, welche der Staatsanwaltschaft im Rahmen des in den Niederlanden geltenden Opportunitätsprinzips einen Entscheid darüber ermöglicht, ob im Einzelfall das ärztliche Handeln i. S. der Gesetzgebung und der Rechtsprechung als gerechtfertigt zu erachten ist. Trifft dies zu, kommt es zu keinem Strafverfahren. Die Staatsanwaltschaft muss vorgängig informiert werden. Der deutsche Alternativentwurf eines Strafgesetzbuches, Besonderer Teil, hat bereits 1970 bei Tötung auf Verlangen die Möglichkeit eines Schuldspruchs unter Strafverzicht vorgesehen.[107]

In der Schweiz nahm die Zürcher Bevölkerung am 25.09.1977 eine Volksinitiative «Sterbehilfe auf Wunsch für unheilbar Kranke» an, die für

---

[104] Vgl. Bericht der Kommission des Nationalrates zur Parlamentarischen Initiative über die passive Sterbehilfe vom 27.08.1975, BBl 1975 II 1344ff., namentlich 1354ff.; Botschaft des Bundesrates vom 26.06.1985, BBl 1985 II 1009ff., 1024f.
[105] Vgl. *G. Heine*, s. Anm. 17, 598ff., 621ff.
[106] Vgl. z. B. *G. Stratenwerth*, s. Anm. 23, 76; *H. Schultz*, s. Anm. 23, 1112; *P.-A. Gunzinger*, s. Anm. 32, 187; vgl. auch *J. Rehberg*, s. Anm. 30, 316 Fn. 36.
[107] Vgl. *J. Baumann et al.*, Alternativ-Entwurf eines Strafgesetzbuches, Besonderer Teil, Straftaten gegen die Person, 1. Halbbd., Tübingen 1970, 21 (§ 101 in Verbindung mit § 58 AT).

bestimmte Fälle eine Legalisierung der Tötung auf Verlangen forderte. Die NZZ bezeichnete damals dieses Volksvotum als «Panne der Demokratie» und «staatspolitischen Unglücksfall»[108]. 1979 wurde vom Eidgenössischen Parlament die aufgrund dieses Entscheids eingereichte Standesinitiative[109] abgelehnt. Der sog. «Gnadentod», die gezielte Lebensverkürzung durch Tötung eines Sterbenden, könne kein ärztliches Anliegen sein, der Arzt solle vielmehr heilen und helfen, wurde argumentiert.[110]

Schon Ende der 70er Jahre postulierte die Vereinigung EXIT de lege ferenda eine gesetzliche Regelung des sog. «Gnadentodes», d. h. eine Legalisierung der aktiven Sterbehilfe für Schwerstkranke unter strengen Voraussetzungen, wenn der Betroffene nicht mehr in der Lage ist, Selbstmord zu begehen.[111]

Umgekehrt hätte die 1980 eingereichte Initiative «Recht auf Leben» wohl auch die Diskussion über die Sterbehilfe beeinflusst und restriktivere Tendenzen begünstigt, wenn sie nicht 1985 vom Volk abgelehnt worden wäre.[112]

In neuerer Zeit verlangten mehrere parlamentarische Vorstöße eine Regelung der Sterbehilfe auf Verlangen.

Ausgangspunkt war ein Vorschlag der in der Westschweiz beheimateten Vereinigung «à propos», die Frage erneut zu prüfen, wie im Strafgesetzbuch die besondere Situation desjenigen zu regeln ist, der dem Leben eines Menschen, welcher für sich lebensverlängernde Maßnahmen ablehnt, aus altruistischen Beweggründen sowie auf dessen ernsthaftes und eindringliches Verlangen ein Ende setzt. Sie hielt ihre Vorstellungen in einem konkreten Textvorschlag zu Art. 115 StGB fest.

Eine Interpellation Petitpierre vom 17. Dezember 1993 griff zunächst diesen Vorschlag im Ständerat auf.[113] Eine identische Interpellation Eggly wurde im Nationalrat eingereicht.[114] Petitpierre verwies auf die große moralische und rechtliche Verantwortung, die in jedem Fall auf den Ärztinnen und Ärzten lastet und die durch das Fehlen einer entsprechenden gesetzlichen Regelung zusätzlich erschwert werde. Der Bundesrat wurde angefragt, ob er eine gesetzliche Regelung der Sterbehilfe auf Verlangen für opportun halte.

Dieser verwies in seiner schriftlichen Antwort[115] zur Interpellation Eggly auf die in einzelnen Ländern seit etwa zehn Jahren bestehende Tendenz

---

[108] NZZ vom 26.09.1977, Nr. 225, 25.
[109] Vgl. *G. Heine*, s. Anm. 17, 634f.
[110] Vgl. Bericht der Kommission des Nationalrates zur Standesinitiative des Kantons Zürich über die Sterbehilfe für unheilbar Kranke vom 03.11.1978 (BBl 1978 II 1529ff., 1539).
[111] Vgl. Orientierungsschrift EXIT, s. Anm. 90, 4.
[112] Vgl. *G. Heine*, s. Anm. 17, 601, 637f.
[113] Vgl. Amtliches Bulletin Ständerat 1994, 1051.
[114] Vgl. Amtliches Bulletin Nationalrat 1994, 635.
[115] Vgl. ebd. 635.

der Gerichtspraxis (und namentlich auf die viel diskutierte Entwicklung in den Niederlanden), in Fällen einverständlich-aktiver Sterbehilfe das Strafrecht nicht in seiner vollen Strenge anzuwenden. Er nahm an, dass mindestens für die nahe Zukunft die Rechtsordnungen anderer europäischer Staaten weiterhin an der gesetzlich uneingeschränkten Strafbarkeit der aktiven Sterbehilfe festhalten werden, was nicht ausschließe, dass sich in einzelnen Ländern eine Gerichtspraxis herausbilde, nach welcher in bestimmten Fällen die Strafbarkeit wegen fehlender Rechtswidrigkeit oder Schuld zu verneinen ist oder die Strafe gemildert werden kann. Er rekapitulierte seinen schon mehrfach vertretenen Standpunkt, dass jede Form von aktiver Sterbehilfe mit der unserer Verfassung zugrunde liegenden Wertordnung unvereinbar und als Tötungsdelikt strafbar sei.[116] Er verwies außerdem auf die Stellungnahme einer nationalrätlichen Kommission zur parlamentarischen Initiative Allgöwer des Jahres 1975[117] sowie auf die Richtlinien für die Sterbehilfe der Schweizerischen Akademie der Medizinischen Wissenschaften. Schließlich machte er geltend, dass keine Strafrechtsordnung eines europäischen Staates eine abschließende Regelung der Voraussetzungen für die Sterbehilfe vorsehe. Er verneinte deswegen einen gesetzgeberischen Handlungsbedarf für eine zusätzliche Umschreibung der Voraussetzungen von Teilnahmehandlungen an der Selbsttötung oder altruistisch motivierten, einverständlichen Tötungen auf Verlangen.

Anlässlich der mündlichen Beantwortung der Interpellation Petitpierre erklärte der Vorsteher des Eidg. Justiz- und Polizeidepartements (EJPD) ergänzend, der Bundesrat verkenne trotz der schwerwiegenden Bedenken gegen eine generell abstrakte Regelung der Sterbehilfe nicht, dass Ärzte und Ärztinnen angesichts von todkranken Patienten vor äußerst heiklen Berufs- und Gewissensentscheiden stünden. Der Bundesrat habe unter diesem Gesichtspunkt ein gewisses Verständnis dafür, dass zu einem solch schwierigen Thema eine öffentliche Diskussion in Gang gekommen sei.[118]

Am 28. September 1994 reichte Nationalrat V. Ruffy eine Motion ein, in der er den Bundesrat ersuchte, einen Entwurf für einen neuen Art. 115bis des Schweizerischen Strafgesetzbuches vorzulegen, wonach unter gewissen Bedingungen nicht nur eine Tötung auf Verlangen, sondern auch Beihilfe zu Selbstmord erlaubt sein soll; dieser Vorstoß wurde vom Nationalrat am 14. März 1996 als Postulat überwiesen.[119] Nach Auffassung des Motionärs sollte weder Tötung auf Verlangen im Sinne von Art. 114 StGB noch Beihilfe zu Selbstmord nach Art. 115 StGB vorliegen, wenn fünf Voraussetzungen kumulativ erfüllt sind:

---

[116] Vgl. BBl 1985 II 1024f., s. Anm. 104.
[117] Vgl. BBl 1975 II 1344, s. Anm. 104.
[118] Vgl. Amtliches Bulletin Ständerat 1994, 1053.
[119] Vgl. Amtliches Bulletin Nationalrat 1996, I 362, 368. Der Zentralvorstand der FMH hat sich dazu deutlich ablehnend geäußert in: Schweiz. Ärztezeitung (1995) 447ff.

1. Herbeiführung des Todes einer Person auf deren ernsthaftes und eindringliches Verlangen.
2. Unheilbare, irreversibel verlaufende Krankheit, für die ein tödlicher Ausgang prognostiziert worden ist, und die mit unerträglichen körperlichen oder seelischen Leiden verbunden ist.
3. Bescheinigung des Vorliegens der Voraussetzungen durch zwei diplomierte und sowohl voneinander wie gegenüber dem Patienten unabhängigen Ärzten.
4. Pflicht der zuständigen ärztlichen Behörde, sich zu vergewissern, dass der Patient angemessen informiert wurde, urteilsfähig ist und das Gesuch um Sterbehilfe wiederholt gestellt hat.
5. Leistung der Sterbehilfe durch einen eidgenössisch diplomierten Arzt, den der Gesuchsteller selber unter seinen Ärzten ausgewählt hat.

In seiner Antwort[120] rekapitulierte der Bundesrat die Problematik. Er wies auf unüberblickbare Fernwirkungen jeder strafrechtlichen Lockerung des Verbots einer Fremdtötung hin und meinte, die Grundlagen für eine vertiefte Diskussion seien heute ungenügend. Der Bundesrat beabsichtige deshalb, eine aus Fachleuten aus den Gebieten Recht, Medizin und Ethik sowie aus interessierten öffentlichen und privaten Organisationen bestehende Arbeitsgruppe einzusetzen, mit dem Auftrag, die sich hier stellenden komplexen Fragen eingehender zu klären.

Die Motion Ruffy bezieht sich auf einen kleinen Teilaspekt der Sterbehilfeproblematik. Sie fordert im Ergebnis in Bezug auf die Tötung auf Verlangen (Art. 114 StGB) eine Lockerung, sieht jedoch zur Vermeidung jeglicher Missbrauchsmöglichkeit bestimmte formale Sicherungen, namentlich die Einholung einer second opinion vor. Der Vorstoß bezieht sich auf den ziemlich seltenen Fall, dass ein Patient einen Arzt bittet, von ihm getötet zu werden.[121] Er ist auf den medizinisch assistierten Tod eines schwer leidenden Moribunden beschränkt. Wegen seiner Verfahrensregeln wäre er nicht auf andere denkbare Notsituationen außerhalb der eigentlichen Sterbehilfe anwendbar, bei denen sich die Frage der Straflosigkeit einer Tötung auf Verlangen ebenfalls stellen könnte. Der deutsche Alternativentwurf Sterbehilfe (vgl. nachstehend 2.4) nennt beispielsweise den Fall eines Lastwagenführers, der nach einem Unfall im Führerhaus seines brennenden Fahrzeugs eingeklemmt war und – weil er nicht befreit werden konnte – den Beifahrer bat, ihn zu töten, als das Feuer seinen Körper zu erfassen begann.[122] Hingewiesen wird ferner auf das Beispiel eines im Krieg lebensgefährlich verwundeten Soldaten, für den ärztliche Hilfe auch nicht rechtzeitig erreichbar ist und der einen Dritten bittet, ihn zu erschießen, um seine Qualen abzukürzen.[123] Ein anderes Beispiel bezieht sich auf den Fall eines Flugzeug-

---

[120] Vgl. Amtliches Bulletin Nationalrat 1996, 362f.
[121] Vgl. AE-Sterbehilfe, Alternativentwurf eines Gesetzes über die Sterbehilfe, vorgelegt von *J. Baumann u. a.*, Stuttgart/New York 1986, 34.
[122] Vgl. ebd. 35.
[123] Ebd.

absturzes in einem unwegsamen Gelände, der dazu führt, dass ein unrettbar Verletzter, der unter qualvollen Schmerzen leidet, darum bittet, man möge ihn töten.[124] Nicht thematisiert wurde in der Motion Ruffy die Tötung auf Verlangen bei Bewusstlosigkeit eines Patienten, wenn der Sterbewunsch im Voraus in einer (schriftlichen) Patientenverfügung festgehalten ist oder sogar nur von einem mutmaßlichen Verlangen gesprochen werden kann. Im Übrigen würde in Bezug auf den von der Motion miterfassten Tatbestand der Beihilfe zum Selbstmord (Art. 115 StGB) durch die erwähnten Formalien ebenfalls nur die medizinisch assistierte Teilnahme an einer Selbsttötung erfasst. Wie es sich nach Meinung des Motionärs in Zukunft mit allen anderen nach geltendem Recht aus der Sicht des Art. 115 StGB straflosen Verhaltensweisen verhalten sollte, ist unklar.

Allgemein lässt sich sagen, dass der Bedarf nach einer Novellierung des Tatbestandes der Tötung auf Verlangen in der Schweiz wegen unserer liberalen Regelung der Teilnahme am Suizid (Art. 115 StGB) und den heutigen Möglichkeiten der Palliativmedizin gering sein dürfte. Art. 115 StGB und die indirekte Sterbehilfe stellen Alternativen zur aktiven Sterbehilfe dar.

1997 setzte das EJPD die in Aussicht gestellte Arbeitsgruppe «Sterbehilfe» zur Überprüfung der Fragen rechtlicher sowie tatsächlicher Natur aus dem Umkreis der Sterbehilfe ein. Sie unterstand der Leitung von Altständeratspräsidentin Frau Josi Meier.

Die Kommission hatte abzuklären, ob im Rahmen einer generell-abstrakten Regelung der strafrechtlich zulässigen Sterbehilfe die Interessen der Rechtsordnung an der Aufrechterhaltung des Verbots einer Fremdtötung sowie der Respekt vor dem Selbstbestimmungsrecht des sterbewilligen und todkranken Patienten gewahrt werden können. Sie hatte u. a. abzuklären,
- ob eine Notwendigkeit zur Änderung der strafrechtlichen Bestimmungen des geltenden Rechts besteht
- ob eine Regelung der aktiven Sterbehilfe gesetzgeberisch auf Extremfälle beschränkt werden kann
- wie eine entsprechende gesetzgeberische Lösung getroffen werden könnte (Einengung der Anwendbarkeit des Tatbestandes des Art. 114 StGB, Einführung eines besonderen Rechtfertigungsgrundes, Verwirklichung eines «bloßen» Schuldausschließungs- oder Strafbefreiungsgrundes)

Die Kommission sollte ihren Auftrag bis Juni 1998 erfüllen, Ende 1998 lag ihr Bericht aber noch nicht vor.

2.4 Umfassendere Regelung der Voraussetzungen für die Sterbehilfe

Von besonderer Bedeutung für die weitere Diskussion, auch die schweizerische, könnte der bereits angesprochene deutsche Alternativentwurf eines

---

[124] Ebd.

Gesetzes über Sterbehilfe sein, der 1986 von Professoren des Strafrechts und der Medizin sowie ihrer Mitarbeiter ausgearbeitet worden ist. Mit diesem Entwurf wurde erstmalig im deutschsprachigen Raum versucht, die Grenzen der Strafbarkeit bei passiver und indirekter Sterbehilfe sowie bei der Nichthinderung von Suiziden gesetzlich zu regeln.[125] Bei der passiven Sterbehilfe wurde der Abbruch lebenserhaltender Maßnahmen der Unterlassung gleichgestellt. Bei der indirekten Sterbehilfe soll es nicht entscheidend darauf ankommen, ob der Eintritt des Todes mit Sicherheit oder nur mit mehr oder weniger großer Wahrscheinlichkeit beschleunigt wird, weil vielfach eine verlässliche ärztliche Aussage nicht möglich sei, ob sich eine leidensmindernde Behandlung lebenszeitneutral bzw. möglicherweise oder sogar sicher lebensverkürzend auswirkt.[126] Das Problem des Sterbenlassens schwerstgeschädigter Neugeborener wurde jedoch nur insoweit geregelt, als es um Fälle geht, die im Zusammenhang mit der Problematik der Sterbehilfe stehen.[127] Offen gelassen wurde die Frage der Früheuthanasie aus anderen Gründen, etwa unter eugenischen Gesichtspunkten oder auf Zumutbarkeitserwägungen gestützt.[128] Bei der Nichthinderung des Selbstmordes darf von einer freien Selbstbestimmung ausgegangen werden, wenn verlässliche Anhaltspunkte dafür vorliegen.[129] Dabei nennt der Vorschlag in nicht abschließender Aufzählung besonders wichtige Kriterien, welche die Annahme von Freiverantwortlichkeit ausschließen (jugendliches Alter und Beeinträchtigung der freien Willensbildung durch Umstände, die im Fall der Begehung einer Straftat zum Ausschluss oder zur Minderung der Schuldfähigkeit führen könnten).[130] Eine Freigabe der Tötung auf Verlangen oder sogar ein Recht auf einverständliche Tötung wurde abgelehnt.[131] Vielmehr wurde an der Rechtswidrigkeit der aktiven Sterbehilfe und damit auch der Tötung auf Verlangen wegen der Unantastbarkeit fremden Lebens und der Bedeutung der strafrechtlichen Sicherung des Lebensschutzes grundsätzlich festgehalten.[132] Hingegen wurde für den praktisch höchst seltenen Fall einer Mitleidstötung auf ausdrückliches und ernstliches Verlangen die Möglichkeit eines fakultativen Absehens von Strafe eröffnet.[133] Verzichtet wurde im Entwurf auf prozedurale Absicherungen (beispielsweise durch Beizug eines zweiten Arztes für bestimmte Entscheidungen), auf eine detaillierte Regelung über die Handhabung von Patientenverfügungen sowie über die Bedeutung von Erklärungen der Angehörigen.[134]

---

[125] Ebd. (Vorwort).
[126] Ebd. 22f.
[127] Ebd. 7, 20.
[128] Ebd. 7.
[129] Ebd. 6, 25.
[130] Ebd. 6.
[131] Ebd. 36f.
[132] Ebd. 5, 36.
[133] Ebd. 5, 36.
[134] Ebd. 6.

Von besonderem Interesse sind ebenso zwei vieldiskutierte neuere Entscheide des deutschen Bundesgerichtshofes, die sich mit dem Abbruch einer einzelnen lebenserhaltenden Maßnahme und der indirekten Sterbehilfe befassen. In einem Entscheid vom 13.09.1994 (1 StR 357/94 – LG Kempten) formulierte das Gericht Grundsätze für die Zulässigkeit von Sterbehilfe. Es erklärte, bei einem unheilbar erkrankten, nicht mehr entscheidungsfähigen Patienten könne der Abbruch einer ärztlichen Behandlung oder Maßnahme ausnahmsweise auch dann zulässig sein, wenn der Sterbevorgang noch nicht eingesetzt habe, insofern angenommen werden könne, dass dies dem mutmaßlichen Einverständnis des Kranken entspreche. Ein Arzt und der Sohn einer irreversibel schwerst zerebralgeschädigten Kranken wollten erreichen, dass die künstliche Sonderernährung eingestellt und der Patientin dafür lediglich Tee verabreicht würde. Dies führte innert kurzer Zeit zum Tod. Hier ging es nicht um bloße passive Sterbehilfe, weil der Tod nicht innert kurzer Zeit eingetreten wäre. Das Gericht führte weiterhin aus, wenn sich konkrete Umstände für die Feststellung des individuellen mutmaßlichen Willens des Kranken nicht finden ließen, so könne und müsse auf Kriterien zurückgegriffen werden, die allgemeinen Wertvorstellungen entsprechen. Dabei sei jedoch Zurückhaltung geboten; im Zweifelsfall habe der Schutz des menschlichen Lebens Vorrang vor persönlichen Überlegungen des Arztes, eines Angehörigen oder einer anderen beteiligten Person. In einem Entscheid vom 15.11.1996 (3 StR 79/96)[135] befasste sich der Bundesgerichtshof erstmalig mit der indirekten Sterbehilfe und erklärte, dass eine ärztlich indizierte Schmerztherapie bei einem sterbenden Patienten mit unbeabsichtigter, aber in Kauf genommener tödlicher Nebenwirkung (i. S. einer Beschleunigung des Todeseintritts) rechtlich zulässig sei. Im Ergebnis wurde die erlaubte indirekte Sterbehilfe auf den Eventualvorsatz beschränkt, eine Auffassung, die auch in der deutschen Literatur überwiegen dürfte.[136] Dafür spricht auch der sozialethische Gesichtspunkt, dass die in Kauf genommene Tötung bei solchen Rechtsgüterkollisionen eher akzeptabel erscheint als die absichtliche Tötung.[137] Das Gericht führte aus, die Ermöglichung eines Todes in Würde und Schmerzfreiheit gemäß dem erklärten oder mutmaßlichen Patientenwillen sei ein höherwertigeres Rechtsgut als die Aussicht, unter schwersten Schmerzen noch kurze Zeit länger leben zu müssen.

Wie in der Schweiz im Bereich der passiven Sterbehilfe wird auch anderorts von vielen Seiten eingewandt, die Vielfalt der medizinischen Sachverhalte stehe einer gesetzlichen Regelung prinzipiell entgegen.[138] Andererseits sprechen verschiedene Gründe gegen die Aufrechterhaltung des heutigen Rechtszustandes, wonach der Entscheid auf den einzelnen Arzt abgeschoben wird, der gegebenenfalls die Folgen zu tragen hat. Es stellt sich tat-

---

[135] Vgl. Neue Juristische Wochenschrift 1997, 807 ff.
[136] Vgl. *H. Schöch*, Die erste Entscheidung des BGH zur sog. indirekten Sterbehilfe, in: NStZ (1997) 409ff., hier 411.
[137] Vgl. ebd. 411.
[138] Vgl. AE-Sterbehilfe, s. Anm. 121, 4 (mit weiteren Hinweisen).

sächlich die Frage, ob nicht doch die Gesellschaft stärker die Verantwortung übernehmen und die Kriterien – auch wenn sie auslegungsbedürftig sind – gesetzlich verankern müsste. Zur Diskussion steht ja nicht nur die klassische passive Sterbehilfe, bei der kurz vor dem Tod eines irreversibel bewusstlosen Patienten weitere – praktisch sinnlose – Rettungsmaßnahmen unterlassen werden. Erwähnt sei als Beispiel die indirekte Sterbehilfe, wo Ärzte in einer unbefriedigenden Situation sind, wenn ihnen Juristen erläutern, dass sie mit Tötungsvorsatz handeln, wenn sie bei der Anwendung schmerzlindernder Maßnahmen das Risiko einer Lebensverkürzung in Kauf nehmen.[139] Verwiesen sei außerdem auf die rechtlichen Unklarheiten in Suizidfällen, ganz zu schweigen von der Früheuthanasie und der Sterbehilfe gegenüber zerebral schwerst geschädigten Patienten. In allen diesen Fällen gibt das geltende Strafrecht keine hinreichende Orientierung über das gebotene bzw. erlaubte Handeln. Auch aus der Sicht des Legalitätsprinzips ist es problematisch, wenn man sich in diesen wichtigen Grenzbereichen nur auf «private» ethisch-medizinische Richtlinien stützen kann.[140] Beim Vergleich mit den in der Lehre vertretenen Meinungen bleibt die Unsicherheit, ob ein auf die Richtlinien gestütztes Handeln auch rechtlich immer akzeptiert würde,[141] zumal bei einzelnen, nach derzeitiger mehrheitlicher Auffassung erlaubten Praktiken nicht immer befriedigende juristische Erläuterungen, sondern nicht selten Opportunitätsüberlegungen als Begründung für die Straflosigkeit ins Feld geführt werden. Deswegen muss Entscheidendes noch immer als ungeklärt gelten.[142] Da die Rechtsprechung nicht oder nur selten mit derartigen Fällen befasst ist, bestehen auch aus dieser Sicht in Zukunft wenig Chancen, dass die anstehenden Fragen durch Auslegung des geltenden Rechts beantwortet werden.[143] All dies spricht für eine gesetzliche Regelung. Dass eine solche möglich ist, belegt der deutsche Alternativentwurf Sterbehilfe.

Eine gesetzliche Regelung hätte im Übrigen viele Vorteile, da die Grenzen der Zulässigkeit verdeutlicht und Grauzonen verringert würden. Der Gefahr einer «defensiven Medizin» könnte man so entgegenwirken, die nur aus Sorge vor möglichen Strafverfahren durch sinnlose Behandlungsmaßnahmen berechtigten Interessen der Sterbenden zuwiderhandelt.[144] Für den Arzt würde das Recht des Sterbens berechenbarer, das Strafbarkeitsrisiko durch genauere gesetzliche Umschreibungen gemildert.[145] Eine gesetzliche Regelung könnte geradezu zu einer Schärfung des Rechtsbewusstseins beitragen.

---

[139] Vgl. ebd. 22.
[140] Vgl. *K. Reusser*, s. Anm. 35, 59 bzgl. der passiven Sterbehilfe als Ausnahme von der Nothilfepflicht.
[141] Vgl. AE-Sterbehilfe, s. Anm. 121, 2.
[142] Vgl. ebd.; in diesem Sinne auch *G. Stratenwerth*, (s. Anm. 5, § 1 N 7), der meint, im Einzelnen bestehe manche Unsicherheit über die Rechtslage.
[143] Vgl. AE-Sterbehilfe, s. Anm. 121, 2.
[144] Vgl. ebd. 16.
[145] Ebd. 4.

Markus Zimmermann-Acklin

Das niederländische Modell – ein richtungsweisendes Konzept?

Mit großer Aufmerksamkeit und Spannung wird gegenwärtig die Entwicklung der niederländischen Euthanasiepraxis verfolgt. Amerikanische Beobachter schreiben – in Anbetracht der eigenen Auseinandersetzungen um die Einführung des ärztlich assistierten Suizids verständlich – von Holland als einem «nationalen Labor» («a national laboratory for our own possible experiments in right-to-die legislation»[1]); aus der Perspektive der deutschen Situation ist von einem «sozialen Experiment»[2] die Rede, dessen Auswirkungen skeptisch beobachtet und als Grundlage für mögliche eigene Veränderungen beurteilt werden. In manchen Beiträgen gerät dabei die Bedeutung der Kontextualität von gesellschaftspolitischen Prozessen zu sehr in den Hintergrund. Die Versuchung, fremde Erfahrungen ohne die nötigen Vermittlungsschritte mit dem je eigenen Kontext zu verknüpfen, ist aufgrund der reichlich vorliegenden Zahlen aus den Niederlanden jedenfalls sehr groß.[3] Tatsächlich bestehen weltweit keine vergleichbaren Daten, welche einen derart tiefen Einblick in die Euthanasiepraxis eines Landes erlauben würde.

Im vorliegenden Beitrag sollen diese empirischen Ergebnisse untersucht, mögliche Entwicklungstendenzen analysiert und diese zuletzt in ihrer Bedeutung für andere gesellschaftliche oder nationale Kontexte beurteilt werden. Dies geschieht in dem Bewusstsein, dass Rückschlüsse auf die Situation anderer Länder Mitteleuropas nur bedingt möglich sind und weiterer historischer und gesellschaftspolitischer Studien bedürfen.

Die strafrechtliche Regelung und die tatsächliche Praxis sowohl in der Rechtsprechung als auch im medizinischen Alltag liegen im niederländischen Modell weit auseinander. Diese Diskrepanz erfordert zunächst eine

---

[1] *M. Pabst Battin*, Assisted Suicide: Can We Learn From Germany?, in: Hastings Center Report 22 (1992) 2, 44; vgl. *P. Singer*, Rethinking Life & Death. The Collapse of Our Traditional Ethics, Oxford 1995, 150.

[2] *Th. Fuchs*, Euthanasie und Suizidbeihilfe. Das Beispiel der Niederlande und die Ethik des Sterbens, in: *R. Spaemann/Ders.*, Töten oder sterben lassen? Worum es in der Euthanasiedebatte geht, Freiburg i. Br./Basel/Wien 1997, 47. Zum hohen Bekanntheitsgrad des «Niederländischen Modells» unter der deutschen Ärzteschaft vgl. *K.-H. Wehkamp/ H. Keitel/H. Hildebrandt*, Ärztliche Entscheidungen am Lebensende, in: Ethik in der Medizin 9 (1997) 161: Insgesamt 91 % der 516 befragten Ärztinnen und Ärzte geben an, dieses Modell zu kennen.

[3] Ein Beispiel für eine ernsthafte Vermittlung bietet der amerikanische Psychiater *H. Hendin*, Seduced by Death. Doctors, Patients, and the Dutch Cure, New York/London 1997, v. a. in seinem Kap. 5. Eine gute Grundlage zur weiteren Auseinandersetzung findet sich überdies bei *B. Gordijn*, Euthanasie in den Niederlanden – eine kritische Betrachtung, Dortmund 1997 (Berliner Medizinethische Schriften, Heft 19).

erläuternde Einführung in die rechtliche Situation. Anschließend werden in einem zweiten Schritt die Ergebnisse der beiden großen empirischen Studien dargestellt und auf bereits erkennbare Tendenzen hin untersucht, welche auf der Grundlage anonymer Befragungen von Ärzten und Untersuchungen von Todeszertifikaten einen Überblick über die tatsächliche Euthanasiepraxis in den Jahren 1990 und 1995 geben. Dabei handelt es sich zum einen um den sogenannten «Remmelink-Report»[4], zum anderen um eine zweite nationale Studie, die Ende 1996 im «New England Journal of Medicine» veröffentlicht worden ist.[5] Weitere bedeutende Entwicklungen, die nicht unmittelbar aus den Umfragen hervorgehen, sind in einem dritten Punkt zu ergänzen, bevor abschließend die im Titel formulierte Frage nach einer möglichen Orientierung an der niederländischen Praxis erörtert wird.

Entscheidend in der Beurteilung von Orientierungsmöglichkeiten an der niederländischen Praxis wird schließlich der Positionsbezug in folgender Auseinandersetzung sein: Bestätigen sich die Argumente der Euthanasiegegner, die eine unkontrollierbare Ausweitung der Euthanasiepraxis befürchten[6] – oder erhärten sich diejenigen der Befürworter, welche sich darum bemühen, die Unhaltbarkeit von Dammbruch- oder Slippery-Slope-Argumenten aufzuzeigen?[7]

---

[4] Vgl. *P. J. van der Maas/J. J. M. van Delden/L. Pijnenborg*, Euthanasia and other Medical Decisions Concerning the End of Life. An Investigation Performed Upon Request of the Commission of Inquiry into Medical Practice Concerning Euthanasia, in: Health Policy 22 (1992) 1 + 2, Special Issue (Health Policy Monographs, Vol. 2), 1–262. Eine häufig zitierte erste Übersicht ist im «Lancet» erschienen: *Dies./C. W. N. Looman*, Euthanasia and other Medical Decisions Concerning the End of Life, in: The Lancet 338 (1991) 669–674.

[5] Vgl. *P. J. van der Maas/G. van der Wal/I. Haverkate et al.*, Euthanasia, Physician-Assisted Suicide, and other Medical Practices Involving the End of Life in the Netherlands, 1990 - 1995, in: New England Journal of Medicine 335 (1996) 1699–1705; daneben: *G. van der Wal/P. J. van der Maas/J. M. Bosma et al.*, Evaluation of the Notification Procedure for Physician-Assisted Death in the Netherlands, in: New England Journal of Medicine 335 (1996) 1706–1711.

[6] Vgl. stellvertretend *J. Keown*, Euthanasia in the Netherlands: Sliding Down the Slippery Slope?, in: *Ders.* (Ed.), Euthanasia Examined. Ethical, Clinical and Legal Perspectives, Cambridge 1995, 261–296; *Ders.*, Further Reflections on Euthanasia in The Netherlands in the Light of The Remmelink Report and the van der Maas Survey, in: *L. Gormally* (Ed.), Euthanasia, Clinical Practice and the Law, London 1994, 219–240; *H. Jochemsen*, Euthanasia in Holland: An Ethical Critique of the New Law, in: Journal of Medical Ethics 20 (1994) 212–217; *H. Hendin*, Seduced by Death, s. Anm. 3; *Ders./C. Rutenfrans/ Z. Zylicz*, Physician-Assisted Suicide and Euthanasia in the Netherlands. Lessons From the Dutch, in: Journal of the American Medical Association 277 (1997) 1720–1722.

[7] Vgl. z. B. *R. F. W. Diekstra*, Erfahrungen in den Niederlanden: «Assisted Suicide», in: *F. Anschütz/H.-L. Wedler* (Hrsg.), Suizidprävention und Sterbehilfe, Berlin/Wiesbaden 1996, 77–89; *G. van der Wal/E. A. Loeliger*, Sterbehilfe in den Niederlanden. Hintergründe, Fakten, Regeln und Gesetzgebung, in: Schweiz. Ärztezeitung 77 (1996) 49, 2000f.; *H. Küng*, Menschenwürdig sterben, in: *W. Jens/Ders.*, Menschenwürdig sterben. Ein Plädoyer für Selbstverantwortung. Mit Beiträgen von D. Niethammer und A. Eser, München/ Zürich 1995, 66–68.

1. Zur rechtlichen Situation

Die derzeitige geltende Situation ist wesentlich von der Diskrepanz zwischen der Regelung im niederländischen Strafgesetzbuch und der de facto tolerierten ärztlichen Praxis gekennzeichnet.[8] Während das Strafrecht die Tötung auf ausdrückliches und ernstes Verlangen mit Gefängnis bis zu zwölf Jahren (Art. 293), die Suizidbeihilfe mit bis zu drei Jahren (Art. 294) belegt, besteht gleichzeitig eine anerkannte Praxis sowohl der ärztlichen Suizidbeihilfe als auch der aktiven Euthanasie.[9] Die Anerkennung beruht dabei auf einem seit 1994 geltenden und im Bestattungsrecht verankerten Artikel, welcher die Meldepraxis von Euthanasie- und Suizidbeihilfefällen regelt: Hier wird vorgeschrieben, dass ein Arzt sich auf einen Notstand und eine höhere Macht («force majeure») berufen (nlStGB Art. 40) und einen Bericht über die Todesursache vorlegen muss, um im Falle einer Tötung auf Verlangen einer Strafverfolgung durch den Staatsanwalt zu entgehen. Diese Meldepraxis ist nicht zuletzt darum sehr umstritten, weil hier sowohl die Benachrichtigung von Fällen einer ärztlichen Tötung auf Verlangen (gemäß niederländischer Definition als «Euthanasie» bezeichnet) als auch von ärztlichen Tötungshandlungen *ohne* ausdrückliches Verlangen von Patienten, den sog. LAWER-Fällen[10], verlangt wird. Da die nichtfreiwillige Euthanasie oder die ärztliche Tötung lediglich aufgrund des mutmaßlichen Willens des Patienten nicht als Ausnahme von Art. 293 des niederländischen Strafrechts gelten kann, ist diese Regelung äußerst fraglich und präjudiziert bereits die in der gegenwärtigen Rechtsprechung tatsächlich praktizierte Toleranz gegenüber diesen problematischen ärztlichen Handlungen. Bemängelt wird weiter, dass die ärztliche Tötung auf Verlangen dadurch im rechtlichen Sinne als ein unnatürlicher Tod beurteilt wird, der demzufolge dem Staatsanwalt zu melden ist.

---

[8] Vgl. *H.-J. Scholten*, Art. «Niederlande», in: *A. Eser/H.-G. Koch* (Hrsg.), Materialien zur Sterbehilfe. Eine internationale Dokumentation, Freiburg i. Br. 1991, 451–500; *Th. Beemer*, Zur neueren Euthanasiedebatte in den Niederlanden, Genf 1994 (Folia Bioethica 15); *H. A. M. J. ten Havel/J. V. M. Welie*, Euthanasie – eine gängige medizinische Praxis? Zur Situation in den Niederlanden, in: Zeitschrift für medizinische Ethik 39 (1993) 63–72.

[9] Dem Philosophen D. Birnbacher ist Recht zu geben, wenn er diese Regelung unter dem Gesichtspunkt der Rechtssicherheit für unglücklich hält und vermutet, dass solche Doppelbödigkeit das Rechtssystem insgesamt desavouieren wird. Als ehrlicher und eindeutiger ist der Vorschlag vorzuziehen, der im Strafrecht eine verankerte Ausnahmeregelung festlegt, wie es beispielsweise im deutschen «Alternativentwurf Sterbehilfe» von 1986 vorgesehen ist. Vgl. *D. Birnbacher*, Tun und Unterlassen, Stuttgart 1995, 362; *J. Baumann et al.*, Alternativentwurf eines Gesetzes über Sterbehilfe, Stuttgart 1986; zur niederländischen Duldungspolitik und deren Hintergründe vgl. *B. Gordijn*, s. Anm. 3, 14–17.

[10] Das englischsprachige Akronym «LAWER» steht für «Life Termination Act Without Explicit and Persistent Request» (Lebensbeendigung durch einen Arzt, ohne dass ein ausdrücklicher und beständiger Wunsch des verstorbenen Patienten vorlag).

Seit 1973 wurden überdies in der niederländischen Rechtsprechung Kriterien formuliert, welche Ärztinnen und Ärzte erfüllen müssen, um unter Berufung auf einen Notstand tatsächlich straffrei ausgehen zu können. Diese Kriterien wurden auch von der größten niederländischen Ärzteorganisation, der KNMG[11], anerkannt. Die wichtigsten lauten:
- Die Euthanasie oder die ärztliche Tötung auf Verlangen darf nur aufgrund wiederholten und ausdrücklichen Verlangens geleistet werden.
- Der Betroffene muss an einer Krankheit leiden, die nach medizinischen Erkenntnissen unheilbar ist.
- Der Patient empfindet seine Leidenssituation als unerträglich oder sinnlos.
- Der Patient muss sich der Situation, in der er sich befindet, und der Alternativen, die es für ihn gibt, bewusst sein, so dass er auch wirklich in der Lage ist, eine Entscheidung zu treffen.
- Es bestehen keine anderen Möglichkeiten (z. B. palliativmedizinische oder schmerztherapeutische), die Situation des Betroffenen wirksam zu verbessern.
- Der Arzt muss seine Entscheidung, Euthanasie zu praktizieren, im Einverständnis mit einem anderen Arzt treffen, muss beim Sterben seines Patienten persönlich anwesend sein, dessen Tod feststellen und diesen anschließend dem Staatsanwalt melden.[12]

Neben verschiedenen Initiativen zur Neuregelung der Strafrechtsartikel 293 und 294 im Sinne der bestehenden Praxis[13] bestehen gegenwärtig von der Justizministerin Winnie Sorgdrager unterstützte Bestrebungen, die Überprüfung der Euthanasiefälle in die Hände von fünf regionalen Kommissionen zu legen, die aus Medizinern, Juristen und Ethikern zusammengesetzt werden sollen; erst bei vermuteten Regelverstößen würde dann die Staatsanwaltschaft eingeschaltet. Erwartet wird von dieser Veränderung eine bessere Disziplin der ärztlichen Meldepraxis. In ihrer Begründung zugunsten dieses neuen Vorgehens weist die niederländische Ärztevereinigung darauf hin, dass die in Zweifelsfällen durchgeführten Gerichtsprozesse de facto

---

[11] KNMG steht für die «Königliche Niederländische Gesellschaft zur Förderung der Medizin».

[12] Formuliert in Anlehnung an *C. Rutenfrans*, Befreiung oder schiefe Ebene – Das niederländische Gesetz zur «Euthanasie», in: *U. Daub/ M. Wunder* (Hrsg.), Des Lebens Wert. Zur Diskussion über Euthanasie und Menschenwürde, Freiburg i. Br. 1994, 94; vgl. darüber hinaus die ausführlichere Auflistung bei *M. Pabst Battin*, The Least Worst Death. Essays in Bioethics on the End of Life, New York/Oxford 1994, 131. Die wichtigsten Gerichtsentscheide, die zur Formulierung dieser Richtlinien geführt haben, daneben eine Zusammenfassung der Stellungnahme der KNMG, finden sich in *H.-J. Scholten*, Art. «Niederlande», s. Anm. 8, 472–493.

[13] Vgl. *H.-J. Scholten*, s. Anm. 8, 493–498; *T. Sheldon*, Dutch Doctors Oppose New Euthanasia Proposals, in: British Medical Journal 312 (1996) 465f.: Hier geht es um den Widerstand einiger Ärzte gegen die Liberalisierung des niederländischen Strafrechts, welche von der «Holländischen Vereinigung für freiwillige Euthanasie» (einer Vereinigung mit 82 000 Mitgliedern) gefordert wurde.

nahezu ausnahmslos ohne Strafverfolgung enden und die regelkonformen ärztlichen Euthanasie-Entscheidungen bereits heute weitgehend entkriminalisiert sind.[14]

2. Die empirischen Befunde und erkennbaren Entwicklungstendenzen

Über die Hälfte aller niederländischen Ärztinnen und Ärzte hatten bis 1991 bereits eine Tötung auf Verlangen durchgeführt, wobei große Unterschiede zwischen einzelnen Ärztegruppen auffallen: Während sich nahezu zwei Drittel der Hausärzte bereits an einer aktiven Euthanasie beteiligt hatten (64 %), waren es nur etwa ein Zehntel der Ärzte von Pflegeheimen (12 %); nur 13 % aller Ärzte äußerten sich dahingehend, sie würden niemals bei einer Tötung mitwirken.[15] Bis 1995 hatten überdies bereits knapp ein Viertel aller Ärzte eine Tötung ohne ausdrückliches Verlangen des betroffenen Patienten oder eine nichtfreiwillige aktive Euthanasie durchgeführt, während ein weiteres Drittel angab, sie hätten eine solche Handlung zwar noch nicht praktiziert, könnten sich unter Umständen aber vorstellen, so zu handeln.[16] Diese Zahlen belegen, dass die aktive Euthanasie in den Niederlanden bereits seit Jahren Teil der gewohnten und öffentlich akzeptierten Berufspraxis vieler Ärztinnen und Ärzte geworden ist.

Die Ergebnisse der beiden im staatlichen Auftrag durchgeführten Studien zur Praxis von medizinischen Entscheidungen bzw. Praktiken, die das Lebensende von Patienten betrafen, ergeben die Werte, welche in Tabelle 1 in gerundeten Zahlen und übertragen auf gesamtgesellschaftliche Durchschnittswerte aufgeführt werden. Zum besseren Verständnis der Resultate der sogenannten «Remmelink-Studie» von 1990 und der «Second Nationwide Study» von 1995 dient zunächst der Hinweis, dass hier gemäß offizieller niederländischer Sprachregelung unter dem Begriff «Euthanasie» einzig die ärztliche Tötung auf Verlangen oder die freiwillige aktive Euthanasie durch einen Arzt verstanden wird. Alle weiteren hier betrachteten

---

[14] Vgl. *P. Münster*, Regelwidrige Euthanasie in den Niederlanden. Fünf regionale Prüfungsausschüsse im Sommer dieses Jahres, in: Neue Zürcher Zeitung, Nr. 82 vom 10. April 1997, 20; *M. Spanjer*, Dutch Medical Association Calls Halt to Euthanasia Prosecutions, in: The Lancet 347 (1996) 188. – Ein solches Vorgehen ist auch in der sogenannten «Motion Ruffy» aufgenommen worden, die gegenwärtig im Auftrag des Schweizerischen Bundesrats von einer Fachkommission diskutiert wird, vgl. Dokumente des Nationalrats Nr. 94.3370. Bei dieser 1996 in ein politisch weit weniger verbindliches Postulat verwandelten Motion handelt es sich um die Eingabe eines neuen Gesetzestexts zur Regelung der ärztlichen Tötung auf Verlangen und des ärztlich assistierten Suizids. Einige Parlamentsmitglieder haben diese in den Schweizerischen Nationalrat mit dem Ziel eingegeben, das Schweizerische Strafrecht im Sinne der niederländischen Praxis abzuändern.

[15] Vgl. *P. J. van der Maas/L. Pijnenborg/J. J. M. van Delden*, Changes in Dutch Opinions on Active Euthanasia, 1966 Through 1991, in: Journal of the American Medical Association 273 (1995) 1411–1414, hier 1413; *P. J. van der Maas et al.*, s. Anm. 4, 671.

[16] Vgl. *P. J. van der Maas et al.*, s. Anm. 5, 1701.

Handlungen, die häufig mit Begriffskombinationen wie «passive Euthanasie», «indirekte Euthanasie» oder «nichtfreiwillige aktive Euthanasie» bezeichnet werden, erhalten im niederländischen Begriffskonzept eine jeweils handlungsspezifische Umschreibung.[17] Aufgrund dieses Vorgehens entsteht mit dem Gebrauch des Begriffs «MDEL» (medizinische Entscheidung, die das Lebensende des Patienten betrifft) de facto eine neue Bezeichnung für die Handlungen, die im Deutschen gewöhnlich mit «Sterbehilfe», in vielen anderen europäischen Sprachen mit «Euthanasie» umschrieben werden. Da mit dieser Begriffsneubildung ein – der Realität wohl sehr nahe kommender – Akzent auf die *medizinische* oder *ärztliche* Entscheidung statt auf die Selbstbestimmung des Patienten gesetzt wird, haben die Herausgeber der beiden Studien diesen Neologismus in ihrer zweiten Umfrage nicht mehr eingesetzt und ihn durch die neutralere Beschreibung «medizinische Praktiken, die das Lebensende des Patienten betreffen», ersetzt.

Tab. 1: Übersicht über medizinische Entscheidungen bzw. Praktiken am Lebensende in den Jahren 1990 und 1995 in den Niederlanden[18]

Medizinische Entscheidungen, die das Lebensende der Patienten betrafen (MDELs*)	1990	1995	Veränderung	
Freiwillige aktive Euthanasie («Euthanasia»)	2 300	3 200	+ 900	(+ 39 %)
Ärztliche Suizidbeihilfe («Assisted Suicide»)	400	400	± 0	
Nichtfreiwillige aktive Euthanasie (LAWER-Fälle**)	1 000	1 000	± 0	
Schmerz- oder Symptomtherapie (APS-Fälle***)	22 500	23 000	+ 500	(+ 2 %)
Behandlungsabbruch oder -verzicht (NTD-Fälle****)	22 500	27 500	+ 5 000	(+ 22 %)
Gesamt MDELs*	48 700	55 100	+ 6 400	(+ 13 %)
Gesamt Todesfälle in den Niederlanden	128 800	135 700	+ 6 900	(+ 5 %)

---

[17] Die «Remmelink-Studie» setzt sich aus drei Einzeluntersuchungen zusammen: Erstens aus Interviews mit 405 Ärztinnen und Ärzten (davon waren 152 oder 62 % Allgemeinpraktiker, 203 oder 44 % klinische Spezialisten und nur 50 oder 12 % Ärztinnen oder Ärzte aus Pflegeheimen), zweitens einer Untersuchung von 5 197 Fragebögen, die aufgrund von 7 000 Todeszertifikaten an die zuständigen Ärzte verschickt wurden, und drittens einer prospektiven Umfrage unter den 405 Ärzten der ersten Studie mit dem Auftrag, alle Todesfälle der folgenden sechs Monate anhand eines Fragebogens schriftlich festzuhalten. – Die Ergebnisse der zweiten nationalen Umfrage beruhen lediglich auf zwei Einzelstudien, nämlich wiederum auf Interviews mit 405 Ärzten (davon waren 124 oder 31 % Allgemeinpraktiker, 207 oder 51 % klinische Spezialisten und 74 oder 18 % Ärzte aus Pflegeheimen) und auf einer Analyse von 5 146 beantworteten Fragebögen, die aufgrund von 6 000 Todeszertifikaten an die zuständigen Ärzte verschickt wurden.

[18] Die Zahlen beruhen auf den Ergebnissen der in den Anm. 4 und 5 angegebenen Literatur. Für detaillierte Angaben, Analysen und Quellenverweise vgl. auch meine Darstellung in: *M. Zimmermann-Acklin*, Euthanasie. Eine theologisch-ethische Untersuchung (SThE 79), Freiburg i. Ue./Freiburg i. Br. 1997, bes. Kap. 2.2 und 6.4.

*   Medical Decisions Concerning the End of Life (1995: «Medical Practices»)
**   Life-Termination Act Without Explicit and Persistent Request
*** Alleviation of Pain and Symptoms
**** Non Treatment Decision

In Tabelle 1 werden folgende Zahlen zur niederländischen Euthanasiepraxis und deren Entwicklung zwischen 1990 und 1995 festgehalten: Von den gesamthaft knapp 130 000 Sterbefällen 1990 wurden in annähernd 50 000 Situationen medizinische Entscheidungen getroffen, die einen Einfluss auf das Lebensende der Patienten hatten. Dieser Wert ist zwischen 1990 und 1995 von zunächst 38 % auf 40,5 % aller niederländischen Todesfälle gestiegen und belegt damit auf beeindruckende Weise die gesellschaftliche Reichweite der hier angestellten Überlegungen. Fast jede zweite Bewohnerin oder jeder zweite Einwohner Hollands kann davon ausgehen, dass an ihrem bzw. seinem Lebensende ähnliche Entscheidungen zu fällen sein werden. Quantitativ gesehen bestehen dabei die wichtigsten Anteile in Entscheidungen zum Behandlungsabbruch oder -verzicht (NTD) oder zu Schmerz- und Symptomtherapien (APS). Während die Entscheidungen zum Behandlungsabbruch oder -verzicht zwischen 1990 und 1995 um ein Fünftel oder 22 % markant zugenommen haben, sind Entscheidungen zu Schmerz- und Symptomtherapien zahlenmäßig leicht zurückgegangen.[19]

Obgleich quantitativ von weit geringerer Bedeutung, stoßen die Praxis der ärztlichen Tötungen und der begleiteten Suizide auf größeres Interesse, da hier offensichtlich standesethische Tabus durchbrochen werden, die über Jahrhunderte das ärztliche Handeln im Abendland geleitet haben. Folgende Zahlen und Tendenzen lassen sich benennen: Die gemäß niederländischer Sprachregelung «eigentliche Euthanasie», nämlich die ärztliche Tötung auf wiederholtes und ausdrückliches Verlangen des oder der Betroffenen, wurde 1990 bei 2 300 und 1995 bei 3 200 Patientinnen und Patienten durchgeführt. Dies entspricht einer Steigerung um knapp zwei Fünftel oder um 39 %. Die Praxis des ärztlich assistierten Suizids hat sich im gleichen Zeitraum anteilsmäßig mit jährlich rund 400 Fällen nicht verändert, was angesichts der Entwicklung der gesellschaftlichen Sterberate und gemessen an allen Sterbefällen de facto einer leichten prozentualen Abnahme der Suizidbegleitungen entspricht.[20] Im Allgemeinen lässt sich feststellen, dass die ärztliche Suizidbegleitung im Vergleich mit der freiwilligen und nichtfreiwilligen Euthanasie quantitativ eine deutlich untergeordnete Rolle spielt. Schließlich bleiben die sog. LAWER-Fälle mit rund 1 000 be-

---

[19] Die Tatsache der zweiprozentigen Zunahme wird dadurch in ihrer Relevanz aufgehoben, dass die Sterberate in den Niederlanden gleichzeitig (v. a. aufgrund der demographischen Situation) um 5 % zugenommen hat.

[20] Ein Vergleich mit den detaillierten Zahlen aus den jeweiligen Einzelstudien belegt jedoch, dass zumindest aus den Ärzteinterviews eine Steigerung der ärztlichen Suizidbegleitung abzulesen ist, nämlich von 380 (1990) auf 542 (1995); vgl. dazu den kritischen Kommentar bei H. Hendin et al., s. Anm. 6, 1720f. Gleichzeitig ist dann aber auch darauf hinzuweisen, dass die in der Tabelle angegebene Anzahl der LAWER-Fälle ebenfalls gerundet ist und 1990 bei 1 030, fünf Jahre später hingegen bei bloß 948 lag.

troffenen Patientinnen und Patienten sowohl im Jahre 1990 als auch 1995 eine gleichbleibend beunruhigende Tatsache: Obwohl somit eine leichte prozentuale Abnahme (von 0,8 % auf 0,7 % aller niederländischen Todesfälle) zu verzeichnen ist, bedeuten diese ärztlichen Tötungen, bei denen der Wunsch des Patienten nicht erfragt wurde oder nicht mehr ermittelt werden konnte, ein beständiges Ärgernis und Anlass zur Sorge im Hinblick auf die allgemeine Entwicklung der niederländischen Euthanasiepraxis.[21]

Im gleichen Zeitraum hat die Nachfrage nach aktiver Euthanasie oder nach ärztlicher Suizidbeihilfe markant zugenommen: Den 25 100 Bitten im Jahr 1990, die im Laufe einer späteren Krankheitsphase an die Ärzte gerichtet worden sind, stehen 34 500 Nachfragen im Jahr 1995 gegenüber, was einer Steigerung um über ein Drittel oder 37 % entspricht. Bei der Anzahl der ausdrücklichen und wiederholten Aufforderungen zur Tötung oder Tötungsbeihilfe ist gleichzeitig eine Steigerung um 9 % zu verzeichnen, nämlich von absolut 8 900 auf 9 700 Nachfragen.[22] Diese Angaben belegen, dass die Ärzte in über der Hälfte der Fälle, in denen Patienten mit einer ausdrücklichen und wiederholten Bitte um Tötung an sie herangetreten sind, diese Hilfeleistung verweigert haben.[23]

Schließlich ist zu beobachten, dass die Meldepraxis der Ärzte, die einen Menschen auf Verlangen getötet oder Suizidbeihilfe geleistet haben (beide Praktiken werden seit der Veröffentlichung der zweiten Studie offiziell auch mit dem Oberbegriff «Physician Assisted Death» bezeichnet), im betrachteten Zeitraum zwar kontinuierlich von 486 auf 1 466 gemeldete Fälle zugenommen hat, dass sich somit jedoch nach wie vor der größere Anteil der tatsächlich praktizierten Tötungsfälle im unkontrollierbaren Privatbereich zwischen Arzt und Patient abgespielt haben. 1995 wurden rund zwei Fünftel oder 41 % der lediglich unter Einhaltung der Richtlinien erlaubten Handlungen gemeldet, dagegen blieben 59 % der «echten Euthanasiefälle» bzw. Suizidbeihilfen und selbstverständlich auch die gemäß Richtlinien und Strafrecht verbotenen LAWER-Fälle ohne offizielle Meldung.[24]

---

[21] Die Herausgeber der «Remmelink-Studie» haben diese Entscheidungen in einem «Lancet»-Artikel eigens erläutert und – trotz ihrer grundlegend ablehnenden Haltung diesen gegenüber – auch Ansätze zur Rechtfertigung von Einzelfällen formuliert. Vgl. *L. Pijnenborg/ P. J. van der Maas/ J. J. M. van Delden et al.*, Life Terminating Acts Without Explicit Request of Patient, in: The Lancet 341 (1993) 1196–1199; vgl. weiterhin die Erläuterungsversuche u. a. zu medizinethisch relevanten Lebensqualitäts-Standards bei *G. van der Wal*, Unrequested Termination of Life: Is It Permissible?, in: Bioethics 7 (1993) 330–339.

[22] Vgl. *P. J. van der Maas et al.*, s. Anm. 5, 1701 (Table 1); diese Zahlen beruhen ausschließlich auf den Ergebnissen der Ärzteinterviews.

[23] Vgl. *Ders.*, s. Anm. 4, 54 (Table 5.20): Hier werden für 1990 die Gründe der Ärzte für eine Verweigerung der Bitte um aktive Euthanasie oder Suizidbeihilfe so angegeben (für die befragten Ärzte war mehr als eine Antwort möglich): Es bestanden noch Behandlungsmöglichkeiten (33 %), der Arzt hatte in diesem spezifischen Fall Einwände (26 %), der Patient vermochte seine Krankheit nicht richtig einzuschätzen (24 %), die Bitte war zu unüberlegt (20 %), allgem. Bedenken des Arztes gegenüber Euthanasiehandlungen (19 %), der Patient zog seine Bitte nach einem ausführlichen Gespräch selbst wieder zurück (6 %).

[24] Vgl. *G. van der Wal et al.*, s. Anm. 5, 1708 (Table 1).

Neben diesem Überblick lassen sich einige detaillierte, in der internationalen Diskussion teilweise heftig umstrittene Studienresultate benennen. Sie beziehen sich im Wesentlichen auf die Intentionen der Ärzte, die tatsächliche Berücksichtigung der Patientenautonomie bzw. die Motivationen der betroffenen Patienten und Ärzte.

Zunächst eine Beobachtung zur Absicht oder Intention der handelnden Ärzte, auf die in Tabelle 2 Bezug genommen wird: Der Anteil der direkten oder beabsichtigten Tötungen am Gesamt der niederländischen Sterbefälle ist aufgrund der ärztlichen Angaben über ihre Handlungsabsicht bei Schmerz- oder Symptombehandlungen höher zu veranschlagen, als dies aus der Übersicht in Tabelle 1 zunächst hervorgeht. Die Addition der relativ hohen Anzahl von Schmerz- und Symptombehandlungen, die nach Aussage der Ärzte mit der ausdrücklichen Absicht eingeleitet worden sind, das Leben des betroffenen Patienten zu beenden – dies ist 1990 in 1 350 und 1995 in knapp 1 900 Fällen geschehen –, erhöht sich die jährliche Zahl der Entscheidungen zur direkten aktiven Euthanasie von 5 050 im Jahr 1990 auf 6 500 Fälle im Jahr 1995. Daneben zeigen die Angaben in Tabelle 2, dass auch der Anteil der nichtfreiwilligen Tötungen von Patienten, d. h. Fälle von direkter aktiver Euthanasie, in denen ohne Kenntnis des Patientenwillens gehandelt worden ist, jährlich die 1 000 LAWER-Fälle um einiges übersteigt: Im Jahre 1990 haben die Ärzte zusätzlich in rund 450 Sterbefällen eine Schmerzbehandlung mit der ausdrücklichen Absicht, das Leben des Patienten zu beenden, durchgeführt, ohne dabei den Willen des Patienten gekannt oder in Erfahrung gebracht zu haben; für 1995 ist hier zusätzlich zu den ca. 1 000 LAWER-Fällen mit einem geschätzten Anteil von bis zu 1 500 Fällen zu rechnen.[25]

Tab. 2: Der Anteil der MDELs, die mit der ausdrücklichen Absicht vollzogen wurden, das Leben des Patienten zu beenden (Fälle von direkter aktiver Euthanasie)

MDELs, insoweit direkte Tötungen (mit der Absicht, das Leben des Betroffenen zu beenden)	1990		1995	
	freiw.	nichtfreiw.	freiw.	nichtfreiw.
Freiwillige aktive Euthanasie («Euthanasia»)	2 300	–	3 200	–
Ärztliche Suizidbeihilfe («Assisted Suicide»)	400	–	400	–
Nichtfreiwill. aktive Euthanasie (LAWER-Fälle)	–	1 000	–	1 000
Schmerz- und Symptomtherapie (APS-Fälle)	*900	*450	**400	**1 500
Gesamt in Abhängigkeit zur Freiwilligkeit	3 600	1 450	4 000	2 500
Gesamt der direkten Tötungshandlungen	5 050		6 500	

---

[25] Detaillierte Angaben über die Kompetenz der betroffenen Patienten in den APS-Fällen liegen bloß für die APS-Fälle gesamthaft vor. Vgl. *P. J. van der Maas et al.*, s. Anm. 4, 75 (Table 7.7); *P. J. van der Maas et al.*, s. Anm. 5, 1700.

* Diese Angaben berücksichtigen bloß die APS-Fälle, in denen eine *ausdrückliche* Absicht auf Lebensbeendigung angegeben wurde; daneben gab es weitere 6 750 APS-Fälle, die nur *teilweise* mit der Absicht ausgeführt wurden, das Leben des Patienten zu beenden. Die Angabe beruht auf einer Schätzung, da sich die Daten über das Vorliegen einer ausdrücklichen Bitte des Patienten auf alle APS-Fälle beziehen.[26]

** Die präzisen Angaben über die Freiwilligkeit der *direkten* Tötungen durch eine APS fehlen; hinsichtlich aller APS-Fälle hat 1995 lediglich bei jeder fünften Entscheidung oder bei 19 % eine ausdrückliche Bitte des Patienten vorgelegen, so dass sich diese geschätzte Angabe ergibt.[27]

Eine zusätzliche Beobachtung bezieht sich auf die tatsächliche Berücksichtigung der Patientenautonomie. Angesichts der gleichbleibend hohen Rate von nichtfreiwilligen Akten der direkten Lebensbeendigung sprechen die Fakten zugunsten der These, die Fälle von freiwilliger und nichtfreiwilliger aktiver Euthanasie ließen sich in der medizinischen *Praxis* nicht voneinander trennen.[28] Der niederländische Theologe Theo Beemer geht noch weiter, insofern er eine Trennung auch im *ethischen* Sinn für unmöglich hält:

> «Seit vielen Jahren bin ich überzeugt, dass in der ethischen Urteilsbildung die aktive Tötung auf Verlangen und die aktive Tötung im Interesse des Betroffenen unmöglich voneinander zu trennen sind. Das heißt: man kann, logisch und ethisch, nur den beiden Handlungsweisen (in englischer Sprache: Practices) zustimmen oder beide verwerfen. Es gibt keine schlüssige Argumentationsführung, um die eine zu rechtfertigen und die andere zu verwerfen.»[29]

Angesichts der gegenwärtigen niederländischen *Praxis* kann dieser These jedenfalls einige Plausibilität nicht leichtfertig abgesprochen werden. Der relativ hohe und stabile Anteil nichtfreiwilliger direkter Lebensbeendigungen an sich kann bereits als Beleg für diese Behauptung gelten; die Tatsache, dass sogar ein nicht zu übersehender Anteil der LAWER-Fälle bei *entscheidungsfähigen* Patienten durchgeführt worden ist, ist ein noch deutlicheres Zeichen in die gleiche Richtung.[30] 1990 nahmen Ärzte einem Patienten in 37 % aller LAWER-Fälle das Leben, ohne dessen Meinung eingeholt zu haben, obgleich der betroffene Mensch zum Zeitpunkt der Tötung entscheidungsfähig war; fünf Jahre später geschah dies immerhin noch in einem Fünftel oder 21 % aller LAWER-Entscheidungen.[31] Die Herausgeber der «Remmelink-Studie» erklären das Zustandekommen derartiger Entschei-

---

[26] Vgl. die Einschätzung von *J. Keown*, s. Anm. 6, 272; weiterhin: *P. J. van der Maas et al.*, s. Anm. 4, 75.
[27] Vgl. entsprechend bei *H. Hendin et al.*, s. Anm. 6, 1721.
[28] Vgl. *Th. Beemer*, s. Anm. 8, 15; vgl. ähnlich bei *D. Callahan*, The Troubled Dream of Life. Living With Mortality, New York 1993, 107.
[29] *Th. Beemer*, s. Anm. 8, 15.
[30] Dies verhält sich mit einiger Sicherheit auch bei einem Teil der direkten APS-Fälle so, Angaben dazu liegen jedoch nicht vor.
[31] Vgl. *P. J. van der Maas et al.*, s. Anm. 5, 1704 (Table 4). – Ein ähnlicher Paternalismus zeigt sich auch bei den ärztlichen Entscheidungen zum Reanimationsverzicht: Lediglich 14 % dieser Entscheidungen wurden mit den betroffenen Patienten besprochen, 32 % der Entscheidungen bei entscheidungsfähigen Patienten. Vgl. *J. J. M. van Delden/P. J. van der Maas/L. Pijnenborg et al.*, Deciding Not to Resuscitate in Dutch Hospitals, in: Journal of Medical Ethics 19 (1993) 200–205.

dungen mit Hinweis auf unerwartete Veränderungen im Zustand des Patienten, dem manchmal gewünschten ärztlichen Paternalismus auch bei Entscheidungen zur Lebensbeendigung und den zu überwindenden Schwierigkeiten bei einem offenen Gespräch über das nahende Sterben:

> «Warum liegt kein ausdrückliches Verlangen des Patienten vor? Die Situation einer Patientin oder eines Patienten kann sich sehr schnell und unerwartet verschlechtern, er oder sie kann entscheidungsunfähig werden, bevor die Möglichkeit bestand, zukünftige Handlungsoptionen zu besprechen. Ein anderer Grund kann darin bestehen, dass ältere Patienten (und deren Ehegatten) von ihrem Arzt erwarten, dass ‹er schon weiß›, was für sie das Beste ist›; in Extremsituationen erwarten vielleicht die Patienten und deren Angehörigen, dass der Arzt wie ein nahestehender und vertrauter Entscheidungsträger handelt, v. a. dann, wenn Arzt und Patient sich bereits seit langer Zeit kennen. Für jüngere Generationen mag dies anders aussehen. Ein dritter Grund könnte darin bestehen, dass es einigen Mut, eine offene Haltung und auch Zeit von Ärzten genauso wie von Patienten erfordert, miteinander über das Sterben zu reden, zumal die Akzeptanz gegenüber der eigenen tödlichen Krankheit und der Möglichkeit, schwere Schmerzen ertragen zu müssen, nur langsam aufkommen oder sich überhaupt nicht einstellen kann.»[32]

Wie die Ärztinnen und Ärzte selbst die Frage beantworten, warum sie eine direkte Tötung vorgenommen haben, ohne vorher den Willen des betroffenen Patienten erfragt zu haben, geht aus Tabelle 3 hervor: Ohne auf Details einzugehen, ist diesen Angaben zu entnehmen, dass der ärztliche Paternalismus auch bei Tötungshandlungen eine nicht zu unterschätzende Rolle spielt, wie die häufige Angabe «eindeutig das Beste für den Patienten» oder die Motive «zu jung, emotional zu labil» auf sehr deutliche Weise belegen.

Tab. 3: *Ärzteangaben über die Gründe,* sich bei einer absichtlichen Lebensbeendigung von Patienten *nicht* nach deren Willen zu erkundigen.[33]

Von den Ärzten angegebene Gründe	Antworten in Prozent (n = 25)
Zu jung	9
Emotional zu labil	3
Eindeutig das Beste für den Patienten	26
Permanent bewusstlos	23
Nur reduziert bei Bewusstsein	57
Dement	11
Mentale Verwirrung	3
Andere Gründe	5
Unbekannt	8

---

[32] L. Pijnenborg et al., s. Anm. 21, 1198 (eigene Übersetzung).
[33] Vgl. P. J. van der Maas et al., s. Anm. 4, 135 (Table 13.6). Die Angaben beziehen sich auf 1990 und entstammen der Studie zu den Todeszertifikaten; Kriterium war, dass Medikamente mit der ausdrücklichen Absicht verabreicht wurden, das Leben des Patienten zu beenden. Auch wenn sich diese Angaben nur auf sehr wenige Fälle beziehen, zeigt ein Vergleich mit den ärztlichen Gründen, bei anderen MDELs auf eine Absprache mit den Patienten zu verzichten (n = 1 201), dass sich die Motive kaum von den oben angegebenen unterscheiden.

Zuletzt geben auch die Handlungsmotive der Ärztinnen und Patientinnen näheren Aufschluss über die niederländische Praxis.

Tab. 4: **Motive der** *Ärzte 1990, eine nichtfreiwillige Tötung (LAWER) zu praktizieren (Angaben in Prozent, wobei mehr als eine Antwort möglich war).*[34]

Motive, die von den Ärzten genannt wurden	Allgemein-praktiker (n = 45)	Spezialisten (n = 47)	Total* (n = 97)
Keine Aussicht auf Besserung	62	54	60
Weitere medizinische Therapien waren sinnlos	36	54	39
Keine unnötige Lebensverlängerung	33	32	33
die Angehörigen konnten es nicht länger ertragen	40	7	32
Niedrige Lebensqualität	31	26	31
Schmerzen oder Leiden des Patienten	33	21	30
der Wunsch des Patienten	20	8	17
trotz abgebrochener Therapie lebte der Patient weiter	2	7	3
Ökonomische Gründe (z. B. Bettenmangel)	–	2	1
Andere	–	2	1

* Die Meinungen der Ärzte von Pflegeheimen (n = 5) werden nicht separat aufgeführt, jedoch im Total berücksichtigt.

Wie aus Tabelle 4 zunächst hervorgeht, zeigen die Angaben über die ärztlichen Handlungsmotive für eine nichtfreiwillige Lebensbeendigung, dass weit vor den Motiven «Schmerzen oder Leiden des Patienten» bzw. dem «Wunsch des Patienten», die aufgrund der Häufigkeit ihrer Angaben erst an sechster und siebter Stelle erscheinen, Beweggründe wie «keine Aussicht auf Besserung», «die Sinnlosigkeit und Nutzlosigkeit der Behandlung» oder «die Angehörigen konnten es nicht länger ertragen» (v. a. von den Hausärzten genannt, welche in der Regel mit zu Hause Sterbenden konfrontiert sind) genannt worden sind. Die Autonomie des Patienten spielt hier im Vergleich zu objektiven Standards der Lebensqualität des Patienten also eine untergeordnete Rolle, was besonders stark für die Praxis der Spezialärzte gilt, weniger hingegen für die Hausärzte. In einem Fall hat offenbar auch das ökonomische Kriterium des Bettenmangels die ärztliche Entscheidung zur Tötung eines Patienten motiviert.

Die Angaben über die Motive der Patientinnen und Patienten, die um ihre Tötung gebeten haben (siehe Tabelle 5), zeigt eines sehr deutlich: Die

---

[34] Vgl. *P. J. van der Maas et al.*, s. Anm. 4, 64 (Table 6.7); die Resultate stammen aus den Ärzteinterviews und beziehen sich auf das Jahr 1990; entsprechende Angaben von 1995 liegen mir nicht vor.

als unerträglich empfundenen Schmerzen stellen für die Betroffenen lediglich einen Beweggrund neben weiteren dar.

Tab. 5: Angaben der handelnden Ärzte über die Motive ihrer Patienten, die im Jahr 1990 um aktive Euthanasie gebeten hatten (Angaben in Prozent, mehr als eine Antwort war möglich).[35]

Von den Patienten am häufigsten genannte Motive	Allgemein-praktiker (n = 94)	Spezialisten (n = 87)	Total* (n = 187)
Verlust der Würde	61	46	57
Schmerzen	46	47	46
Keinen würdigen Tod sterben	47	46	46
Abhängigkeit	35	23	33
Lebensmüdigkeit	25	16	23

* Die Meinungen der Ärzte von Pflegeheimen (n = 6) werden nicht separat aufgeführt, jedoch im Total berücksichtigt.

Öfter noch als ihre «Schmerzen» bringen die Betroffenen nämlich die Angst vor dem «Verlust ihrer Würde» als Motiv zum Ausdruck; daneben spielt der Beweggrund, «keinen würdigen Tod zu sterben», eine mit der «Unerträglichkeit der Schmerzen» vergleichbare Rolle. Zum Schluss ist nicht zu übersehen, dass auch depressive Verstimmungen (hier «Lebensmüdigkeit» genannt) bei immerhin einem Viertel der Betroffenen ein Handlungsmotiv darstellen.

3. Weitere gesellschaftspolitisch relevante Entwicklungen der Euthanasiepraxis

Einige neuere Entwicklungen und entsprechende empirische Studien ergänzen die aufgrund der staatlichen Umfragen ermittelten Ergebnisse und ermöglichen darum eine breiter abgestützte Einschätzung der gesellschaftspolitischen Entwicklungstendenzen in den Niederlanden.

Der Gynäkologe Henk Prins wurde 1995 zum Mörder an der drei Tage alten Rianne verurteilt, aufgrund der näheren Umstände – gesundheitlicher Zustand des Kindes und sein sensibles Vorgehen – ging er jedoch straffrei aus.[36] Die in einer neueren empirischen Doppelstudie erforschte Praxis der

---

[35] Vgl. *P. J. van der Maas et al.*, ebd. 45 (Table 5.8); auch diese Resultate stammen aus den Ärzteinterviews und beziehen sich auf das Jahr 1990; entsprechende Angaben von 1995 liegen mir nicht vor.
[36] Vgl. *T. Sheldon*, Dutch Court Convicts Doctor of Murder, in: British Medical Journal 310 (1995) 1028; vgl. auch die ablehnende Reaktion und den Hinweis auf mangelnde palliativmedizinische Maßnahmen von *J. Goodall*, Dutch Doctor Convicted of Murdering Infant (Correspondence), in: British Medical Journal 310 (1995) 1603.

Tötung schwerstbehinderter Neugeborener in den Niederlanden ergab u. a. folgende Resultate:[37] Aus der Untersuchung von 299 Todeszertifikaten von Säuglingen und Kleinkindern aus dem Jahr 1995, die vor Erreichen ihres ersten Lebensjahres starben, geht hervor, dass in 8 % dieser Todesfälle Medikamente mit der ausdrücklichen Absicht der Lebensbeendigung verabreicht wurden. Nach Angabe der Ärzte wurde dabei das Leben der betroffenen Säuglinge und Kinder in zwei Dritteln der Fälle (67 %) um weniger als einen Monat abgekürzt, im verbleibenden Drittel der Entscheidungen hingegen um über einen Monat. Aus einer zur gleichen Zeit durchgeführten Interviewstudie geht hervor, dass nahezu die Hälfte (45 %) aller befragten Neonatologen oder Intensivmediziner der Pädiatrie (n = 31) bzw. rund ein Drittel (31 %) der befragten Allgemeinpädiater (n = 35) bereits Medikamente mit der ausdrücklichen Absicht der Lebensbeendigung verabreicht hatten, und zwar unabhängig davon, ob zuvor eine Entscheidung über den Verzicht auf lebenserhaltende Maßnahmen getroffen worden war oder nicht.[38] Diese Ergebnisse belegen die Tatsache, dass Entscheidungen zur Tötung aus Mitleid auch bei den schwerstbehinderten Neugeborenen zur gängigen Praxis geworden sind und sowohl von der Rechtsprechung her als auch gesellschaftlich auf große Toleranz stoßen. Gewünscht wird allerdings eine bessere Kontrollierbarkeit dieser ärztlichen Praxis, welche nach Meinung der Studienherausgeberinnen auf dem Weg einer von der Staatsanwaltschaft losgelösten Meldepraxis angestrebt werden sollte.[39]

Eine weitere umstrittene Praxis des assistierten Suizids und der Tötung auf Verlangen betrifft Entscheidungen, bei welchen psychisch kranke Menschen involviert sind; hier geht es nämlich einerseits um Betroffene außerhalb der Sterbephase und andererseits um Menschen, bei denen die Freiwilligkeit ihres Sterbewunsches in der Regel besonders schwierig nachzuweisen ist. Das höchste Gericht der Niederlande schuf 1994 eine Art Präzedenzfall; es entschied, dass auch starkes psychisches Leiden die aktive Euthanasie und ärztliche Suizidbeihilfe unter Einhaltung der Richtlinien rechtfertige, selbst wenn die Patientin nicht körperlich leide und nicht terminal erkrankt sei.[40] Eine neuere Umfrage unter niederländischen Psychiatern hat nun ergeben, dass in den holländischen Psychiatrien von einer relativ großen Nachfrage nach assistiertem Suizid und aktiver Euthanasie auszugehen ist, diese jedoch nur in den seltensten Fällen tatsächlich durchgeführt werden.[41] Aus der Befragung von ca. 550 Psychiatern lässt sich auf eine lan-

---

[37] Vgl. *A. van der Heide/ P. J. van der Maas/ G. van der Wal et al.*, Medical End-of-Life Decisions Made for Neonates and Infants in the Netherlands, in: The Lancet 350 (1997) 251–255.
[38] Vgl. *A. van der Heide et al.*, ebd. 253.
[39] Vgl. ebd. 255.
[40] Vgl. *H. Hendin*, s. Anm. 3, 60–75; *A. D. Ogilvie/ S. G. Potts*, Assisted Suicide for Depression: The Slippery Slope in Action?, in: British Medical Journal 309 (1994) 492f.
[41] Vgl. *J. H. Groenewoud/ P. J. van der Maas/ G. van der Wal et al.*, Physician-Assisted Death in Psychiatric Practice in the Netherlands, in: New England Journal of Medicine 336 (1997) 1795–1801.

desweite Zahl von rund 320 Fällen schließen, in welchen Psychiatriepatienten um eine derartige Unterstützung bitten. Diesen Bitten wird de facto jedoch nur in 2 % oder 5–10 Fällen im Jahr tatsächlich entsprochen. Die Untersuchung konkreter Fälle ärztlicher Suizidbeihilfen und aktiver Euthanasie zeigte überdies, dass bei vielen derartigen Handlungen eine Kombination von psychischem und physischem Leiden (wie Krebs im Endstadium, Aids, neurologische Erkrankungen) vorgegeben war.[42]

Weitere empirische Ergebnisse liegen hinsichtlich der pharmazeutischen Einstellung und Praxis in den Niederlanden vor:[43] Gemäß einer repräsentativen Umfrage bei allgemeinen und Spital-Apotheken von 1994 werden jährlich in rund 1 700 Fällen Medikamente für eine Tötung auf Verlangen oder eine Suizidbeihilfe ausgegeben. Daraus ist zu schließen, dass in weniger als der Hälfte der tatsächlich durchgeführten Fälle die für diesen Gebrauch eingesetzten Medikamente in einer Apotheke offiziell verlangt werden. Diese Beobachtung deckt sich in etwa mit der Anzahl der offiziell gemeldeten Fälle. Dieselbe Umfrage hat schließlich ergeben, dass der weitaus größte Teil (über 90 %) der befragten Apotheker das holländische Euthanasiekonzept befürworten und knapp die Hälfte (44 %) für die Beibehaltung des Strafrechtsartikels eintreten.

Zuletzt bleibt auf eine besondere Entwicklung hinzuweisen, die die Inanspruchnahme ärztlicher Suizidbeihilfe und aktiver Euthanasie von AIDS-Kranken betrifft. Obgleich hier nur vereinzelte und sehr spezifische Studienergebnisse vorliegen, die in erster Linie homosexuelle Männer mit AIDS betreffen, weisen diese doch auf eine außergewöhnlich hohe Zahl von Betroffenen hin: Eine Langzeitstudie zur Situation in Amsterdam, bei welcher das Schicksal von 131 aidskranken Männern bis 1995 verfolgt worden ist, vermag aufzuzeigen, dass die Praxis der Tötung auf Verlangen und des assistierten Suizids bei Männern mit AIDS etwa zwölfmal größer ist als die entsprechende Praxis im niederländischen Durchschnitt.[44] Aufgrund der allgemein vorliegenden Daten wird geschätzt, dass etwa ein Viertel oder 26 % aller PWA's (People with AIDS) in Amsterdam durch eine aktive Euthanasie oder assistierten Suizid sterben.[45]

---

[42] Vgl. *J. H. Groenewoud et al.*, ebd. 1798 (Table 4).
[43] Vgl. *A. de Boer/ H. Sang Lau/ A. Porsius*, Physician-Assisted Death and Pharmacy Practice in the Netherlands, in: ebd. 1091f. (Correspondence). Die Niederländische Apothekervereinigung hat spezielle Richtlinien für den Fall erarbeitet, dass Medikamente für eine aktive Euthanasie oder einen assistierten Suizid verlangt werden.
[44] Vgl. *P. J. E. Bindels/ A. Kroll E. von Ameijden et al.*, Euthanasia and Physician-Assisted Suicide in Homosexual men with AIDS, in: The Lancet 347 (1996) 499–504. Die Verteilung der Fälle auf assistierten Suizid und aktive Euthanasie tendiert leicht zugunsten der Anzahl der Suizidbeihilfen.
[45] Vgl. *H.-M. Laane*, Euthanasia, Assisted Suicide and AIDS, in: AIDS Care 7 (1995) 163–167.

4. Ist das niederländische Modell richtungsweisend auch für andere Staaten?

«Euthanasia in the Netherlands – Good News or Bad?» Die geschäftsführende Herausgeberin des «New England Journal of Medicine», Marcia Angell, kommentierte unter diesem Titel die Publikation der Ergebnisse der zweiten nationalen Studie aus den Niederlanden.[46] Nach ihrer Meinung werden die neu vorliegenden Ergebnisse über die Entwicklungstendenzen der holländischen Euthanasiepraxis weder die Befürworter noch die Gegner dieser Praxis von ihrer bisherigen Meinung abbringen; beide Seiten werden vielmehr – analog zu den Reaktionen im Anschluss an die Veröffentlichung der Remmelink-Studie im Jahre 1991 – ihre jeweiligen Befürchtungen oder Hoffnungen bestätigt sehen. M. Angell selbst hält die Gefahr einer ausufernden und unkontrollierbaren Entwicklung in den Niederlanden für gebannt: «Are the Dutch on a slippery slope? It appears not.»[47] Den direkten Vergleich der holländischen mit der US-amerikanischen Situation hält sie allerdings nur für sehr bedingt möglich und sinnvoll. Die im Zentrum der Kritik stehenden Missbrauchsgefahren schätzt M. Angell im Hinblick auf den amerikanischen Kontext sehr viel höher ein als in der niederländischen Situation und plädiert daher im Hinblick auf die amerikanische Gesellschaft für eine strikte Trennung von ärztlich assistiertem Suizid und aktiver Euthanasie. Während sie sich für eine Liberalisierung der Praxis des ärztlich assistierten Suizids stark macht, möchte sie – mit Hinweis auf zu große Missbrauchsgefahren – am strafrechtlichen Verbot der aktiven Euthanasie festhalten.[48]

Der Streitpunkt in der polarisierten Auseinandersetzung besteht offensichtlich in der Beurteilung der niederländischen Situation selbst; die Frage nach der Übertragbarkeit dieser Erfahrungen in die unterschiedlichen nationalen Kontexte hinein äußert sich in einer Vielfalt hier anknüpfender, von der jeweiligen nationalen Gesellschaftsstruktur geprägten Diskussionen in den Ländern der zumeist «westlich-industrialisierten Welt». Darum sollen zunächst die neuralgischen Punkte der niederländischen Praxis markiert und die Überlegungen mit kurzen Bemerkungen in Bezug auf den mög-

---

[46] *M. Angell*, Euthanasia in the Netherlands – Good News or Bad?, in: New England Journal of Medicine 335 (1996) 1676–1678. Die Autorin wurde in der internationalen Ausgabe des «Time-Magazine» vom 21.04.1997 neben Madeleine Albright u. a. als eine der fünfundzwanzig einflussreichsten Amerikanerinnen und Amerikaner bezeichnet. Vgl. auch *Dies.*, The Supreme Court and Physician-Assisted Suicide – The Ultimate Right, in: New England Journal of Medicine 336 (1997) 50–53; dagegen: *K. Foley*, Competent Care for the Dying Instead of Physician-Assisted Suicide, in: New England Journal of Medicine 336 (1997) 54–57.
[47] *M. Angell*, s. Anm. 46, 1677.
[48] Vgl. *M. Angell*, ebd. 1677f.; vgl. ähnlich auch bei *F. G. Miller/H. Brody*, Professional Integrity and Physician-Assisted Death, in: Hastings Center Report 25 (1995) 3, 8–17; dagegen: *M. Parker*, Active Voluntary Euthanasia and Physician-Assisted Suicide: A Morally Irrelevant Distinction, in: Monash Bioethics Review 13 (1994) 4, 34–42.

lichen Modellcharakter dieser Erfahrungen für andere nationale Kontexte abgeschlossen werden. Die empfindlichen und de facto sehr unterschiedlich eingeschätzten Aspekte der Entwicklungen in den Niederlanden betreffen folgende Punkte:

a) Die Zunahme der freiwilligen aktiven Euthanasie: Ist diese Zunahme um nahezu 40 % innerhalb von fünf Jahren mit der höheren Sterblichkeitsrate und der Zunahme der Tumorerkrankungen zu erklären – oder: Zeichnet sich hier eine gesellschaftliche Eigendynamik ab, welche schließlich zu einer unerwünschten Gewöhnung und breiten Praxis führt, wo doch die ärztliche Tötung ursprünglich lediglich in absoluten Ausnahmefällen angestrebt worden ist?

b) Die konstante Größenordnung der nichtfreiwilligen Tötungshandlungen: Ist die Konstanz bzw. leichte Verminderung der LAWER-Fälle ein beruhigendes Zeichen für einen vernünftigen Umgang der Ärztinnen und Ärzte mit der nichtfreiwilligen Beendigung des Lebens ihrer Patienten – oder: Ist die gleichbleibend hohe Rate der Tötungen ohne Kenntnis des Patientenwillens, überdies oftmals bei entscheidungsfähigen Menschen durchgeführt (1995 immerhin in 20 % der Fälle), als eindeutiges Zeichen einer unerwünschten Ausweitung der ärztlichen Tötungspraxis und Gefährdung der Autonomie der Patientinnen zu deuten? Wie wird auf die Dauer bei Menschen im chronisch vegetativen Zustand entschieden: Wird auch bei diesen Menschen beispielsweise auf vorher geäußerten Wunsch die ärztliche Tötungspraxis zugelassen? Aufgrund welcher Argumente soll dann eine derartige Tötungshandlung abgelehnt werden?

c) Die Größenordnung der direkten Tötungshandlungen: Sollten die Schmerz- und Symptombehandlungen, die mit der ausdrücklichen Absicht der Lebensbeendigung durchgeführt worden sind, von der aktiven Euthanasie unterschieden und auch separat beurteilt werden – oder: Deuten diese häufig praktizierten Handlungen darauf hin, dass die Tötungshemmung bei den Ärzten und Ärztinnen generell gesunken ist und dadurch eine unerwünschte Ausweitung beschleunigt wird?

d) Der Einbezug von Menschen außerhalb des Terminalstadiums: Ist die Tatsache, dass ärztliche Suizidbegleitungen sowie Tötungen auf Verlangen auch bei Menschen außerhalb der Terminalphase durchgeführt werden, eine Ausnahme von der Regel und findet dies nur in Extremfällen Anwendung – oder: Bedeutet diese Ausweitung ein erstes deutliches Abrutschen auf einer schiefen Ebene, das auf die Dauer zum Einbezug von Menschen führt, die eine schlimme Diagnose erhalten haben (z. B. Alzheimer), mit einer körperlichen Behinderung leben müssen oder sich in ihrem Leben vor andere schwierige Aufgaben gestellt sehen, die sie nicht ertragen können?

e) Die Ausweitung der Tötungspraxis auf Säuglinge und psychisch Kranke: Stellt die absichtliche Lebensbeendigung von schwerstbehinderten Neugeborenen eine akzeptable, quantitativ kleine und der Schwierigkeit angemessene ärztliche Entscheidung dar, welche v. a. mit den Eltern abgesprochen werden sollte – oder: Ist diese Praxis ein weiterer Schritt in Richtung einer behindertenfeindlichen Gesellschaft, die sich bereits bei diversen vorgeburtlichen Maßnahmen etabliert hat?

f) Die Motive der Patienten und Ärzte: Sind die Beweggründe der Patienten, die um ihre Tötung oder Sterbeassistenz bitten, im Sinne einer Respektierung der Autonomie zu tolerieren und nicht weiter zu beachten – oder: Deuten diese Motive vielmehr darauf hin, dass statt getötet werden vielmehr angestrebt werden müsste, Menschen in ihren Depressionen nicht sich selbst zu überlassen, sondern vielmehr zu realisieren: die «eigene Würde» oder «die Selbstachtung des Menschen hängt mit tausend unsichtbaren Fäden von der Achtung anderer ab»?[49] Deuten die Motive der Ärzte und deren Ablehnung von sehr vielen ausdrücklichen und wiederholt geäußerten Bitten um Lebensbeendigung darauf hin, dass sie ihre Aufgabe ernst nehmen, die Autonomie der Betroffenen respektieren und aus Mitleid handeln – oder: Spiegeln diese Tatsachen wider, dass die ärztliche Entscheidungsmacht über Leben und Tod der Patienten viel zu groß geworden ist, statt der Respektierung des Patientenwillens vielmehr objektive Kriterien zur Lebensqualität des Betroffenen entscheidend geworden sind und das Mitleidsmotiv dazu führt, dass zwischen der freiwilligen Tötung und der Tötung im Sinne des Patienten nicht mehr unterschieden wird?

g) Die nur bedingt eingehaltene Meldepraxis: Ist die Disziplin der ärztlichen Meldepraxis positiv als Symptom einer wachsenden Anerkennung der Richtlinien zu interpretieren, die durch die Einführung regionaler Kommissionen zum Zweck besserer Kontrollmöglichkeit noch erleichtert werden sollte – oder: Gibt die mangelnde Einhaltung der Meldepflicht (immerhin werden rund 60 % der Fälle nicht gemeldet) zu denken und weist auf die Unmöglichkeit der öffentlichen Kontrolle eines privaten und intimen Geschehens zwischen Arzt und Patient in der allerletzten Lebensphase hin?

Diese ambivalenten Fragen geben zu denken und sollten in keiner Hinsicht leichtfertig abgetan werden. Dazu steht zuviel auf dem Spiel. Entgegen der Einschätzung von M. Angell sprechen meines Erachtens mehr Anzeichen für eine bereits stattgefundene, unerwünschte Ausweitung der niederländischen Euthanasiepraxis als für einen geregelten Konsolidierungsprozess.[50]

Ist das niederländische Modell als richtungsweisend für andere Staaten anzusehen? – Je nach Einschätzung der neuralgischen Punkte fällt eine Antwort auf diese Frage in ihrer Grundannahme diametral entgegengesetzt aus. Was alle Diskussionsteilnehmer verbindet, bleibt jedoch der Wille, die notwendigen Konsequenzen aus den niederländischen Erfahrungen zu ziehen. Hier besteht offensichtlich Konsens darüber, dass der Zugang zur Tötung auf Verlangen oder der ärztlichen Suizidbeihilfe bei starker depressiver Ver-

---

[49] K. *Löwith*, Töten, Mord, Selbstmord: Die Freiheit zum Tode, in: Sämtliche Schriften 1, Stuttgart 1981, 402.
[50] Vgl. dazu meine Ausführungen in: *M. Zimmermann-Acklin*, s. Anm. 18, Kap. 6, besonders Kap. 6.4. Vgl. auch die bedeutenden Stellungnahmen von *D. Callahan*, The Troubled Dream, s. Anm. 28; *H. Hendin*, s. Anm. 3; *H. Jochemsen*, s. Anm. 6.

stimmung des betroffenen Patienten erschwert oder verhindert werden sollte. Entsprechend ist in der Euthanasie-Gesetzgebung von Northern Territory (Australien) vorgesehen, dass ein Drittgutachten von einem psychiatrisch geschulten Arzt erstellt wird, um eine Tötungspraxis bei depressiven Patienten grundsätzlich zu verhindern.[51] Außerdem besteht weithin Einigkeit darüber, dass die Praxis der nichtfreiwilligen Euthanasie dem Ansehen der Bewegung zur Liberalisierung des Strafrechts schadet und Misstrauen schürt.[52] In vielen Ländern, so z. B. im US-Bundesstaat Oregon, wird auf diese Tatsache mit der strikten Trennung zwischen dem assistierten Suizid und der aktiven Euthanasie reagiert und lediglich die Durchsetzung der Suizidbeihilfe gefordert.[53] Ob diese Trennung in der Praxis durchführbar und überhaupt wünschbar ist, bleibe dahingestellt; jedenfalls zeigen die Aktivitäten des amerikanischen Arztes Jack Kevorkian oder des australischen Arztes Philip Nitschke (dem Erfinder der Euthanasie-Software «Deliverance»), dass eine eindeutige Trennung sehr schwierig wird.

Darüber hinaus bleiben einzelne Staaten mit ihren eigenen Problemen konfrontiert: so die Australier mit der Tatsache, dass bei den Ureinwohnern die Euthanasiepraxis auf großes Unverständnis stößt und diese sich bei einem Spitalaufenthalt bedroht fühlen;[54] die Einwohner Oregons mit dem Faktum, dass ein großer Teil der Bevölkerung nicht krankenversichert ist und daher die konkrete Gefahr besteht, dass nach Einführung der Praxis des «Assisted Suicide» viele Menschen «freiwillig» in den Tod gehen werden, um ihren Angehörigen finanzielle Belastungen zu ersparen;[55] die japanische Bevölkerung mit ihrem traditionell verankerten ärztlichen Paternalismus und der Vorstellung, dass der Sterbeprozess wesentliche soziale Aspekte hat und keiner individuellen Entscheidung unterliegen kann;[56] die Deutschen mit der Last ihrer Geschichte, als noch vor 50 Jahren ein menschenverachtendes und grausames Mordprogramm unter der Bezeichnung «Aktion Gnadentod» durchgeführt worden ist und für viele behinderte Menschen den Tod gebracht hat.[57] Diese Liste kann im Hinblick auf die

---

[51] Vgl. *C. J. Ryan/M. Kaye*, Euthanasia in Australia – The Northern Territory Rights of the Terminally Ill Act, in: New England Journal of Medicine 334 (1996) 326ff.
[52] Vgl. beispielsweise den belgischen Lösungsvorschlag, beschrieben bei *P. Schotmans*, Debating Euthanasia in Belgium, in: Hastings Center Report 27 (1997) 5, 46f.
[53] Vgl. *G. J. Annas*, The Bell Tolls for a Constitutional Right to Physician-Assisted Suicide, in: New England Journal of Medicine 337 (1997) 1098–1103; *D. Orentlicher*, The Legalization of Physician-Assisted Suicide, in: New England Journal of Medicine 335 (1996) 663–667; *Ders.*, The Supreme Court and Physician-Assisted Suicide – Rejecting Assisted Suicide but Embracing Euthanasia, in: New England Journal of Medicine 337 (1997) 1236–1239.
[54] Vgl. *P. Singer*, The Legislation of Voluntary Euthanasia in the Northern Territory, in: Bioethics 9 (1995) 419–436, bes. 422.
[55] Vgl. dazu die Ausführungen von J. F. Keenan in diesem Band.
[56] Vgl. *R. Kimura*, Death and Dying in Japan, in: Kennedy Institute of Ethics Journal 6 (1996) 374–378, bes. 375.
[57] Vgl. dazu meine Untersuchung der Nazi-Analogie-These, in: M. Zimmermann-Acklin, s. Anm. 18, Kap. 6.3.

verschiedenen nationalen Gesellschaften nahezu beliebig ergänzt werden und beweist die Schwierigkeit der konkreten juristischen und gesellschaftspolitischen Umsetzung derselben Anliegen in unterschiedlichen Ländern.

Eine zusammenfassende Beurteilung der Orientierungsmöglichkeit an der niederländischen Praxis muss daher skeptisch ausfallen. Eine mahnende und ernst zu nehmende Stimme stammt vom amerikanischen Psychiater und Suizidforscher Herbert Hendin, der sich seit Jahren mit der niederländischen Realität beschäftigt und sich vor Ort im Gespräch mit den wichtigsten Protagonisten der Bewegung auseinandergesetzt hat. In der Einleitung zu seinem Buch über die niederländische Euthanasiepraxis schreibt er:

> «Die Niederländer waren sich sicher: Je besser ich ihre Situation kennenlernen würde, desto überzeugter wäre ich von der Glaubwürdigkeit ihres Systems. Ziemlich genau das Gegenteil trat ein: Je mehr ich hörte, je mehr ich sah, je mehr ich von den Euthanasie-Befürwortern erklärt bekam, desto schockierter war ich – nicht bloß über die Anzahl von Todesfällen, die nun wirklich nur als ‹unmenschliches Sterben› [wrongful deaths] bezeichnet werden können, sondern auch darüber, dass die Holländer stets verteidigen wollten, was beim besten Willen nicht zu verteidigen ist.»[58]

---

[58] *H. Hendin*, s. Anm. 3, 13 (eigene Übersetzung).

TEIL 5

Anhang

Dokumentation

1. Institutionelle Richtlinien

1.1 «Einbecker Empfehlungen». Grenzen ärztlicher Behandlungspflicht bei schwerstgeschädigten Neugeborenen[1]

Präambel

Die nachfolgenden Empfehlungen sind nicht als Handlungsanweisung aufzufassen, sondern als Orientierungshilfe für die konkrete, vom einzelnen Arzt jeweils zu verantwortende Situation. Sie sollen gleichermaßen der Entscheidungsfindung und der Beratung dienen.

In der Neufassung berücksichtigen sie die seit ihrer Formulierung 1986 eingetretenen Veränderungen der diagnostischen, therapeutischen und prognostischen Situation bei schwerstgeschädigten Neugeborenen. Auf die im Gang befindliche Verlagerung mancher Probleme in den Pränatalbereich wird nicht eingegangen.

Ausgangspunkt bleibt die grundsätzliche Unverfügbarkeit menschlichen Lebens in jeder Entwicklungs- und Altersstufe. Dennoch können in den Empfehlungen angesprochene Grenzsituationen dazu führen, dass dem Bemühen um Leidensvermeidung oder Leidensminderung im wohlverstandenen Interesse des Patienten ein höherer Stellenwert eingeräumt werden muss als dem Bemühen um Lebenserhaltung oder Lebensverlängerung. Hierzu ist Einvernehmlichkeit mit allen Betroffenen zu suchen und anzustreben, dass die Entscheidung von ihnen mitgetragen werden kann.

I.

1. Das menschliche Leben ist ein Wert höchsten Ranges innerhalb unserer Rechts- und Sittenordnung.
   Sein Schutz ist staatliche Pflicht (Art. 2 Abs. 2 Grundgesetz), seine Erhaltung vorrangige ärztliche Aufgabe.
2. Eine Abstufung des Schutzes des Lebens nach der sozialen Wertigkeit, der Nützlichkeit, dem körperlichen oder dem geistigen Zustand verstößt gegen Sittengesetz und Verfassung.

II.

1. Die gezielte Verkürzung des Lebens eines Neugeborenen durch aktive Eingriffe ist Tötung und verstößt gegen die Rechts- und die ärztliche Berufsordnung.
2. Der Umstand, dass dem Neugeborenen ein Leben mit Behinderungen bevorsteht, rechtfertigt es nicht, lebenserhaltende Maßnahmen zu unterlassen oder abzubrechen.

---

[1] Revidierte Fassung 1992, in: Geburtshilfe und Frauenheilkunde 52 (1992) 574f.

III.

Eine Pflicht zur Behandlung und zur personalen Betreuung endet mit der Feststellung des Todes des Neugeborenen. Tod ist nach der übereinstimmenden medizinischen und rechtlichen Auffassung als irreversibler Funktionsausfall des Gehirns (Gesamthirntod) zu definieren.

IV.

1. Der Arzt ist verpflichtet, nach bestem Wissen und Gewissen das Leben zu erhalten sowie bestehende Schädigungen zu beheben oder zu mildern.
2. Die ärztliche Behandlungspflicht wird jedoch nicht allein durch Möglichkeiten der Medizin bestimmt. Sie ist ebenso an ethischen Kriterien und am Heilauftrag des Arztes auszurichten. Das Prinzip der verantwortungsvollen Einzelfallentscheidung nach sorgfältiger Abwägung darf nicht aufgegeben werden.
3. Es gibt daher Fälle, in denen der Arzt nicht den ganzen Umfang der medizinischen Behandlungsmöglichkeiten ausschöpfen muss.

V.

Diese Situation ist gegeben, wenn nach dem aktuellen Stand der medizinischen Erfahrungen und menschlichem Ermessen das Leben des Neugeborenen nicht auf Dauer erhalten werden kann, sondern ein in Kürze zu erwartender Tod nur hinausgezögert wird.

VI.

Angesichts der in der Medizin stets begrenzten Prognosesicherheit besteht für den Arzt ein Beurteilungsrahmen für die Indikation von medizinischen Behandlungsmaßnahmen, insbesondere, wenn diese dem Neugeborenen nur ein Leben mit äußerst schweren Schädigungen ermöglichen würden, für die keine Besserungschancen bestehen. Es entspricht dem ethischen Auftrag des Arztes zu prüfen, ob die Belastung durch gegenwärtig zur Verfügung stehende Behandlungsmöglichkeiten die zu erwartende Hilfe übersteigt und dadurch der Behandlungsversuch ins Gegenteil verkehrt wird.

VII.

Auch wenn im Einzelfall eine absolute Verpflichtung zu lebensverlängernden Maßnahmen nicht besteht, hat der Arzt für eine ausreichende Grundversorgung des Neugeborenen, für Leidenslinderung und menschliche Zuwendung zu sorgen.
1. Die Eltern/Sorgeberechtigten sind über die bei ihrem Kind vorliegenden Schäden und deren Folgen sowie über die Behandlungsmöglichkeiten und deren Konsequenzen aufzuklären. Sie sollen darüber hinaus durch Beratung und Information in den Entscheidungsprozess mit einbezogen werden.
2. In den Prozess der Entscheidungsfindung gehen auch die Erfahrungen der mit der Betreuung und Pflege des Kindes betrauten Personen mit ein.

3. Gegen den Willen der Eltern darf eine Behandlung nicht unterlassen oder abgebrochen werden.

Verweigern die Eltern/Sorgeberechtigten die Einwilligung in ärztlich gebotene Maßnahmen oder können sie sich nicht einigen, so ist die Entscheidung des Vormundschaftsgerichtes einzuholen. Ist dies nicht möglich, hat der Arzt die Pflicht, eine medizinisch dringend indizierte Behandlung (Notmaßnahmen) durchzuführen.

IX.

Die erhobenen Befunde, die ergriffenen Maßnahmen sowie die Gründe für den Verzicht auf eine lebenserhaltende Behandlung sind in beweiskräftiger Form zu dokumentieren.

1.2 Medizinisch-ethische Richtlinien der Schweizerischen Akademie der Medizinischen Wissenschaften (SAMW)*

I. Geltungsbereich

Diese Richtlinien betreffen die ärztliche Betreuung von Sterbenden, d. h. von Personen, bei welchen der Arzt[1] aufgrund klinischer Anzeichen zur Überzeugung kommt, dass die Krankheit oder die traumatische Schädigung irreversibel ist und trotz Behandlung in absehbarer Zeit zum Tode führen wird. Ferner beziehen sich diese Richtlinien auf die ärztliche Betreuung zerebral schwerst Geschädigter mit irreversiblen, fokalen oder diffusen Hirnschädigungen, welche einen chronischen vegetativen Zustand zur Folge haben.

Die Betreuung umfasst Behandlung, Pflege und Begleitung dieser Patienten.

II. Richtlinien

1. Grundsätze

1.1 Grundsätzlich hat der Arzt die Pflicht, dem Patienten in jeder Weise beizustehen, sein Leiden zu heilen oder zu lindern und sich um die Erhaltung menschlichen Lebens zu bemühen.

1.2 Ausnahmen von der ärztlichen Verpflichtung zur Lebenserhaltung bestehen bei Sterbenden, deren Grundleiden einen unabwendbaren Verlauf zum Tode genommen hat, und bei zerebral schwerst Geschädigten. Hier lindert der Arzt die Beschwerden. Der Verzicht auf lebensverlängernde Maßnahmen und der Abbruch früher eingeleiteter Maßnahmen dieser Art sind gerechtfertigt. Dabei sind Ziff. 2 und 3 dieser Richtlinien zu beachten, und der Arzt soll sein Vorgehen mit dem Pflegepersonal und mit den Angehörigen besprechen.

1.3 Der Arzt lässt Sterbenden und zerebral schwerst Geschädigten stets eine angemessene Betreuung zukommen. Er ist verpflichtet, Schmerz, Atemnot, Angst und Verwirrung entgegenzuwirken, insbesondere nach Abbruch von Maßnahmen zur Lebensverlängerung. Er darf palliativ-medizinische Techniken anwenden, auch wenn sie in einzelnen Fällen mit dem Risiko einer Lebensverkürzung verbunden sein sollten.

1.4 Auch gegenüber Sterbenden und zerebral schwerst Geschädigten sind aktive Maßnahmen zum Zwecke der Lebensbeendigung gesetzlich verboten.

2. Urteilsfähige Patienten

2.1 Verlangt ein urteilsfähiger Patient den Verzicht auf Behandlung oder auf lebenserhaltende Maßnahmen oder den Abbruch bereits eingeleiteter Maßnahmen, so ist dieser Wille zu respektieren. Dabei sorgt der Arzt dafür, dass der Patient über die damit verbundenen medizinischen Tatsachen und ihre Folgen in für ihn verständlicher Weise informiert wird.

---

* Medizinisch-ethische Richtlinien für die ärztliche Betreuung sterbender und zerebral schwerst geschädigter Patienten, in: Schweiz. Ärztezeitung 76 (1995) 1223–1225.

[1] Der Einfachheit halber gilt in diesem Text die männliche Bezeichnung für beide Geschlechter.

2.2 Beihilfe zum Suizid ist kein Teil der ärztlichen Tätigkeit. Der Arzt bemüht sich, die körperlichen und seelischen Leiden, die einen Patienten zu Suizidabsichten führen können, zu lindern und zu ihrer Heilung beizutragen.

3. *Urteils- oder äußerungsunfähige Patienten*

3.1 Bei urteilsunfähigen, bei äußerungsunfähigen und bei bewusstlosen Patienten handelt der Arzt primär entsprechend der Diagnose und der mutmaßlichen Prognose; er beurteilt die zu erwartenden Lebensumstände des Patienten nach seinem besten Wissen und in eigener Verantwortung. Er kann sich dieser nicht dadurch entziehen, dass er die Anweisungen Dritter befolgt.

3.2 Intensität und Schwere der dem Patienten zugemuteten Eingriffe und Anstrengungen sollen zum mutmaßlichen Behandlungserfolg und zur Lebenserwartung des Patienten in einem medizinisch vertretbaren Verhältnis stehen.

3.3 Bei unbestimmter Prognose, die grundsätzlich voneinander abweichende Vorgehensweisen zulässt, orientiert sich der Arzt am mutmaßlichen Willen des Patienten: Wenn dieser Lebenszeichen äußert, die auf einen gegenwärtigen Lebenswillen schließen lassen, sind diese entscheidend. Fehlt es an solchen Zeichen, so dienen frühere Äußerungen des Patienten, Angaben von Angehörigen und eine allenfalls vorhandene schriftliche Erklärung des Patienten selber (vgl. Ziff. 3.4 hienach) als Orientierungshilfen.

Ist in Zukunft ein Leben in zwischenmenschlicher Kommunikation zu erwarten, so ist in der Regel ein Wiedererstarken des Lebenswillens vorauszusehen; eine solche Aussicht ist für das ärztliche Vorgehen maßgebend.

Der Arzt soll ferner bestrebt sein, ein Vorgehen zu wählen, das von den Angehörigen des Patienten gebilligt werden kann. Bei unmündigen und entmündigten Patienten darf er unmittelbar lebenserhaltende Maßnahmen gegen den Willen der gesetzlichen Vertreter weder abbrechen noch ihre Aufnahme verweigern.

3.4 Liegt dem Arzt eine Patientenverfügung vor, die der Patient in einem früheren Zeitpunkt als Urteilsfähiger abgefasst hat, so ist diese verbindlich; unbeachtlich sind jedoch Begehren, die dem Arzt ein rechtswidriges Verhalten zumuten oder den Abbruch lebenserhaltender Maßnahmen verlangen, obwohl der Zustand des Patienten nach allgemeiner Erfahrung die Wiederkehr der zwischenmenschlichen Kommunikation und das Wiedererstarken des Lebenswillens erwarten lässt.

3.5 Bei Neugeborenen mit schweren kongenitalen Fehlbildungen oder perinatalen Läsionen ist die Prognose besonders wichtig. Bei schweren Missbildungen und perinatalen Schäden des Zentralnervensystems, welche zu irreparablen Entwicklungs-Störungen führen würden, und wenn ein Neugeborenes bzw. ein Säugling nur dank des fortdauernden Einsatzes außergewöhnlicher technischer Hilfsmittel leben kann, darf nach Rücksprache mit den Eltern von der erstmaligen oder anhaltenden Anwendung solcher Hilfsmittel abgesehen werden.

III. Kommentar

Zu Teil I (Geltungsbereich)
Der chronisch-vegetative Zustand besteht im (nach mehrmonatiger Beobachtungszeit wiederholt bestätigten) irreversiblen und definitiven Verlust der kognitiven Fähigkeiten, der Willensäußerungen und der Kommunikation. Er kann nach Schädeltrauma oder Hirnblutung, bei Gefäßleiden, entzündlicher oder degenerativer Hirnkrankheit, infolge eines Tumors oder einer Anoxie auftreten.

Bei Neugeborenen gelten die gleichen Grundsätze. Die Entscheidung über aktives Eingreifen oder zurückhaltendes Abwarten ist hier besonders schwerwiegend.

Zu Teil II (Richtlinien)

Zu Ziff. 1.2 (Verzicht auf außerordentliche Maßnahmen zur Lebenserhaltung)
Der Verzicht auf lebenserhaltende Maßnahmen oder deren Abbruch in bestimmten Situationen wird als «passive Sterbehilfe» bezeichnet. Zu lebenserhaltenden Maßnahmen gehören insbesondere künstliche Wasser- und Nahrungszufuhr, Sauerstoffzufuhr, künstliche Beatmung, Medikation, Bluttransfusion und Dialyse.

Zu Ziff. 1.3 (Pflicht zur Pflege)
Sofern der Patient nicht aus persönlicher Überzeugung ein gewisses Maß an Schmerz auf sich nehmen will, haben Arzt und Pflegepersonal alle zur Verfügung stehenden Mittel und Methoden der Schmerzlinderungstechniken der Palliativmedizin anzuwenden. Schmerzzustände jeglicher Art am Lebensende, die viele Patienten befürchten, können in nahezu allen Fällen erfolgreich bekämpft werden. Für Patienten, welche trotz Schmerzbekämpfung und angemessener Betreuung weiterhin über ungelinderte Schmerzen und Angst klagen, müssen Spezialisten der Palliativmedizin und Psychiatrie beigezogen werden.

Zu Ziff. 1.4 (keine Maßnahmen zum Zweck der Lebensbeendigung)
Maßnahmen mit dem Ziel der Lebensbeendigung bei Sterbenden und schwer Leidenden («aktive Sterbehilfe») sind nach Art. 114 des Strafgesetzbuches strafbar, selbst dann, wenn sie auf ernsthaftes und eindringliches Verlangen eines urteilsfähigen Patienten vorgenommen werden.

Zu Ziff. 2.1 (urteilsfähige Patienten)
Bei der Beurteilung der Urteilsfähigkeit des Patienten ist allfälligen psychischen Ausnahmezuständen und depressiven oder panikartigen Reaktionen oder einer vorbestehenden Depression Rechnung zu tragen. Bevor irreversible Schritte eingeleitet werden, soll der Patient dazu veranlasst werden, seinen Entscheid reiflich zu bedenken und sich, wenn möglich, mit einem Arzt und mit Personen seines Vertrauens zu besprechen.

Zu Ziff. 2.2 (keine Beihilfe zum Suizid)
Suizid und Suizidversuche sind mit überaus seltenen Ausnahmen die Folgen von persönlichen Krisen, Sucht oder psychischer Krankheit. Die Katamnesen von überlebenden Suizidalen zeigen, dass die überwiegende Mehrzahl nach Jahrzehnten noch lebt und sich von der damaligen Situation distanziert hat.

Die Befürchtung, am Lebensende schweren Schmerzzuständen preisgegeben zu sein und der Umgebung zur Last zu fallen, verführt zuweilen zum Wunsch, sich für eine solche Situation die Selbstmordhilfe Dritter zu sichern. Kompetent angewandte palliative und analgetische Maßnahmen können indessen in der Regel vor unnötigem Leiden bewahren und diese Angst mindern. Obwohl Suizidhilfe, wenn sie ohne selbstsüchtige Beweggründe geleistet wird, nicht strafbar ist (vgl. Art. 115 des Strafgesetzbuches), sind aus ärztlicher Sicht entschiedene Vorbehalte angebracht. Neben einer religiös oder weltanschaulich begründeten Ablehnung des Suizids, die in den persönlichen Gewissensentscheid des verantwortlichen Arztes einfließen mag, sind die Missbrauchsgefahren augenfällig, die aus der generellen Akzeptanz ärztlicher Suizidhilfe resultieren müssten.

Zu Ziff. 3.3 (urteilsunfähige Patienten)
Beim urteilsunfähigen Patienten sucht der Arzt das Gespräch mit seinen Angehörigen und mit dem Pflegepersonal, bevor er eine irreversible Entscheidung trifft. Dabei klärt er, wenn möglich im voraus, ab, ob das von ihm beabsichtigte Vorgehen von den Angehörigen gebilligt wird.

(Genehmigt vom Senat der SAMW am 24.02.1995)

1.3 Leitlinie zum Umfang und zur Begrenzung der ärztlichen Behandlungspflicht in der Chirurgie*

Einleitung

Die Behandlungsmöglichkeiten von Erkrankungen erfahren dank verschiedenartiger Fortschritte in Diagnostik, in pathophysiologischer Aufklärung und in Therapie von Gesundheitsstörungen fortlaufend Verbesserungen. In der Chirurgie tragen Fortschritte beispielsweise zur Anwendung neuer, weniger belastender Verfahren, zu größerer Sicherheit operativer Maßnahmen, zu höheren Heilungsquoten bei Malignomen, zur erfolgreichen Durchführung von Operationen im höheren Lebensalter und zu geringeren Schmerzen nach Operationen bei. Insgesamt ermöglichen Fortschritte der Chirurgie eine höhere Effizienz und eine größere Anwendungsbreite. Fortschritte können andererseits auch zur Vermeidbarkeit operativer Maßnahmen führen. Die Deutsche Gesellschaft für Chirurgie begrüßt diese Fortschritte und bemüht sich ihrerseits aktiv weiter um solche.

Die Deutsche Gesellschaft für Chirurgie verkennt aber andererseits nicht, dass mit Fortschritten stets auch die Frage der Anwendungsgrenzen verbunden ist. Solche Grenzen können etwa bei Summation mehrerer eingreifender Verfahren auftreten oder bei Einsatz von Entwicklungen, die bei bestimmter Indikation wertvoll, in dafür ungeeigneten Situationen, etwa bei Multimorbidität, nicht hilfreich sind. Die Erfolgschance einer Behandlung kann dann zu gering und im Verhältnis dazu die Belastung des Patienten zu groß sein. So mag etwa auch eine kurze Verlängerung der Überlebensspanne bei einem Übermaß an Belastungen und bei deutlich eingeschränkter Lebensqualität nicht dem Wohle oder Wunsche des Patienten entsprechen. Der Wert einer Behandlungsmöglichkeit kann im Einzelfall fragwürdig sein oder dies werden. Stets, so besonders bei der Anwendung eingreifender und individuell belastender Verfahren ist der Arzt verpflichtet, im Sinne des jeweiligen Patienten Abwägungen vorzunehmen. Stets muss der Arzt dafür Sorge tragen, dass die Behandlung dem Willen des Patienten, dem bekannten oder mutmaßlichen, entspricht. Hierbei kann es sich sowohl um Therapieanwendung und Therapieintensivierung als auch um Formen der Therapiebegrenzung handeln. Therapiebegrenzung meint, dass prinzipiell existierende Behandlungsmöglichkeiten nicht oder nicht in vollem Umfang zum Einsatz kommen oder auch eingeschränkt bzw. beendet werden. Therapiebegrenzung bedeutet jedoch keinesfalls einen Abbruch jeder Behandlung; vielmehr ist der Arzt stets verpflichtet, ärztlichen Beistand und ärztliche Hilfe in jeweils geeigneter Form zu geben.

Fragen der Therapiebegrenzung sind also gerade im Hinblick auf laufende Entwicklungen erweiterter Therapiemöglichkeiten nicht nur berechtigt, sondern sogar erforderlich und im Sinne der Patienten.

Die Deutsche Gesellschaft für Chirurgie legt besonderen Wert darauf, festzustellen, dass finanzielle oder ökonomische Gesichtspunkte nicht die Behandlung und die Behandlungsintensität, also auch nicht Therapiebegrenzung beim einzelnen Patienten beeinflussen dürfen; stets müssen dabei die ärztliche Indikation und

---

* Eine Stellungnahme der Deutschen Gesellschaft für Chirurgie zu: Therapiebegrenzung und «ärztliche Sterbebegleitung», in: Deutsche Gesellschaft für Chirurgie – Mitteilungen 5/96.

der Wille des Patienten die führenden Kriterien sein. Die Deutsche Gesellschaft für Chirurgie verkennt aber auch nicht, dass generell die Fragen der Therapieausweitung und der Therapiebegrenzung auch ökonomische Qualitäten haben. Sofern sich aus finanziell-ökonomischen Gründen Änderungen in der ärztlichen Indikationsstellung, vor allem generelle Einschnitte, ergeben sollten, könnte dies nicht Aufgabe der Ärzte sein, sondern müsste von der Gesellschaft bzw. vom Staat entschieden werden. Dabei dürfte nach ärztlicher Auffassung «Produktivität» des zu behandelnden Patienten bzw. des zu erhaltenden Lebens kein Kriterium sein. Es erscheint bei den dem Gesundheitssystem auferlegten finanziellen Begrenzungen wichtig, diese Abgrenzung der Zuständigkeiten klar zu argumentieren und zu respektieren. Der behandelnde Arzt kann ggf. finanzielle Gesichtspunkte mit berücksichtigen, wenn er eine bestimmte Therapieform oder Therapieänderung, die Kosten erspart, für den Patienten für angemessen hält.

Überlegungen und Entscheidungen über Therapiebegrenzung sind solche in Grenzbereichen ärztlichen Tuns. Allgemeine Stellungnahmen (Richtlinien, Leitlinien, Kodizes) können bei der Abwägung in Einzelsituationen helfen und allgemein akzeptierte Grenzen präzisieren. Solche Stellungnahmen geben keine absolute Sicherheit im Handeln und können dem Arzt die Entscheidung, auch eine Entscheidung unter gewisser Unsicherheit, nicht abnehmen.

Die Deutsche Gesellschaft für Chirurgie möchte mit dieser neuen Stellungnahme in Form einer Leitlinie sowohl Hilfestellung bei individuellen Entscheidungen bieten als auch ihre Grundpositionen darlegen.[1] Zusammengefasst sind die Gründe für die Erstellung dieser Leitlinie speziell für die Chirurgie folgende:

1. Vor allem in der Chirurgie sind Behandlungsfortschritte (z. B. intensivmedizinische Maßnahmen, Organtransplantationen, Ausweitung von Eingriffen) wirksam geworden, die Entscheidungen in Grenzbereichen gerade von Chirurgen erfordern können.
2. Entsprechend häufig wird auch in öffentlicher Diskussion die Chirurgie bezüglich ihrer Haltung zu Grenzen einer Behandlung angesprochen. Dabei werden auch Fragen der verschiedenen Formen einer Sterbehilfe aufgeworfen, häufig aber nicht ausreichend scharf definiert und differenziert.
3. Zusätzlich zu der in bisherigen Stellungnahmen ausschließlich betrachteten Finalphase des Lebens sollte versucht werden, auch frühere Perioden in die Überlegungen zu Umfang und Grenzen ärztlicher, speziell auch chirurgischer Behandlung mit einzubeziehen. Dies etwa im Hinblick auf die Frage der Anwendung von eingreifenden operativen Verfahren in hohem Lebensalter oder von onkologischen Behandlungen mit äußerst geringer Erfolgsaussicht, insgesamt also auf die Frage des Beginns, der Intensität und der Dauer einer spezifischen Behandlung bei sehr ungünstiger Prognose.

I. Definition des ärztlichen Behandlungsauftrages und seiner Grenzen

Der ärztliche Behandlungsauftrag kann als «Verpflichtung zu ärztlicher Hilfe» definiert werden. Dies umfasst die Ziele der Heilung, der Besserung und Linderung von Krankheiten und Beschwerden, fordert aber etwa nicht stets Maßnahmen zur

---

[1] Ärztliche und rechtliche Hinweise». Weiterhin: Bundesärztekammer: Richtlinien für die ärztliche Sterbebegleitung 1993 (entsprechend 1901/1988) und Stellungnahme der Schweizerischen Akademie der Med. Wissenschaften «Medizinisch-ethische Richtlinien für die ärztliche Betreuung sterbender und zerebral schwerst-geschädigter Patienten» 1995.

Lebensverlängerung. «Lebensverlängerung um jeden Preis» ist nicht Inhalt des ärztlichen Behandlungsauftrages. Wo Hilfe nicht mehr sinnvoll ist, kann eine Begrenzung bestimmter Therapiemaßnahmen nicht nur berechtigt, sondern im Sinne des Patienten indiziert sein, also zum ärztlichen Behandlungsauftrag gehören. Die Problematik liegt darin, dass Möglichkeit und – noch mehr – Sinn weiterer Behandlung oft schwer festzustellen sind. Absolute Gewissheit kann es dabei in der Beurteilung einer Prognose auch unter Heranziehung aller verfügbarer Parameter nicht geben. Ferner ist der individuelle Wert einer auch sehr begrenzten Lebensspanne und deren Möglichkeiten nicht ausreichend – jedenfalls nicht vorausschauend – zu beurteilen. Es wäre jedoch auch nicht richtig, aus diesen Unsicherheiten heraus zu fordern, jede mögliche Therapie müsse bis zum Tode fortgesetzt oder laufend intensiviert werden. Neben den bestehenden Therapiegrenzen (d. h. fehlende Therapiemöglichkeit) muss die Diskussion über Therapiebegrenzung (d. h. nicht oder nicht volles Einsetzen aller Therapiemöglichkeiten) hinzutreten, wenn dies nach bestem Wissen ein Einzelfall dem Grundsatz der ärztlichen Hilfe mehr entspricht als Maximaltherapie. Entscheidend ist dabei stets, dass die Sicht des Patienten zur Grundlage von Überlegungen und Handlungen gemacht wird.

II. Bedeutung des Willens des Patienten für den individuellen ärztlichen Behandlungsauftrag und seine Grenzen

Der Wille des Patienten ist Grundlage jeder Behandlung, so auch der Grenzen einer Behandlung. Für die hier zur Diskussion stehenden Fragen der Therapiebegrenzung ergibt sich häufig die Situation der erkrankungsbedingt eingeschränkten oder fehlenden Urteilsfähigkeit des Patienten, z. T. auch die psychologische Problematik einer detaillierten Aufklärung in schwerkranker Situation. Es kommt dann darauf an, wenn möglich den Willen, sonst den mutmaßlichen Willen des Patienten bezüglich der aktuellen und spezifischen Behandlungssituation zu eruieren. Dazu können frühere Gespräche mit dem Patienten, dessen Verhaltensweisen und Äußerungen, eine niedergelegte Patientenverfügung («Patiententestament»), Darstellungen durch die Angehörigen oder auch ein Rückgriff auf allgemeine Wertvorstellungen beitragen. Juristisch möglich – und in schwierigen, selektiven Situationen geboten – ist es, durch das Vormundschaftsgericht einen Betreuer bestellen zu lassen, der wiederum verpflichtet ist, den Willen oder mutmaßlichen Willen des Patienten zu erkunden und diesen zu vertreten. Auch kann der Patient selbst einen Bevollmächtigten («Vertreter im Willen») bestimmt haben. Der schwerkranke Patienten behandelnde Arzt hat es vor allem mit folgenden Situationen zu tun:

A. Final- und Präfinalphase
1. In der Final- bzw. Präfinalphase oder während einer Intensivtherapie sind Bewusstsein und Urteilsfähigkeit häufig nicht gegeben. Auch bei nur eingeschränkter Bewusstseinslage besteht kaum die Möglichkeit einer Aufklärung. Der Arzt muss somit versuchen, den Willen oder den mutmaßlichen Willen des Patienten für die individuelle Situation aus geeigneten Quellen zu erfahren.
2. Eine Patientenverfügung ist primär als Willensäußerung aufzufassen. Doch kann unsicher sein, ob die gegebene Situation derjenigen entspricht, die der Patient beim Abfassen der Verfügung meinte, weiter, ob er seinerzeit entsprechend aufgeklärt wurde, ob sein Wille aktuell ebenso bestünde. Somit muss der

Arzt auch hier den aus der Patientenverfügung und ggf. anderen Gesichtspunkten mutmaßlichen, aktuellen Willen des Patienten zu eruieren suchen.
3. Angehörige des Patienten können bei der Feststellung des Willens oder der Erörterung des mutmaßlichen Willens des Patienten hilfreich sein. Bei der Erörterung eines therapiebegrenzenden Vorgehens gegenüber den Angehörigen sind jedoch besondere Sorgfalt und Einfühlungsvermögen erforderlich, um nicht Selbstvorwürfe – etwa wegen eines gegebenen Einverständnisses zu einer Therapiereduktion – auszulösen. Schon aus diesem Grunde darf den Angehörigen keinesfalls die Entscheidung über eine Therapiereduktion übertragen werden. Ein eigenes Entscheidungsrecht kommt Angehörigen nur als gesetzliche Vertreter etwa für ein minderjähriges Kind oder wenn sie zum Betreuer bestimmt sind zu.
4. Es ist vorstellbar, dass der mutmaßliche oder der ausgesprochene bzw. dokumentierte Wille auch eines Sterbenden bzw. sich in der Finalphase befindlichen Patienten dahin geht, dass bis zuletzt alles getan werden soll, was den Sterbeprozess möglicherweise aufhält. In aller Regel wird auch diesem Willen des Patienten Folge zu leisten sein. Doch kann ein entsprechender Behandlungswunsch auch an Grenzen der Möglichkeiten oder der Indikation ärztlicher Maßnahmen stoßen (zu denken ist hier etwa an Kreislaufsubstitution durch ein künstliches Herz bei einem Moribunden).

B. In früheren Erkrankungsstadien
1. In früheren Erkrankungsstadien ist bei einem bewusstseinsklaren, urteilsfähigen Patienten dessen Wille bindend (außer zur Tötung). Bei einem vom Patienten selbst geäußerten Wunsch auf Therapiebegrenzung ist zu beachten, ob der Patient ggf. von schweren Störungen der Gefühlslage, insbesondere von Depressionen beeinflusst ist und somit von ihm unter günstigeren Umständen sowie nach Gesprächen revidiert werden könnte. Bei der Erörterung einer möglicherweise indizierten Therapiebegrenzung von Seiten des Arztes oder des Patienten (z. B. Verzicht auf Chemotherapie, auf eine Organtransplantation, auf Fortsetzung einer Dialysebehandlung, auf eine Operation) sind wiederum besondere Sorgfalt und Einfühlungsvermögen angebracht; es ist in der Regel nicht ausreichend, dem Patienten Alternativen aufzuzählen; diese müssen vom Arzt für die individuelle Situation des Patienten gewichtet und auf Wunsch ausführlich dargestellt werden. Hierzu muss der Arzt selbst sich einerseits die Frage der zu erwartenden Lebensverlängerung, der dabei erreichbaren Lebensqualität, also des Nutzens der Behandlung und andererseits der vermutlichen oder möglichen Belastung durch die Behandlung jeweils für die spezifische Situation des Patienten, d. h. sein Alter, seine Vitalität etc. vorlegen und bestmöglich beantworten. Eine zu starke Beeinflussung durch die Vorstellungen des Arztes ist dabei ebenso zu vermeiden wie ein Alleinlassen in einem Entscheidungszwang ohne ausreichende Darlegung von Entscheidungshilfen. In aller Regel sucht und bittet ein Patient um den Rat des Arztes für seine spezifische Situation.
2. Bei einem nicht urteilsfähigen Patienten erfordern entsprechende Entscheidungen in der Regel die Bestellung eines Betreuers. Dies vor allem, wenn es sich um eine geplante Therapiebegrenzung bei einem längeren Krankheitsverlauf handelt (s. «Kemptener Urteil»). Im Falle einer unmittelbar zu treffenden Entscheidung etwa über den Verzicht auf Therapieintensivierung bei einer inter-

kurrenten Komplikation eines letztlich infausten Verlaufes wird die Entscheidung orientiert am mutmaßlichen Willen des Patienten beim behandelnden Arzt ohne Einschaltung eines Betreuers bleiben.

III. Therapiebegrenzung und «ärztliche Sterbebegleitung»

Erörterungen über eine Therapiebegrenzung widersprechen nicht dem intensiven Bemühen, stets alle potentiell erfolgversprechenden Behandlungsmöglichkeiten auszuschöpfen. Dies fraglos auch bei Patienten in hohem Alter, bei Behinderten, bei Schwerkranken und Gebrechlichen. Ärztlich initiierte Therapiebegrenzung hat nichts mit einer Wertbemessung eines Lebens etwa aus gesellschaftlicher Sicht zu tun, sie orientiert sich ausschließlich an der größtmöglichen Hilfe für den jeweiligen Patienten. Diese kann auch im Geschehenlassen eines zum Tode führenden Krankheitsverlaufes in Kombination mit Maßnahmen zur Erleichterung dieses Verlaufes, besonders auch des Sterbens liegen. Therapiebegrenzung kann nie isoliert, sondern nur als ein Teil der jeweils für den Patienten geeigneten ärztlichen Hilfen gesehen werden. Bei Begrenzung spezifischer Therapieverfahren müssen andere ärztliche Maßnahmen – ebenso wie die Pflege des Patienten weiterlaufen, evtl. sogar intensiviert werden. Therapiebegrenzung kommt vor allem in der Final-/Präfinalphase in Betracht. Gerade in dieser Phase sind andere Hilfen entscheidend wichtig. Therapiebegrenzung wird damit zu einem Teil der «ärztlichen Sterbebegleitung» (s. u.). Therapiebegrenzung kann jedoch auch in einer früheren Lebensphase bei einem letztlich infaust Erkrankten in Betracht kommen. Man wird sie dann noch nicht direkt dem Begriff der «ärztlichen Sterbebegleitung» zuordnen wollen; doch kann Therapiebegrenzung in dieser Situation mit als eine Vorbereitung auf das Lebensende verstanden und genutzt werden und somit zu einem erweiterten Bereich «ärztlicher Sterbebegleitung» gerechnet werden. In jedem Fall können sich fließende Übergänge ergeben.

Inhalte einer «ärztlichen» Sterbebegleitung»
1. Die ärztliche/menschliche Zuwendung
   Hierzu gehört zunächst die menschliche Zuwendung des Arztes zum Patienten und das Eingehen auf seine Anliegen. Dies ist für den Arzt ebenso obligat wie für das Pflegepersonal und gilt entsprechend auch für bewusstseinsgetrübte und bewusstlose Patienten. Auch die Sorge um eine geeignete Unterbringung des Patienten und um eine Atmosphäre, die für Patient und Angehörige entsprechende Kontakte ermöglicht, ist mit ärztliche Aufgabe und Zuständigkeit.
2. Die Linderung von Beschwerden während des Sterbevorganges
   Ärztliche Aufgabe ist es weiter, die Begleitumstände des Sterbens nach Möglichkeit so zu beeinflussen, wie es dem Wunsch bzw. mutmaßlichen Willen des Patienten entspricht. Hierzu gehören in aller Regel eine effektive Schmerzbehandlung (Herabsetzung oder Ausschaltung der Schmerzempfindung), weiter alle Maßnahmen zur Vermeidung oder Verringerung unangenehmer oder quälender Empfindungen, wie Durst, Übelkeit, Erbrechen, Atemnot, Angst und Unruhe. Somit kann Sedierung auch in stärkerer Form bis zur Narkose erforderlich sein. Die Berechtigung und die Indikation zu solchen Maßnahmen wird nicht eingeschränkt durch eine als Nebenwirkung zu erwartende oder verursachte Lebensverkürzung.

3. Die spezifischen Therapiemaßnahmen der Erkrankung
Nicht jede «ärztliche Sterbebegleitung» muss mit Therapiebegrenzung einhergehen. «Die Sterbebegleitung» kann auch unter fortgesetzter spezifischer Therapie erfolgen, wenn darin noch ein Sinn für den Patienten, d. h. eine Indikation gesehen wird. Es kann auch erforderlich sein, bis zuletzt durch Therapiemaßnahmen zu versuchen, den tödlichen Verlauf noch abzuändern (Beispiel Rettungsversuch bei Unfallopfer, maximale Intensivtherapie der Sepsis bei benignen Grundleiden, Notintubation bei Erstickungsanfall u. a.). Sofern hierfür eine Chance gesehen oder diese nicht hinreichend sicher ausgeschlossen ist, müssen die vorher beschriebenen Aufgaben einer Sterbebegleitung zurücktreten, ohne dass in diesem Fall der Vorwurf der Verhinderung eines «humanen Sterbens» berechtigt wäre; ein solcher Rettungsversuch darf nicht als widersprüchlich zu den Aufgaben der «ärztlichen Sterbebegleitung» aufgefasst werden. Sicher findet ein solches Vorgehen in Übereinstimmung mit dem mutmaßlichen Patientenwillen und allgemeinen Werturteilen statt. Auch kann es im Interesse des Patienten sein, einen unabweisbaren Sterbeprozess zu verlängern, etwa bis zum Eintreffen von Angehörigen, bis zu einem Familienereignis o. ä. Auch diesem Verlangen hat der Arzt bestmöglich Rechnung zu tragen.

Häufiger wird zur «ärztlichen Sterbebegleitung» jedoch eine Therapiebegrenzung im Sinne der in dieser Stellungnahme ausgeführten Einschränkung von oder Verzicht auf bestimmte(n) Therapieverfahren, speziell einer Maximaltherapie oder einer kardiopulmonalen Reanimation bei plötzlichem Kreislaufstillstand gehören. Es handelt sich dabei um Begrenzung von Maßnahmen, die, wenn angewandt, den spontanen Ablauf des Sterbevorganges verzögern oder ihn zeitweise aufhalten, ohne ihn jedoch mit hinreichender Sicherheit prognostizierbar grundsätzlich ändern zu können. Dabei kann Nicht-Anwendung einer Behandlung, Nicht-Steigerung von Maßnahmen oder auch Einschränkung und Abbruch von begonnenen Maßnahmen in Betracht kommen.

Ethisch und juristisch besteht zwischen diesen Formen von Therapiebegrenzung kein prinzipieller Unterschied; aus psychologischen Gründen ist in der Regel Nicht-Einsetzen oder Nicht-Steigern von Maßnahmen ein geeigneterer Weg als Einschränkung oder Abbruch begonner Therapieverfahren. Die hier unter ärztlicher Sterbebegleitung aufgeführten Maßnahmen werden im bisherigen Sprachgebrauch üblicherweise isoliert betrachtet und bezeichnet. So entspräche
- Punkt 1 einer«reinen Sterbehilfe»
- Punkt 2 der «sog. indirekten Sterbehilfe» und
- Punkt 3 im Bereich der Therapiebegrenzung etwa einer «passiven Sterbehilfe» oder «Hilfe zum Sterben» bzw. einer «passiven Euthanasie»

Abgesehen davon, dass diese Begriffe häufig nicht eindeutig verwendet werden, erscheint es wegen der Zusammengehörigkeit all dieser Verhaltensweisen und Maßnahmen richtiger, sie unter einen Begriff, den der «ärztlichen Sterbebegleitung» zusammenzufassen. Diese ärztliche Sterbebegleitung ist in ihrer Gesamtheit – also auch in ihren einzelnen Bestandteilen – Inhalt des ärztlichen Behandlungsauftrages und ethisch wie juristisch voll verantwortbar und geboten.

Im Gegensatz zu der oben definierten ärztlichen Sterbebegleitung gehören andere Formen einer «Sterbehilfe» – sofern sie unter diesem Begriff zu subsumieren sind – nicht zum ärztlichen Behandlungsauftrag, z. T. widersprechen sie ihm. Es handelt sich dabei um folgende Maßnahmen:

- *Herausgabe oder Verbreitung von Anleitung zur Selbsttötung*
  Wenngleich Selbsttötung in unserem Lande nicht im Gegensatz zu geltendem Recht steht und damit diesbezügliche Beratung nicht strafbar ist, gehört ein solches Anleiten nicht zu dem ärztlichen Behandlungsauftrag.
- *Hilfe bei der Selbsttötung (assisted suicide)*
  Hierunter sind ärztliche Maßnahmen zu verstehen, die darauf gerichtet sind, den Patienten die Selbsttötung zu ermöglichen oder zu erleichtern. Solche Maßnahmen sind juristisch nicht strafbar, sofern die Entscheidung und der Ablauf der Tötung in den Händen des Patienten selbst liegt. Die Deutsche Gesellschaft für Chirurgie vertritt jedoch die Ansicht, dass solche Maßnahmen nicht Inhalt des ärztlichen Behandlungsauftrages sind. Vielmehr verpflichtet die Kenntnis eines Selbsttötungswunsches des Patienten den Arzt, nach Möglichkeiten der Änderung dieses Verlangens zu suchen.
- *Aktive Euthanasie (aktive Sterbehilfe)*
  Tötung Todkranker oder Sterbender auch auf Wunsch des Betroffenen ist nach geltendem Recht als vorsätzliche Tötung verboten (§ 216) und keinesfalls Inhalt des ärztlichen Behandlungsauftrages. Nach Ansicht der Deutschen Gesellschaft für Chirurgie würde eine solche Maßnahme dem ärztlichen Behandlungsauftrag widersprechen, könnte zu schwerwiegenden Folgen führen und ist mit großem Nachdruck abzulehnen.

Diese Stellungnahme geschieht auch in Kenntnis und Würdigung von Argumenten für eine aktive Sterbehilfe zur vom Patienten gewünschten Beendigung eines schwersten Leidenszustandes durch die Herbeiführung des Todes. Die Deutsche Gesellschaft für Chirurgie ist jedoch – unabhängig von dem juristischen Verbot – der Ansicht, dass solche Zustände in aller Regel durch geeignete Maßnahmen zu mildern sind – wozu eine hohe Verpflichtung besteht – weiter, dass bei Akzeptanz einer intendierten Tötung Grenzen schwer zu halten wären und dass sich das Arztbild grundsätzlich ändern würde mit der Folge gravierenden Misstrauens vor allem von schwerkranken Patienten gegenüber dem Arzt.

IV. Situationen, bei denen Therapiebegrenzung in Betracht kommen kann

Es kann sich jeweils nur um eine streng individuelle Überlegung und Entscheidung handeln. Doch können einige Gruppierungen von Situationen herausgestellt werden, die ähnliche Hauptmerkmale bezüglich der Frage einer Begrenzung spezieller Therapiemaßnahmen haben. Kombinationen oder Übergänge sind dabei möglich und häufig; manche Situationen treten nur unter intensiv-medizinischer Behandlung auf, andere sind nicht darauf begrenzt.

1. Patient im Sterbeprozess befindlich
Hierzu gehören Patienten, die etwa im Altersmarasmus («natürliches Sterben» im Alter) oder im Endstadium einer Erkrankung (z. B. einem Malignomleiden, einer langfristigen progredienten kardinalen Insuffizienz oder rezidivierenden zerebrovaskulären Insulten) einen moribunden Zustand erreicht haben und bei denen dieser Verlauf mehr oder weniger vorhersehbar war. Zwar könnte in dieser Situation der Sterbeprozess durch intensivierte Therapie, wie etwa durch eine künstliche Beatmung o. ä. verzögert werden; doch dürfte dies kaum im Interesse des Patienten liegen. Hier speziell kommen alle Teile der ärztlichen Sterbebegleitung zum Tragen. So können am besten die Vorstellungen eines «humanen Sterbens» verwirk-

licht werden. Befindet sich ein solcher Patient in einer bereits vor der Finalphase indizierten Intensivtherapie, so kann auch hier bei erkennbarem Finalverlauf Therapiebegrenzung zur Anwendung kommen.

2. *Patient in kritisch-kranker Situation mit hinreichend sicher feststellbarer, infauster Prognose*
Diese beiden Charakteristika – aktuell schwerkranke Situation und der trotz aller Behandlungsmaßnahmen mit hinreichender Sicherheit als infaust zu prognostizierende Verlauf treffen für viele unterschiedliche Situationen zu. Dabei kann die infauste Gesamtprognose durch Erfolglosigkeit der unmittelbaren Behandlung, etwa einer Sepsis, oder durch das Grundleiden, z. B. Malignom, bedingt sein. Beispielhaft kann es sich also um folgende Situationen handeln:

a) Absehbares Versagen der Intensivtherapie (z. B. progredientes (Multi-)Organversagen)
Auch maximale intensivtherapeutische Maßnahmen können manche ungünstige Verläufe, besonders bei Sepsis und Multiorganversagen, nicht verhindern. Dabei auftretende kontinuierliche oder akute Verschlechterung trotz maximaler Therapie, vor allem kombiniert mit anderen ungünstigen Faktoren, wie Vorerkrankungen und höheres Alter, können ein hinreichend verlässlich sicheres Zeichen eines endgültigen Therapieversagens sein. Prognose-Scores können bei der Beurteilung mit herangezogen werden; doch ist die individuelle Beurteilung der Gesamtsituation durch kompetente Ärzte das Wichtigste. Hierauf vor allem muss eine Entscheidung über eine Therapiebegrenzung beruhen.

b) Schwere, potentiell letale Komplikationen bei Grunderkrankung mit infauster Prognose
Bei inkurablem Grundleiden können interkurrente Komplikationen (z. B. Infektionen, schwere postoperative Komplikationen nach nur palliativer Tumorchirurgie, Nierenversagen etc.) ggf. durch hohen Therapieeinsatz behandelt werden. Es ist dabei zu bedenken, ob und wie lange dies im Sinne des Patienten ist. Sowohl der unmittelbare Erfolg der Behandlung kann fraglich sein (z. B. Langzeitbeatmung, kardiovaskuläre Insuffizienz), auch kann die Lebensqualität nach Überstehen der Komplikation in der wegen des Grundleidens nur kurzen, verbleibenden Überlebenszeit zusätzlich schwer beeinträchtigt sein. Häufig ist dann Hospitalisation, evtl. Intensivpflege bis zum Tode erforderlich.

Solche Situationen sind heute gerade auch in der Chirurgie nicht vermeidbar bei dem Ziel, auch Patienten mit maligner oder infauster Grunderkrankung mit palliativen Maßnahmen zu helfen – ganz im Sinn der Patienten. Sicher ist solchen Situationen keineswegs stets mit Therapiebegrenzung zu begegnen. Doch sind diese Situationen wohl Hauptmotiv für Patientenverfügungen und häufig Inhalt von Gesprächen mit Patienten, mit Angehörigen sowie Anlass von Diskussionen in der Öffentlichkeit über den Sinn einer weiteren Intensivtherapie. So kann möglicherweise häufig von einem mutmaßlichen Willen des Patienten zur Therapiebegrenzung in solchen Situationen ausgegangen werden.

c) Akute Erkrankungen (Unfall) mit infauster bzw. besonders ungünstiger Prognose
Manche definierte Situationen sind nicht erfolgreich behandelbar (z. B. eine über 90%ige drittgradige Verbrennung). Hier ist Therapiebegrenzung im Rahmen der ärztlichen Sterbebegleitung angebracht. Häufiger sind Situationen mit statistisch minimaler bzw. geringer Überlebenschance und dabei hohem Wahr-

scheinlichkeitsgrad bleibender schwerer Folgezustände. Beispiele hierfür sind: Schweres Polytrauma mit erheblicher zerebraler Beteiligung, mit irreversibler hoher Querschnittsverletzung und initialer Reanimationsnotwendigkeit; rupturiertes Aortenaneurysma mit Reanimationspflichtigkeit im hohen Alter; Myokardreinfarkt mit schwerem hämodynamischem Schock; zerebrale Massenblutung mit Respirationspflichtigkeit u. a. Die besondere Problematik einer möglichen Therapiebegrenzung (z. B. in Form des Nicht-Einsetzens von Reanimationsmaßnahmen) liegt sowohl in der Notwendigkeit, sofort eine Entscheidung zu treffen als auch in einer Unsicherheit bezüglich des Schweregrades und der kurz- und langfristigen Prognose der Erkrankung sowie des Schweregrades eines verbleibenden Schadens, also der evtl. resultierenden Lebensqualität. In der Regel wird somit maximaler Therapieeinsatz indiziert sein. Doch ist es auch Aufgabe, die Zuverlässigkeit von Prognosekriterien und die Lebensqualität Überlebender solcher schwerer Erkrankungen und Verletzungen weiter wissenschaftlich zu bearbeiten und daraus ggf. Schlussfolgerungen für eine Therapiebegrenzung zu ziehen.

Anmerkung
Im Rahmen schwerer zerebraler Schädigungen findet bei letalem Verlauf die Entwicklung zum Hirntod statt. Während dieser Entwicklung kann u. U. evident werden, dass keine Überlebenschance besteht. Maßnahmen der Therapiebegrenzung könnten dann erwogen und angewandt werden. Sowohl wegen verbleibender Unsicherheiten einerseits als auch wegen der Möglichkeit, dass nach festgestelltem Hirntod Organspende in Betracht kommen kann, erscheint die Fortsetzung der Behandlung indiziert. Dabei ist auch letzteres Argument vertretbar, da wegen tiefer Bewusstlosigkeit eine durch Behandlungsfortsetzung ggf. verursachte Verlängerung des Sterbeprozesses für den Patienten nicht belastend ist. Auch hier kann von einem mutmaßlichen Willen des Patienten ausgegangen werden, nach dem Tode Organe zu spenden und somit bis zum Tod selbst optimal, aber auch im Hinblick auf eine mögliche Organspende entsprechend behandelt zu werden.

Dagegen erscheint eine prinzipielle Beeinträchtigung und Änderung eines Sterbeprozesses, z. B. durch eine nur im Hinblick auf eine mögliche Organspende vorgenommene künstliche Beatmung bei sonst «natürlichem» Sterbevorgang, problematisch und wird hier abgelehnt. Sie könnte ggf. bei früher erklärter Bereitschaft des betreffenden Patienten hierzu in Betracht kommen.

d) *Erhebliche Belastung bei Fortsetzung einer vermutlich erfolglosen Behandlung*
Diese Situation ist etwa nach einer ein- oder mehrfach gescheiterten, ggf. kombinierten Organtransplantation vorstellbar, wenn die Erfolgschancen einer weiteren Transplantation sehr gering und die damit verbundene Belastung (auch für Angehörige) sehr hoch ist.

e) *Anhaltendes Koma durch hypoxischen Hirnschaden nach kardio-pulmonaler Reanimation*

3. Patient mit interkurrenter Erkrankung bei fehlender Kommunikationsfähigkeit
Bei Patienten mit als irreversibel erkanntem apallischen Syndrom oder schwersten anderen zerebralen Defektzuständen, etwa einer Alzheimerschen Erkrankung mit Erloschensein der Kommunikationsfähigkeit, können Komplikationen des Leidens, wie Infektionen oder Neuerkrankungen (Malignome oder kardiale Erkrankungen)

spontan einen letalen Verlauf nehmen. Es kann nach dem mutmaßlichen Willen des Patienten gerechtfertigt sein, diesen Verlauf nicht durch Therapiemaßnahmen zu beeinflussen.

4. *Patient in kontinuierlicher Abhängigkeit von der Substitution vital wichtiger Funktionen*
Patienten, die dauerhaft abhängig sind von der Substitution vital wichtiger Funktionen, (z. B. künstliche Beatmung, Herz-Kreislauf-Assistenz durch Pumpenmechanismen, künstliche Ernährung u. a.) können in urteilsfähigem Zustand die Beendigung dieser Behandlung oder die Nicht-Behandlung von Komplikationen verlangen. Bevor diesem nachgekommen wird, sind ausführliche geeignete Gespräche zu führen. Zwar können Arzt und Pflegepersonen nicht verpflichtet werden, dem Verlangen des Patienten zu entsprechen, doch stellt die Erfüllung dieses Wunsches nicht den Sachverhalt des «assisted suicide» dar, sondern den der Nichtanwendung oder Unterbrechung einer vom Patienten abgelehnten Therapie.

Bei einem urteilsunfähigen Patienten könnte eine solche Therapiebegrenzung nur mit Zustimmung eines bestellten Betreuers bzw. eines vom Patienten beauftragten Vertreters sowie aufgrund eines mutmaßlichen Willens des Patienten und mit Zustimmung eines juristischen Vertreters erwogen werden und ggf. erfolgen (s. «Kemptener Urteil»).

5. *Patient mit einer Erkrankung ohne effektive Behandlungschance, besonders im Spätstadium der Erkrankung jedoch noch nicht im Final-/Präfinalstadium)*
Hier kann es sich darum handeln, dem Patienten nahe zu bringen, dass eine aussichtsreiche Behandlung seines Leidens nicht bzw. in diesem Stadium nicht mehr existiert und dass ein Verzicht auf weitere, belastende therapeutische Maßnahmen angebracht ist. Voraussetzung hierfür ist, dass ausreichend Daten vorliegen, dass weitere Behandlungsmaßnahmen ineffektiv und/oder mit einer relativ hohen Belastung für den Patienten verbunden sind. Wegen Unsicherheit darüber und wegen des Wunsches des Patienten nach Behandlung besteht heute die Neigung «alles zu versuchen». Dies ist in Zweifelsfällen bzw. über eine bestimmte Zeit berechtigt, führt jedoch derzeit wohl häufig zu einer den Patienten belastenden «Übertherapie» und muss insofern individuell in Frage gestellt werden. In diesen Situationen kommt jedoch auch die wissenschaftliche Erprobung neuer Verfahren in Betracht. Der Wert weiterführender klinischer Forschung ist sehr hoch. Doch darf hierbei der Gesichtspunkt der Belastung des Patienten, ggf. durch aggressive Therapieformen mit geringen therapeutischen Aussichten, nicht außer acht gelassen werden. Der in der Regel vorhandene intensive Therapiewunsch und die Hoffnung des Patienten sind zwar wichtige Grundlage für eine Therapie und auch einen Therapieversuch, nicht unbedingt aber eine ausreichende Begründung dafür.

V. Allgemeine Gesichtspunkte

Die Diskussion über Therapiebegrenzung wird in der Öffentlichkeit von zwei konträren Ausgangspunkten geführt: Einerseits wird, wie eingangs erwähnt, der Medizin vorgehalten, durch immer mehr Behandlung am Ende des Lebens verhindere sie «normales», ja «humanes» Sterben und verlängere so unsinnig Kranksein und Leiden; andererseits wird die Befürchtung geäußert, Ärzte würden gerade auch unter dem Druck, Kosten zu sparen und ökonomisch zu arbeiten, die Behandlung schwerkranker, gebrechlicher, alter oder behinderter Menschen von sich aus begrenzen, ohne dass dies im Sinne der Betroffenen ist. Es sei hier eindeutig klar gestellt dass Letzteres mit ärztlicher Ethik nicht vereinbar und ein solches Vorgehen in keiner Weise durch diese Stellungnahme gedeckt wäre.

Der erste Gesichtspunkt ist insofern richtig, als durch medizinische Fortschritte Behandlungsgrenzen verschoben wurden und dabei auch Lebensverlängerungen, die vermutlich nicht dem Wunsch des Patienten entsprechen, eintreten können. Doch geschieht dies in aller Regel als Folge von Behandlungs- und Rettungsversuchen, bei denen auch ein entsprechend ungünstiger Verlauf in Kauf genommen werden muss. Mit dieser Stellungnahme bekundet die Deutsche Gesellschaft für Chirurgie jedoch, dass sie sich der Verantwortung bewusst ist, bei Fortschritten auch die Anwendungsgrenzen stärker zu berücksichtigen. In dieser Leitlinie wird ausgeführt, dass zum ärztlichen Behandlungsauftrag der als ärztliche Verpflichtung zur Hilfe definiert wird, nicht nur die Anwendung von Behandlungsverfahren, sondern auch die Überlegung und Durchführung von therapiebegrenzenden Maßnahmen bzw. Verhaltensweisen gehört, dann nämlich, wenn dies dem Gebot der ärztlichen Hilfe mehr entspricht als Therapieintensivierung, also im Sinne des Patienten ist und seinem Willen oder mutmaßlichen Willen entspricht. Therapiebegrenzung wird hier vor allem als ein Teil einer umfassenden ärztlichen Sterbebegleitung gesehen. Therapiebegrenzung kann also nie allein betrachtet oder praktiziert werden.

Während Therapiebegrenzung im Rahmen der «ärztlichen Sterbebegleitung» oder auch in früheren Phasen einer prognostisch infausten Erkrankung zum ärztlichen Behandlungsauftrag gehört bzw. gehören kann, werden Tendenzen zur Akzeptanz oder zur Legalisierung der intendierten Tötung im Rahmen einer aktiven Euthanasie abgelehnt, auch in Kenntnis und unter Würdigung gegenteiliger Argumente.

Eine Entscheidung über eine Therapiebegrenzung fällt in die ärztliche Zuständigkeit. Stets sind jedoch die an der Behandlung hauptbeteiligten Personen, dabei besonders auch die den Patienten pflegenden, in den Diskussions- und Entscheidungsprozess einzubeziehen. Andere Auffassungen und Gewissensentscheide sind dabei zu beachten. Stets soll eine übereinstimmende Meinung zu Therapiebegrenzung oder Therapieintensivierung erreicht werden. Allen Beteiligten kommen stets die gesamten Aufgaben der Sterbebegleitung zu.

Auch Entscheidungen zur Therapiebegrenzung sind Entscheidungen mit einer unvermeidlichen Restunsicherheit. Unter kritischer Wertung der individuellen Situation und wissenschaftlich erwiesener Daten sowie der persönlichen Erfahrung und der Meinung anderer kann eine «hinreichende Sicherheit» für eine solche Entscheidung erreicht werden. Nur dann kann sie in Richtung einer Therapiebegrenzung getroffen werden. Anderenfalls ist der Arzt verpflichtet, die Behandlung entsprechend intensiv fortzuführen, sicher in aller Regel im Sinn des Patienten. Ein sich dann doch einstellender ungünstiger Verlauf muss als Preis für das Ziel, einen Patienten niemals zu früh aufzugeben bzw. eine Behandlung niemals zu früh zu beenden, aufgefasst und akzeptiert werden.

Ebenso darf eine Therapiebegrenzung nicht ausgeführt werden, wenn behandelnde Personen das Gefühl haben, hier nicht ausreichend zu intendierter Tötung des Patienten differenzieren zu können.

1.4 Grundsätze der Bundesärztekammer zur ärztlichen Sterbebegleitung[1]

Präambel

Aufgabe des Arztes ist es, unter Beachtung des Selbstbestimmungsrechtes des Patienten Leben zu erhalten, Gesundheit zu schützen und wiederherzustellen sowie Leiden zu lindern und Sterbenden bis zum Tod beizustehen.

Die ärztliche Verpflichtung zur Lebenserhaltung besteht jedoch nicht unter allen Umständen. Es gibt Situationen, in denen sonst angemessene Diagnostik und Therapieverfahren nicht mehr indiziert sind, sondern Begrenzung geboten sein kann. Dann tritt palliativ-medizinische Versorgung in den Vordergrund. Die Entscheidung hierzu darf nicht von wirtschaftlichen Erwägungen abhängig gemacht werden.

Unabhängig von dem Ziel der medizinischen Behandlung hat der Arzt in jedem Fall für eine Basisbetreuung zu sorgen. Dazu gehören u. a.: Menschenwürdige Unterbringung, Zuwendung, Körperpflege, Lindern von Schmerzen, Atemnot und Übelkeit sowie Stillen von Hunger und Durst.

Art und Ausmaß einer Behandlung sind vom Arzt zu verantworten. Er muss dabei den Willen des Patienten beachten. Bei seiner Entscheidungsfindung soll der Arzt mit ärztlichen und pflegenden Mitarbeitern einen Konsens suchen.

Aktive Sterbehilfe ist unzulässig und mit Strafe bedroht, auch dann, wenn sie auf Verlangen des Patienten geschieht. Die Mitwirkung des Arztes bei der Selbsttötung widerspricht dem ärztlichen Ethos und kann strafbar sein.

Diese Grundsätze können dem Arzt die eigene Verantwortung in der konkreten Situation nicht abnehmen.

I. Ärztliche Pflichten bei Sterbenden

Der Arzt ist verpflichtet, Sterbenden, d. h. Kranken oder Verletzten mit irreversiblem Versagen einer oder mehrerer vitaler Funktionen, bei denen der Eintritt des Todes in kurzer Zeit zu erwarten ist, so zu helfen, dass sie in Würde zu sterben vermögen. Die Hilfe besteht neben palliativer Behandlung in Beistand und Sorge für Basisbetreuung.

Maßnahmen zur Verlängerung des Lebens dürfen in Übereinstimmung mit dem Willen des Patienten unterlassen oder nicht weitergeführt werden, wenn diese nur den Todeseintritt verzögern und die Krankheit in ihrem Verlauf nicht mehr aufgehalten werden kann. Bei Sterbenden kann die Linderung des Leidens so im Vordergrund stehen, dass eine möglicherweise unvermeidbare Lebensverkürzung hingenommen werden darf. Eine gezielte Lebensverkürzung durch Maßnahmen, die den Tod herbeiführen oder das Sterben beschleunigen sollen, ist unzulässig und mit Strafe bedroht.

Die Unterrichtung des Sterbenden über seinen Zustand und mögliche Maßnahmen muss wahrheitsgemäß sein, sie soll sich aber an der Situation des Sterbenden orientieren und vorhandenen Ängsten Rechnung tragen. Der Arzt kann auch

---

[1] In: Deutsches Ärzteblatt 95 (1998) C-1690f.; zum Vergleich: Entwurf der Richtlinie zur Sterbehilfe der Bundesärztekammer zur ärztlichen Sterbebegleitung und den Grenzen zumutbarer Behandlung (Stand 25.04.1997), in: Deutsches Ärzteblatt 94 (1997) A-1342f.; und die Richtlinien von 1993, in: Deutsches Ärzteblatt 90 (1993) B-1791f.

Angehörige oder nahestehende Personen informieren, es sei denn, der Wille des Patienten steht dagegen. Das Gespräch mit ihnen gehört zu seinen Aufgaben.

II. Verhalten bei Patienten mit infauster Prognose

Bei Patienten mit infauster Prognose, die sich noch nicht im Sterben befinden, kommt eine Änderung des Behandlungszieles nur dann in Betracht, wenn die Krankheit weit fortgeschritten ist und eine lebenserhaltende Behandlung nur Leiden verlängert. An die Stelle von Lebensverlängerung und Lebenserhaltung treten dann palliativ-medizinische und pflegerische Maßnahmen. Die Entscheidung über Änderung des Therapieziels muss dem Willen des Patienten entsprechen.

Bei Neugeborenen mit schwersten Fehlbildungen oder schweren Stoffwechselstörungen, bei denen keine Aussicht auf Heilung oder Besserung besteht, kann nach hinreichender Diagnostik und im Einvernehmen mit den Eltern eine lebenserhaltende Behandlung, die ausgefallene oder ungenügende Vitalfunktionen ersetzt, unterlassen oder nicht weitergeführt werden. Gleiches gilt für extrem unreife Kinder, deren unausweichliches Sterben abzusehen ist, und für Neugeborene, die schwerste Zerstörungen des Gehirns erlitten haben. Eine weniger schwere Schädigung ist kein Grund zur Vorenthaltung oder zum Abbruch lebenserhaltender Maßnahmen, auch dann nicht, wenn Eltern dies fordern. Ein offensichtlicher Sterbevorgang soll nicht durch lebenserhaltende Therapie künstlich in die Länge gezogen werden.

Alle diesbezüglichen Entscheidungen müssen individuell erarbeitet werden. Wie bei Erwachsenen gibt es keine Ausnahmen von der Pflicht zu leidensmindernder Behandlung, auch nicht bei unreifen Frühgeborenen.

III. Behandlung bei sonstiger lebensbedrohender Schädigung

Patienten mit einer lebensbedrohenden Krankheit, an der sie trotz generell schlechter Prognose nicht zwangsläufig in absehbarer Zeit sterben, haben, wie alle Patienten, ein Recht auf Behandlung, Pflege und Zuwendung. Lebenserhaltende Therapie einschließlich – ggf. künstlicher – Ernährung ist daher geboten. Dieses gilt auch für Patienten mit schwersten cerebralen Schädigungen und anhaltender Bewusstlosigkeit (apallisches Syndrom, sog. «Wachkoma»).

Bei fortgeschrittener Krankheit kann aber auch bei diesen Patienten eine Änderung des Therapiezieles und die Unterlassung lebenserhaltender Maßnahmen in Betracht kommen. So kann der unwiderrufliche Ausfall weiterer vitaler Organfunktionen die Entscheidung rechtfertigen, auf den Einsatz technischer Hilfsmittel zu verzichten. Die Dauer der Bewusstlosigkeit darf dabei nicht alleiniges Kriterium sein.

Alle Entscheidungen müssen dem Willen des Patienten entsprechen. Bei bewusstlosen Patienten wird in der Regel zur Ermittlung des mutmaßlichen Willens die Bestellung eines Betreuers erforderlich sein.

IV. Ermittlung des Patientenwillens

Bei einwilligungsfähigen Patienten hat der Arzt den aktuell geäußerten Willen des angemessen aufgeklärten Patienten zu beachten, selbst wenn sich dieser Wille nicht mit den aus ärztlicher Sicht gebotenen Diagnose- und Therapiemaßnahmen deckt. Dies gilt auch für die Beendigung schon eingeleiteter lebenserhaltender Maßnahmen. Der Arzt soll Kranken, die eine notwendige Behandlung ablehnen, helfen, die Entscheidung zu überdenken.

Bei einwilligungsunfähigen Patienten ist die Erklärung des gesetzlichen Vertreters, z. B. der Eltern oder des Betreuers oder des Bevollmächtigten maßgeblich. Diese sind gehalten, zum Wohl des Patienten zu entscheiden. Bei Verdacht auf Missbrauch oder offensichtlicher Fehlentscheidung soll sich der Arzt an das Vormundschaftsgericht wenden.

Liegen weder vom Patienten noch von einem gesetzlichen Vertreter oder einem Bevollmächtigten Erklärungen vor oder können diese nicht rechtzeitig eingeholt werden, so hat der Arzt so zu handeln, wie es dem mutmaßlichen Willen des Patienten in der konkreten Situation entspricht. Der Arzt hat den mutmaßlichen Willen aus den Gesamtumständen zu ermitteln. Eine besondere Bedeutung kommt hierbei einer früheren Erklärung des Patienten zu. Anhaltspunkte für den mutmaßlichen Willen des Patienten können seine Lebenseinstellung, seine religiöse Überzeugung, seine Haltung zu Schmerzen und zu schweren Schäden in der ihm verbleibenden Lebenszeit sein. In die Ermittlung des mutmaßlichen Willens sollen auch Angehörige oder nahestehende Personen einbezogen werden.

Lässt sich der mutmaßliche Wille des Patienten nicht anhand der genannten Kriterien ermitteln, so handelt der Arzt im Interesse des Patienten, wenn er die ärztlich indizierten Maßnahmen trifft.

V. Patientenverfügungen, Vorsorgevollmachten und Betreuungsverfügungen

Patientenverfügungen, auch Patiententestamente genannt, Vorsorgevollmachten und Betreuungsverfügungen sind eine wesentliche Hilfe für das Handeln des Arztes.

Patientenverfügungen sind verbindlich, sofern sie sich auf die konkrete Behandlungssituation beziehen und keine Umstände erkennbar sind, dass der Patient sie nicht mehr gelten lassen würde. Es muss stets geprüft werden, ob die Verfügung, die eine Behandlungsbegrenzung erwägen lässt, auch für die aktuelle Situation gelten soll. Bei der Entscheidungsfindung sollte der Arzt daran denken, dass solche Willensäußerungen meist in gesunden Tagen verfasst wurden und dass Hoffnung oftmals in ausweglos erscheinenden Lagen wächst. Bei der Abwägung der Verbindlichkeit kommt der Ernsthaftigkeit eine wesentliche Rolle zu. Der Zeitpunkt der Aufstellung hat untergeordnete Bedeutung.

Anders als ein Testament bedürfen Patientenverfügungen keiner Form, sollten aber in der Regel schriftlich abgefasst sein.

Im Wege der Vorsorgevollmacht kann ein Bevollmächtigter auch für die Einwilligung in ärztliche Maßnahmen, deren Unterlassung oder Beendigung bestellt werden. Bei Behandlung mit hohem Risiko für Leben und Gesundheit bedarf diese Einwilligung der Schriftform (§ 1904 BGB) und muss sich ausdrücklich auf eine solche Behandlung beziehen. Die Einwilligung des Betreuers oder Bevollmächtigten in eine «das Leben gefährdende Behandlung» bedarf der Zustimmung des Vormundschaftsgerichts (§ 1904 BGB). Nach der Rechtsprechung (Oberlandesgericht Frankfurt a. M. vom 15.07.1998 - Az: 20 W 224/98) ist davon auszugehen, dass dies auch für die Beendigung lebenserhaltender Maßnahmen im Vorfeld der Sterbephase gilt.

Betreuungsverfügungen können Empfehlungen und Wünsche zur Wahl des Betreuers und zur Ausführung der Betreuung enthalten.

2. Texte zur aktuellen Rechtslage

2.1 Auszüge aus dem Schweizerischen, Deutschen und Österreichischen Strafrecht betr. Sterbehilfe und Suizidbeihilfe

2.1.1 Schweiz (SchStGB Art. 114f.)

Art. 114. Tötung auf Verlangen
Wer aus achtenswerten Beweggründen, namentlich aus Mitleid, einen Menschen auf dessen ernsthaftes und eindringliches Verlangen tötet, wird mit Gefängnis bestraft.

Art. 115. Verleitung und Beihilfe zum Selbstmord
Wer aus selbstsüchtigen Beweggründen jemanden zum Selbstmorde verleitet oder ihm dazu Hilfe leistet, wird, wenn der Selbstmord ausgeführt oder versucht wurde, mit Zuchthaus bis zu fünf Jahren oder Gefängnis bestraft.

2.1.2 Bundesrepublik Deutschland (StGB i. d. F. vom 12.09.1990, Auszug)

§ 211. Mord
(1) Der Mörder wird mit lebenslanger Freiheitsstrafe bestraft. (2) Mörder ist, wer aus Mordlust, zur Befriedigung des Geschlechtstriebs, aus Habgier oder sonst aus niedrigen Beweggründen, heimtückisch oder grausam oder mit gemeingefährlichen Mitteln oder um eine andere Straftat zu ermöglichen oder zu verdecken, einen Menschen tötet.

§ 212. Totschlag
(1) Wer einen Menschen tötet, ohne Mörder zu sein, wird als Totschläger mit Freiheitsstrafe nicht unter fünf Jahren bestraft. (2) In besonders schweren Fällen ist auf lebenslange Freiheitsstrafe zu erkennen.

§ 213. Minder schwerer Fall des Totschlags
War der Totschläger ohne eigene Schuld durch eine ihm oder einem Angehörigen zugefügte Misshandlung oder schwere Beleidigung von dem Getöteten zum Zorn gereizt und hierdurch auf der Stelle zur Tat hingerissen worden oder liegt sonst ein minder schwerer Fall vor, so ist die Strafe Freiheitsstrafe von sechs Monaten bis zu fünf Jahren.

§ 216. Tötung auf Verlangen
(1) Ist jemand durch das ausdrückliche und ernstliche Verlangen des Getöteten zur Tötung bestimmt worden, so ist auf Freiheitsstrafe von sechs Monaten bis zu fünf Jahren zu erkennen. (2) Der Versuch ist strafbar.

§ 323c. Unterlassene Hilfeleistung
Wer bei Unglücksfällen oder gemeiner Gefahr oder Not nicht Hilfe leistet, obwohl dies erforderlich und ihm den Umständen nach zuzumuten, insbesondere ohne erhebliche eigene Gefahr und ohne Verletzung anderer wichtiger Pflichten möglich ist, wird mit Freiheitsstrafe bis zu einem Jahr oder mit Geldstrafe bestraft.

2.1.3 Österreich (Strafgesetzbuch i. d. F. vom 23.01.1974, Auszug)

§ 75. *Mord*
Wer einen anderen tötet, ist mit Freiheitsstrafe von zehn bis zu zwanzig Jahren oder mit lebenslanger Freiheitsstrafe zu bestrafen.

§ 76. *Totschlag*
Wer sich in einer allgemein begreiflichen heftigen Gemütsbewegung dazu hinreißen lässt, einen anderen zu töten, ist mit Freiheitsstrafe von fünf bis zu zehn Jahren zu bestrafen.

§ 77. *Tötung auf Verlangen*
Wer einen anderen auf dessen ernstliches und eindringliches Verlangen tötet, ist mit Freiheitsstrafe von sechs Monaten bis zu fünf Jahren zu bestrafen.

§ 78. *Mitwirkung am Selbstmord*
Wer einen anderen dazu verleitet, sich selbst zu töten, oder ihm dazu Hilfe leistet, ist mit Freiheitsstrafe von sechs Monaten bis zu fünf Jahren zu bestrafen.

§ 95. *Unterlassung der Hilfeleistung*
(1) Wer es bei einem Unglücksfall oder einer Gemeingefahr (§ 176) unterlässt, die zur Rettung eines Menschen aus der Gefahr des Todes oder einer beträchtlichen Körperverletzung oder Gesundheitsschädigung offensichtlich erforderliche Hilfe zu leisten, ist mit Freiheitsstrafe bis zu sechs Monaten oder mit Geldstrafe bis zu 360 Tagessätzen, wenn die Unterlassung der Hilfeleistung jedoch den Tod eines Menschen zur Folge hat, mit Freiheitsstrafe bis zu einem Jahr oder mit Geldstrafe bis zu 360 Tagessätzen zu bestrafen, es sei denn, dass die Hilfeleistung dem Täter nicht zuzumuten ist. (2) Die Hilfeleistung ist insbesondere dann nicht zuzumuten, wenn sie nur unter Gefahr für Leib oder Leben oder unter Verletzung anderer ins Gewicht fallender Interessen möglich wäre.

§ 110. *Eigenmächtige Heilbehandlung*
(1) Wer einen anderen ohne dessen Einwilligung, wenn auch nach den Regeln der medizinischen Wissenschaft, behandelt, ist mit Freiheitsstrafe bis zu sechs Monaten oder mit Geldstrafe bis zu 360 Tagessätzen zu bestrafen. (2) Hat der Täter die Einwilligung des Behandelten in der Annahme nicht eingeholt, dass durch den Aufschub der Behandlung das Leben oder die Gesundheit des Behandelten ernstlich gefährdet wäre, so ist er nach Abs. 1 nur zu bestrafen, wenn die vermeintliche Gefahr nicht bestanden hat und er sich dessen bei Aufwendung der nötigen Sorgfalt (§ 6) hätte bewusst sein können. (3) Der Täter ist nur auf Verlangen des eigenmächtig Behandelten zu verfolgen.

2.2 *Alternativentwurf eines Gesetzes über Sterbehilfe von 1986*[1]

§ 214. Abbruch oder Unterlassung lebenserhaltender Maßnahmen
(1) Wer lebenserhaltende Maßnahmen abbricht oder unterlässt, handelt nicht rechtswidrig, wenn
1. der Betroffene dies ausdrücklich und ernstlich verlangt oder
2. der Betroffene nach ärztlicher Erkenntnis das Bewusstsein unwiederbringlich verloren hat oder im Falle eines schwerstgeschädigten Neugeborenen niemals erlangen wird oder
3. der Betroffene nach ärztlicher Erkenntnis sonst zu einer Erklärung über Aufnahme oder Fortführung der Behandlung dauernd außerstande ist und aufgrund verlässlicher Anhaltspunkte anzunehmen ist, dass er im Hinblick auf Dauer und Verlauf seines aussichtslosen Leidenszustandes, insbesondere seinen nahe bevorstehenden Tod, diese Behandlung ablehnen würde, oder
4. bei nahe bevorstehendem Tod im Hinblick auf den Leidenszustand des Betroffenen und die Aussichtslosigkeit einer Heilbehandlung die Aufnahme oder Fortführung lebenserhaltender Maßnahmen nach ärztlicher Erkenntnis nicht mehr angezeigt ist.

(2) Abs. 1 gilt auch für den Fall, dass der Zustand des Betroffenen auf einem Selbsttötungsversuch beruht.

§ 214a. Leidensmindernde Maßnahmen
Wer als Arzt oder mit ärztlicher Ermächtigung bei einem tödlich Kranken mit dessen ausdrücklichem oder mutmaßlichen Einverständnis Maßnahmen zur Linderung schwerer, anders nicht zu behebender Leidenszustände trifft, handelt nicht rechtswidrig, auch wenn dadurch als nicht vermeidbare Nebenwirkung der Eintritt des Todes beschleunigt wird.

§ 215. Nichthinderung einer Selbsttötung
(1) Wer es unterlässt, die Selbsttötung eines anderen zu hindern, handelt nicht rechtswidrig, wenn die Selbsttötung auf einer frei verantwortlichen, ausdrücklich erklärten oder aus den Umständen erkennbaren ernstlichen Entscheidung beruht.
(2) Von einer solchen Entscheidung darf insbesondere nicht ausgegangen werden, wenn der andere noch nicht 18 Jahre alt ist oder wenn seine freie Willensbestimmung entsprechend §§ 20, 21 StGB beeinträchtigt ist.

§ 216. Tötung auf Verlangen
(1) Ist jemand durch das ausdrückliche und ernstliche Verlangen des Getöteten zur Tötung bestimmt worden, so ist auf Freiheitsstrafe von sechs Monaten bis zu fünf Jahren zu erkennen. (2) Das Gericht kann unter den Voraussetzungen des Abs. 1 von Strafe absehen, wenn die Tötung der Beendigung eines schwersten, vom Betroffenen nicht mehr zu ertragenden Leidenszustandes dient, der nicht durch andere Maßnahmen behoben oder gelindert werden kann. (3) Der Versuch ist strafbar.

---

[1] *J. Baumann u. a.*, Alternativentwurf eines Gesetzes über Sterbehilfe (AE-Sterbehilfe), Entwurf eines Arbeitskreises von Professoren des Strafrechts und der Medizin sowie ihrer Mitarbeiter, Stuttgart 1986, 11f.

2.3 «Motion Ruffy» zur Neugestaltung des Schweizerischen Strafrechtsartikels zur Sterbehilfe von 1996

Weder Tötung auf Verlangen im Sinne von Artikel 114 noch Beihilfe zum Selbstmord im Sinne von Artikel 115 liegt vor, wenn folgende Voraussetzungen kumulativ erfüllt sind:
1. Der Tod der betreffenden Person auf deren ernsthaftes und eindringliches Verlangen herbeigeführt worden ist.
2. Die verstorbene Person an einer unheilbaren, irreversibel verlaufenden Krankheit gelitten hat, für die ein tödlicher Ausgang prognostiziert worden ist und die mit unerträglichen körperlichen oder seelischen Leiden verbunden ist.
3. Zwei diplomierte und sowohl voneinander als auch vom Patienten unabhängige Ärzte zuvor bescheinigt haben, dass die Voraussetzungen nach Ziffer 2 erfüllt sind.
4. Die zuständige ärztliche Behörde sich versichert hat, dass der Patient angemessen informiert worden ist, urteilsfähig ist und das Gesuch um Sterbehilfe wiederholt gestellt hat.
5. Die Sterbehilfe von einem eidgenössisch diplomierten Arzt geleistet wird, den der Gesuchsteller selber unter seinen Ärzten ausgewählt hat.

3. Kirchliche Dokumente

*3.1 Erklärung der Kongregation für die Glaubenslehre zur Euthanasie**

Einleitung

Die Rechte und Werte der menschlichen Person sind von großer Bedeutung bei den Fragen, die von den Menschen unserer Tage diskutiert werden. Das II. Vatikanische Konzil hat, was dieses Thema angeht, die überragende Würde der menschlichen Person, besonders ihr Recht auf Leben, feierlich bekräftigt. Deshalb hat das gleiche Konzil auch die Anschläge gegen das Leben, zu denen «jede Art Mord, Völkermord, Abtreibung, Euthanasie und auch der freiwillige Selbstmord» gehören, angeprangert (Pastoralkonstitution Gaudium et Spes, Nr. 27).

Vor einiger Zeit hat die Kongregation für die Glaubenslehre allen Gläubigen die Lehre der katholischen Kirche zum Schwangerschaftsabbruch in Erinnerung gerufen.[1] Nun hält es die gleiche Kongregation für angebracht, die Lehre der Kirche zur Euthanasie darzulegen.

Die letzten Päpste[2] haben bereits die Grundsätze dieser Lehre herausgestellt, welche ihr volles Gewicht behalten; doch haben die Fortschritte der Medizin bewirkt, dass in den letzten Jahren in der Frage der Euthanasie neue Aspekte sichtbar wurden. Diese machen es erforderlich, dass die betreffenden ethischen Normen noch mehr verdeutlicht werden.

In der heutigen Gesellschaft, in der sogar die grundlegenden Werte des menschlichen Lebens oft in Frage gestellt werden, wirken sich die Veränderungen im Bereich der Zivilisation auch auf die Bewertung von Tod und Schmerz aus. Es ist ferner zu beachten, dass die Fähigkeit der ärztlichen Kunst, zu heilen und das Leben unter bestimmten Bedingungen zu verlängern, zugenommen hat, wobei sich natürlich zuweilen einige moralische Fragen ergeben. Menschen, die sich in einer solchen Lage befinden, fragen sich besorgt nach dem Sinn eines extrem hohen Alters und des Todes. Es versteht sich, dass sie in der Folge auch die Frage stellen, ob sie das Recht haben, sich selber oder ihren Angehörigen einen «gnädigen Tod» zu verschaffen, der die Leiden abkürzen könnte und der nach ihrer Ansicht der Würde des Menschen besser entspreche.

Mehrere Bischofskonferenzen haben der Kongregation für die Glaubenslehre hierzu einige Fragen vorgelegt. Die Kongregation hat zu den verschiedenen Aspek-

---

* Vom 5. Mai 1980 (Herausgeber: Sekretariat der Deutschen Bischofskonferenz).
[1] Erklärung über den Schwangerschaftsabbruch, 18. November 1974, AAS 66 (1974) 730–747.
[2] Pius XII. Ansprache an die Delegierten der Internationalen Vereinigung katholischer Frauen, 11. September 1947, AAS 39 (1947) 483. Ansprache an die Mitglieder des katholischen Hebammenverbandes Italiens, 29. Oktober 1951, AAS 43 (1951) 835–854. Ansprache an die Mitglieder des Internationalen Forschungsrates für Militärmedizin, 19. Oktober 1953, AAS 45 (1953) 744–754. Ansprache an die Teilnehmer des IX. Kongresses der italienischen Gesellschaft für Anästhesiologie, 24. Februar 1957, AAS 49 (1957) 146. Vgl. auch Ansprache zur Frage der «Wiederbelebung», 24. November 1957, AAS 49 (1957) 1027–1033. Paul VI. Ansprache an die Mitglieder der Sonderkommission der Vereinten Nationen zur Frage der Rassentrennung, 22. Mai 1974, AAS 66 (1974) 346. Johannes Paul II. Ansprache an die Bischöfe der Vereinigten Staaten von Nordamerika, 5. Oktober 1979, AAS 71 (1979) 1225.

ten der Euthanasie das Urteil von Fachleuten eingeholt und möchte nun mit dieser Erklärung auf die Anfragen der Bischöfe antworten, damit diese leichter die ihnen anvertrauten Gläubigen richtig unterweisen und den Regierungsstellen zu dieser schwerwiegenden Frage Gesichtspunkte zur Reflexion anbieten können. Die in diesem Dokument vorgelegten Überlegungen richten sich vor allem an jene, die an Christus glauben und auf ihn ihre Hoffnung setzen; denn aus Christi Leben, Tod und Auferstehung haben das Leben und besonders der Tod der Christen eine neue Bedeutung gewonnen, wie der hl. Paulus sagt: «Leben wir, so leben wir dem Herrn, sterben wir, so sterben wir dem Herrn. Ob wir leben oder ob wir sterben, wir gehören dem Herrn» (Röm 14,8; vgl. Phil 1,20). Was aber die Gläubigen anderer Religionen betrifft, werden die meisten von ihnen sicher darin mit uns übereinstimmen, dass der Glaube an Gott, den Schöpfer und Herrn des Lebens, und an seine Vorsehung – sofern sie diesen teilen – jeder menschlichen Person eine erhabene Würde verleiht und deren Achtung schützt.

Es ist zu hoffen, dass diese Erklärung bei allen Menschen guten Willens Zustimmung finden kann; denn auch wenn sie unterschiedliche philosophische Lehren und Ideologien vertreten, so haben sie doch ein waches Bewusstsein von den Rechten der menschlichen Person. Gerade diese Rechte sind ja auch im Verlauf der letzten Jahre in Erklärungen internationaler Gremien oft proklamiert worden.[3] Da es sich hier um fundamentale Rechte handelt, die jeder menschlichen Person zukommen, darf man sich keineswegs auf Argumente des politischen Pluralismus oder der Religionsfreiheit berufen, um die universale Geltung dieser Rechte zu leugnen.

I. Wert des menschlichen Lebens

Das menschliche Leben ist die Grundlage aller Güter und zugleich die notwendige Quelle und Vorbedingung für alle menschliche Tätigkeit sowie auch für jegliches gesellschaftliche Zusammensein. Während die meisten Menschen das menschliche Leben als etwas Heiliges betrachten und zugeben, dass niemand darüber nach Willkür verfügen darf, so vermögen die an Christus Glaubenden in ihm noch etwas Höheres zu erkennen, nämlich das Geschenk der Liebe Gottes, das sie bewahren und fruchtbar machen müssen. Aus dieser letzteren Überlegung ergibt sich Folgendes:

1. Niemand kann das Leben eines unschuldigen Menschen angreifen, ohne damit der Liebe Gottes zu ihm zu widersprechen und so ein fundamentales unverlierbares und veräußerliches Recht zu verletzen, ohne also ein äußerst schweres Verbrechen zu begehen.[4]
2. Jeder Mensch muss sein Leben nach dem Ratschluss Gottes führen. Es ist ihm als ein Gut anvertraut, das schon hier auf Erden Frucht bringen soll, dessen volle und endgültige Vollendung jedoch erst im ewigen Leben zu erwarten ist.
3. Der Freitod oder Selbstmord ist daher ebenso wie der Mord nicht zu rechtfertigen; denn ein solches Tun des Menschen bedeutet die Zurückweisung der Oberherrschaft Gottes und seiner liebenden Vorsehung. Selbstmord ist ferner

---

[3] Zu berücksichtigen ist besonders die Empfehlung 779 (1976) über die Rechte der Kranken und Sterbenden, die vom Parlament des Europarates auf seiner XXVII. Ordentlichen Sitzung angenommen worden ist. Vgl. Sipeca, Nr. 1 (März 1977) 14f.

[4] Ganz außer acht gelassen werden hier die Fragen der Todesstrafe und des Krieges. Diese erfordern weitere besondere Überlegungen, die das Thema dieser Erklärung überschreiten.

die Verweigerung der Selbstliebe, die Verleugnung des Naturinstinktes zum Leben, eine Flucht vor den Pflichten der Gerechtigkeit und der Liebe, die den Nächsten, den verschiedenen Gemeinschaften oder auch der ganzen menschlichen Gesellschaft geschuldet werden – wenn auch zuweilen, wie alle wissen, seelische Verfassungen zugrunde liegen, welche die Schuldhaftigkeit mindern oder auch ganz aufheben können.

Vom Selbstmord muss jedoch jenes Lebensopfer deutlich unterschieden werden, das jemand aus einem übergeordneten Grund – wie Gottes Ehre, das Heil der Seelen oder der Dienst an den Brüdern – bringt, indem er sein Leben hingibt oder der äußersten Gefahr aussetzt (vgl. Joh 15,14).

II. Euthanasie

Um die Frage der Euthanasie richtig zu behandeln, muss zunächst die Bedeutung der verwendeten Begriffe genau erklärt werden.

Etymologisch bezeichnete *Euthanasie* in der Antike den *sanften Tod*, ohne übermäßige Schmerzen. Heute denkt man nicht mehr an diese ursprüngliche Bedeutung des Ausdrucks, sondern vielmehr an einen ärztlichen Eingriff, durch den die Schmerzen der Krankheit oder des Todeskampfes vermindert werden, wobei zuweilen die Gefahr besteht, das Leben vorzeitig zu beenden. Schließlich wird das Wort in einem noch engeren Sinn verstanden, und zwar: *töten aus Barmherzigkeit*, in der Absicht, extreme Schmerzen endgültig zu beenden oder um Kindern mit Geburtsfehlern, unheilbar Kranken oder Geisteskranken eine Verlängerung ihres harten Lebens zu ersparen, das vielleicht noch etliche Jahre dauern würde und den Familien und der Gesellschaft eine allzu schwere Last aufbürden könnte.

Es muss daher klar sein, in welchem Sinn der Ausdruck in diesem Dokument verwendet wird.

Unter Euthanasie wird hier eine Handlung oder Unterlassung verstanden, die ihrer Natur nach oder aus bewusster Absicht den Tod herbeiführt, um so jeden Schmerz zu beenden. Euthanasie wird also auf der Ebene der Intention wie auch der angewandten Methoden betrachtet.

Es muss erneut mit Nachdruck erklärt werden, dass nichts und niemand je das Recht verleihen kann, ein menschliches Lebewesen unschuldig zu töten, mag es sich um einen Fötus oder einen Embryo, ein Kind, einen Erwachsenen oder Greis, einen unheilbar Kranken oder Sterbenden handeln. Es ist auch niemandem erlaubt, diese todbringende Handlung für sich oder einen anderen zu erbitten, für den er Verantwortung trägt, ja man darf nicht einmal einer solchen Handlung zustimmen, weder explizit noch implizit. Es kann ferner keine Autorität sie rechtmäßig anordnen oder zulassen. Denn es geht dabei um die Verletzung eines göttlichen Gesetzes, um eine Beleidigung der Würde der menschlichen Person, um ein Verbrechen gegen das Leben, um einen Anschlag gegen das Menschengeschlecht.

Es kann vorkommen, dass wegen langanhaltender und fast unerträglicher Schmerzen, aus psychischen oder anderen Gründen jemand meint, er dürfe berechtigterweise den Tod für sich selbst erbitten oder ihn anderen zufügen. Obwohl in solchen Fällen die Schuld des Menschen vermindert sein oder gänzlich fehlen kann, so ändert doch der Irrtum im Urteil, dem das Gewissen vielleicht guten Glaubens unterliegt, nicht die Natur dieses todbringenden Aktes, der in sich selbst immer abzulehnen ist. Man darf auch die flehentlichen Bitten von Schwerkranken, die für sich zuweilen den Tod verlangen, nicht als wirklichen Willen zur Euthanasie verstehen; denn fast immer handelt es sich um angstvolles Rufen nach Hilfe und Liebe. Über die Bemühungen der Ärzte hinaus hat der Kranke Liebe nötig, warme, menschliche und übernatürliche Zuneigung, die alle Nahestehenden, Eltern und Kinder, Ärzte und Pflegepersonen ihm schenken können und sollen.

III. Die Bedeutung des Schmerzes für den Christen und die Verwendung schmerzstillender Mittel

Der Tod tritt nicht immer unter allerschwersten Umständen, nach kaum erträglichen Schmerzen ein. Wir dürfen nicht nur an extreme Fälle denken. Zahlreiche übereinstimmende Zeugnisse lassen vermuten, dass die Natur selber Vorsorge getroffen hat, um jene im Tod zu vollziehenden Trennungen zu erleichtern, die, würden sie dem Menschen bei voller Gesundheit zugemutet, ungewöhnlich schmerzlich wären. So kommt es, dass die lange Dauer einer Krankheit, fortgeschrittenes Alter, Einsamkeit und Verlassenheit jene psychologischen Voraussetzungen schaffen, die die Annahme des Todes erleichtern.

Dennoch ist zuzugeben, dass der Tod ein Ereignis ist, das natürlicherweise das Herz des Menschen mit Angst erfüllt, zumal wenn ihm oft schwere und langdauernde Schmerzen voraufgehen oder ihn begleiten.

Der körperliche Schmerz gehört gewiss unvermeidlich zur Verfassung des Menschen; vom biologischen Standpunkt aus ist er ein Warnzeichen, dessen Nutzen außer Zweifel steht. Da er aber auch das psychische Leben des Menschen berührt, übersteigt seine Belastung oft den biologischen Nutzen, ja sie kann derart zunehmen, dass die Beseitigung des Schmerzes um jeden Preis wünschenswert erscheint.

Nach christlicher Lehre erhält der Schmerz jedoch, zumal in der Sterbestunde, eine besondere Bedeutung im Heilsplan Gottes. Er gibt Anteil am Leiden Christi und verbindet mit dem erlösenden Opfer, das Christus im Gehorsam gegen den Willen des Vaters dargebracht hat. Es darf deshalb nicht verwundern, wenn einzelne Christen schmerzstillende Mittel nur mäßig anwenden wollen, um wenigstens einen Teil ihrer Schmerzen freiwillig auf sich zu nehmen und sich so bewusst mit den Schmerzen des gekreuzigten Christus vereinigen zu können (vgl. Mt 27,34). Doch widerspricht es der Klugheit, eine heroische Haltung als allgemeine Norm zu fordern. Menschliche und christliche Klugheit rät im Gegenteil bei den meisten Kranken, solche Medikamente anzuwenden, welche den Schmerz lindern oder beseitigen können, auch wenn sich dadurch als Nebenwirkungen Schläfrigkeit und vermindertes Bewusstsein einstellen.

Bei denen aber, die sich selbst nicht mehr auszudrücken vermögen, darf man mit Recht voraussetzen, dass sie diese schmerzstillenden Mittel haben möchten und wünschen, sie nach dem Rat der Ärzte zu erhalten.

Die intensive Anwendung schmerzstillender Mittel ist aber nicht problemlos; denn man muss, um ihre Wirksamkeit zu gewährleisten, wegen des Phänomens der Gewöhnung im Allgemeinen immer größere Dosen verabreichen. Es ist hilfreich, an eine Erklärung von Papst Pius XII., zu erinnern, die weiterhin voll gültig bleibt. Einer Gruppe von Ärzten, die ihm die Frage vorgelegt hatten: «Kann es nach der Lehre der Religion und den Normen der Moral dem Arzt und dem Kranken erlaubt sein, mit Hilfe narkotischer Medikamente Schmerz und Bewusstsein auszuschalten (...) (auch beim Herannahen des Todes und wenn vorauszusehen ist, dass die Anwendung dieser Mittel das Leben abkürzt)?» antwortete der Papst:

«Wenn andere Mittel fehlen und dadurch den gegebenen Umständen die Erfüllung der übrigen religiösen und moralischen Pflichten in keiner Weise verhindert wird, ist es erlaubt.»[5] In diesem Fall ist es klar, dass der Tod keineswegs gewollt oder gesucht wird, auch wenn man aus einem vernünftigen Grund die Todesgefahr in Kauf nimmt; man beabsichtigt nur, die Schmerzen wirksam zu lindern, und verwendet dazu jene schmerzstillenden Mittel, die der ärztlichen Kunst zur Verfügung stehen. Doch verdienen die schmerzstillenden Mittel, bei denen die Kranken das Bewusstsein verlieren, eine besondere Überlegung. Denn es liegt viel daran, dass die Menschen nicht nur ihren moralischen Verpflichtungen und den Aufgaben gegenüber ihren Verwandten nachkommen, sondern sich vor allem auch in vollem Bewusstsein auf die Begegnung mit Christus richtig vorbereiten können. Pius XII. ermahnt deshalb: «Es ist nicht recht, den Sterbenden ohne schwerwiegenden Grund des Bewusstseins zu berauben.»[6]

IV. Das richtige Maß in der Verwendung therapeutischer Mittel

Es ist in unserer Zeit sehr wichtig, gerade in der Todesstunde die Würde der menschlichen Person und die christliche Bedeutung des Lebens zu wahren und sich vor einer gewissen «Technisierung» zu hüten, die der Gefahr des Mißbrauchs ausgesetzt ist. So spricht man heute ja auch vom «Recht auf den Tod», versteht darunter aber nicht das Recht eines Menschen, sich durch eigene oder fremde Hand nach Gutdünken den Tod zu geben, sondern das Recht, in ruhiger Verfassung mit menschlicher und christlicher Würde sterben zu können. Unter diesem Gesichtspunkt kann die Anwendung therapeutischer Mittel zuweilen manche Frage aufwerfen. In vielen Fällen kann die Situation derart verwickelt sein, dass sich Zweifel ergeben, wie hier die Grundsätze der Sittenlehre anzuwenden sind. Die betreffenden Entscheidungen stehen dem Gewissen des Kranken oder seiner rechtmäßigen Vertreter wie auch der Ärzte zu; dabei sind sowohl die Gebote der Moral wie auch die vielfältigen Aspekte des konkreten Falles vor Augen zu halten.

Jeder ist verpflichtet, für seine Gesundheit zu sorgen und sicherzustellen, dass ihm geholfen wird. Jene aber, denen die Sorge für die Kranken anvertraut ist, müssen ihren Dienst mit aller Sorgfalt verrichten und die Therapien anwenden, die nötig oder nützlich scheinen.

Muss man nun unter allen Umständen alle verfügbaren Mittel anwenden? Bis vor kurzem antworteten die Moraltheologen, die Anwendung «außerordentlicher» Mittel könne man keinesfalls verpflichtend vorschreiben. Diese Antwort, die als Grundsatz weiter gilt, erscheint heute vielleicht weniger einsichtig, sei es wegen der Unbestimmtheit des Ausdrucks oder wegen der schnellen Fortschritte in der Heilkunst. Daher ziehen es manche vor, von «verhältnismäßigen» und «unverhältnismäßigen» Mitteln zu sprechen. Auf jeden Fall kann eine richtige Abwägung der Mittel nur gelingen, wenn die Art der Therapie, der Grad ihrer Schwierigkeiten und Gefahren, der benötigte Aufwand sowie die Möglichkeiten ihrer Anwendung mit den Resultaten verglichen werden, die man unter Berücksichtigung des Zustandes des Kranken sowie seiner körperlichen und seelischen Kräfte erwarten kann.

Damit diese allgemeinen Grundsätze leichter angewendet werden können, dürften die folgenden Klarstellungen hilfreich sein:

---

[5] Pius XII. Ansprache vom 24. Februar 1957, AAS 49 (1957) 147.
[6] Ebd. 145, vgl. Ansprache vom 9. September 1958, AAS 50 (1958) 694.

- Sind andere Heilmittel nicht verfügbar, darf man mit Zustimmung des Kranken Mittel anwenden, die der neueste medizinische Fortschritt zur Verfügung gestellt hat, auch wenn sie noch nicht genügend im Experiment erprobt und nicht ungefährlich sind. Der Kranke, der darauf eingeht, kann dadurch sogar ein Beispiel der Hochherzigkeit zum Wohl der Menschheit geben.
- Ebenso darf man die Anwendung dieser Mittel abbrechen, wenn das Ergebnis die auf sie gesetzte Hoffnung nicht rechtfertigt. Bei dieser Entscheidung sind aber der berechtigte Wunsch des Kranken und seiner Angehörigen sowie das Urteil kompetenter Fachärzte zu berücksichtigen. Diese können mehr als andere eine vernünftige Abwägung vornehmen, ob dem Einsatz an Instrumenten und Personal die erwarteten Erfolge entsprechen und ob die angewandte Therapie dem Kranken nicht Schmerzen oder Beschwerden bringt, die in keinem Verhältnis stehen zu den Vorteilen, die sie ihm verschaffen kann.
- Es ist immer erlaubt, sich mit den Mitteln zu begnügen, welche die Medizin allgemein zur Verfügung stellt. Niemand kann daher verpflichtet werden, eine Therapie anzuwenden, die zwar schon im Gebrauch, aber noch mit Risiken versehen oder zu aufwendig ist. Ein Verzicht darauf darf nicht mit Selbstmord gleichgesetzt werden: es handelt sich vielmehr um ein schlichtes Hinnehmen menschlicher Gegebenheiten; oder man möchte einen aufwendigen Einsatz medizinischer Technik vermeiden, dem kein entsprechender zu erhoffender Nutzen gegenübersteht; oder man wünscht, der Familie beziehungsweise der Gemeinschaft keine allzu große Belastung aufzuerlegen.
- Wenn der Tod näher kommt und durch keine Therapie mehr verhindert werden kann, darf man sich im Gewissen entschließen, auf weitere Heilversuche zu verzichten, die nur eine schwache oder schmerzvolle Verlängerung des Lebens bewirken könnten, ohne dass man jedoch die normalen Hilfen unterlässt, die man in solchen Fällen einem Kranken schuldet. Dann liegt kein Grund vor, dass der Arzt Bedenken haben müsste, als habe er einem Gefährdeten die Hilfe verweigert.

Schluss

Die in dieser Erklärung enthaltenen Normen sind bestimmt vom aufrichtigen Bemühen, dem Menschen nach dem Plan des Schöpfers zu helfen. Wenn einerseits das Leben als Geschenk Gottes anzusehen ist, so ist andererseits der Tod unausweichlich. Darum müssen wir ihn im vollen Bewusstsein unserer Verantwortung und mit aller Würde annehmen können, ohne die Todesstunde in irgendeiner Weise zu beschleunigen. Der Tod beendet zwar den irdischen Lebenslauf, er eröffnet aber zugleich den Zugang zum unsterblichen Leben. Daher müssen sich alle Menschen schon im Licht menschlicher Werte auf dieses Ereignis innerlich richtig vorbereiten, ganz besonders aber die Christen im Licht ihres Glaubens.

Was diejenigen betrifft, die im öffentlichen Gesundheitswesen arbeiten, so werden sie nichts unterlassen, um ihr ganzes fachliches Können in den Dienst der Kranken und Sterbenden zu stellen. Sie sollen aber bedenken, dass diese noch einen anderen Trost viel notwendiger brauchen, nämlich uneingeschränkte Güte und liebende Anteilnahme. Ein solcher Dienst, den Menschen geschenkt, wird zugleich Christus dem Herrn erwiesen, der gesagt hat: «Was ihr für einen meiner geringsten Brüder getan habt, das habt ihr mir getan» (Mt 25,40).

3.2 Gemeinsames Wort der Evangelischen Kirche in Deutschland und vom Sekretariat der Deutschen Bischofskonferenz*

Vorwort

Die Begleitung Schwerkranker und Sterbender sowie deren Angehöriger ist eine christliche und menschliche Aufgabe, der zu allen Zeiten besondere Beachtung zukam und zukommen wird. Während über Jahrhunderte dieser Dienst häufig selbstverständlich von Einzelnen, von der Familie, von Nachbarn und der Gemeinschaft geleistet wurde, ist die Bereitschaft, diese Aufgabe wahrzunehmen, in den vergangenen Jahrzehnten deutlich zurückgegangen. Seit einigen Jahren wollen sich aber immer weniger Menschen mit der Tabuisierung und Anonymisierung von Sterben, Tod und Trauer abfinden. Sie bemühen sich je an ihrem Ort um eine intensive Begleitung aller Betroffenen: in der Familie, im Alten- und Pflegeheim, im Krankenhaus oder in der Gemeinde. Viele von ihnen haben dabei Anregungen von der rasch wachsenden «Hospizbewegung» erhalten. Der Rat der Evangelischen Kirche in Deutschland und die Deutsche Bischofskonferenz haben bereits 1989 in ihrer gemeinsamen Erklärung «Gott ist ein Freund des Lebens» diese Bemühungen aufgegriffen und unterstützt. Darüber hinaus haben die Kirchen je eigene Erklärungen zur Fragestellung veröffentlicht.[1]

Angesichts der zunehmenden Dringlichkeit dieser Thematik haben der Rat der Evangelischen Kirche in Deutschland und die Deutsche Bischofskonferenz beschlossen, die von ihnen gemeinsam verantwortete «Woche für das Leben» im Jahr 1996 unter das Motto «Leben bis zuletzt – Sterben als Teil des Lebens» zu stellen, um in Kirche und Gesellschaft auf die Notwendigkeit einer umfassenden Begleitung der Sterbenden und der Angehörigen hinzuweisen. Das vorliegende Wort will in dieses Anliegen einführen. Es ist in einem mehrstufigen Arbeitsprozess erstellt worden; wir danken insbesondere Konrad Baumgartner, Valentin Doering, Peter Godzik, Thomas Hiemenz, Roswitha Kottnik, Karl Dieterich Pfisterer und Manfred Seitz für ihre Hilfe bei der Vorarbeit. Das Wort will zum Engagement aufrufen und dazu ermutigen, im Glauben an den Tod und die Auferstehung Jesu Christi die Kraft zu finden, Sterben als Teil des Lebens annehmen zu können – für sich selbst und für andere.

---

* Im Sterben: Umfangen vom Leben, 18.04.1996.

[1] *Aus der katholischen Kirche:* Das Lebensrecht des Menschen und die Euthanasie (Hirtenschreiben der deutschen Bischöfe 1975). Menschenwürdig und christlich sterben (Hirtenschreiben der deutschen Bischöfe 1978). Schwerstkranken und Sterbenden beistehen (Hirtenschreiben der deutschen Bischöfe 1991). Eltern trauern um ihr totes neugeborenes Kind. Hinweise zur seelsorglichen Begleitung (Arbeitshilfen 1993). Die Hospizbewegung – Profil eines hilfreichen Weges in katholischem Verständnis (Erklärung der Pastoralkommission 1993). Unsere Sorge um die Toten und die Hinterbliebenen. Bestattungskultur und Begleitung von Trauernden aus christlicher Sicht (Hirtenschreiben der deutschen Bischöfe 1994).
Aus der Vereinigten Evangelisch-Lutherischen Kirche Deutschlands: Agenda für Evangelisch-Lutherische Kirchen und Gemeinden, Band III, Teil 4: Dienst an Kranken, Hannover 1994. P. Godzik/J. Jeziorowski (Hrsg.), Von der Begleitung Sterbender, Hannover 1989. «Hospiz-Bewegung». Ein Arbeitsbericht, Hannover 1990. Verlass mich nicht, wenn ich schwach werde: Handbuch zur Begleitung Schwerkranker und Sterbender von Andreas Ebert und Peter Godzik, Rissen 1993.

1. Sterben, Tod und Trauer in unserer Gesellschaft

Jahr für Jahr sterben in Deutschland etwa 900 000 Menschen. Unter ihnen sind über 9 500 Verkehrstote, 12 000 Suizid-Tote und 2 500 Totgeburten. Über die Hälfte aller Todesfälle ereignen sich in Krankenhäusern, Kliniken und Altenheimen; in manchen Großstädten sind es 90 % und mehr. Nicht zu übersehen ist die zunehmende Zahl von Toten, die ohne Angehörige oder mittellos sterben. Das hängt u. a. damit zusammen, dass die Zahl von alleinlebenden Menschen in allen Altersstufen steigt und sich ihr Lebens- und Sterbeweg anders als der von Menschen in Partnerschaft und Familie gestattet. Angesichts der zurückgegangenen Kindersterblichkeit und der steigenden Lebenserwartung verschiebt sich das durchschnittliche Todesalter immer mehr nach oben.

Allein diese wenigen Hinweise zeigen bereits: Sterben, Tod und Trauer sowie die Einstellung dazu haben sich in den letzten Jahrzehnten in unserem Land radikal verändert. Das Sterben zu Hause im Kreis der Familie und der Angehörigen sowie der Nachbarn ist eher selten geworden. Die Bestatter bieten im Trauerfall inzwischen ein umfassendes Angebot an Hilfen bis hin zur Trauerbegleitung an. Neben der Erdbestattung wird zunehmend die Feuerbestattung üblich. Die Zahl anonymer Bestattungen steigt, nicht nur in den neuen Bundesländern. Grab- und Grabmalkultur sind stereotyp und katalogmäßig geworden. Die Kirchen und ihre Gemeinden beschränken sich im Trauerfall gelegentlich auf den Bereich der Verkündigung und Liturgie: Aber die Begleitung der Angehörigen als Sorge für sie, besonders in den Wochen nach der Bestattung, ist eine gewichtige Aufgabe. Die Trauernden selbst verstecken und verdrängen ihre Emotionen durch Abwehr von Beileidsbezeugungen und durch eine möglichst rasche Rückkehr zum «normalen» Alltag.

Die Bedingungen des modernen Lebens haben zu einer sozialen Verdrängung der lebensbedeutsamen Vorgänge um Tod und Trauer geführt. Die Gestaltung des Lebens bestimmt auch den Umgang mit dem Sterben. Immer wieder wird die Forderung nach aktiver Sterbehilfe (Tötung auf Verlangen) laut. In unserer Gesellschaft werden Wohlstand, immer weiter steigender Lebensstandard und Vitalität bis ins hohe Alter hinein als Leitbilder propagiert. Viele Menschen können sich für das eigene Leben Entbehrungen und Grenzsituationen kaum noch vorstellen. Die Erfolge der Medizin führten zu einer zuweilen ins Unermessliche gehenden Hoffnung auf Wiederherstellung der Gesundheit, auf Schmerzbeseitigung oder auf ein Leben mit «neuen Organen» – nicht wenige Menschen glaubten in dieser Hoffnung an eine quasi «diesseitige Unsterblichkeit». Angesichts eines relativ kurzen und vielfach gefährdeten Lebens hofften die Menschen früherer Zeiten noch weit mehr auf ein «Weiterleben nach dem Tod», auf eine Vollendung des irdischen Lebens in der Ewigkeit bei Gott. Heute sehen viele in einem langen und erfüllten Leben das Ganze, oder sie erträumen von einer Reinkarnation den Ausgleich für die erfahrenen Entbehrungen und die nicht erfüllten Hoffnungen.

Inzwischen werden die Grenzen des Machbaren jedoch deutlicher. So mancher Fortschritt wird als «tödlich» entlarvt. Langsam wird uns bewusst: Die privaten und sozialen Tabuisierungen von Sterben, Tod und Trauer wirken sich schädlich, ja zerstörend für unser Leben aus. Allmählich werden diese Wirklichkeiten wieder «gesellschaftsfähig»: in den Gesprächen und Publikationen, in der Bereitschaft, persönlich für Pflegebedürftige und Schwerkranke zu sorgen und sich den Sterbenden und Toten wieder neu zuzuwenden.

Maßgeblichen Anteil daran hat die Hospizbewegung mit ihrem vielfältigen Engagement. Davon inspiriert lassen sich auch verstärkt Krankenhäuser und Kliniken auf die Frage ein, welche personellen und strukturellen Konsequenzen im Blick auf die Ermöglichung und die Begleitung eines «Sterbens in Würde» zu ziehen sind. Trauergruppen und -seminare werden von Hinterbliebenen dankbar angenommen; Trauernde finden sich zu Initiativ-Gruppen zusammen (z. B. «Verwaiste Eltern»). Die Frage nach dem eigenen Sterben wird allerdings eher selten gewagt oder sinnvoll beantwortet.

Über Jahrhunderte hin prägt die christliche Botschaft vom Sinn des Lebens und Sterbens und von der Hoffnung auf die Auferstehung der Toten die Lebens- und Todeskultur unserer Gesellschaft. Viele fanden hier Antwort auf die Sehnsucht des Menschen nach bleibendem und vollendetem Leben. Zuweilen mag die Verkündigung dieser Zukunftshoffnung sich zu wenig inspirierend für die konkrete Lebensgestaltung ausgewirkt haben. Das irdische Leben wurde mehr als «Warteraum für das Jenseits» aufgefasst, die Botschaft vom Kommen des Reiches Gottes zu wenig als Impuls zu Veränderung der Lebensverhältnisse wirksam. Zwischenzeitlich haben der weit verbreitete Atheismus und der Glaube an den «natürlichen Tod» bei manchen die Frage nach der Zukunft des Menschen über den Tod hinaus fast verstummen lassen oder als uninteressant und unbedeutend ausgewiesen. Heute stellen sich viele Menschen diese Frage wieder neu. Die christliche Botschaft ruft dazu auf, die Erde zu lieben, sie zu gestalten und zu verändern, aber sie weiß, dass die Vollendung nicht vom Tun des Menschen, sondern von Gott abhängt.

Die Auferstehung der Toten und das ewige Leben, wie sie im apostolischen Glaubensbekenntnis formuliert sind, führen in die personale Gemeinschaft mit dem lebendigen Gott und zugleich in die Gemeinschaft aller Menschen in einem «neuen Himmel und einer neuen Erde»: Ein Leben in Fülle, das Gott in Jesus Christus denen verheißen hat, die ihn lieben, gerade auch den Armen und Notleidenden, und das schon in Jesus Christus angebrochen ist.

Christlich motivierte und gestaltete Begleitung der Sterbenden und Zuwendung zu den Trauernden, aber auch der Umgang mit den Toten in der gottesdienstlichen Verkündigung und – je nach Konfession – in der Feier des Heiligen Abendmahles bzw. in der Feier der Sakramente, besonders aber im caritativen bzw. diakonischen Handeln der Kirchen sind von dieser Hoffnung getragen und umfangen. Der Gott Abrahams und der Gott Jesu ist «kein Gott von Toten, sondern von Lebenden; denn für ihn sind alle lebendig» (Lk 20,38).

2. Im Sterben: Umfangen vom Leben

Wie alles Leben endet auch das menschliche Leben mit dem Tod. Im Unterschied zu allen anderen Lebewesen hat aber nur der Mensch ein Bewusstsein für seine Sterblichkeit. Dies nötigt ihn, sich mit seiner Endlichkeit auseinanderzusetzen. Hinzu kommt die Erfahrung, dass Sterben und Tod nicht erst am Ende des Lebens stehen, sondern das Leben von Anfang an begleiten, z. B. in Krankheit, Leiden, Misserfolg. «Mitten wir im Leben sind mit dem Tod umfangen» heißt es in einem alten Kirchenlied.

Die Frage nach dem Sinn des Lebens führt zur Frage nach dem Sinn des Todes für das Leben. Es ist die vordringliche Aufgabe von Philosophie und Theologie, Antworten auf diese Fragen zu geben. Der Heiligen Schrift kommt dabei als Urkunde des christlichen Glaubens eine besondere Bedeutung zu. Die Aussagen der Bibel über diese Grundfragen sind vielfältig.

Die Schöpfungsberichte wie überhaupt das Alte Testament sprechen sehr nüchtern vom Tod: Der Mensch stirbt ganz, seine Knochen vermischen sich mit denen der anderen und seine Individualität hört auf. «Denn Staub bist du, zum Staub musst du zurück» (1. Mose/Gen 2,19). Das Leben wird als begrenzt angesehen, die Lebenszeit des Menschen wird als von Gott zugemessen ernst genommen. Auffallend ist die Zurückhaltung gegenüber dem Schicksal der Toten und ihre Bedeutungslosigkeit für die Lebenden.

Die Psalmen begründen unsere Vergänglichkeit in unserer Entfremdung von Gott und in unserer Lebensgeschichte, ohne dass dieser Zusammenhang von uns nachgeprüft und Gott gegenüber aufgerechnet werden kann. Während wir den Tod vom Augenblick des physischen Verlöschens an bestimmen, reicht er für den Glauben Israels tief in das Leben hinein. Er beginnt schon da, wo Krankheit, Leiden, Anfeindung, Anfechtung und Verzweiflung den Menschen schwächen, wo diese die Beziehung zu Gott lockern und ihn von Gott entfremden. Für den Psalmisten ist Gott selbst im Tod wirksam, er lässt sterben und setzt unser Ende. Die Macht des Todes ist Gottes eigene Macht, und der 90. Psalm fügt hinzu: «Denn wir vergehen durch deinen Zorn, werden vernichtet durch deinen Grimm. Du hast unsere Sünden vor dich hingestellt, unsere geheime Schuld in das Licht deines Angesichts» (Ps 90,7f).

Neben dieser Vorstellung vom Tod findet sich im Laufe der Geschichte Israels aber auch die Hoffnung, dass mit dem Tod nicht alles zu Ende ist. Es entwickelte sich der Glaube an ein Fortleben nach dem Tod sowohl des ganzen Volkes Israels (vgl. Ez 37) wie auch des einzelnen Menschen: «Ich aber bleibe immer bei dir, du hältst mich an meiner Rechten. Du leitest mich nach deinem Ratschluss und nimmst mich am Ende auf in Herrlichkeit» (Ps 73,23f, s. a. Ps 16,9). Dieser Gedanke einer Gemeinschaft mit Gott, die am Tod nicht zerbricht, wird im Buch Daniel (um 165 vor Chr.) weiter ausgebaut: «Von denen, die im Land des Staubes schlafen, werden viele erwachen, die einen zum ewigen Leben, die anderen zur Schmach, zu ewigem Abscheu» (Dan 12,2). So nimmt das Alte Testament erst spät deutlich eine Hoffnung auf, die – im Glauben an die Auferstehung der Toten entfaltet – sich im Neuen Testament erfüllt, besonders in der Auferweckung Jesu Christi.

Wie das Alte Testament ist auch das Neue Testament von der Vorstellung geprägt, dass Gott «nicht ein Gott von Toten, sondern von Lebenden» (Mk 12,27) ist. So ist für Paulus und für die anderen Apostel der Tod kein bloßer Naturvorgang, sondern Störung und Schrecken, der «Lohn der Sünde» (Röm 6,23). Es ist der Preis, den die an die Sünde gebundene Menschheit zu entrichten hat. Der Tod erscheint im Neuen Testament nicht als Strafe, sondern als Folge, als Konsequenz unserer willentlichen Lossagung von Gott.

Im Licht des Evangeliums von Leben, Sterben und Auferstehen Jesu Christi ist für Paulus der Tod aber auch Gnade. Denn er beendet unser von Gottesvergessenheit, Egozentrik und Lieblosigkeit bestimmtes Leben und setzt unserer Flucht vor Gott eine Grenze. Der Tod bringt uns aus der vorläufigen Gemeinschaft mit Gott in der irdischen Existenz in das vollkommene, endgültige Leben bei Gott.

Die Begegnung mit Gott, die im Tod stattfindet, bedeutet für den Menschen zugleich das Gericht über sein Leben. «Denn wir alle müssen vor dem Richterstuhl Christi offenbar werden, damit jeder seinen Lohn empfängt für das Gute oder Böse, das er im irdischen Leben getan hat» (2 Kor 5,10). Wir sind nach Paulus also für das verantwortlich, was wir getan und aus unserem Leben gemacht haben. Im Gericht wird Gott offenbar machen, was aus unserem Glauben geworden ist und wie er sich im Leben ausgewirkt hat.

Die junge Kirche war mit Paulus zudem der Auffassung, dass Jesus Christus durch seine Lebenshingabe die Sünden aller Menschen gesühnt hat (vgl. Röm 3, 25). Christus hat die Verbindung von Sünde und Tod gelöst, indem er beide auf sich nahm, ohne selbst von Sünde belastet zu sein. Aufgrund der Abendmahlsüberlieferung «Dieser Kelch ist der Neue Bund in meinem Blut» (1 Kor 11,25; Mk 14, 24) wurde es der jungen Gemeinde bald nach Ostern zur gläubigen Gewissheit: Die durch Christus gewirkte Sühne gilt für Vergangenheit und Gegenwart, sie ist unwiederholbar und unüberbietbar.

Das Neue Testament überschreitet das Alte Testament, indem es bezeugt, dass in Jesus Christus das Leben Gottes endgültig erschienen ist. Nach dem Johannesevangelium sagt Jesus bei der Auferweckung des Lazarus: «Ich bin die Auferstehung und das Leben. Wer an mich glaubt, wird leben, auch wenn er stirbt» (vgl. Joh 11, 25). Gott hat den Menschen geschaffen, um mit ihm Gemeinschaft zu haben – so sind wir im Leben und im Tode auf Gott bezogen. Die Toten sind in Gottes Hand geborgen.

Diese Überzeugung der frühen Kirche gründet in der Erfahrung der Auferweckung Jesu. Sie wird so zum sicheren Fundament für ihren Glauben an die Auferstehung der Toten. Im Sieg des Lebens über den Tod kommt eine neue Welt zum Vorschein, an der alle teilhaben werden, die mit Jesus Christus verbunden sind. Die Botschaft vom neuen Leben der Menschen in Christus wird in der Bibel im Buch der Offenbarung mit verschiedenen Bildern beschrieben: Gott «wird in ihrer Mitte wohnen, und sie werden sein Volk sein; und er, Gott, wird bei ihnen sein. Er wird alle Tränen von ihren Augen abwischen: Der Tod wird nicht mehr sein, keine Trauer, keine Klage, keine Mühsal. Denn was früher war, ist vergangen. Er, der auf dem Thron saß, sprach: Seht, ich mache alles neu» (Offb 21,3–5).

In Jesus Christus, seinem Leben, Sterben und Auferstehen, ist Gottes neue Welt unter den Menschen angebrochen (Mk 1,15; Lk 4,16–21). Die Zuversicht auf die Gegenwart Christi gibt Menschen den Mut, auch in schwierigsten Situationen ihres Lebens Zeichen des kommenden Reiches Gottes aufzurichten. Sie haben die Kraft, Menschen auf der letzten Wegstrecke ihres Lebens, dem Sterben, zu begleiten. Exemplarisch ist dies in der Emmausgeschichte dargestellt: Der Auferstandene geht unerkannt mit den vom Karfreitagsgeschehen bedrückten Jüngern nach Emmaus; er spricht mit ihnen, tröstet sie, ermutigt sie und richtet sie auf (Lk 24, 13–25). Solches Begleiten bringt die in unserem Leben verborgene, aber dennoch wirksame Kraft des Heiligen Geistes zur Erfahrung und macht deutlich: Auch im Sterben sind wir von Jesus Christus umfangen.

3. Sterbebegleitung in der Kraft des Geistes Gottes

Eine todbringende Krankheit oder der Verlust einer geliebten Person können Menschen in tiefe Angst, Panik und Verzweiflung führen. Nicht selten setzen solche Erfahrungen aber auch nicht vermutete Kräfte des Widerstandes und die Fähigkeit zur Annahme der belastenden Lebenssituation frei. So wachsen mitunter von plötzlicher Krankheit betroffene und unmittelbar vor dem Tod stehende Menschen gleichermaßen wie diejenigen über sich selbst hinaus, die ihnen als Verwandte,

Freunde oder professionelle Helferinnen und Helfer zur Seite stehen. Aus welchem Geist, aus welcher Hoffnung, aus welcher Gesinnung vermögen Menschen so zu leben und zu handeln? Die Brüchigkeit menschlichen Lebens und die Ohnmacht gegenüber unheilbarer Krankheit und dem unvermeidlichen Tod stellen den Menschen unausweichlich vor sich selbst. Der ihm aufgezwungene Blick in die Abgründe menschlichen Daseins nötigt ihn zu klären, wie er selbst zu Leiden und Tod steht, ob er die Endlichkeit und Todverfallenheit des Menschen auf sich beruhen lassen will, oder ob es für ihn hilfreicher ist, die sich stellende Sinnfrage zuzulassen.

Für Christen hat die Zielrichtung ihres Hoffens einen Namen: Jesus Christus. Er hat uns Menschen ein Ende aller Tränen dieser Erde und ein Leben bei Gott verheißen. Dieses Leben ist jetzt schon in ihm angebrochen. Das Ziel christlicher Hoffnung weist so über alle irdischen Wege des Menschen hinaus. Es stellt sich in Jesus Christus dar, der als unüberbietbare Selbstmitteilung Gottes an die Menschen von sich sagt: «Ich bin der Weg, die Wahrheit und das Leben» (Joh 14,6). So leibhaftig der einzelne Mensch leidet und stirbt, so konkret ist seine Hoffnung auf den leidenden, sterbenden und auferstandenen Christus gegründet.

Wenn jedoch Menschen unter großen Leiden sterben, kann die Frage aufbrechen: Warum lässt Gott das zu? Die Bibel, insbesondere das Buch Hiob, zeigt uns, dass sich das Schicksal der Menschen und der Lauf der Welt nicht mit direkten göttlichen Eingriffen von oben erklären lassen. Die Spannung zwischen der Güte Gottes und dem von ihm zugelassenen Leiden der irdischen Existenz bleibt bestehen. Sie will im Leben und Leiden ausgehalten werden. Jesus ermutigt uns, an Gott zu glauben und trotz der scheinbaren Verborgenheit Gottes im Leben Sinn zu suchen und zu erleben. Gott bestätigt in Jesu Leben, Sterben und Auferstehen, dass er uns Menschen liebt und dass diese Liebe stärker ist als der Tod.

Immer wieder wird versucht, die Frage nach dem Sinn des Leidens durch die Forderung nach aktiver Sterbehilfe zu beantworten. Der Ruf nach dem erlösenden Tod ist jedoch nicht selten ein Schrei nach Nähe und Begleitung sowie die Bitte, nicht allein gelassen zu werden. Gerade das Verhältnis zwischen Arzt bzw. Ärztin und Kranken ist von dem Vertrauen getragen, dass der ärztliche Auftrag unbedingt gilt: menschlichem Leben nicht zu schaden, sondern es zu erhalten und zu fördern. Dieses Vertrauen würde erheblich gefährdet, wenn dieser Auftrag in Frage gestellt wird. Deswegen setzen sich die Kirchen für eine Ablehnung jeder Form von aktiver Sterbehilfe und für eine Förderung von menschlich-christlicher Sterbebegleitung ein.

Die Weltdeutung und Lebensauffassung vieler Menschen gründen heute oft nicht mehr in Jesus Christus und in dem Gott Israels. Unabhängig vom persönlichen Glauben verbieten sich für die Betreuenden alle Versuche religiöser Indoktrination angesichts der existentiellen Not des sterbenden Menschen. Vielmehr sind aufmerksame Zuwendung, sorgfältige medizinische und pflegerische Betreuung und – wenn es gefragt ist und verstanden werden kann – das unaufdringliche Wort des Glaubens gefordert. Dies sind – über Gebet, Gottesdienste und je nach Konfession die Feier des Heiligen Abendmahls bzw. die Feier der Sakramente hinaus – die wesentlichen Ausdrucksformen christlicher Liebe.

Dabei darf ein christliches Verständnis von Nächstenliebe in der Sterbebegleitung nicht dazu führen, sich oder den kranken Menschen emotional zu überfordern. Der sterbende Mensch darf erwarten, dass seine Nähe oder Ferne zu Gott und zu den Menschen, die seinen Lebensweg bestimmt haben, auch jetzt respektiert werden. Wenn in Kontakten zwischen Kranken und Betreuenden tiefe Zuneigung, Verständnis und Angenommensein erfahrbar wird, dann ist dies ein Gnadengeschenk des Heiligen Geistes, den wir auch den Tröster nennen. Erzwungen oder eingefordert werden können solche beglückenden Erfahrungen jedoch nicht. Zu bedenken ist auch, dass die Begleitenden selbst mit ihren Ängsten umgehen lernen müssen und dass sie dazu oft selbst der Begleitung bedürfen.

Christen, die sich unter großem persönlichen Einsatz schwerkranker und sterbender Menschen annehmen, gewinnen ihre Kraft aus der Zusage des Apostels Paulus: «Leben wir, so leben wir dem Herrn, sterben wir, so sterben wir dem Herrn» (Röm 14,8). Diese Zusage begründet für Gläubige die Begleitung schwerkranker und sterbender Menschen, auch wenn diese selbst den religiös-geistlichen Hintergrund für sich nicht annehmen können oder wollen. In Jesus Christus hat sich Gott allen Menschen mitgeteilt, auch wenn diese es nicht wissen oder wahrhaben wollen. Die Glaubenden stehen so stellvertretend für andere vor Gott. Im Gottesdienst, im Gebet, in geistlicher Besinnung und Meditation können die Not und die Leiden der Schwerkranken und Sterbenden vor Gott gebracht werden, und zugleich erfahren die Begleitenden dabei immer neu die stärkende Gottesgegenwart, die für ihr Handeln zur tragenden Kraft wird.

Es ist ein Zeichen nicht erlöschender Lebenskraft der Kirchen, dass viele Frauen und Männer sich unter nicht geringen Anstrengungen auch heute um Schwerkranke und Sterbende bemühen. Diese Christen stehen in einer langen Tradition der Liebestätigkeit, wie sie Ordensgemeinschaften, Schwestern- und Bruderschaften, Caritas und Diakonie sowie ungezählte Einzelinitiativen seit jeher in den Kirchen gelebt haben. Die Kirche wird glaubwürdig, wenn und insofern sie sich aus all ihren geistlichen, sozialen und pastoralen Kräften dem ganzen Menschen in Not unter größtmöglicher Achtung seiner Freiheit und Eigenverantwortung zuwendet.

Menschen, die sich in der Begleitung von Schwerkranken und Sterbenden engagieren, entdecken Sinnspuren des Lebens. Überzeugt, dass Leiden und Tod einen im Glauben ruhenden Sinn haben, stehen sie für Menschen an der Sinnschwelle ihrer Existenz ein. Sie stehen vor den Lebensschicksalen anderer und werden – bewusst oder unbewusst – mit ihrem eigenen Leben und Sterben konfrontiert. Indem sie den leidenden Menschen tragen, erfahren sie sich von ihm getröstet. Oft wird dabei erlebbar: Die Lebensängste des Menschen sind auch seine Sterbensängste und die Lebenshoffnungen prägen auch seine Sterbenshoffnungen. Diese mitzutragen und vor Gott zu bringen: Das ist die Haltung des Christen, geschenkt aus gläubigem Vertrauen.

Wenn wir diesen Dienst Sterbenden noch tun können, ist es ein Anlass, dankbar zu sein; denn es gibt Formen des Sterbens und des Todes, denen gegenüber wir machtlos sind, wo wir nur noch wenig oder nichts mehr tun können. Das ist z. B. der Fall, wenn wir bei einem qualvollen Sterben zugegen sind. In solchen Situationen bleibt uns nur noch das stille oder betende Dasein als letzter Beistand, der die Sterbenden in ihrem Erleben aber oft noch erreichen kann. Bei plötzlichem Sterben z. B. durch Unfälle oder Katastrophen werden wir mit dem unvorbereiteten, nicht von anderen begleiteten Sterben und Tod konfrontiert. Der Blick auf den Tod des Gekreuzigten lehrt uns, keine Rückschlüsse von den verschiedenen Todesarten auf Annahme oder Ablehnung durch Gott zu ziehen. Alle Toten – wie immer sie auch sterben – ruhen in Gottes Hand und harren der Gnade Gottes entgegen.

Zugleich ist die Möglichkeit eines plötzlichen Todes eine Mahnung für jeden Einzelnen, wachsam zu sein und so zu leben, wie er in seiner Todesstunde wünschen wird, gelebt zu haben.

4. Sterbebegleitung in Gemeinde und Hospizbewegung

Im Matthäus-Evangelium (Kap. 25) werden sechs Werke der christlichen Nächstenliebe genannt: Hungernde speisen, Durstige tränken, Fremde beherbergen, Nackte kleiden, Kranke und Gefangene besuchen. Schon früh kam in den urchristlichen Gemeinden ein siebentes Werk der Barmherzigkeit hinzu, nämlich die Toten zu begraben. Außerhalb der Zählung dieser klassischen «sieben Werke der Barmherzigkeit» galt die Tröstung der Trauernden als selbstverständliche seelsorgerliche Aufgabe.

Auch heute sind die Bestattung und alle damit verbundenen Riten für den Menschen wichtig, um mit Tod und Angst umgehen zu können. Gräber sind in besonderer Weise Orte, an denen Menschen trauern können. Für Christen ist das Begräbnis nicht nur Pietät gegenüber den Toten und den Hinterbliebenen, sondern auch Ausdruck der Hoffnung auf die Auferstehung der Toten.

Immer wieder wurden Menschen mit Zeiten besonders hoher Sterblichkeit konfrontiert. Naturkatastrophen, Massenerkrankungen, hohe Säuglingssterblichkeit und Kriege rafften die Menschen zu Tausenden dahin. Besonders in den Pestzeiten des Mittelalters waren die Kräfte der Menschen angesichts dieses Elends bis aufs Äußerste angespannt. In dieser Zeit entstand eine breit gestreute Ars-moriendi-Literatur, die zum Begleiten der Schwerkranken und Sterbenden und zum Trösten der Trauernden ermutigen wollte. In einem der bekanntesten mittelalterlichen Sterbebüchlein heißt es: «Es ist kein Werk der Barmherzigkeit größer, als dass dem kranken Menschen in seinen letzten Nöten geistlich und sein Heil betreffend geholfen wird.»

Die Grundhaltung, aus der Sterbe- und Trauerbegleitung geschieht, wird heute auch «Freundschaftsdienst» genannt: Menschen in existentiellen Herausforderungen durch Krankheit, Leiden, Sterben und Tod Begleiterin oder Begleiter zu sein und als Freundin oder Freund zuhörend und mitfühlend beizustehen. Ob es sich um Angehörige, Geistliche oder andere Helferinnen und Helfer handelt: Sie alle können ihren Dienst nur leisten, wenn sie selbst begegnungsfähig sind. In vielen Initiativen privater oder öffentlicher Art werden deshalb heute Ausbildungsmöglichkeiten angeboten, die helfen sollen, solche Fähigkeiten zu entwickeln, die der Begleitung Schwerkranker und Sterbender und ihnen nahestehender Menschen dienlich sein können. Dazu gehören u. a. Eigenschaften wie Wahrnehmen, Mitgehen, Zuhören, Verstehen, Weitergehen und Loslassen, die in Gruppen und Vorbereitungskursen geübt werden. Dabei geht es nicht nur um ein Tätigwerden und Handeln nach außen, sondern um eine innere Haltung. Es wird versucht, der eigenen Betroffenheit Ausdruck zu geben und Grundhaltungen gegenüber dem Ende des Lebens in sich zu entwickeln. Als Begleiterin und Begleiter geben Menschen weiter, was sie selber in der Gemeinschaft der Lernenden und Liebenden empfangen haben. Sie sind in dieser seelsorgerlichen Aufgabe nicht «Kenner» und «Könner», sondern Gerufene und Begabte. Als solche entwickeln sie die Kraft, anderen nahe zu sein und Liebe und Freundschaft zu schenken, wo es besonders nötig ist. Und sie sind in der Lage, den sie tragenden Grund ihres Handelns anderen Menschen mitzuteilen.

Eine solche «Freundschaftsbewegung» ist auch die Hospizbewegung in Deutschland. In ihr entdecken nicht wenige, die bisher eher kritisch und distanziert den Kirchen gegenüberstanden, dass gelebter christlicher Glaube zur Menschwerdung im Leben und im Sterben wertvolle Anregungen und Halt gibt.

Die Hospizbewegung in Deutschland hat sich, angeregt durch Impulse aus Großbritannien und den USA, erst relativ spät auf den Weg gemacht, hat schwierige Zeiten und Rückschläge hinnehmen müssen. Sie hat sich aber in ihren Zielen nicht beirren lassen:
- Annahme des Sterbens als Teil des Lebens
- Erfahrung von Sinn im Sterben
- Wahrnehmen der Sterbenden und ihrer Angehörigen als gemeinsame Adressaten
- Unterstützung durch ein interdisziplinär arbeitendes Team
- Einbeziehung freiwilliger Helferinnen und Helfer
- Supervision der haupt- und ehrenamtlichen Mitarbeitenden
- Kooperation aller Beteiligten
- Integration der Hospizidee in die bestehenden Dienste und Einrichtungen
- Spezielle Kenntnisse in der Symptomkontrolle
- Kontinuität in der Betreuung
- Begleitung Trauernder

Mit diesen Zielen vor Augen haben sich in Deutschland sehr unterschiedliche Zugänge und Verwirklichungen der gemeinsamen Hospizidee im Rahmen längst vorhandener Sorge um kranke und alte Menschen in Krankenhäusern, in Alten- und Pflegeheimen sowie in der ambulanten Krankenpflege entwickelt. Großherzige Spenden und Stiftungen ermöglichen es, die Arbeit, z. B. in den Krankenhäusern, besser auf die Bedürfnisse Schwerkranker und Sterbender abzustimmen. Zunehmend entstehen dort auch Palliativ-Stationen, z. T. in Zusammenarbeit mit Begleiterinnen und Begleitern des ambulanten Hospizes.

Das vielfältige und differenzierte Bild der Hospizbewegung in Deutschland lässt sich auf begrenztem Raum nicht leicht beschreiben: Es gibt inzwischen mehrere hundert Hospizinitiativen, von denen die Mehrzahl ökumenisch arbeitet. Zudem entstehen auf regionaler und überregionaler Ebene weitere Zusammenschlüsse.

Zeit haben für andere – «Sozialzeit» – gehört neben Arbeits- und Freizeit zu den Grundbedingungen eines erfüllten Lebens. Sie wird nicht mit klingender Münze bezahlt, sondern anders vergolten: mit neuer Aufmerksamkeit für die Tiefe des Lebens, mit Erfahrungen der Begegnung, des Lernens und des Lebensaustausches in Gruppen, mit fachkundiger Vorbereitung und Begleitung, mit der Zugehörigkeit zu einer Gemeinschaft, die klärend und strukturierend, herausfordernd und bereichernd das eigene Leben verändert.

Die Kirchen beider großen Konfessionen leisten auf allen Ebenen Hilfen, ohne die Hospizbewegung als exklusiv kirchliche Arbeit zu verstehen. Die weitaus meisten Hospizinitiativen in Deutschland werden von engagierten Christen mitgetragen. Manche haben im Dienst für Schwerkranke, Sterbende und ihre Angehörigen die gemeinschaftsbildende Kraft eines christlichen Engagements für die Schwachen und Hilfsbedürftigen neu entdeckt. So kann in der Begleitung Sterbender tätiger Glaube neu Gestalt gewinnen, und so können alternative Weisen des gegenseitigen Gebens und Nehmens für die in unserer Gesellschaft zunehmend notwendige «belastbare Solidarität» prägend werden.

3.3 Erklärung des Ständigen Rates der Französischen Bischofskonferenz*

Der Mensch ist seit jeher mit dem Mysterium des Todes konfrontiert.[1] Dieser Realität, die Teil seiner «conditio humana» ist, steht er heute orientierungslos wie vielleicht nie zuvor gegenüber. Es gelingt dank eines vielfältigen Fortschritts Krankheiten, die früher tödlich waren, zu heilen oder ihnen vorzubeugen. Zugleich ist der Tod aber aufgrund soziokultureller Veränderungen und durch die Handlungszwänge einer technisierten Medizin weitgehend kein soziales Ereignis mehr, das «in hohem Maße ritualisiert und vollkommen eingebunden in das Alltagsleben der Familie und der Gemeinschaft» ist.

Es ist eine der Ursachen für die «Banalisierung des alltäglichen Lebens, das an Tiefe und Ernst verliert»,[2] dass diese Erfahrung der Nähe des Todes verloren gegangen ist. Dies trägt auch dazu bei, Befürchtungen und Ängste jedes Einzelnen davor, wie sein Leben enden wird, zu verstärken. Zunehmend verbreitet sich die Ansicht, dass eine Verkürzung dieses letzten Lebensabschnittes, ein schneller Tod durch die Hand eben der Menschen, deren Aufgabe es ist, zu heilen, in einigen Fällen vorzuziehen sei und sogar einen Akt der Menschlichkeit darstelle.

Wir sind uns bewusst, welche Bedeutung diese nun beginnende Debatte für unsere Gesellschaft hat. Der Mensch drückt in seiner Haltung dem Tod und den Sterbenden gegenüber aus, welchen Sinn er in seinem Leben sieht. Dadurch zeigt er, ob er die unveräußerliche Würde und Größe aller Menschen, unabhängig davon, welchen körperlichen oder geistigen Beschränkungen sie auch immer unterworfen sein mögen, anerkennt oder nicht.

Wir wissen, wie komplex viele Situationen und wie schwierig bestimmte Fragen sind. Es ist notwendig geworden, aus den Möglichkeiten einer «unermüdlich schöpferischen»[3] Medizin diejenigen zu wählen, die mit dem Wohl der behandelten Person in Einklang stehen. Es gilt, den Weg einer wahren Klugheit zu finden. Deshalb laden wir alle, die Verantwortung in diesem Bereich tragen, dazu ein, ihre Reflexion über den rechten Gebrauch medizinischer Mittel zu vertiefen. Wir fühlen uns für unseren Teil dazu aufgerufen, die Schlussfolgerungen mitzuteilen, zu denen uns eine lange und intensive Reflexion innerhalb der katholischen Kirche geführt hat.

---

* Den Menschen am Ende seines Lebens achten, 23.09.1991, in: Zeitschrift für medizinische Ethik 39 (1993) 361–369. Originaltitel: «Respecter l'homme proche de sa mort», in: Les grandes textes de la documentation catholique, Nr. 78, 23.09.1991, Übersetzung aus dem Französischen von Ludger Viehfuer SJ.

[1] *Kard. Carlo M. Martini*, Hinabsteigen nach Kapharnaum (vgl. Mt 4,13). Im heutigen Europa die Hoffnung stärken – dem Bösen widerstehen. Arbeitsergebnisse und Orientierungen, in: Sekretariat der Deutschen Bischofskonferenz (Hrsg.), Stimmen der Weltkirche (29): Umgang des heutigen Menschen mit Geburt und Tod, Herausforderung für die Evangelisierung. VII. Symposium der europäischen Bischöfe in Rom, 87.

[2] Ebd.

[3] *Kard. G. Villot*, Le respect de la vie humaine, in: La Documentation Catholique (DC) 1970, Nr. 1573, 963.

3.3
Das richtige Maß in der Verwendung therapeutischer Mittel

Heute erwarten die Menschen viel von den medizinischen Möglichkeiten, natürlich besonders die Heilung im Fall einer Krankheit. Doch zugleich befürchten sie, gegen ihren Willen einer unnützen Apparatemedizin ausgeliefert zu werden. Wir kennen die Schwierigkeiten, die bei Entscheidungen in diesem Bereich auftreten, und halten es für bedeutsam, die Haltung unserer Kirche zu diesem Problem in Erinnerung zu bringen: Jeder Mensch «hat das Recht und die Pflicht, im Falle einer schweren Krankheit die zur Erhaltung von Leben und Gesundheit notwendigen medizinischen Hilfen zu erhalten (bzw. in Anspruch zu nehmen)».[4] Eine solche Pflicht aber verlangt von ihm nicht, sich unnützen und unverhältnismäßigen therapeutischen Maßnahmen[5] zu unterziehen oder solche, die ihm eine Last auferlegen, die er für sich oder andere als extrem bewertet.[6] Das gilt auch für diejenigen, die im Namen eines Kranken entscheiden müssen, der seinen Willen nicht mehr kundtun kann. «Auf jeden Fall kann eine richtige Abwägung der Mittel nur gelingen, wenn die Art der Therapie, der Grad ihrer Schwierigkeiten und Gefahren, der benötigte Aufwand sowie die Möglichkeiten ihrer Anwendung mit den Resultaten verglichen werden, die man unter Berücksichtigung des Zustandes des Kranken sowie seiner körperlichen und seelischen Kräfte erwarten kann.»[7] Es ist berechtigt, sich solcher Behandlungsmaßnahmen zu enthalten, die im Vergleich zu dem wenig Nutzen zeigen, was sie an Belastungen, Zwängen, schädigenden Wirkungen und Einschränkungen mit sich bringen. Sie können abgesetzt werden, wenn ihre Ergebnisse enttäuschend sind. Wohlverstanden verlangt die Achtung vor dem menschlichen Leben nicht mehr. Eine wahrhafte Sorge um das Wohl des Schwerkranken am Ende seines Lebens führt vielmehr dazu, anderen Formen des Beistandes einen hohen Stellenwert und oft sogar den Vorrang beizumessen.

Die Schmerzlinderung

Der Mensch von heute fürchtet um so mehr ein über die Maßen hinausgeschobenes Ende seines Lebens, als er Angst davor hat, durch anhaltende und intensive Schmerzen gequält zu werden. Man sagt, die katholische Kirche erhebe Einwände gegen die Behandlung solcher Schmerzen. Wir wenden uns ausdrücklich gegen diese Behauptung und erinnern daran, dass unsere Kirche seit langem dazu auffordert, in einer solchen Lage die angemessene Schmerzbehandlung durchzuführen.

Diese Schmerzen können ohne Behandlung sehr unheilvoll sein und wirken sich oftmals für den Kranken zerstörerisch aus. Denn sie führen dazu, dass er sich in sich selbst verschließt, die Kommunikation mit anderen abbricht, und vernichten jede geistige und geistliche Dynamik, bis dahin dass sie – wie es scheint – den Tod beschleunigen.[8] Häufig «verschlimmern sie den Zustand der Schwäche und der körperlichen Erschöpfung und binden die seelischen und vermindern die geis-

---

[4] *Pius XII.*, Problèmes religieux et moraux de la réanimation, in: Acta Apostolicae sedis (AAS) 49 (1957), 1030.
[5] Vgl. Erklärung der Kongregation für die Glaubenslehre zur Euthanasie, in: Sekretariat der Deutschen Bischofskonferenz (Hrsg.), Verlautbarungen des Apostolischen Stuhls (20), 11.
[6] Vgl. *Pius XII.*, Réanimation (s. Anm. 4), 1030.
[7] Glaubenskongregation, Euthanasie (s. Anm. 5), 11.
[8] Vgl. *M. Salamagne*, La souffrance qui dit la mort, in: *E. Hirsch* (Entretiens avec), Partir, l'accompagnement des mourants: Le Cerf (1986), 48.

tigen Kräfte».⁹ Die Behandlung dieser Schmerzen bringt Linderung für Körper und Geist und hilft so dem Kranken, seinen Lebenswillen wieder zu finden, die Kommunikation mit anderen wieder aufzunehmen, und erleichtert dem Gläubigen, zu beten und sein Leben in die Hände Gottes zu geben.¹⁰

Dies alles führte Pius XII. dazu, im Jahre 1957 sehr deutlich zur Frage der Anwendung der zu seiner Zeit bekannten Methoden der Schmerzbehandlung Stellung zu nehmen. Trotz des sehr negativen Bildes, das man damals von den «Narkotika» hatte, empfahl er sie in Ermangelung anderer effizienter Mittel bei einer entsprechenden ernsten medizinischen Indikation.¹¹ Die Glaubenskongregation wiederholte 1980 diese Lehre.¹²

Papst Johannes Paul II. forderte 1984 in einer Auslegung des Gleichnisses vom barmherzigen Samariter «zu einem Handeln (auf), das dem verletzten Menschen Hilfe bringen soll».¹³ Er fügte hinzu: «Ein barmherziger Samariter ist also letztlich, wer Hilfe im Leiden bringt, wie beschaffen auch immer es sein mag. Wirksame Hilfe gibt er, soweit es möglich ist. Dafür setzt er sein Herz ein; doch er spart auch nicht mit materiellen Mitteln.»¹⁴

Die wiederholten Appelle, nach effizienten Mitteln für die Schmerzbekämpfung am Lebensende zu suchen, wurden anscheinend nicht immer gehört; sogar nicht unter Katholiken. Es ist wahr, dass die Anwendung starker Schmerzmittel lange Zeit auf heftige Einwände von Seiten der Ärzteschaft zu treffen schien. Diejenigen Ärzte und Forscher also, die sich seit 25 Jahren dafür einsetzen, neue Analgetika und neue Verabreichungsmethoden zu finden, sind wirkliche Wohltäter der Menschheit. Denn es ist ihnen gelungen, nicht nur Schmerzen zu lindern, sondern auch einem Großteil der starken Schmerzen am Lebensende vorzubeugen und so die schweren, bis dahin befürchteten Folgen abzuwenden.

Wir unterstützen und ermutigen alle diejenigen, die zur Zeit die «Palliativmedizin» entwickeln. Wir verstehen darunter medizinische und pflegerische Methoden zur Behandlung von Schmerzen und anderer Ursachen von Leiden, wie sie zuerst in angelsächsischen Einrichtungen – besonders im bekannten «St. Christopher's Hospice»¹⁵ – durchgeführt wurden. In mehreren amerikanischen und europäischen Ländern wurden diese Methoden durch den Einsatz von Anglikanern, Protestanten, Katholiken, Juden und vieler anderer, ob sie nun einer Glaubensgemeinschaft angehören oder nicht, übernommen. Mit ihrer medizinischen Kompetenz wie auch durch ihre menschlichen Fähigkeiten haben diese Menschen einen herausragenden Dienst an den Leidenden geleistet. Ihnen möchten wir unsere tiefe Anerkennung ausdrücken.¹⁶

Wir sind froh darüber, dass die öffentlichen Stellen in Frankreich die Entwicklung der Palliativmedizin gefördert haben. Wir sind der Ansicht, dass solche Anstrengungen fortgesetzt werden müssen, nicht nur, um die Ängste der Menschen

---

⁹ *Pius XII.*, Ansprache vom 24. Februar 1957, AAS 49 (1957), 144.
¹⁰ Ebd.
¹¹ Vgl. *Pius XII.*, Ansprache (s. Anm. 9), 146–147.
¹² Vgl. Glaubenskongregation, Euthanasie, (s. Anm. 5), 10.
¹³ *Johannes Paul II.*, Salvifici doloris, in: Sekretariat der Deutschen Bischofskonferenz (Hrsg.), Verlautbarungen des Apostolischen Stuhls (53), 36.
¹⁴ Ebd.
¹⁵ Vgl. Commission Familiale de l'Episcopat Français, Vie et mort sur commande, in: DC 1984, Nr. 1885, 1128.
¹⁶ *Johannes Paul II.*, Salvifici doloris (s. Anm. 13), 38; und *Kard. J. M. Lustiger*, La défense et le respect de la vie, in: DC 1987, Nr. 1932, 89.

heute zu mindern, sondern auch, weil jeder Leidende zu einem Mitleiden auffordert, das aktiv ist und etwas bewirken will. Vieles bleibt in unserem Lande zu tun, besonders was die Ausbildung der Heil- und Pflegeberufe angeht, bis alle an ihrem Lebensende eine angemessene Versorgung erhalten. Diese Aufgabe ist dringlich, und jede Verzögerung ist eine Quelle des Leidens für viele Kranke.

Die Begleitung Schwerkranker

Die Leiden der Menschen, die ihrem Tod entgegengehen, sind jedoch nicht auf körperliche Schmerzen beschränkt. An einer schweren Krankheit zu leiden heißt, der Schwächung des eigenen Körpers ausgeliefert zu sein, seine körperlichen und geistigen Fähigkeiten zu verlieren und abhängig von anderen zu werden. Der Sterbende geht einen schmerzensreichen Weg. Er wird Schritt für Schritt seiner selbst beraubt, wird herausgerissen aus dem, was seine konkrete Existenz ausmacht, und getrennt von denen, die er liebt. Wenn man denen nicht beisteht, die eine solche Krise erleiden, kann diese Konfrontation mit der Perspektive des letzten Abschieds zur Quelle von drängendster Not und sogar von Verzweiflung werden. Auch der Glaube an einen Gott der Liebe und die Hoffnung auf die Auferstehung wird nicht vor diesem Leiden bewahren. Die Bibel ist voll der Schreie und flehenden Bitten von Menschen, die in einer solchen Prüfung stehen.

Zahlreiche Freunde und Angehörige der Kranken, Ärzte, Schwestern und Pfleger, Psychologen, Seelsorgemitarbeiter und freiwillige Helfer versuchen, besonders seit einigen Jahren, den Leidenden nahe zu sein, sie zu verstehen und ihre Schmerzen zu lindern. Diese Frauen und Männer haben die Bedeutung eines diskreten und aufmerksamen Beistandes entdeckt, unabhängig davon, wie der Bewusstseinszustand des Kranken ist. Sie haben festgestellt, dass eine Haltung des Hörens und des Verständnisses es denen, die bei Bewusstsein sind und sich ausdrücken können, ermöglicht, Empfindungen – Ängste und Bedürfnisse – auszudrücken und so aus der Isolation herauszutreten und eine Linderung ihrer Angst zu finden. Einige Kranke hatten die Möglichkeit, eine Bilanz ihres Lebens zu ziehen und darin sinngebende Strukturen zu entdecken, und konnten so ihr Leben zu einem Abschluss bringen. Diese Form der Kommunikation, die von vielen Schwerkranken gewünscht wird, kann eine große Intensität erreichen. Sie machen mit Hilfe dieser Unterstützung eine religiöse und menschliche Erfahrung: die Versöhnung, die hilft, ihr Leben, so wie es war, anzunehmen, und die ihnen neue Möglichkeiten für die verbleibende Lebenszeit eröffnet.[17]

Diese Art, einem Sterbenden beizustehen, nennt man heute «Begleitung».[18] Sie ist von der palliativmedizinischen Versorgung, wie sie oben erwähnt wurde, nicht zu trennen.[19] Viele Frauen und Männer widmen einen beträchtlichen Teil ihrer Zeit und ihrer seelischen und geistigen Kräfte dieser Begleitung. Diese Bewegung hat eine unbezweifelbare Bedeutung: Sie repräsentiert eine unschätzbare Form der Solidarität und trägt auch dazu bei, wieder einen vertrauteren Umgang mit dem Tod in unsere Gesellschaft hineinzutragen.

---

[17] Vgl. Die Deutschen Bischöfe, Menschenwürdig sterben und christlich sterben, 20.11.1978, in: Sekretariat der Deutschen Bischofskonferenz (Hrsg.), Die deutschen Bischöfe (47), 24.
[18] Vgl. *R. Sebag-Lanoe*, Mourir accampagné, Desclée de Brouwer 1986.
[19] Vgl. Ministère des Affaires Sociales et de l'Emploi, soigner et accompagner jusqu'au bout, Bulletin Officiel Nr. 86–32 bis, Paris 1986.

Nichtgläubige wie Gläubige nehmen an dieser Bewegung teil und versuchen, das Beste ihrer selbst zu geben. Wir möchten als Zeugen des Evangeliums die zeichenhafte Bedeutung hervorheben, die wir diesem solidarischen und selbstlosen Beistand beimessen. Dank dieser Hilfe können die Sterbenden die geheimnisvolle Gegenwart Gottes an ihrer Seite dunkel ahnen oder sogar erfahren;[20] die Gegenwart des Gottes, der die Menschen, wie wir glauben, jeden Tag ihres Lebens hindurch begleitet, des Gottes, der wollte, dass der Mensch sein Ebenbild auf Erden sei.

So kann jeder Mann, jede Frau, was immer auch seine oder ihre persönliche Überzeugung sei, als Ebenbild Gottes handeln. Diese Gewissheit gewinnen wir aus der christlichen Offenbarung (vgl. Gen 1,26). Jedoch hat jeder Kranke ein Recht auf die Hilfe, die ihm allein die Mitglieder seiner Kirche und Glaubensgemeinschaft geben können. Es ist unverzichtbar, dass die Freiheit aller respektiert wird und jeder die geistliche und religiöse Unterstützung erfährt, die er wünscht. Die Katholiken sollen aus der Möglichkeit Nutzen ziehen, die Sakramente zu empfangen, die als Gabe Gottes ihnen Kraft geben, die Prüfungen ihrer Leiden durchzustehen. Sie stärken den Glauben an den Sohn Gottes, der uns verspricht, indem er uns in sein Leiden und sein Sterben hineinnimmt, auch Anteil an seiner Auferstehung zu geben.

Schwierige Situationen

Dies alles sind legitime und notwendige Formen, das Sterben menschlicher werden zu lassen. Diese Anstrengungen sind aber, wiewohl sie in Frankreich weiterhin unternommen werden, noch immer unzureichend. Zwar können sie nicht jedes Leiden nehmen, denn das liegt nicht in der Reichweite menschlicher Möglichkeiten. An diesem Punkt muss man von irreführenden Illusionen ablassen. Aber viele Kranke, die so versorgt und begleitet wurden, konnten ebenso wie ihre Familien ihre Dankbarkeit ausdrücken und die Hilfe, die sie erhielten, bezeugen.

Jedoch bleiben am Lebensende Zeiten der Not und des Schmerzes. Und sie werden ohne Zweifel immer bleiben, ebenso wie Unruhe, Angst und Todesfurcht, die sich nur schwer lindern lassen. Es muss also viel Aufmerksamkeit und Kreativität bewiesen werden, um zu versuchen, dieses Schicksal zu erleichtern.

Ist es aber zulässig, in einem solchen Fall und dann, wenn der Tod nahe ist, den Kranken in einen Zustand künstlicher Bewusstlosigkeit zu versetzen? Auf diese Frage, die von Pflegekräften und Ärzten häufig gestellt wird, wollen wir Folgendes antworten: Die katholische Kirche hat immer den Gedanken und den Handlungen des Menschen kurz vor seinem Tod eine große Bedeutung beigemessen. Diese Ansicht wird durch Erfahrungen derer, die schwerkranke Menschen begleitet haben, bestärkt. Diese letzten Momente können für den Sterbenden eine Gelegenheit sein, wichtige Empfindungen auszudrücken; sie sind eine Zeit für Entscheidungen, die für ihn und seine Umgebung große Bedeutung haben. Viele wünschen, dass nahe Verwandte, Freunde oder Mitglieder ihrer Glaubensgemeinschaft bei ihnen sind. Einige wollen die Möglichkeit haben, noch einmal ein letztes Gebet zu sprechen, oder möchten die Sakramente empfangen. «Diese Wünsche zu enttäuschen, widerspricht den christlichen und auch einfach den menschlichen Empfindun-

---

[20] Vgl. Die Deutschen Bischöfe, Menschenwürdig sterben (s. Anm. 17), 36.

gen.»²¹ Daher darf man nicht ohne gewichtige Gründe den Sterbenden seines Bewusstseins und seiner Attenz berauben. Papst Pius XII. sagt dazu: «Eine Anästhesie (d. h. die Unterdrückung der allgemeinen Empfindungsfähigkeit und des Bewusstseins), die in der Nähe des Todes zu dem einzigen Zweck angewandt wird, ein bewusstes Ende für den Kranken zu verhindern, wäre nicht mehr eine bewundernswerte Errungenschaft der modernen Therapie, sondern eine sehr bedauerliche Praxis.»²²

Jedoch kommt es vor, dass Kranke im Endstadium durch körperliche oder seelische Leiden, die niemand lindern kann, so zerschlagen sind, dass sie den Wunsch äußern, bewusstlos zu sein. Sie kommen zu dem Schluss, keine Aufgaben mehr erfüllen zu müssen, die erfordern, dass sie bei Bewusstsein sind. In diesen Fällen, und nur in diesen, halten wir es für akzeptabel, eine künstliche Bewusstlosigkeit herbeizuführen und sie mehr oder minder lange Zeit aufrechtzuerhalten. Die notwendige medizinische und pflegerische Versorgung muss aber sichergestellt bleiben, und die Handhabung der verschiedenen Medikamente muss zeigen, dass diese Maßnahme nur dem einzigen Zweck dient, den Kranken von einem Übel zu befreien, das ihn erdrückt, und nicht dazu, seinen Tod schneller herbeizuführen.²³ Solche Entscheidungen sind übrigens dort außergewöhnlich, wo die Kranken gut medizinisch versorgt, gepflegt und begleitet werden. Ihre häufige Wiederholung in einer Einrichtung des Gesundheitswesens wäre ohne Zweifel ein Zeichen für einen schweren Mangel in der Begleitung der Sterbenden und in der Organisation der Betreuung. Damit solche Entscheidungssituationen nicht entstehen, die sowohl von einem Großteil der Ärzte, des Pflegepersonals und der Familien als zutiefst unbefriedigend empfunden werden, muss die medizinische Forschung fortgesetzt werden. Auch müssen die Teams von Ärzten, Pflegern und Schwestern, vor allem diejenigen, die unter besonders schwierigen Bedingungen arbeiten, eine angemessene Unterstützung erfahren.

Das hohe Alter

In der Debatte, die in Frankreich und Europa zur Zeit sehr lebhaft geführt wird, geht es um Entscheidungen, die Menschen betreffen, die an einer unweigerlich und in kurzer Zeit zum Tode führenden Krankheit leiden. Daher haben wir dieses Thema intensiv behandelt. Einen weiteren Grund starker Besorgnis übersehen wir dabei nicht: Das Schicksal der Menschen im hohen Alter. Dieses ist bei vielen durch den Verlust der körperlichen Unabhängigkeit und ebenso durch schwere geistige Beeinträchtigungen gekennzeichnet. Ein solcher Verlust der Selbständigkeit ist in unserer Gesellschaft eine Quelle großen Leidens. Noch zu viele Einrichtungen, die auf die Aufnahme und Pflege dieser Alten spezialisiert sind, sind Orte der Ausgrenzung und Einsamkeit. Ihr Leben erleidet dadurch weitere, zusätzliche Einschränkungen. Wir sind der Überzeugung, dass die Haltung einer Gesellschaft gegenüber ihren ältesten Mitgliedern ein Zeichen für den Grad ihrer Kultur ist. Wir können nicht anders als an eines der großen Gebote der Bibel erinnern: «Ehre deinen Vater und deine Mutter, damit du lange lebst in dem Land, das der Herr, dein Gott, dir gibt» (Ex 20,12). Wäre dieser eindringliche Aufruf besser gehört

---

21 *Pius XII.*, Ansprache (s. Anm. 9), 145.
22 Ebd.
23 Vgl. ebd. 144–146.

worden, würde der moderne Mensch in den westlichen Gesellschaften weniger das Alter fürchten. Jeder Fortschritt in diesem Bereich trägt dazu bei, die Sorge zu verringern, die ein jeder im Blick auf sein späteres Schicksal hat. Diese Aufgabe ist beträchtlich.

Wir wollen unsere Hochachtung gegenüber den Familien, den Mitarbeitern im medizinischen Bereich, in den Verwaltungen und in verschiedenen Vereinigungen ausdrücken, die es sich zum Anliegen gemacht haben, die Lebensbedingungen der alten Menschen zu verbessern. Dieser Einsatz muss fortgeführt, und neue Formen der Betreuung und der medizinischen Versorgung müssen für diejenigen eingeführt werden, die aufgrund des Alters nicht mehr für sich selbst sorgen können. Ebenso sollen die Familien, die ihre alten Angehörigen bei sich aufnehmen und versorgen, ausreichend unterstützt werden.

Der künstlich herbeigeführte Tod

Wir haben in groben Zügen das ausgeführt, was unserer Ansicht nach der Weg der Achtung vor dem Menschen an seinem Lebensende ist, und wir haben dargestellt, welche Anforderungen dieser Weg stellt. Aber wir stellen fest, dass mit zunehmendem Nachdruck heute ein anderer Weg propagiert wird. Diejenigen zu töten, die durch ihren körperlichen oder geistigen Verfall zu viel an körperlichem oder seelischem Schmerz zu erdulden glauben. Dieser Vorschlag wird in einer Situation gemacht, in der sich in der westlichen Welt umgekehrt das Bewusstsein davon verschärft, wie schwer jede Tötung wiegt. Diese letztere Einsicht, die sich mehr und mehr ausbreitet, ist unserer Ansicht nach eine Überzeugung, die sich auf die gesamte christliche Tradition stützen kann: Es steht dem Menschen nicht zu, willentlich den Tod seinesgleichen herbeizuführen. Das entzieht sich seiner Verfügungsgewalt.[24] «Du sollst nicht töten!» (Ex 20,13) bleibt eine unabweisbare moralische Forderung und ist für den Gläubigen ein Gebot Gottes. Die Euthanasie zu akzeptieren, mehr noch zu legitimieren, wäre kein Fortschritt, sondern ein ernster Rückschritt für unsere Gesellschaft.[25]

Hierzu gibt es – bis auf folgende erklärende Bemerkungen – kaum etwas hinzuzufügen. «Zuzulassen, dass man einen Patienten töten könne, auch wenn dieser es wünscht, würde das unerlässlich notwendige Vertrauen in menschliche Beziehungen, wie die des Kranken zu seiner Familie und die des Kranken und seiner Familie zum medizinischen Team, zerstören.»[26] Diese Verantwortung an die Ärzteschaft zu delegieren, würde bedeuten, ihr in der Gesellschaft eine exorbitante Macht über das Recht zu geben. «Der sanfte Tod», der einigen gewährt wird, könnte für viele Kranke zur Quelle einer nicht beherrschbaren Todesangst werden.

Bisweilen möchte man die Euthanasie damit rechtfertigen, dass der Leidende sie wünsche. Ohne Zweifel müssen wir den Menschen, der sich so äußert, hören. Es ist zentral, seine Leiden und seine Hoffnungslosigkeit, sein Gefühl, jeden Wert verloren zu haben, besser wahrzunehmen. Denn nur dann kann man diesen Menschen besser unterstützen, die Zuneigung zeigen, die man für ihn hegt, und ihm

---

[24] Vgl. Glaubenskongregation, Euthanasie (s. Anm. 5), 7.
[25] Mit dem Begriff «Euthanasie» bezeichnen wir jede Handlung oder Unterlassung, deren Ziel es ist, den Tod herbeizuführen, um so jeden Schmerz oder andere Form des Leidens zu beenden, bzw. zu unterdrücken. Vgl. Glaubenskongregation, Euthanasie (s. Anm. 5), 8.
[26] Conseil Permanent de l'Épiscopat Français, Note sur l'euthanasie, in: DC 1976, Nr. 1702, 723.

wieder einen Anschluss an die Welt der Lebenden ermöglichen. Viele unterstreichen die Tatsache, dass der überwiegende Teil der Bitten um Euthanasie Rufe nach Wertschätzung durch andere und nach Liebe sind.[27] Wird unsere Gesellschaft darauf mit einer Geste des Todes antworten?

Wäre in einigen Fällen der künstlich herbeigeführte Tod aber nicht ein Akte des Erbarmens? Wir haben das schwere Schicksal mancher Familien und Pflegenden gesehen und ihre angstvollen Fragen gehört. Wir wissen, dass der Gedanke und der Wunsch aufkommen kann, das Leiden des Sterbenden um jeden Preis zu verkürzen. Leider werden solche Situationen weithin für Kampagnen ausgenutzt, die die öffentliche Meinung beeinflussen sollen.

Das Erbarmen ist ein sehr tiefes menschliches Gefühl der Aufmerksamkeit und Sensibilität für das Leiden eines Mitmenschen. Es kann aber verschiedene Formen annehmen.

Einige verstehen Erbarmen heute so, dass sie sich derart vom Leiden des anderen vereinnahmen lassen, so dass sie nichts als dieses sehen. Das wahre Erbarmen, das die Bezeichnung «Mitleid» verdient,[28] ist aber die Hoffnung nach Gemeinschaft mit dem leidenden Menschen, auch auf die Gefahr hin, eben wegen dieser Nähe selbst zu leiden.

Manche lassen sich von den Veränderungen erschüttern, die der andere erleidet, die sein Aussehen betreffen und es entstellen. Der mitleidende Mensch aber sucht, wie immer auch das Äußere sei, die Würde des Mannes oder der Frau, die Bruder und Schwester in der Menschenfamilie und Sohn oder Tochter Gottes ist und bleibt.

Andere kommen, bewegt durch eine Form des Erbarmens, zu der Aussage, dass die Existenz des anderen nicht mehr menschlich sei, nicht mehr vergleichbar mit der unseren. Der mitleidende Mensch aber erkennt die Menschlichkeit selbst in Zuständen, die er für sich selbst nicht wünscht. Ein Erbarmen, das am Wert des anderen und seines Lebens verzweifelt, verneint sich selbst, und dies kann bis zur Tötung führen. Ein Erbarmen aber, das wahrhaft Mitleiden ist, sucht demütig zu lieben.

Es gibt heute Menschen – Ärzte, Krankenpfleger, Schwestern und sogar nahe Angehörige –, die in einigen Fällen das Leben des Menschen beenden, den sie eben noch versorgten. In der überwiegenden Zahl der Fälle geben sie an, «aus Gewissensgründen» gehandelt zu haben. Wir wollen dazu die folgenden Anmerkungen machen, wobei es uns nicht darum geht, uns über diese Menschen zu erheben: Wer sich auf sein Gewissen beruft, muss auch seine Verantwortung anerkennen, er muss bereit dazu sein, seine Beweggründe und Taten zu verantworten; vor sich selbst, vor den Menschen, vor den geltenden Gesetzen und in letzter Instanz vor Gott.[29] Auch ist jeder gehalten – besonders in solch schweren Entscheidungssituationen –, sich aufrichtig und mit Klarheit zu befragen: Kann ich bestätigen, dass mein Gewissen nicht abgestumpft ist? Habe ich genügend reflektiert, Rat eingeholt und mich von allem, was mein Urteil trüben könnte, zu befreien versucht? Der Mensch ist wohl *verantwortlich vor* seinem Gewissen, er ist aber auch *verantwortlich für* sein Gewissen.[30]

---

27 Vgl. *R. Sebag-Lanoe*, Les derniers actes du vivant, in: *E. Hirsch* (s. Anm. 8), 82.
28 Vgl. Commission Familiale de l'Episcopat Français, Vie et mort (s. Anm. 15), 1128.
29 Vgl. Vaticanum II., Die Kirche in der Welt von heute (GS), Nr. 17.
30 Vgl. Les Evêques de France, Catéchisme pour Adultes, 1991, Nr. 501–502, 296–197.

Wir sind fest davon überzeugt, dass das Gesetz die Euthanasie nicht billigen, geschweige denn legitimieren darf. Andere moralische Autoritäten sind der gleichen Überzeugung, und wir verweisen auf ihre Erklärungen.[31] Diejenigen, die eine Verantwortung in der Gesetzgebung tragen, weisen wir auf Folgendes hin: Sie werden – falls sie Ausnahmeregelungen planen für bestimmte, außergewöhnliche Situationen, in denen das Gesetz schweigen solle – nicht verhindern können, dass es zu sehr viel weitreichenderen negativen Folgen kommen wird, als sie jetzt vorhersehen.[32]

Des weiteren und grundlegender sind wir der Überzeugung, dass niemand sich das Recht zubilligen kann, über das Leben eines anderen Menschen zu verfügen, noch einem anderen dieses Recht gewähren kann, ohne Gefahr zu laufen, die Fundamente der Rechtsordnung zu zerstören.[33] Die Achtung vor dem Menschen, der an der Schwelle des Todes steht, auch und besonders, wenn er an sich selbst verzweifelt und seinem Leben keinen Wert mehr zumisst, muss andere Wege gehen.

Ein Weg der Brüderlichkeit

Wir sind uns bewusst, welche große Aufgabe es zu erfüllen gilt und dass sie für unsere Gesellschaft wahrlich eine Herausforderung darstellt.

Die Mitarbeiter in den Heil- und Pflegeberufen stehen an vorderster Front. Wir rufen sie eindringlich auf, ihre ethische Reflexion weiter zu verfolgen und zu vertiefen. Sie tragen eine schwere Last. Diese muss von denen erkannt werden, die Verantwortung in der Gesundheitspolitik tragen, mit allen damit verbundenen Konsequenzen, besonders was die Ausbildung, die Personalbedarfsplanung und die notwendigen Veränderungen in den Einrichtungen des Gesundheitswesens angeht.

Unsere Gesellschaft hat die Tendenz, den Tod zu verdrängen und die Alten, Schwerkranken und Sterbenden an den Rand zu schieben. Um diesen Prozess der Ausgrenzung zu beenden, ist von jedem Menschen gefordert, sich in die Wahrheit unserer «conditio humana» einzuordnen und der Perspektive des eigenen Todes in seinem Leben einen Platz zu geben.

Dabei tragen die Christen eine besondere Verantwortung. Sie gehören durch den Glauben Christus an, der den Tod besiegt und der Menschheit den Weg zu einem neuen und verklärten Leben geöffnet hat.[34] So sollen die Christen in der Welt Zeugen ihrer Hoffnung sein. Seit jeher haben die christlichen Familien dafür Sorge getragen, im Augenblick des Abschiedes bei ihren nahen Angehörigen zu sein; sei es auch stumm und hilflos. Diese Tradition muss mehr denn je erhalten bleiben oder, wenn es nötig ist, wiederentdeckt werden. Wir wollen die Mitarbeiterinnen und Mitarbeiter der katholischen Krankenhausseelsorgedienste, die Priester und Ordensleute in ihrem Dienst ermutigen und die Sendung, die ihnen anvertraut wurde, bekräftigen. Indem sie sich mit ganzem Herzen der Begleitung der Kranken

---

[31] Vgl. besonders: Erklärung der Kommission der Europäischen Bischöfe vom 06.06.1990; Avis du Comité Consultatif National d'Ethique, 24.06.1991; Communiqué du Conseil National de l'Ordre des Médicins, 04.06.1991; Voeu de l'Academie Nationale de Médicine, 11.06.1991; Communiqué de la Société Française d'Accompagnement et des Soins Palliatifs, Juni 1991. Vgl. DC 1991, Nr. 2034, 793–796.
[32] Vgl. Conseil Permanent de l'Episcopat Français, Note (s. Anm. 26), 723.
[33] Vgl. Die Deutschen Bischöfe, Das Lebensrecht des Menschen und die Euthanasie, 01.06.1975, in: Sekretariat der Deutschen Bischofskonferenz (Hrsg.), Die deutschen Bischöfe (4); und: Glaubenskongregation, Euthanasie (s. Anm. 5), 8.
[34] Les Evêques de France, Catéchisme, (s. Anm. 30), Nr. 646, 396; allgemeiner: 365–388.

und ihren Familien und dem seelsorgerischen Beistand in den letzten Lebenstagen widmen, legen sie ein Zeugnis für Glauben und Menschlichkeit ab, das heute überaus kostbar ist.[35]

Die aufmerksame Gegenwart bei einem Menschen, der seinen letzten Weg geht, ist – wie wir wohl wissen – eine leidvolle Erfahrung. Wer seine Ängste zurücklassen und sich so verfügbar machen konnte, erkannte jedoch, dass er noch mehr empfängt als gibt. In jedem Fall ist dieser Beistand eine der höchsten Formen der Brüderlichkeit. Wir dürfen denen, die ein wahrhaftes Zeugnis des Mitleidens mit Menschen ablegen konnten, die all das, was sie hatten und all die, die sie liebten, zurücklassen mussten, als Zeugen des Evangeliums mit den Worten Christi sagen: «Amen, ich sage Euch: Was ihr für einen meiner geringsten Brüder getan habt, das habt ihr mir getan» (Mt 25,40).

---

[35] Conseil Permanent de l'Episcopat Français, Note (s. Anm. 26), 724.

Autoren

Chappuis Charles, Dr. med., Chefarzt I, Zentrum Geriatrie-Rehabilitation, Zieglerspital, CH-3001 Bern.

Demmer Klaus, Dr. theol., Prof. für Moraltheologie an der Gregoriana, Via della Pace 20, I-00186 Roma.

Gula Richard M., Ph. D., Prof. of Moral Theology, Franciscan School of Theology, Graduate Theological Union, Berkeley CA 94709, USA.

Holderegger Adrian, Dr. theol., Prof. für Moraltheologie, Moraltheologisches Institut, Rue St-Michel 6, CH-1700 Fribourg.

Keenan James S. J., Ph. D., Prof. of Moral Theology, Weston Jesuit School of Theology, 3 Phillips Place, Cambridge MA 02138-3495, USA.

Koch Hans-Georg, Dr. jur., Referat Recht und Medizin, Max-Planck-Institut für ausländisches und internationales Strafrecht, Günterstalstr. 73, D-79100 Freiburg i. Br.

Kopfensteiner Thomas, Ph. D., Prof. of Moral Theology, Fordham University, Department of Theology, Rose Hill Campus, 441 East Fordham Road, Bronx NY 10458, USA.

Mendiola Michael, Ph. D., ass. Prof., Pacific School of Religion, Graduate Theological Union, Berkeley CA, USA.

Riklin Franz, Dr. jur., Prof. für Strafrecht, Juristisches Seminar, Miséricorde, CH-1700 Fribourg.

Scheidegger Daniel, Dr. med., Prof. für Anästhesie, Vorsteher Departement Anästhesie der Universitätskliniken, Kantonsspital, CH-4031 Basel.

Schöne-Seifert Bettina, Dr. med., M. A. (Georgetown University), Ethikzentrum der Universität Zürich, Zollikerstr. 117, CH-8008 Zürich.

Siep Ludwig/Quante Michael, Prof. Dr. phil./Dr. phil., Philosophisches Seminar, Domplatz 23, D-48143 Münster.

Wiesing Urban, Dr. med., Dr. phil., Professor für Ethik in der Medizin, Keplerstr. 15, D-72074 Tübingen.

Wils Jean-Pierre, Dr. phil., Dr. theol., Prof. für Moraltheologie an der Katholieke Universiteit Nijmegen, Erasmusplein 1/14.09, NL-6525 Nijmegen.

Wöbker Gabriele/Bock Wolfgang J., Dr. med./Prof. Dr. med., Neurochirurgische Klinik, Moorenstr. 5, D-40225 Düsseldorf.

Wolbert Werner, Dr. theol., Prof. für Moraltheologie an der Kath.-Theol. Fakultät der Universität Salzburg, Universitätsplatz 1, A-5020 Salzburg.

Wolf Jean-Claude, Dr. phil., Prof. für Ethik und politische Philosophie, Philosophisches Seminar, Miséricorde, CH-1700 Fribourg.

Zimmermann-Acklin Markus, Dr. theol., Moraltheologisches Institut, Rue St-Michel 6, CH-1700 Fribourg.

Studien zur theologischen Ethik
Etudes d'éthique chrétienne

Herausgegeben vom Moraltheologischen Institut der Universität Freiburg i. Ue.
unter der Leitung von
Adrian Holderegger (dt. Abteilung) und *Roger Berthouzoz* (franz. Abteilung)

Lieferbare Titel:

5. HOLDEREGGER Adrian, Suizid und Suizidgefährdung. Humanwissenschaftliche Ergebnisse – anthropologische Grundlagen, 1979, 380 S.
13. SPICQ Ceslas, Connaissance et Morale dans la Bible, 1985, 188 p.
14. PINCKAERS Servais, Le Sources de la morale chrétienne. Sa méthode, son contenue, son histoire, 3ème ed. 1993, 536 p.
18. RAUCHFLEISCH Udo, Psychoanalyse und theologische Ethik. Neue Impulse zum Dialog, 2. Auflage 1994, 216 S.
19. PINCKAERS Servais, Ce qu'on ne peut jamais faire. La question des actes intrinsèquement mauvais. Histoire et discussion, 2ème ed. 1995, 144 p.
23. DEMMER Klaus, Leben in Menschenhand. Grundlagen des bioethischen Gesprächs, 1987, 172 S.
25. FUCHS Josef, Für eine menschliche Moral. Grundfragen der theologischen Ethik, Band I: Normative Grundlegung, 1988, 340 S.
26. FUCHS Josef, Für eine menschliche Moral. Grundfragen der theologischen Ethik, Band II: Ethische Konkretisierungen, 1989, 316 S.
27. DEMMER Klaus, Moraltheologische Methodenlehre, 1989, 228 S.
28. CHRISTOFFER Uwe, Erfahrung und Induktion. Zur Methodenlehre philosophischer und theologischer Ethik, 1989, 232 S.
29. PINCKAERS Servais, L'Evangile et la morale, 1990, 2ème ed. 1991, VIII-296 p.
30. BONDOLFI Alberto, Ethik und Selbsterhaltung. Sozialethische Anstöße, 1990, 192 S.
32. RINGELING Hermann, Christliche Ethik im Dialog. Beiträge zur Fundamental- und Lebensethik II, 1991, XII-264 S.
34. SCHRAMM Michael, Prozeßtheologie und Bioethik. Reproduktionsmedizin und Gentechnik im Lichte der Philosophie A. N. Whiteheads, 1991, 332 S.
35. DECKERS Daniel, Gerechtigkeit und Recht. Eine historisch-kritische Untersuchung der Gerechtigkeitslehre des Francisco de Vitoria (1483–1546), 1991, 432 S.
36. FUCHS Josef, Für eine menschliche Moral. Grundfragen der theologischen Ethik, Band III: Die Spannung zwischen objektiver und subjektiver Moral, 1991, 144 S.
37. PINTO DE OLIVEIRA Carlos-Josaphat (Ed.), Novitas et veritas vitae. Aux sources du renouveau de la morale chrétienne. Mélanges offerts au Professeur Servais Pinckaers à l'occasion de son 65ème anniversaire, 1991, XII-236 p.

38. HUGUENIN Marie-Joseph, L'expérience de la miséricorde divine chez Thérèse d'Avila, 2ème ed., 1993, XVIII-322 p.
39. WITSCHEN Dieter, Gerechtigkeit und teleologische Ethik, 1992, 232 S.
40. EGO Werner, Abschied von der Moral. Eine Rekonstruktion der Ethik Robert Musils, 1992, 392 S.
41. MIETH Dietmar (Hrsg.), Christliche Sozialethik im Anspruch der Zukunft. Tübinger Beiträge zur Katholischen Soziallehre, 1992, 188 S.
42. PINTO DE OLIVEIRA Carlos-Josaphat, Ethique chrétienne et dignité de l'homme, 1992, XX-360 p.
43. AMMICHT-QUINN Regina, Von Lissabon bis Auschwitz. Zum Paradigmawechsel in der Theodizeefrage, 1992, 324 S.
44. WOLBERT Werner, Vom Nutzen der Gerechtigkeit. Zur Diskussion um Utilitarismus und teleologische Theorie, 1992, 184 S.
45. HIRSCHI Hans, Moralbegründung und christlicher Sinnhorizont. Eine Auseinandersetzung mit Alfons Auers moraltheologischem Konzept, 1992, 236 S.
46. ERNST Wilhelm (Hrsg.), Gerechtigkeit in Gesellschaft, Wirtschaft und Politik, 1992, 196 S.
47. LOB-HÜDEPOHL Andreas, Kommunikative Vernunft und theologische Ethik, 1993, 440 S.
48. KISSLING Christian, Gemeinwohl und Gerechtigkeit. Ein Vergleich von traditioneller Naturrechtsethik und kritischer Gesellschaftstheorie, 1993, 580 S.
50. DEMMER Klaus, Gottes Anspruch denken. Die Gottesfrage in der Moraltheologie, 1993, 184 S.
51. GÖBEL Wolfgang, Der Wille zu Gott und das Handeln in der Welt. M. Luther – Johannes v. Kreuz – I. Kant, 1993, 216 S.
52. WOLF Jean-Claude, Utilitarismus, Pragmatismus und kollektive Verantwortung, 1993, 204 S.
53. LESCH Walter/LORETAN Matthias (Hrsg.), Das Gewicht der Gebote und die Möglichkeit der Kunst. Krzysztof Kieslowskis «Dekalog»-Filme als ethische Modelle, 1993, 240 S.
54. GERMANN Hans Ulrich/KAISER Helmut/LEIBUNDGUT Hektor/ SCHÄR Hans Rudolf (Hrsg.), Das Ethos der Liberalität. Festschrift für Hermann Ringeling zum 65. Geburtstag, 1993, 356 S.
55. HOLDEREGGER Adrian, Grundlagen der Moral und der Anspruch des Lebens. Themen der Lebensethik, 1995, 344 S.
56. PINTO DE OLIVEIRA Carlos-Josaphat, Contemplation et libération. Thomas d'Aquin – Jean de la Croix – Barthélemy de Las Casas, 1993, 156 p.
57. ZELINKA Udo, Normativität der Natur – Natur der Normativität. Eine interdisziplinäre Studie zur Frage der Genese und Funktion von Normen, 1994, 244 S.
58. RINGELING Hermann, Freiheit und Liebe. Beiträge zur Fundamental- und Lebensethik III, 1994, 216 S.

59. FRALING Bernhard, hrsg. v. Andreas-P. Alkofer, Vermittlung und Unmittelbarkeit. Beiträge zu einer existentialen Ethik, 1994, 452 S.
60. RÖMELT Josef, Anthropozentrische Aporie und christliches Gewissen, 1994, 156 S.
61. WOLBERT Werner (Hrsg.), Moral in einer Kultur der Massenmedien, 1994, 112 S.
62. BERTHOUZOZ Roger/PAPINI Roberto, Ethique, économie et développement. L'enseignement des évêques des cinq continents (1891–1991), 1995, 272 p.
63. MUNONO Bernard M., Eglise, évangélisation et promotion humaine. Le discours social des évêques africains, 1995, 288 p.
64. SIREGAR Emmanuel, Sittlich handeln in Beziehung. Geschichtliches und personales Denken im Gespräch mit trinitarischer Ontologie, 1995, 412 S.
65. FONK Peter, Glauben, handeln und begründen. Theologische und anthropologische Bedingungen ethischer Argumentation, 1995, 248 S.
66. AUER Alfons, Zur Theologie der Ethik. Das Weltethos im theologischen Diskurs, 1995, 308 S.
67. DEMMER Klaus, Christliche Existenz unter dem Anspruch der Rechts. Ethische Bausteine der Rechtstheologie, 1995, 220 S.
68. ANDAVO Julien A. B., La responsabilité négro-africaine dans l'accueil et le don de la vie. Perspectives d'inculturation pour les époux chrétiens, 1996, 192 p.
69. BERTHOUZOZ Roger/PAPINI Roberto/PINTO DE OLIVEIRA Carlos-Josaphat/ SUGRANYES DE FRANCH Ramon (Ed.), Economie et développement. Répertoire des documents épiscopaux des cinq continents (1891–1991), 1997, XL-812 p.
70. GÖBEL Wolfgang, Okzidentale Zeit. Die Subjektgeltung des Menschen im Praktischen nach der Entfaltungslogik unserer Geschichte, 1996, 360 S.
71. ARNTZ Klaus/SCHALLENBERG Peter (Hrsg.), Ethik zwischen Anspruch und Zuspruch. Gottesfrage und Menschenbild in der katholischen Moraltheologie. Festschrift für Klaus Demmer zum 65. Geburtstag, 1996, 368 S.
72. HOLDEREGGER Adrian (Hrsg.), Fundamente der Theologischen Ethik. Bilanz und Neuansätze, 1996, 520 S.
73. WEISS Andreas M., Sittlicher Wert und nichtsittliche Werte. Zur Relevanz der Unterscheidung in der moraltheologischen Diskussion um deontologische Normen, 1996, 360 S.
74. FUCHS Josef, Für eine menschliche Moral. Grundfragen der theologischen Ethik, Band IV: Auf der Suche nach der sittlichen Wahrheit, 1997, 268 S.
75. MÖHRING-HESSE Matthias, Theozentrik, Sittlichkeit und Moralität christlicher Glaubenspraxis. Theologische Rekonstruktionen, 1997, 536 S.
76. MIETH Dietmar, Moral und Erfahrung II. Entfaltung einer theologisch-ethischen Hermeneutik, 1998, 272 S.

77. DECKERS Daniel, Scholastische Wirtschaftsethik im spanischen «siglo de oro». Mit einem Repertorium, 1998, in Vorbereitung.
78. BUGELLI Alexandrine, Vincent de Paul. Une pastorale du pardon et de la réconciliation. La confession générale, 1997, 416 p.
79. ZIMMERMANN-ACKLIN Markus, Euthanasie. Eine theologisch-ethische Untersuchung, 1997, 496 S.
80. HOLDEREGGER Adrian (Hrsg.), Das medizinisch assistierte Sterben. Zur Sterbehilfe aus medizinischer, ethischer, juristischer und theologischer Sicht, 1999, 428 S.

UNIVERSITÄTSVERLAG FREIBURG SCHWEIZ
VERLAG HERDER FREIBURG - WIEN